TASCABILI BOMPIANI

257

ROMANZI
E RACCONTI

Dello stesso autore
presso Bompiani

RIMINI
CAMERE SEPARATE
L'ABBANDONO
DINNER PARTY
BIGLIETTI AGLI AMICI
IL MESTIERE DI SCRITTORE

Pier Vittorio Tondelli
Un weekend postmoderno

Cronache dagli anni ottanta

Nota di Fulvio Panzeri

ISBN 88-452-5035-0

Via Mecenate 91 - Milano

VII edizione Tascabili Bompiani giugno 2005

INDICE SOMMARIO

AVVERTENZA

Gli scritti che compongono questo volume sono apparsi, nell'arco di dieci anni, sulle seguenti testate: *Alter Alter*, *Antiquariato*, *Arte*, *Babilonia*, *Chorus*, *Corriere della Sera*, *L'Espresso*, *Europeo*, *Flash Art*, *L'Illustrazione Italiana*, *Linus*, *Lei*, *La Repubblica*, *Il Resto del Carlino* e il suo ex supplemento *Striscie & Musica*, *Reds*, *Rockstar*, *Weekend*. Ho inserito anche articoli commissionati e mai pubblicati, oppure apparsi su rivistine occasionali, numeri 0, fanzine underground, il cui mancato reperimento ha reso impossibile citarne qui il nome esatto.

Alcuni testi sono già apparsi in volume. È il caso della presentazione e della discussione del progetto Under 25, dello scritto *Cabine! Cabine!*, che appariva nel catalogo della mostra *Ricordando fascinosa Riccione*, del testo su John Fante, che presentava il romanzo *Sogni di Bunker Hill*, e di quello su Gilberto Severini, pubblicato in appendice a *Sentiamoci qualche volta*.

Delle stesure originarie la riscrittura attuale ha cercato di conservare i tic stilistici, gli entusiasmi, il ritmo, anche l'ingenuità o la passione descrittiva, ora correggendo, ora tagliando, in alcune occasioni applicandosi a un vero e proprio restauro. E nei casi in cui tutto ciò si è dimostrato impossibile, anche per evitare ripetizioni, si è gettato tutto e ci si è rimessi, pazientemente, alla scrivania. Per questo, molte sezioni di *Un weekend postmoderno* sono da considerare totalmente inedite.

Anche a nome dell'editore, vorrei ringraziare i numerosi amici che mi hanno assistito nelle varie fasi del lavoro. Un grazie particolare agli artisti, ai gruppi musicali e teatrali che, con le loro immagini, hanno fornito il materiale per l'apparato iconografico realizzato da Juan Gatti.

P.V.T.

1. SCENARI ITALIANI

2. RIMINI COME HOLLYWOOD

3. SCUOLA

4. AFFARI MILITARI

5. UN WEEKEND POSTMODERNO

6. FAUNA D'ARTE

7. FREQUENZE ROCK

8. UNDER 25

9. VIAGGI

10. GEOGRAFIA LETTERARIA

11. AMERICA

12. GIRO IN PROVINCIA

1

SCENARI ITALIANI

A KARPI! A KARPI!

Accidenti, sembra proprio che i poveracci correggesi della razza mia, l'abbiano sempre urlato così il sogno di una realizzazione *prêt-à-porter* lesta e facile a raggiungersi, il mito di un decollo in verticale senza nessuna pista di allungo o di rullaggio, una volta accesi i motori, via!, zummm!, in alto più veloce della luce!

Cazzo, sempre urlato e sbraitato nelle mie orecchie bambinette: "Ah, i carpigiani, una ne fanno, mille ne strologano, dannati loro. Ah, quei matti carpigiani, lussuosi e ben prestanti!" Così dicevano nelle riunioni di famiglia, e gli occhi si volgevano a una certa zia sposata in seconde nozze proprio lì, al top di quel famoso e altrettanto mitico bim-bum-bam economico, ora proprio scoppiato-scoppiato e deflagrato come il cervello di quei freak sopravvissuti che ancora si incontrano ai concerti, e fa proprio pena vederli conciati così, ché i tempi sono passati e loro non si danno pace neanche un po'...

Insomma, non la si capiva fino in fondo questa faccenda della zia, perché lei, mica sembrava poi passarsela tanto bene, checché ne dicessero i correggesi: annuiva e sorrideva, certo, però... Così mentre i commensali di quei pranzi contadini e campagnoli gracchiavano e imprecavano e bestemmiavano e si dispiacevano tanto tanto di contarsi al borgo da cent'anni sempre nello stesso numero, manco una nascita in più, un due per cento di avanzamento nel reddito pro capite, nulla, niente, non un cazzo (mentre invece a pochissimi chilometri decollava, ah se decollava, la Carpi in maglia rosa, senza fatica, senza lacrime, oplà!), io succhiavo e tettavo e crescevo e, anche se proprio non mi era permesso di ritenere che qualsiasi accumulo di kapitale in fondo passa sempre attraverso le mille e cento variegate vibrazioni dello sfruttamento, già avevo fatto mio il grido d'arrembaggio, cioè: "A Karpi! A Karpi!"

La stessa cosa sembra succedesse, più o meno negli stessi anni, a gran parte delle pollastrelle correggesi. C'era un cazzo da fare: che noi giovincelli continuassimo imperterriti a dar legnate e bastonate ai colleghi cestisti della Kennedy o della Patria, dimostrando, alla fine delle cose, dove risiedessero supremazia fisica e prestanza atletica e tocco di classe (per non buttarla sul fattaccio della virilità, ah ah!); che i boy nostrani dragassero tutte quante le balere della bassa carpigiana e battessero tutto quanto il territorio e il comprensorio con interventi e/o strumenti nient'affatto avulsi dal contesto, ramazzando dunque in grande quantità tacche e tacchettone sul calcio della Smith & Wesson che indubbiamente parlavano da sole e provavano quel che c'era da provare; che infine i *warriors* di casa nostra imbrattassero certi monumenti equestri e statue sparse ai giardini delle Rimembranze, dimostrando, se non proprio gran rispetto della storia patria, almeno un fervido talento culturale e riportando quei marmi ai tempi in cui tutte le Veneri erano dipinte e tutti gli Apolli colorati e tutti i Fidia in technicolor; insomma, concludendo: niente da fare. Scorrerie, scorrazzate e scorribande a parte, loro, le girl, continuavano imperterrite la fregola dell' "A Karpi! A Karpi!". E i nostri giovanotti, dietro.

Per tirarla in breve, è indubbio che questa benedetta piazza grande di Carpi sia da sempre, per la mia razza reggiana, lo spazio magico di una soggezione, se non proprio il margine di una rivalità in campo aperto fra ghenghe di giovani Holden cresciute, però, l'una al buio di bottegucce artigiane, fra l'odore delle colle, dei legnami e della terra concimata, e l'altra invece tra i filati e la bambagia e il pigiamino per notti splendenti e alacri e industriose, in cui il giorno dopo ci si sveglia sempre più ricchi, più contenti e più felici. E questo scarto fra oscurità e silenzio e rigore da una parte, e dall'altra invece luce, sound e calore (come se tutta la centrifuga forza Yin dell'universo macrobiotico e biologico si fosse condensata là, e a noi restasse solamente la sfigata e centripeta energia Yang), lo scarto, dicevamo, lo si avvertiva soprattutto negli anni davvero passati dell'apprendistato, quando la composizione delle sezioni del liceo-ginnasio non obbediva all'autarchia più bieca, e quindi a Correggio capitava sempre una certa crema carpigiana che seguiva i cineforum e brechtianamente partecipava al cartellone teatrale, e stravedeva per Frank Zappa, dava del tu a Sua Maestà l'inconscio e alla pallina del baseball, nonché ai pistoni del due ruote parcheggiato proprio lì davanti alla scuola, sulla piazzetta del Rinaldo Corso.

Quelli di Carpi portarono *Linus* in angloamericano, il primo Genesis, il primo Rocchi, il primo *Per voi giovani*, il primo *Manifesto* (sempre per non buttarla sul primo KTM, primo Barrow's, primo Levi's, primo revival, prima Severa maglieria...); non credo, però, portassero il primo fumo o i primi acidi, no, accidenti a loro, ci avrebbero risparmiato tempo e crescita di barbacapelli, ma va be', non confondiamo ora le carte in tavola...

La rassegna d'essai del cinema Modernissimo la conoscemmo anni fa al Supercinema, in certi minori e giovanili pomeriggi in cui non c'era voglia di studiare, ma solo di imparare: per essere onesto fino in fondo, ricordo molto di più la galleria del Moderno, una tutto sommato onesta palestra di esercizio *cinéphile*, anche se ora fa un po' pietà e fa cadere la ganascia per quell'aria insoddisfatta di svacco pubblico che prende tutto il portico e il corridoio e i baffi della fauna che lì staziona, tirandosi i coglioni e spidocchiandosi le trecce e borbottando un po' scazzata: "Insomma c'è da fare anche questa, e allora facciamola, cazzo!" Come se la gloriosa rassegna fosse diventata un appuntamento irrinunciabile, e quindi, in fin dei conti, tedioso e avvilente come, d'altronde, ogni interessante avvenimento che una volta sputtanato sull'*Espresso* diviene obbligo sociale e kulturale... Mentre solo pochi anni prima, accidenti, la voglia di cinema la si respirava nell'aria e nella faccia delle persone e nelle chiacchierate e nelle sigarette che si potevano fumare: e insomma, senza finire sempre nell'insopportabile manicheismo per cui tutto il buono è sempre nel decennio che fu, anche questo porta a una piccola verifica dei tempi di rincoglionimento generale che viviamo e a cui nessuno, sia ben chiaro, si sottrae.

Si accennava anche al teatro. È vero. Alberto Lionello, Silvano Spadaccino, Giorgio Gaber, Eduardo De Filippo, Mario Ricci, *Mein Kampf*, Teatro Insieme e Gruppo della Rocca li conoscemmo tutti e per la prima volta lì, in Piazza Martiri, non solo perché lo

Stabile correggese doveva ancora farsi il maquillage, ma soprattutto perché lì, a Carpi, i prezzi erano davvero bassi e popolari, e per sole cinquemila lire vedevi ben dieci spettacoli e, inoltre, la direzione forniva il pullman che dragava la bassa e ci riaccompagnava poi la sera tardi a casa; ed era un po' come essere davvero il "soggetto sociale emergente" degli anni settanta: bastava pronunciare: "Sono studente!", che ti aprivano tutte le regge culturali, anche a Venezia per quella Biennale riformata che costava, nel 1974, cento lire a spettacolo, e c'era davvero una bella fauna al dopolavoro ferroviario o a Palazzo Grassi o all'Arsenale o in Campo Santa Margherita, mica come lo scorso settembre, che, per vedere stronzate hollywoodiane, dovevi fare la coda per ore e litigarti il posto e sbigliettare dieci carte come ridere e magari capitava di incontrare il solito sopravvissuto che gridava: "Sono studente!", e strappolava col libretto e il tesserino, però non lo filava nessuno e tutti lo evitavano come un derelitto appestato: accidenti a te che non hai capito i tempi duri!

A Carpi, comunque, per tirare le somme, molti come me ci sono da sempre venuti per svernare dal grigiore del nostro borgo a colpi di teatro e di cinema, come già detto, ma anche di beveraggi e birre di prima classe e chiacchierate per tutta la notte in quella piazza magica coi tavoli all'aperto e le tiracazzi che scendevano dai cabriolet come se avessero davanti l'Academy di Los Angeles o il Sunset Boulevard o il Grand Palais di Cannes o che so io: mica, in definitiva, un pugno di spiantati che beveva perché attorno alle vacche grasse c'è sempre da fare il coyote, insomma spacciare lucciole per lanterne; ma le tiracazzi carpigiane, niente: avanzavano il loro cicaleccio e cinguettavano fra i calici di brût e sorridevano smaglianti e, ostia, mancava solo la battuta di un amico mio – "Tutto ciò è Fitzgerald signori!!!" – per incazzarsi poi davvero e lasciare il tavolo e il conto da pagare e rientrare, maledicendo la provincia tutta quanta, Carpi in primo luogo: affanculo!

Ora che i tempi sono davvero passati e i miti infognati e la gente intorno si è sposata o è sparita o tira a campare su per i cieli d'Emilia, ora di Carpi è rimasto quel che è giusto dovesse rimanere al di fuori del sogno scorreggione per cui solo a Carpi potevano succedere quelle cose che succedono, e anche le operaie avere il pellicciotto e ogni bottegaio la sua villa e ogni lustrascarpe il proprio yacht... E viene un po' da pensare nel vedere un circolo di melomani etichettarsi col gran nome di un vivente, come si fossero d'un tratto avviati i tempi per dedicare strade e piazze a chi s'incontra in strada e scoprire monumenti all'amico del bar o intitolare cineclub a un tale che si è conosciuto anni fa e che poi, lasciato al suo destino, ha fatto strada: e insomma a Carpi, grande cuor cortese della provincia industriosa e frizzantina e tutta Yin, c'è posto per tutti, basta stringere le spalle.

Così a Carpi si continua a emigrare dal borgo: chi per la balera tutta febbre malaticcia, chi per i tavoli della grande piazza, chi per i drink del King of the Kings, chi per le proiezioni del "nuovo cinema tedesco", chi per le giornate di poesia organizzate da un collega di scuola correggese, che qui riveriamo e salutiamo ecc. ecc. Nello stesso tempo, i freakkettini carpigiani cercano le maxibirre a cinquecento lire dall'Aroldo, nella Fifth Avenue correggese sempre più ristrutturata e ridipinta e illuminata con agenzia viaggi e *discothèque* e libreria a rate; e gli studentelli carpigiani alle prime armi vengono al teatro Bonifazio Asioli convogliati dai soliti e ben conosciuti pullman e da un cartellone *Gault et Millau* cucinato su misura e, insomma, a vederli può anche saltar su la malinconia di assistere a un percorso inverso e contrario, come se il testimone di borgo pilota della nostra Emilia fosse d'improvviso passato alla "corriggia" con buona pace di tutti, anche performativi, lettristi e altri libertini, che da tempo s'arrabattano, poveri, per iscrivere il paesotto sulla *Michelin* della kultura nazionale. Tutta gente, questa, di cui peraltro non racconterò, ma se ci sarà spazio e tempo e volontà, la vedrete: ah, se la vedrete...

[1980]

WARRIORS A CORREGGIO

A Correggio, una quindicina di ragazzi s'è presa la briga di fare carnevale senza avvertire nessuno, senza finanziamenti, senza manifesti per le vie del borgo o strombazzamenti in giro: nessuna radio libera ci ha messo lo zampino, nessun inviato stampa. Così un sabato pomeriggio arrivano in piazza un carro trainato da una povera ciuca, gente stranissima ma riconoscibile, due oche tenute al guinzaglio e lerce di pantano, qualche gallina che razzola fra i coriandoli e scavalca i ranghi scassati del corteo inseguita dai bambinetti che provocano, i crudeli, facendo: "Coccodè."

Davanti al carro, che ha sopra dei cestoni di vimini con frittelle e robe mangerecce e leccornie grasse e festose per le pance della gente, ci stanno due o tre tizi intabarrati e truccati con borotalco e crema Nivea che smartellano su un paio di bidoni con mazze di legno e fanno un gran casino e tutto un bum-bumbùum che la gente pensa, un po' in campana: l'FLM anche di sabato, oibò!

E invece, dietro, pifferi e flauti e campanacci e robaccia sonora e materiale-rumore e petardi e girandole e filastrocche popolari: "Venite venite, il gran carnevale a sentire." Tutta la truppa che urla, grida e sbertuccia la gente timidotta, perché in piazza ci stanno anche quelli dignitosi e fighetti che non si scomporrebbero nemmeno se arrivasse il padreterno con tutti i Troni e le Dominazioni in tenuta gran gala: be', questi se ne prendono dalle stregacce e dalle maliarde di tutti i colori, offese, spergiuri e improperi, perché, come si sa, carnevale è licenza, è corporalità, è abbassamento e digestione ed espulsione di tutto ciò che è alto e colto e gerarchico e tribunalesco. Carnevale è allacciamento di intensità fra la gente, senza nessuna distinzione, è ribaltamento e scoronazione dell'autorità: questo, almeno, scriveva Michail Bachtin, e questo sembra aleggiare sotto i portici quando due pazzi della ghenga assaltano il balcone del municipio che sovrasta il corso, spingendo una scala a pioli di dieci e passa metri, e salendovi sopra ululando come forsennati; e tutti, sotto, a reggere la scala, che se il poveretto salta giù, si rompe l'osso del collo, davvero un golpe andato molto male.

Ma dalla piazza si incita e si canta, si gettano petardi, e quello in alto legge allora, in dialetto, il *Testameint ed Carnevèl.* Si fa silenzio, state un po' a sentire: "Al sindaco bravo e onesto, auguro di sposarsi presto, un matrimonio e un bell'abbraccio, e che gli si tiri su il culo basso. Ai padroni che sudano tanto, lascio le mutande in cambio, con tanto sporco e brutti odori, così si sentiranno ancora più signori. Ai correggesi, lascio felicità per tutti questi mesi e, se non dovesse venire, mi possano pure stramaledire..." "Uaahhh", tutti giù a ghignare!

Ma la calca e il bordello, del tutto imprevisti e inattesi, fanno mobilitare vigili urbani, carabinieri e capoccioni, che arrivano, si guardano intorno un po' preoccupati, poi capiscono che è carnevale e che questi sono proprio matti, e vanno lasciati stare. E questo succede anche al termine del corso, a Porta Reggio, quando la band si arresta un poco per riposarsi e rifocillarsi, mettendo la scala d'arrembaggio per traverso e bloccando così il traffico: tutti gli automobilisti giù a stramaledire, e più bestemmiano, più li si sfotte, coglioni loro che non hanno capito i tempi della festa. Dalla guardiola esce il vigilantes urbano attirato dallo strombazzare forsennato e dai clacson in jam-session, e fa la faccia dura, vuole vedere i permessi, ma nessuno li ha: "Oheee, l'è carnevale, bello mio. Che vuoi?" E quello rimane un po' lì di merda e sorride, con i matti davanti che salameleccano e strusciano il capo per terra. E c'è anche la Buana, un tizio vestito con un grembiulone, la faccia ricoperta di cioccolata, anelli al collo, turbante in testa, i labbroni e fa la serva nera: immaginatevi un po' Ave Ninchi nella *Capanna dello zio Tom*, e il gioco è fatto.

La Buana è il travestimento che ha più successo, perché c'è la trovata del rigonfiamento del corpo ottenuto con tanti palloncini cosicché, quando i bambini l'avvicinano, lei dice: "Dieni, beddo bambino", e si sfila dalle tette e dal culone un pallone e sembra che non finisca mai. Poi si fa baciare sulle guance, e i ragazzini, assaporando la Nutella, la leccano come cagnolini. Ma ci sono anche altri travestimenti bellissimi: quello di Giorgio che pare uno sciamano, metà guru e metà Gandalf, e agita campanacci da lebbroso e getta sputi e bombette che fanno impazzire i ragazzi perché scoppiettano allegre come un bel sound; quell'altro del frate giullaretto con lo scolapasta in testa e il naso imbriacato, che sembra uscito dal Boccaccio; quello di Claudio, infine, che è un travestimento davvero molto drudo e molto fico, tuta bianca Malcom McDowell e camminata *warrior* e sberleffi alla Pinguino, il più tremendo avversario di Batman.

Gli organizzatori e gli attori di questo carnevale improvvisato escono da esperienze di lavoro teatrale, da laboratori di recitazione e di mimo, dai seminari universitari di Piero Camporesi sulla tradizione popolare in Emilia. Altri, poi, vengono da esperienze di poesia fonetica, gestuale e di arte concreta, sono in maggioranza i componenti del Simposio Differante, gruppo di lavoro estetico che partecipa a rassegne di performance e incide sulla rivista internazionale di poesia sonora *Baobab*. L'impronta culturale del gruppo è allora rintracciabile non solo nell'avere prodotto un'azione spontanea sulla falsariga della "questua", lettura cioè del testamento di carnevale di balcone in balcone in cambio di un pegno mangereccio o in vil metallo, ma anche nella professionalità con cui i ragazzi sanno muoversi e dilatarsi per le vie a lato della piazza e scompigliare negozi e terrorizzare massaie, correndo a cento all'ora e spingendo una carrozzina con dentro una gallina. Così che Carnevale si allarga come una piovra, su e giù per i borghi e le contrade e le piazzette, e ramazza bambini e gente e anche i punkettini e i dark del paese, tutti lì inaspettatamente a divertirsi.

Il corso è dunque gremito, ora: la festa conosce il suo clou. Dai bar fluisce la gente, i tamburi di latta scoppiano, i pifferi sibilano, le bombette saltano, campanacci e campanelli spaccano i timpani... Sulle facce delle persone si legge la sorpresa: tutti sanno che è carnevale, tutti l'hanno riconosciuto, tutti hanno capito al volo, però nessuno se lo aspettava. Carnevale va poi per la sua strada quando scende la sera, e il freddo di questo legnoso febbraio si fa sentire sulla pelle. Se ne vanno dunque gli istrioni, contando i soldi raccattati e distribuendo in giro gli ultimi pegni ricevuti.

Così, mentre il gran teatro della cultura istituzionalizzata scopre, d'un tratto, sul palcoscenico di Venezia, non tanto carnevale, quanto piuttosto una sua spettacolarizzazione di massa in cui si confondono festival della Biennale, seminari sulla maschera, stage sul teatro di strada, simposi sulla "commedia all'improvvisa", kermesse con dibattito, revival di antropologia culturale, in sostanza, come commenta Italo Calvino, tutto diventando "non profezia, ma solo l'evocazione di un'età perduta, mitica come tutte le età dell'oro", allora questo becero e misero e sregolato, ma divertentissimo carnevale di borgo si avvicina molto di più alla vera vita del carnevale che è, in sostanza, una maniera di viaggiare all'interno delle intensità collettive. Questo carnevale, improvvisato e autofinanziato, sembra così attaccare il vero spazio in cui vive il gesto carnevalesco, inserendosi in pieno nel suo territorio, che è, da sempre, un illimitato territorio d'infanzia: il dominio, forse non del tutto perduto, della spontaneità e del riso rigeneratore.

[1980]

L'ESTATE ROMANA

Tanti piccoli e sparsi flash per raccontarvi, ora che ormai l'autunno incombe, questa ultima e breve Estate Romana, con i suoi concerti, i circhi in piazza, le rassegne di poesia, di cantautori, di balletti e di musiche indiane, con maghi e prestigiatori, musicisti d'avanguardia e teatranti d'occasione, ma soprattutto con quel disgregato pubblico giovanile che ogni sera, davanti alla pianta della città, puntava l'indice a occhi chiusi e decideva: "Okay, stasera la sorte ci porta tutti quanti proprio... qui!" Non aveva nessuna importanza, naturalmente, che il luogo designato indicasse un film o un recital o un gioco di prestidigitazione, l'importante era la possibilità di errare attraverso le cento occasioni culturali e mondane che l'Urbe offriva, e se poi qualcuno, in serata, voleva starsene tranquillo e fare il separatista rimanendosene, diciamo, nella piazza più fuori dal giro, gli poteva capitare anche questo: sniffare l'aria, sempre più a ritmo serrato, e dilatare le narici e chiedersi pensoso: "Ma qui c'è proprio puzza di rose?"

Allora il cane sciolto si alzava e prendeva a slumare il selciato, finché non s'accorgeva di pozzanghere d'acqua schiumosa e rossastra, e allora va lì, s'inumidisce il dito, lo porta al naso e sbotta: "Oibò, ma queste sono proprio rose!" Così si avvia nauseato a un'altra piazza, si siede, s'accende la sigaretta, ma storce il naso perché, accidenti, c'è un odore strano nell'aria, un odore secco, un odore... sì, pungente... esatto, pungente come aghi di pino freschi. Ma certo, qui è tutto un pino silvestre che par di stare in un'abetaia; e in un angolo calma calma l'acquetta verdolina occhieggia impassibile, così che il nostro eroe, capito il trucco, si avvicina, fa il suo bravo esame al liquido e conclude disperato: "Ci fanno il bagnoschiuma a tutta la città." E allora erra e vaga, ma sempre aromi di cedro, di violetta, di lavanda, persino un po' di lime dei Caraibi. Ogni piazza, la sua bella insaponata.

Gli può anche capitare, un'altra sera solitaria, di essere inseguito da una musica strana che non si sa da dove esca, una musica elettronica e sussultante che tutta la gente guarda in aria, ma non sa da dove venga, e pensa persino all'FM clandestina, che trasmette dai tombini delle fogne; e, infatti, proprio dai tombini viene il sound, una partitura di John Cage, naturalmente, così come il lavaggio delle piazze con autobotti ai vari aromi era pure un'altra performance dello stesso Cage: tutte azioni previste, neanche a farlo apposta, dall'onnipresente assessorato alla cultura del comune di Roma, retto dall'architetto Renato Nicolini.

Alcune serate di brivido, una in particolare di terrore e di rabbia. Il corpo speciale della polizia municipale – che già si era annunciato una sera a far sgombrare senza mezzi termini la grande casbah di Piazza Navona, con tutti i suoi baracchini e trabiccoli e mangiafuoco e pittorucoli e musicassette e najoni in libera uscita (riuscendo per qualche tempo a ramazzare la piazza, poi pian piano tutto è tornato come prima e come sempre) – una sera ammazza, a Santa Maria in Trastevere, una ragazza ventunenne, Alberta Battistelli, trucidata alla guida della sua cinquecento, rea soltanto di non aver rispettato l'isola pedonale. I molti che si sono trovati coinvolti nella sparatoria si incontreranno nelle ore seguenti, allucinati, con gli occhi vuoti, segnati da un fatto che non ha nessuna spiegazione possibile se non il disprezzo, il razzismo e la prevaricazione nei confronti del diverso. Non basta che il sindaco Petroselli, la sera dopo, sia sul posto a tranquillizzare gli abitanti che chiedono giustizia (una giustizia che non ammazzi e che non spari); non basta che i due agenti che hanno fatto fuoco siano incriminati e arrestati. Quello che lascia perplessi, oltre all'efferatezza dell'esecuzione, è che dalla stessa giunta arrivino, nel medesimo tempo, segnali di gaiezza, convivialità e divertimento, mischiati a segnali di repressione, intimidazione e morte. In quelle sere, partecipando ai vari riti dell'Estate Romana, avevamo in pieno questo sapore schizoide in bocca, ma la festa sarebbe continuata. Alla faccia dei volantinaggi dei giovani proletari che chiedevano non mondanità ma blocco degli sfratti, degli autonomi che chiedevano la libertà di Oreste Scalzone, gravissimo in carcere, dei creativi che chiedevano più soldi per le loro iniziative e più distribuzione dei finanziamenti comunali ai gruppi autogestiti, dei radicali che stigmatizzavano la gita in barca sul Tevere come viaggio nelle fogne; alla faccia di tutti, la festa sarebbe continuata, e forse coglieva il centro proprio nel catalizzare e aizzare le contestazioni e le proteste: insomma, se qualcuno aveva da recriminare non s'incatenava al Campidoglio, ma cercava di boicottare uno spettacolo in cartellone, sintomo, dunque, che la gran festa, nel bene e nel male, è stata la vera agorà dell'Urbe, almeno per questi mesi.

Brividi molto diversi la notte in cui, con un migliaio di altri fan, eravamo nella limonaia di Villa Torlonia per ascoltare il grande cantautore irlandese Alan Stivell, l'arpa celtica illuminata da un grande faro, e l'Orsa Maggiore al gran completo alta nel cielo. Una serata davvero un po' barbara, nonostante la vegetazione mediterranea e le palme altissime e le folate di hascisc che si spandevano nell'aria. A un tratto, dal fondo del parco, s'alza un polverone, e tutti quelli che stavano dietro corrono disordinatamente in avanti, urlando non si sa bene cosa, e noi, che eravamo un po' di lato a berci Guinness naturalmente, non capiamo tanto bene le urla, le grida, i sottanoni al vento delle veterofemministe e le imprecazioni in romanesco: "Li mortacci" e "La tu' zia"...

Dopo, invece si capisce: un gruppo di giovanissimi neofascisti, bardati con drappi neri, brandendo manganelli e asce, corre velocissimo e travolge chi ha sul cammino: volano ceffoni, ma niente di più, qualche cazzotto, qualche spintone con il servizio d'ordine. A loro è bastato rompere l'atmosfera, gridando (non ci credereste): "Odino, Odinoooo!!!", in preda a un trip Marvel Comics, Fantastici Quattro, Thor e compagnia bella.

Ma lo spavento si è ugualmente avuto, soprattutto perché poi bastava che dieci, quindici si spostassero insieme che cresceva la paranoia della squadraccia, nonostante tutti urlassero: "State calmi, non correte!" Anche il Lele diceva ciò, con i suoi quasi due metri di tranquillità serafica e imperturbabile saggezza, tanto che, quando sono tornato da lui, ché la brigata ci aveva dispersi, chiede: "Chi erano quei bufali?" E io: "Accidenti, c'eri in mezzo che sembrava dovessi cascare giù da un momento all'altro, come l'alberello nei film di John Ford, che la mandria impazza e sbuffa e l'arbusto viene travolto." E lui: " Ah, sì? L'hai vista brutta, allora, eh?" E insomma non gli abbiamo più voluto parlare per la restante parte del concerto, perché non c'è cosa che strippi di più di uno che snobbi il brivido.

Ma quella sera, comunque si è ascoltata ottima musica, anche quando, abbandonate le incursioni dei nipotini di Odino, si sono potuti finalmente sentire i Planxty, il gruppo di punta del folk irlandese. E la musica irlandese è stata, per tutta l'estate, la vera novità per il pubblico giovanile, anche se i mitici Chieftains (già autori della colonna sonora di *Barry Lindon*) erano approdati lo scorso anno a mietere allori, e anche se a farla da padrone nelle arene e negli stadi è stato, ancora una volta, il reggae giamaicano di Peter Tosh e di Bob Marley. Ma nella ritmicità del folk irlandese si sanno trovare intensità più impegnate, e forse più poetiche, che non nel dondolio ipnotizzante del reggae. Bastava confrontare i giovani di Villa Torlonia con quelli di Castel Sant'Angelo per capire al volo che tutti i reduci stavano da una parte e i novissimi dall'altra, che a sentire Stivell erano facce ormai sconsacrate che partecipavano compite e serie, mentre per Peter Tosh sbraitavano i baleromani, s'indemoniavano i punkettari, si adrenalinizzavano i movimentisti del ballo e del ritmo. Tutti appartenenti alla stessa razza, ma con passioni e, soprattutto, con background ben definiti e divisi. Per cui, restando alla musica celtica, niente scoccia di più della strumentalizzazione che i giovani di destra ne stanno facendo in nome dei logori schemi del superuomo e della virilità e del bardo e, appunto, dell' "Odino, Odino!!!", arrivando a coinvolgere, nella sfida alla corruzione del presente, nella guerra all'evoluzione e alla presunta decadenza dei valori (gli uomini non sono più uomini, la musica non è più musica, l'onore non è più onore) lo stesso J.R.R. Tolkien e la sua cosmogonia di elfi, fate, cavalieri, orchetti, come sta succedendo, fra croci celtiche e rune e fasci littori, nei campi Hobbit della "destra alternativa al sistema".

Basterebbe, per annientare ogni equivoco, la voce del poeta irlandese Desmond O'Grady, ascoltato a Piazza di Siena, che sul palco sbraitava: "Povero O'Grady, povera Irlanda dove non hanno il cazzo per fare la rivoluzione. Sono l'Irlanda, e più vecchio sono della Sibilla; sono l'Irlanda, e più solo sono della Sibilla." Versi che hanno strappato l'applauso, non solo per la simpatia al vecchio O'Grady, un po' Copi, un po' burattino del teatro dei pupi, ma soprattutto perché si dà solidarietà alla rivolta di un popolo per la sua identità nazionale; e, infatti, il canto del bardo è sempre il grido rivoluzionario dell'oppresso o il lamento, struggentemente assorto, dell'emarginato. Altro che Odino!

Nel bellissimo anfiteatro di Piazza di Siena, fra festoni spioventi di luci colorate e cascate al neon e gazebo fluorescenti, si sta svolgendo il secondo festival internazionale dei poeti, seguito ideale delle tre giornate di Castelporziano dello scorso anno, dove, tra minestroni creativi, poesie spontanee e marginali e dagli abissi, cedimento dei palchi, *streaking*, canti indiani, contestazioni più o meno violente, presenze dei santoni della beat generation, si consumò un grande happening culturale, la festa della creatività diffusa, forse l'ultimo momento collettivo e impegnato del cosiddetto "Movimento". In quei giorni, alcune migliaia di giovani e di intellettuali di ogni razza e tribù convissero su una spiaggia e attorno a un palco per celebrare il rito della poesia. Oggi invece a quella spettacolarità quotidiana che si alzava il mattino presto, anzi, nemmeno se ne andava a dormire, si è sostituito un dopocena letterario o, per essere precisi, un dessert culturale a sorpresa, visto che a Piazza di Siena gli organizzatori, il comune di Roma e l'associazione Beat '72, hanno infilato non solo letture pubbliche di poesia, ma pure incontri di astrofisica, concerti di musica indiana, spettacoli con Benigni, Tognazzi, Villaggio, per approdare infine, il 31 luglio, a ciò cui tutto approda, cioè l'Alighieri Dante: il team Leo e Perla che eseguirà, oilalà, il trentatreesimo canto dell'*Inferno*.

Risulta evidente che non si potrà, durante queste giornate, parlare di ciò che si muove sul piazzale della poesia, fissare percorsi, riciclare scuole, indirizzi e codici postali, ma soltanto raccontare di come oggi, in questo momento, anche la poesia sia investita da un furore carnevalesco e, quindi, anch'essa partecipi, con modi suoi, a un più generale progetto di "spettacolarizzazione del lavoro culturale". Insomma, per essere banali e triviali e molto provinciali, è la logica del "tutto quanto fa spettacolo, venghino siore e siori al nostro baraccone!". A Piazza di Siena, quindi, per raccontarvi una di queste serate di pieno luglio in compagnia, tra l'altro, della poesia in pubblico.

Il palcoscenico, molto esteso, è piazzato sul fondo dell'arena delimitata da altissimi pini marittimi e da una doppia cintura di siepi verdi. In mezzo alla tribuna, illuminato da un faro giallo, risplende il leggio, in tubi Innocenti e laccato di bianco. Sulla sinistra, accanto a una decina di file di seggiole disposte trasversalmente, il logo ingrandito della manifestazione. Un grande schermo chiude la prospettiva dei festoni di luci colorate e di altri addobbi intermittenti come una vera festa di paese. Già un'ora prima dell'inizio c'è un nevrotico viavai, su e giù dalla scaletta. Si stanno decidendo i turni di lettura e il programma. I poeti si litigano la successione e girano con fogliettini di carta grandi come biglietti del metrò. Dalla platea sembra di assistere a una tombolata, perché l'organizzatore li estrae di saccoccia e non finisce più.

Giuseppe Conte intanto ("Serpente orfico" lo chiamerà, con devota ironia, Valentino Zeichen presentandolo al pubblico) passeggia nervosamente in compagnia di Mario Baudino. Gli faccio un cenno, chiedo che cosa pensa del festival, come si sente. Il discorso cade su Castelporziano. "Là era una cosa molto diversa," afferma. "Il problema è tutto nel cercare una tensione fisica ed emotiva, una vibrazione collettiva. Io preferisco allora le letture con quaranta, cinquanta persone. Qui è praticamente impossibile far nascere un'armonia."

Alto, con un bel viso da gentiluomo, le dita affusolate, i baffi proustiani, Conte è uno dei più apprezzati giovani poeti italiani. A proposito del suo libro di versi *L'ultimo aprile bianco*, Antonio Porta ha messo in risalto il "ritmo dannunziano", il "candido recupero di un D'Annunzio a cui viene applicata una sapiente sordina per renderlo più quotidiano, più utilizzabile in un'area di gioia mitica", e Marco Forti ha sottolineato i legami con altri poeti liguri, da Sbarbaro a Montale. Da qualche mese è uscito il suo primo romanzo, *Primavera incendiata*, storia di un tormentato e nevrotico rapporto tra intensità vitalistiche e furori orfici assorbiti nel ritmo delle stagioni e nel divenire della Natura: un linguaggio floreale e spesso decadente, che sfocia in una sensualità pagana e in un totale misticismo paesistico. È chiaro che Giuseppe Conte, con tutto il suo dannunzianesimo e il suo amore per i deliri alla D.H. Lawrence, non può essere così tranquillo sul palco a leggere in mille watt ciò che probabilmente ha creato in silenzio, a urlare in faccia a un pubblico già scaldato da tre, quattro poetesse, la sua *Ballata dell'Isola della Tartaruga*. È uno dei tanti grovigli di senso di questo festival che piazza davanti allo stesso microfono poeti dal sound bellissimo (come tutti gli americani), poeti dal sound difficilissimo (come, in generale, gli italiani) e poeti che proprio non ricercano minimamente questo aspetto della parola parlata, ma contemplano unicamente la visualità della parola scritta.

Molto più a suo agio Adriano Spatola, ormai collaudato a questo genere di esibizioni. Inizia le sue declamazioni con il poema *Ocarina*. Il pubblico ridacchia, ma non sa che cosa l'aspetta. Infatti Spatola inizia a ululare e a far bau bau come un coyote e stropicciarsi l'ugola mentre un suo socio spiffera dentro l'ocarina (di Budrio, naturalmente) solo alcune, iterative, note. Il pubblico assiste perplesso. E questo è un poeta? Seguono poesie per Ulrike Meinhoff e composizioni che fino a poco tempo fa si chiamavano "poemi civili". Gli spettatori tirano un sospiro di sollievo. Un po' di ideologia, di belle parole, di indignazione politica, di ribellione. E invece Spatola riprende con gli "uauaaaah!" e "blaaaaahhh". Finalmente gli ascoltatori capiscono il personaggio e iniziano a divertirsi: ridacchiano, applaudono e dimostrano, in questo modo, ciò che già da tempo si sapeva, e cioè che la poesia di Spatola, la sua ricerca fonetica e vocale, è in grado di reggere qualsiasi platea proprio per la sua natura di *divertissement*, di astuto e comico gioco sonoro. E Spatola sa benissimo tutto ciò. E fa il puttanone come quelle rockstar che, conoscendo il loro successo, riservano a fine concerto il pezzo più celebre per gettare in delirio i fan già surriscaldati, e non appena attaccano il motivo tutti a urlare e a stracciarsi le vesti. Così fa Spatola quando, sornionamente, dice: "Concluderò con una cosina che forse alcuni di voi conoscono... *Aviateur Aviation*." Al che tutti: "Ci siamo!" Scattiamo in piedi ad ascoltare la sua voce chioccia che romba e spara e s'inarca a inseguire l'utopico spettro semantico dell'espressione, a evocare, con giri di lingua, stirature di gola, magoni d'aria e rutti di panza, il rombo di ciò che è semplicemente convenzione linguistica. Lo Spatola prende fiato, si fa rosso e comincia: "A-a-a-a viation... Avia-a-a teuurrrrrrr-vrom vrom mmmm-

mmmmm [*risalita*] crock-crack [*cedimento*] ta-ta-tta [*guerra aerea*]." Poeta d'avanguardia? Cabarettista? Attore? Lestofante? No. Semplicemente Adriano Spatola.

Uguale trionfo non tocca a un altro poeta sonoro, il professor Arrigo Lora-Totino che si presenta indossando una calzamaglia nera e recita, con corpo-voce, alcuni testi futuristi. Il pubblico non gradisce e non capisce e bombarda con bucce d'anguria, e quando l'eco-proiettile raggiunge il poeta e si spacca sul suo corpo con il rosso dell'anguria che schizza e le gocce d'acqua che brillano in controluce, è davvero un *coup de théâtre.* Tutti applaudono e cercano il bis, cosicché sembra che si stia facendo il tiro al piccione e non ascoltando il più grande esperto di poesia fonetica, il miglior declamatore della poesia delle avanguardie storiche. Dovevate essere a Correggio un anno fa, a sentirlo, una ventina di persone, e lui che s'agitava e rombava e arrancava ogni parola come se fosse una massa fisica, davvero okay (e ci fece ascoltare persino una registrazione radiofonica, l'unica, della voce di Antonin Artaud)... Va be', le contestazioni non hanno mai ammazzato nessuno. La serata di poesia procede con i lieti arrivi di Alberto Moravia ed Enzo Siciliano. Si succedono sul palco altri trenta, quaranta poeti che, un po' stancamente, col pubblico che scivola via, raggiungono le ore piccole. E la nottata finisce con l'occupazione del palcoscenico da parte dei soliti freak che cantano, declamano e gesticolano le pagine dei loro diari o, peggio, quelle brevi frasi smozzicate che, per quasi tutto il decennio appena passato, si sono messe addosso il nome di "poesia".

Ma l'Estate Romana è stata soprattutto, per i giovani, il grande festival dell'arte di arrangiarsi. Quando un ragazzo di molto ingegno e di poche risorse non ha da campare, o meglio, si vuole arrabattare per migliorare la scassata e traballante qualità della propria vita, solitamente le pensa tutte e, se resta nel lecito (e ci resterà, poiché lo abbiamo ipotizzato ragazzo di molto ingegno, quindi in grado di giostrarsi col super-io), se resta nel lecito, dicevamo, si metterà a infilare perline, confezionare collanine, decorare cinghie, punzonare pelli e cuoi, battere metalli, pressare borchie, assemblare aeromodelli in legno di balsa, far eliocopie di qualche manifesto di popstar, intrecciare i vimini, le corde e le pagliette. (Sempre che non voglia fare i tipici lavoretti del giovane d'ingegno, come il guardiano di museo, il correttore di bozze, la guida turistica, lo stagionale d'agricoltura... Ma restiamo nel campo del baratto, o del commercio.)

Queste erano attività tipiche, e come tali, persino degenerate, agli angoli di piazza, ai crocicchi, ai quadrivi che a ogni passo rischiavi di calpestare un bazar e bisognava camminare come sulle funi, in equilibrio precario, ma va benissimo così. Comunque quest'estate c'è stato un nuovo grande oggetto di baratto collettivo e indiscriminato che non prende gli occhi, o cattura le piccole vanità, o costringe le femminili voluttà in campo d'abbigliamento; no, questa volta gli oggetti prendevano difilato dritto dritto il naso, aaaahhhh, e dritta la gola e dritta la panza che, quando non sapevi dove poter bere o metterti qualcosa nello stomaco, *voilà!*, ecco il miracolo: decine e decine di banchettini improvvisati dai giovanissimi su cassette, tavolini da picnic, bidoncini della spazzatura, sedie a sdraio con sopra ogni ben di Dio, tutta la gastronomia (rigidamente di sinistra) delle nuove generazioni, con tanta inclinazione al naturistico, al biologico, al casalingo, all'esotico, all'antimperialistico, ma soprattutto al "fai da te".

Così una sera a Piazza Farnese, che per l'occasione ospitava un circo acrobatico, c'erano due ragazzi bellissimi e quindicenni, dagli occhi lucidi lucidi e dal sorriso aperto, che spacciavano, da una mastellona da bucato, sangria a cinquecento lire il bicchiere e continuavano ad assaggiarla in pubblico per dimostrarne la genuinità e ridevano come matti: "Però un altro chiodo di garofano... Eh, signora senta un po', ehi, vuole della cannella?" "Ma no, è bbona così, è strepitosa ragazzi." "Toh, senti un po'!" Ed erano così fatti, e così generosi, che non facevano nemmeno più pagare e lasciavano la mastellona in preda alle nostre gole perché "Mo' c'avemo già guadagnato!".

Così a Piazza di Siena, dove per un festival di poeti da una parte, si disputava, dall'altra, un festival del piatto selvaggio: immancabile sangria, vino dei Castelli, pizze di ogni razza e colore e dimensione (nel buio ne capitò, ahimè, una ai fichi d'India), panini di ogni taglio, secondo la fantasia e la disponibilità del venditore, e poi tramezzini, supplì di riso, polpette di patate e le torte: torte al cioccolato, alla crema, al limone verde, al limone giallo, ai frutti proibiti, spacciate come afrodisiache, torte dietetiche, torte macrobiotiche, torte alle mandorle senza mandorle, tutte col dato comune di essere un po' mosce e non un gran che alla vista, ma i venditori garantivano degli ingredienti genuini e l'avvertimento: "L'ho fatta io! Tutto il giorno a cuocere, la miseria!" eliminava ogni ritrosia, come dire: "Guardami in faccia, credi che ti dia da mangiare polifosfati o nitrati o estrogeni vari, che poi t'alzi la mattina e hai perduto il coso. E dopo come la mettiamo, bello, eh?"

E poi le pastasciutte cotte su improvvisati cucinini da campo, alimentati ad alcool o a petrolio, e servite su piattini di carta; e il banchetto più frequentato era quello della "pasta dei poeti", che ancora non s'è capito che cosa ci abbia messo dentro, il manigoldo, per farci arrostire la gola e urlare, dopo, proprio come i poeti sul palco là in fondo. Spaghetti al pesto genovese, maccheroni alla panzanella: insomma, dovete immaginarvi questo corridoio di bancarelle scassatissime, con una fauna stravolta e allegra che, a una certa ora, svendeva e regalava, e i militari lì come avvoltoi a scolare i bidoncini di sangria e ridere e far chiasso, dimenticandosi l'ora del rientro e l'incubo della caserma.

Le stesse bancarelle poi erano all'Isola Tiberina, e poi a Massenzio 80, per l'abbuffata cinematografica. Ed è stato infatti a Massenzio che si è verificato il grande exploit del piatto selvaggio, un minestrone freddo, che ha fatto impallidire tutti gli ortaggi e i carciofoni del cinema italiano che, nel frattempo, si davano il cambio sullo schermo. Insomma, con la trovata di passare il pomeriggio ai fornelli, rubando magari nel frigo dei genitori, e poi la sera spacciare al mercato culturale, molti si sono riempiti le tasche e moltissimi, naturalmente, lo stomaco (il tutto, tra l'altro, meriterebbe almeno tre tesi di laurea: 1. "Disoccupazione giovanile e gastronomia selvaggia." 2. " 'Che cosa mangi dopo un film?' Rapporto sui consumi di testa e quelli di stomaco in un campionario di cento intellettuali italiani." 3. "La Nuova Culinaria: gastronomia d'assalto o di riflusso?").

Oltre i giochi di laser e di musica elettronica dell'Isola Tiberina; oltre la raccolta di figurine del cinema italiano, hobby collaterale a Massenzio 80, con un pubblico imperturbabile di collezionisti che scambiano due Bud Spencer con una Dalila Di Lazzaro, cento inflazionatissime Loren per un Benigni; oltre i fatidici, e superiori a tutti, Ginsberg, Orlovsky, Burroughs e Gregory Corso che saltellavano a Piazza di Siena come autentiche e consapevoli star, anche il teatro a Via Sabotino, ha avuto la sua kermesse cultural-turistica, all'ombra di un gigantesco albero, ingabbiato in tubi Innocenti, simbolo della manifestazione. E lì i reduci, ormai un po' sfatti dal continuo presenzialismo di questa Estate Romana, si sono goduti i bravissimi e terribili Sankai Juku, danzatori di *butho*, giapponesi dai corpi levigati e perfetti, impastati di biacca e rasati a zero, che si esibivano in estenuanti rituali di corpo a corpo o danze marziali calibratissime e un po' inquietanti, come il ballo delle statue in *Pianeta selvaggio* di Roland Topor. E lì, appunto, nei cinque o sei luoghi deputati agli spettacoli, tra un cabaret, un esercizio minimal e una performance elettronica ci si trascinava stancamente, discorrendo di tutto ciò che comunemente si dice in un foyer d'avanguardia. Ci si rincontra, ma in molti, ahimè, c'è l'occhio stanco e il parlato intrigato: per fortuna, il vento romano, annunciando l'autunno, infila tutti sugli autobus. Per fortuna, anche quest'estate è finita.

[1980]

STORIE DI GENTE COMUNE

Gente ordinaria e gente comune, gente che batte le strade provinciali e quelle comunali, gente che fa, gente che produce, gente sottoccupata, gente incantata, gente improduttiva, gente selvatica, gente morbida, gente ubriacona, vecchia gente senza passato, giovane gente senza avvenire, gente lontana dalla cronaca e dal pettegolezzo: gente che costituirebbe a prima vista una massa anonima ma che, se indagata con solo un poco di attenzione, riserverà molte sorprese e curiosi aneddoti: insomma, gente di cui vogliamo raccontare per rendere il doveroso tributo allo zavattiniano incanto del quotidiano che da sempre ci avvince, come se ci trovassimo, insomma, in un travolgente remake neorealistico, in una metafisica dell'effimero e del banale.

INCONTRI. Accaldato, sudato e appiccicoso, reduce da un viaggio in treno di otto ore in uno scompartimento gremito di passeggeri petulanti e banali; reduce da un paio di chilometri percorsi a piedi lungo la circonvallazione che porta dalla stazione ferroviaria all'incrocio per la strada di casa, appoggio la tracolla in terra e alzo il dito in cerca di un passaggio. Un'attesa di tre quarti d'ora sotto il sole di questo luglio afoso, benché siano ormai le sette di sera e molti pendolari tornino dal capoluogo a Correggio. Nessuno si ferma. Non si fermano i ragazzi sulle Dyane rivestite di atroci decalcomanie, non si fermano le segretarie che sbuffano perché mi trovo in mezzo alla strada, non si fermano i camionisti, né i motociclisti, né qualcuno che conosco, seppure solamente di vista: insomma, roba da stramaledire il prossimo per l'eternità.

Chi arresta finalmente la sua Prinz è un signore di sessantaquattro anni, ex contadino e ora pensionato, gentilissimo e premuroso e molto più freak e libertario di quegli imbecilli diciottenni che non m'hanno degnato di uno sguardo. Così inizia la nostra conversazione: si vede che il mio autista ha voglia di chiacchierare. Gli dico che torno da Roma e che sono stravolto; lui replica che da giovane ha fatto il soldato lì ai Parioli: era l'attendente di un generale e se la passava benissimo. Poi i ricordi hanno il sopravvento ed è subito guerra d'Africa: viene fatto prigioniero dagli americani e trasferito a New York, dove attenderà per tre anni la fine della guerra. Questa, in breve, la storia che mi ha voluto raccontare. Degli innumerevoli episodi della sua esistenza, ha immediatamente scelto quelli riguardanti la guerra e la prigionia, identificandoli, più o meno consciamente, come l'avvenimento più importante, e maggiormente comunicabile, della sua vita.

Ma che impressione poteva fare a un ragazzo di ventiquattro anni, scalcinato soldato del Regio Esercito d'Italia, contadino strappato alla pianura Padana, campagnolo che non aveva mai visto non dico Milano, ma neppure Reggio Emilia: che impressione poteva avere della grande metropoli? Che cosa potevano rappresentare per lui i grattacieli di Manhattan, i dock del porto, le grandi strade, le luci e le avenue benché fosse prigioniero? E, soprattutto, che immagine dell'Italia si andava facendo dal suo esilio statunitense? "Ah, signorino, gli americani ci trattavano benissimo, uscivamo tutte le sere. Io lavoravo in un magazzino, ma mica con le braccia, quelli avevano allora delle 'formiche' che facevano il lavoro di venti persone, scaricavano su e giù quintali di roba come niente. Io dicevo: 'Mamma mia, in campagna, a Correggio, per recintare un podere ci abbiamo messo una stagione', e là invece si piantavano pali con delle macchine e un'altra macchina passava il filo e lo srotolava. Se fosse stato per me, sarei rimasto sempre là... C'era Evans, un cow-boy che ancora ci scriviamo, che aveva tanta terra mai vista, come da qui al Po. Poi c'era Baby Joe, che avrà avuto diciott'anni appena, ma ne dimostrava ancora meno. E il tenente americano mi diceva: 'Resta qui in America', e io ci sarei restato, ma poi sono tornato, perché c'erano mia moglie e mia figlia, che già andava a scuola, e io non l'avevo mai vista... Insomma, quando sono tornato, ho visto che tutti erano come matti e tutto era miseria, e i miei amici dicevano: 'Abbiamo accoppato quello là e quell'altro fascista là', ma per me che tornavo, erano come tutti matti, e io pensavo all'America. Dopo, da là, gli americani mi hanno mandato un sacco di dollari per il lavoro fatto da prigioniero, e perfino tutta la roba di quando m'hanno preso giù in Africa: pensi c'era tutto, anche quei pochi soldi francesi che avevo in tasca."

Ecco allora che il racconto di questo uomo comune può tramutarsi, senza difficoltà, in una trama con cui ordire romanzi su temi come "città e campagna", "capitalismo e società contadina", "industrializzazione e conservazione del territorio", "istituzioni repressive e concetto di pena", "fascismo, antifascismo e vendette personali", per arrivare fino ai rapporti sociali fra Vecchio e Nuovo Mondo: il tutto ben lontano dai festival per vecchie carampane inanellate che sono sempre lì ad applaudirsi e osannarsi e mettersi in scena e compiere gli anni; lontano dalle assurde e derealizzate produzioni dei nostri cinematografari, che hanno perduto, ormai per sempre, non solo la capacità di uno sguardo genuino sulla realtà, ma pure la disponibilità a esprimere i sentimenti e gli umori della gente ordinaria.

Così, grazie all'autostop, faccio in tempo a tornare a casa per apprendere che ci ha lasciati il buon Aroldo Giglioli, titolare dell'unica osteria sopravvissuta nel borgo, uomo simpatico e disponibile, nel cui locale abbiamo imparato le canzoni dell'inizio degli anni settanta e abbiamo fatto riunioni e collettivi e tentativi letterari e programmato performance e grandi discorsi e videotape e poesie sonore. Aroldo se n'è andato e, naturalmente se n'è andato un pezzo di noi. Per lui nessun epitaffio sui giornali, ma lasciatemi un po' di sentimento per rimpiangerlo qui, per ricordare la sua osteria, meta in quegli anni dell'apprendistato di tutti i freakkettoni e i giovani intellettuali della provincia: quella stanza fumosa che non riaprirà le imposte e che ha raccolto i sogni e le confidenze di una fauna esuberante e vitale. Anche Aroldo ci ha lasciati, in silenzio, come succede per la gente comune. Ma per noi conserverà sempre un trono nell'immenso cielo dei piccoli eroi.

Nel nostro viaggio attraverso gli umori, i sentimenti e i tic della gente comune, ecco avanzare una piccola storia di ordinaria follia che inizia allo scalo ferroviario di Roma Tiburtina e termina a Milano Centrale.

Un ragazzo sui vent'anni attende il treno facendo quello che di solito si fa in queste occasioni: passeggia lungo i binari, guarda l'orologio, impreca sconfortato all'annuncio dei quaranta minuti di ritardo, si disseta alla fontanella, controlla il contenuto del suo bagaglio. Tuttavia, le sue azioni comprendono anche quello che di solito non si fa: entrare nelle cabine telefoniche e mettere in ordine gli elenchi degli abbonati, assestare la porticella sgangherata della toilette finché non gira bene sui cardini, sorridere agli sconosciuti.

Quando finalmente arriva il convoglio il ragazzo salta su, agile e svelto, e si viene a sedere proprio di fronte al vostro cronista. Si sistema, poi si rialza, prende il suo sacco ed estrae delle buste, le esamina e le ripone. Infine, come se quella borsa blu fosse il sacco di Mary Poppins, tira fuori una piccola scatola di cartone, fermata con nastro adesivo e che porta alcuni rudimentali fori sui lati. Dalla scatola sguscia veloce – meraviglia delle meraviglie – un gattino bianco, piccolo piccolo, esuberante e ardito, che prende a graffiare i collant delle passeggere e i calzini dei signori. Ma tutti si divertono col micio: chi lo chiama, chi lo coccola, chi lo vezzeggia.

Arrivano dagli altri scompartimenti due terribili ragazzini inglesi che, fingendo di fare i complimenti al micio, in realtà se lo strapazzano di braccio in braccio. Il ragazzo sta a guardare con pazienza. Ma il micio sfugge, scavalca le gambe della signora seduta sul seggiolino del corridoio e... via!, lungo la carrozza. Tutti dietro a urlare: "Il gatto! Il gatto!", ma quello scavalca valigie e cartoni, e tutto il corteo lo rincorre: figuratevi un treno di pieno luglio, carico, stracarico di gente – stranieri, turisti, soldati, donne cannone – insomma un bordello. Passa il micino e subito c'è lo sconvolgimento, perché piombano il legittimo proprietario, i due ragazzacci inglesi che strepitano, la signora con le calze smagliate: e così la gente si ammacca l'una con l'altra, finché non ci si arresta contro un vecchio siciliano, con due baffi umbertini, che urla che lo annegherà, quel micio maledetto, oh se lo annegherà!

La bestia viene infine riacciuffata fra gridolini di trionfo e gesti di esultanza. Ma una grana ben maggiore sta per scoppiare nel nostro scompartimento. Arrivano i controllori, che fanno occhi torvi e inquisitori, e vogliono sapere di chi è quella bestia e dov'è il biglietto, e si preparano a comminare multe e sanzioni e denunce come se fossero i carabinieri di Pinocchio.

Il ragazzo dice che la bestiola è sua, ma che non ha il biglietto perché non ha lira, è soldato in licenza di cinque più due, e il gattino è l'unico amico suo: l'ha dovuto portare via dalla caserma perché il capitano non poteva accettare che un suo prode soldato facesse il sentimentale con un micio nella branda. Ma i ferrovieri sono inflessibili, e allora c'è la rivolta popolare, tutto lo scompartimento implora grazia e clemenza: "Suvvia, uno strappo alla regola, non abbiate il cuore di ghiaccio." Il controllore più vecchio si commuove, e l'altro capisce l'antifona, fa le coccole al micino e dice di tenerlo nascosto, perché si sta passando al compartimento ferroviario di Firenze: saliranno altri controllori e forse nessuno sarà più buono e carino di loro.

Il vostro cronista, a questo punto, non si regge più e va gridando per tutta la carrozza come un invasato di Dioniso Zagreo: "Ah, eccoci finalmente in pieno *Cuore*, al top del trip deamicisiano; ah, che bell'Italia di gente comune: grazie, grazie signori miei, begl'italiani, bravo popolo! Zavattini non avrebbe mai osato tanto immaginare, né il povero De Sica meglio filmare! Ah che sublimità!" Un soldatino mezzo scemo, che lavora nella cucina della caserma e che ogni giorno va a gettare i rifiuti all'immondezzaio, si accorge che una gatta è incinta e allora la nutre e la protegge, finché non nasce l'erede; se lo prende a cuore, frega le bistecche per il micio e il latte in polvere dei soldati, e diventano così affiatati da dormire perfino insieme, e quando il soldato si becca i giorni di rigore e deve stare segregato, il gatto piange e strepita, gli amici glielo portano in gattabuia e infine lui ha l'ultimatum: dal comando gli danno una licenza per portarselo a Quarto Oggiaro, a casa sua! Ah, lo spirito della brava gente che poi, da Firenze a Bologna, fa i turni davanti allo scompartimento e, se arriva un ferroviere, c'è tutta una catena di sant'Antonio di sgomitate e fischietti e colpetti di tosse, cosicché il micio può tornare nel rifugio, e tutto fila liscio.

Insomma si arriva a Milano che ormai è notte, e il ragazzo saluta tutti gli amici della Lega internazionale per la protezione del gatto in viaggio e se ne va verso gli autopullman, a prendere la coincidenza per casa.

Morale della favola, che favola non è: mettete un po' di ispirata idiozia come in *Francesco giullare di Dio*, un po' di sadismo e segregazione militare come in *Marcia trionfale*, un po' di incontri *on the road* sui binari d'Italia come in *Café Express*, un po' di gigionismo felino come in *Harry e Tonto*, un po' di emarginazione metropolitana e giovanile come in *Non si scrive sui muri di Milano*, un po' di fauna di una qualsiasi commedia all'italiana, e avrete in pieno il senso di questa piccola Italia del buon cuore costituita dalla nostra amata e beneamata gente comune.

Altro tic godibilissimo della nostra italica gente comune appare quello di spedire messaggi, inviare consigli assolutamente non richiesti, mandare lettere a sconosciuti, gettandovi ogni sorta di frustrazione personale.

Il cancan dell'Italia postale e postmoderna non offre però suspense e bozzetti d'ambiente, come nel *Corvo* di Henri-Georges Clouzot, dove l'intrigo è basato sull'invio di messaggi anonimi e ricattatori, né offre sospiranti love story come nel *Fabrizio Lupo* del nostro amato Carlo Coccioli, in cui tutto il plot nasce, appunto, da una corrispondenza gratuita e casuale. Altri tempi, direte voi. Quel che è certo, comunque, è il fatto che, con il protrarsi di certe cattive abitudini epistolari, si perpetua l'immagine di un popolo di gente comune che nella grafomania sembra trovare lo sfogo naturale alle intensità intime, alla voglia di comunicare, all'espansione della propria libido repressa.

Ci scrive, per esempio, una dolce ammiratrice: "Carissimo, perdoni ad una maestra prossima alla pensione l'inizio così confidenziale di questa mia. Lo faccio perché mi pare di scrivere ad uno dei tanti miei ragazzi. Poiché è uno scrittore che inizia la sua carriera, mi permetto di farle una proposta, proprio come la farei ad un mio scolaro. Vuole che i suoi libri lascino un solco nel tempo e che siano sempre tenuti in considerazione? Scriva 'pulito', senza usare quel frasario di cui si vergognavano, scusandosi con l'essere analfabeti, gli scarriolanti dei miei primi anni di insegnamento. Mi ascolti come se gliel'avesse detto la sua Maestra."

Dalla dolcezza delle Dame di San Vincenzo, che scrivono con calligrafia minuta e "trasversale" e con cancellature doverosamente ritoccate, si passa alla perentorietà dei manager internazionali che, su carte intestate e fogli tirati a mano e filigranati, inviano messaggi del seguente calibro: "Il Cairo. Ho letto il suo libro, per molti aspetti assai sferzante. Io sarò in Italia fin verso i primi di agosto. Lei ha occasione di venire qualche weekend a Milano? Mi telefoni. Potremo vederci qui o a Roma." Come, insomma, se il vostro povero cronista non facesse altro che saltare su e giù dai piroscafi, dagli aliscafi, dagli aerei, dalle motonavi. Ma in nome di che, poi? E con quali soldi? E con quali aspettative? Forse perché il cliente ha sempre ragione?

Molto più onesta e nient'affatto ambigua ("Converseremo di arte o di eros, sul Nilo?") è invece la proposta di un grafomane che invia fogli e fogli di diario, con note a piè di pagina e istruzioni per l'uso, del tipo: "Segue a pag. 25", "Vedi pag. 56", "Cfr. pag. 2", "Puoi saltare queste dieci lettere" ecc. Non soddisfatto completa la raccolta con alcune poesie dall'intenzionalità assai poco artistica: "Vien qui, prendimi son tuo, uccidimi, strapazzami e fai di me quello che vuoi; poi gettami nel fosso a marcire con le rane e i girini e i rospi e le lucertole di primavera, e correre nudi tra i prati lungo il torrente fresco tra l'erba vellutata a raccogliere le prime margherite, a parlare con la quercia che ci copre coi suoi rami; vien qui, prendimi son tuo..."

Niente paura, il nostro poeta è anche ottimo critico di se stesso: "Come al solito, l'ultima poesia è quella che ti dice e ti dà di più: l'ho riletta e me ne sono un po' compiaciuto, non per la sua forma stilistica o per i suoi contenuti inafferrabili (ma per questo ancor più universali), ma perché l'ho sentita. Ho un senso estetico sviluppatissimo." Come comportarsi in questi casi? Inviare una semplice ricevuta di ritorno come si fa con le raccomandate? Tentare di rispondere, come vorrebbe la buona educazione, correndo però il rischio di invischiarsi in corrispondenze senza fine? Far finta di niente? Cestinare?

Esiste poi tutta una fauna sospettosa e paranoide che si sente sempre punta sul vivo sia che parliate di stelle che di cieli, di cinema, di letteratura, di arte o di sport. Perché ha biasimato il mio cantante preferito? Perché ha osato dire che la terra gira intorno al sole? Perché scrive che le "cicale gracchiano" e "gli uccelli pigolano"?[1] Perché, perché, perché? E che fa questa gente non appena si sente tradita o vituperata? Scrive. Sempre scrive. "Gentile signore, abbiamo letto il suo articolo...[2] Abbiamo creduto di identificarci nel simpatico ed esuberante 'codazzo' della laurea della ragazza in viola (non seta, ma semplice tessuto di lana)..." Ecc. ecc. Insomma tutti si identificano, si guardano storti, si sentono spiati e traditi se uno ha l'ardire di sbagliare un tessuto o di incrinare un dizionario. E allora giù a spedire lettere, missive e biglietti. Ma c'è di più. Il "tic" può anche diventare pericoloso. Pazienza se non si riesce a far capire che il linguaggio (come il parlamento) è composto da seggi mobili e franchi tiratori, e che col vocabolario l'unico modo per divertirsi e renderlo vivibile, è percorrerlo come su un otto volante o in un tunnel dell'amore, pazienza! Ognuno parla come vuole. Ma da questo sentirsi sempre e comunque scandalizzati all'inviare denunce e ordinanze di sequestro, il passo, ahimè, è molto breve.

In questo paese di gente comune che non si scandalizza ormai più dei fatti e misfatti del Palazzo, ma soprattutto, e cosa più importante, se le cicale "gracchiano", c'è sempre qualcuno poi che è pronto a riunirsi in sodalizi moralistici che, protetti dal Ku Klux Klan, innalzano roghi per castigare libri e film e linguaggi – a parer loro – "contrari al comune senso del pudore", trascinando così in tribunale autori che, alla resa dei conti, si trovano poi in presenza di magistrati imbarazzatissimi e pubblici ministeri che confessano candidamente che questo non è il loro mestiere: insomma, un libro non si legge con il codice penale in mano. Ma, per concludere, finché c'è gente che si prende la briga di scriverci per rettificare un articolo,[3] precisando: "I pantaloncini erano pantaloni; non si tratta di un signorino coi baffetti, ma di un signore coi baffi; la voce, così

[1] In riferimento all'articolo "Gli esami non finiscono mai", pubblicato in *Il Resto del Carlino*, 21 luglio 1981. In questo volume si veda p. 134.
[2] In riferimento all'articolo "La lode! La lode!", pubblicato in *Il Resto del Carlino*, 1 marzo 1980. In questo volume si veda p. 143.
[3] In riferimento all'articolo "Gli esami non finiscono mai", *cit.* In questo volume si veda p. 136.

voluta da Madre Natura, è normalissima" , be', cari miei, allora c'è ancora speranza nel futuro della pratica espressiva e nell'inestinguibilità dello strumento epistolare. Deeeh, quante sublimi vibrazioni sa offrirci, per iscritto, la nostra amata gente comune!

Ma, fra i tantissimi modi che la gente comune adotta per trascorrere la propria annuale vacanza o per tramutarla in un disastroso incubo, modi che vanno dal soggiorno sull'isola deserta in compagnia del Collettivo per la tutela dell'ambiente, a quello nella megalopoli rivierasca e teutonica in compagnia delle nevrosi cittadine, esistono alcune possibilità di "vacanze intelligenti" che però nulla hanno a che spartire con gli itinerari alternativi proposti dai nostri settimanali di costume: perché quest'anno non resti a pulire il terrazzo? Perché non vai con gli zulù e i watussi e i pigmei alla caccia grossa? Perché non ti inabissi in apnea con Mayol? Perché non viaggi in mongolfiera? E in dirigibile? Perché non scendi il Volga in catamarano? Non vuoi pulire le sale di un museo?

Una ventenne, Federica Gazzotti, ci scrive invece da Pechino: "La Cina però non è la Cina che ho studiato, non è la Cina comunista dei nostri libri di testo dove tutti combattono per la causa proletaria, non è la Cina in rivoluzione permanente, non è la Cina 'grande famiglia' dove tutti si danno una mano, non è la Cina in technicolor dei manifesti. È una Cina molto più vera, se non meno letteraria: è la Cina che cerca di arrangiarsi come può con i soliti intrallazzi, i problemi di tutti i giorni; farebbero a pugni per un posto sull'autobus e vogliono soldi in continuazione. E forse hanno ragione. Camminando per strada, senti sempre e comunque un potere più alto, molto più alto della gente comune che ti cammina di fianco, qualcosa che 'loro' non conoscono e forse vorrebbero, qualcosa che forse non amano più di tanto."

Ecco una vacanza che appartiene a tutta quella gloriosa schiera di soggiorni di studio e ferie conoscitive che portano i rampolli delle buone famiglie in giro per il mondo a conoscere e studiare usi e costumi e lingue e atteggiamenti di altra gente comune e a inviare belle cartoline e belle lettere su come va il mondo nell'altra metà del cielo, riciclando quindi buone dosi di conoscenza come in una rivista privata redatta da inviati specialissimi che sanno le nostre curiosità e i nostri tic. ("Tu che vai dagli eschimesi, scrivimi subito se è vero che si baciano col nasino!")

Altro itinerario sommo e sublime, della stessa specie conoscitiva e curiosina, è quello che potrebbe portarci in giro per gli USA a scoprire tombe e loculi di gente un tempo molto illustre e che ci sta molto a cuore. Viaggio non già per Disneyland e Niagara Falls e Grand Canyon, ma piuttosto per cimiteri di paese o di metropoli in cui riposano, per esempio, Raymond Chandler, Scott Fitzgerald, Jack Kerouac, Tim Buckley, Janis Joplin ecc. ecc. Gente carissima e amatissima sulle cui tombe volentieri adageremmo un fiore o verseremmo champagne, in segno di perenne devozione e massimo onore. Vacanza, questa, mortuaria e funeraria e sommamente alternativa, da riservarsi solo a spiriti eletti, a quei pochi cultori del neoclassicismo più mortifero e sepolcrale, della scapigliatura più orrifica e tremenda, del gotico più mistico e verticale, dell'illuminismo più sensista e meccanicista e, per dirla tutta, dell'Ugo Foscolo più "intrippato". E così sia!

L'ORA DEL DILETTANTE. Nello spazio del Settimo Cielo, ai giardini Margherita, verso il tramonto di una bella giornata estiva, fra ragazzotti in tuta da footing e coppiette sui pattini a rotelle e militari a frotte, che sciamano lungo i viali, scherzano e si sbracciano, famigliole albine, pensionati, fotografi dilettanti, ragazzi con babbucce bicolori, ex damsini sopravvissuti e troupe televisive, sta per scattare e scoccare la fatidica *Ora del dilettante.*

Organizzata nell'ambito dell'Estate Bolognese, la manifestazione ha tutta l'aria di un gigantesco festival del velleitarismo e di una kermesse delle ambizioni perdute: ogni partecipante è invitato a esibirsi sul palco, sottoponendosi al giudizio di una giuria e di un pubblico che, come prevede l'articolo 4, "applaudendo, fischiando, cantando, urlando, interrompendo, deve comunque comunicare sonoramente il proprio giudizio sull'esibizione in corso".

Ogni dilettante ha a disposizione quattro minuti, che possono essere interrotti (e capiterà spesso) se il pubblico dimostra il proprio dissenso. Insomma, un happening autogestito e aperto a tutti, organizzato quel tanto che basta per non cadere nell'anarchia, regolamentato quel poco che serve per far scaturire un vincitore e per assegnare spiritosissimi premi da pesca di beneficenza. C'è un conduttore, Massimo Villa, disc-jockey della nostra adolescenza radiofonica di *Per voi giovani*, vestito di bianco, con giacchetta a quadrettoni, occhiali di tartaruga, espressione da bertuccia un po' stitica; c'è una valletta dal nome Siusy (come l'Alpe),[4] un po' cicciottella e vestita da *Lascia o raddoppia?*, con gonna svolazzante, codina di cavallo e grandissimi pendagli verde pappagallo alle orecchie. C'è una giuria flemmatica, composta da Billy Bud e da Past,[5] giuria che riceve fischi, improperi, cartacce e bottigliette quando alza la paletta col punteggio da 1 a 5. Ci sono dei ricchissimi premi: foulard, scatole di fecola di patate olandese, bibbie in ebraico, dischi cubani, poster, radioline. C'è un complesso di intrattenimento, i Midnight Cats, che fa del rock e del jazz da filodiffussione, e che vede al basso lo stesso Massimo Villa e al sax Sergio Raffini dei Gaz Nevada, vestito di nero come un beccamorto, imbrillantinato e tirato, con la sua ossuta faccia da Ridolini. C'è un pubblico, un po' fauna di cineclub, un po' da orchestra Casadei, un po' da spaccio di caserma, che si assiepa ai lati della grande pista da ballo in legno e si siede di fronte alla palazzina della Biblioteca dei ragazzi, dalla cui balconata piovono annunci e messaggi e pernacchie. Ci sono un paio di troupe televisive, una signorina che porta a spalla su e giù per i gradini non so quanti chili di telecamera, ci sono i fotografi, ma soprattutto ci sono loro: gli agognati, i sospirati, i bramati dilettanti.

Siedono di fronte alla giuria, illuminati dalle torce degli elettricisti, rispondono alle domande della valletta, si agitano, si disperano, sudano e tremano. Ma è la loro festa. Sono venuti soprattutto dal circondario di Bologna, si sono diligentemente iscritti nei giorni precedenti, i ritardatari li abbiamo visti arrivare in motocicletta, con fagotti e valigie, e chiedere alla cassiera del bar dove si accettassero le iscrizioni. Sono padri di famiglia, ragazzini, esibizionisti, intellettualini, artisti senza fama, ballerini, imitatori o più semplicemente gente che vuole divertirsi e far divertire: e questa è infatti l'atmosfera che scalda l'aria già durante la prima esibizione, quella dei miniballerini di Castel San Pietro. Sono tre coppiette

[4] Diventerà un personaggio televisivo con il nome di Siusy Blady.
[5] Il primo nome d'arte di Patrizio Roversi.

tra i nove e gli undici anni, vestiti impeccabilmente: Fabrizio e Samantha di rosso per la polca, Luca e Francesca di azzurro-viola, Alberto e Barbara di rosa confetto per la loro mazurca che strappa applausi e urla e grida. È poi la volta dello stroncatissimo Claudio Nobis, un ragazzo con giacchetta a righine azzurre e pantaloni scuri e capelli rossicci e occhiali, che sembra di veder uscire dalla John's Hopkins, con tutta la sua aria da studentello bostoniano. Nobis propone al sitar una versione di *Romagna mia*. Non fa in tempo a emettere i primi accordi, che piove una valanga di fischi e urlacci da far temere il terremoto. La pista di legno viene invasa dal pubblico, che così si getta di fronte al solista con l'intenzione di sbranarlo. Rumori, pernacchie, "Nobis prega per noi!", invettive, clima surriscaldato da corrida, tanto che i giudici decretano la fine anticipata dell'esibizione. Per Nobis, che poi dichiarerà di avere studiato sitar per due anni con Ravij Shankar, c'è un grande premio di consolazione, quello di suonare la batteria con i Midnight Cats durante gli intervalli.

Sfilano poi gli altri concorrenti: un poeta demenziale che proclama: "Un pomodoro rosso di vergogna disse a un verde cetriolo: 'Beato te!' ", e allora giù fischi di assenso e battimani e "Bravo! Bravo!". Sfilano un paio di complessini della periferia, gli Unbroken di San Donato, con il solista che ha il ghigno di un figlio illegittimo di Carlo Dapporto; sfila Mister Chiarini che imita Sandro Ciotti, Adriano De Zan e Domenico Modugno, ma che il pubblico sembra non gradire. Arriva il cantautore Franco Marzo con il suo *Caffè macchiato*, anche qui un fracasso di dissensi; arrivano dritti dritti dal pianeta della demenzialità Stefano e Laura che propongono un disastratissimo sketch su Braccio di Ferro e Olivia.

Ma il vero clou, quello che manda in visibilio questo pubblico da stadio, è l'esibizione di Alfredo che, bisogna dirla tutta, ha preparato il numero con tocco di grande regia. È preceduto infatti da un trio di ragazzini che eseguono un rock leggero e sono gli Expansiv: avranno quindici anni, a dir molto. Questi vengono fischiati rumorosamente e si beccano cartacce, improperi e versi che, per decenza, non riferiamo. Poi arriva Alfredo: altro numero, altro regalo. E invece questo signorotto dall'aria di conducente di autobus afferra il microfono e dice: "Sono contento, bolognesi, di stare qui, e stare con i miei ragazzi: mio figlio, l'altro mio figlio, mio nipote", cosicché tutti scoppiano a ridere, perché questo ha portato la famiglia intera, e gli Expansiv altro non sono che l'espansione di casa sua. Ma lui attacca da gran maestro *Voglio amarti così* e balla come Maurizio Arena, e a un certo punto caccia dentro un indiavolato rock'n roll e si muove con grande abilità, e i suoi ragazzi pure: insomma un trionfo, l'unico per cui si richiede, pestando i piedi, un bis. Ben presto, nel corso di altre esibizioni, si crea un coro di fans di Alfredo che intona canti e inni, tanto che la giuria sorniona deve prendere atto del successo. Insomma, da un lato i sostenitori di Claudio Nobis con tutte le loro giaculatorie, e dall'altro quelli di Alfredo: una cagnara che dura finché non finisce la serata, un'esibizione di tifo, questa sì, altamente professionistica, da parte di un pubblico che pare aver molto apprezzato questa calda e lunga *Ora del dilettante*.

ALBA DI SANGUE. È dunque ancora buio quando Ricco e Cesco portano le fascine e i ceppi di legna nel cortile della loro fattoria e accendono i primi rossastri fuochi sotto i grandi "fugoùn" approntati dalla notte precedente; un buio gelato di pieno inverno, con un vento di tramontana che semina nell'aria tracce bianche di brina e di neve.

Alle prime luci del mattino, l'acqua comincia a bollire nei vecchi paioli di rame, elevando un vapore che presto si mischia alla nebbiolina persistente e ghiacciata dell'inverno emiliano. Nell'aia cominciano a razzolare i polli, le anatre si bagnano nelle pozzanghere fangose, i cani girano attorno ai fuochi e al vapore come in una danza macabra: fra poco, infatti, l'animale di duecentocinquanta chili verrà macellato secondo una tradizione che, a discapito del progresso, dell'industrializzazione, della meccanizzazione, si ripete inalterata, nel suo rituale di ferocia e di vita, in ogni campagna fra dicembre e gennaio.

Intanto arriva, in sella alla sua bicicletta, avvolto in un tabarro nero, il macellaio; poco dopo i suoi garzoni con gli attrezzi: coltelli, asce, punteruoli, spatole, uncini e affilatissimi raschietti. Arrivano in auto, invece, un paio di parenti che per i due giorni della macellazione e dell'insaccamento, aiuteranno e si prodigheranno nei vari compiti: generi e cognati e nipoti e figli e nuore, ognuno dei quali sa già il proprio ruolo e conosce benissimo i propri compiti, poiché questa dell'uccisione del porco è soprattutto una festa o un rituale familiare, un'occasione per riunire i propri congiunti, per lavorare e per produrre insieme una quantità di vivande che poi, insieme, verranno consumate.

In cucina, la moglie di Cesco tira una sfoglia salata, la divide in strisce, la lascia riposare: fra un paio d'ore la friggerà in croccanti pezzetti di gnocco che serviranno come spuntino di metà mattina. Quando ha terminato, esce per portare il mangime ai suoi polli o per chiedere qualcosa velocemente al marito che accudisce i fuochi. Ma la sua presenza, come tradizionalmente quella di ogni donna, appare marginale. Suo (e della figlia) sarà soltanto il compito, il giorno dopo, all'alba, di cucire i budelli per la fase dell'insaccamento o, tutt'al più, di impastare con gli aromi e i condimenti, le carni macellate.

Intanto il maiale è trascinato a forza nel centro del cortile. Continua a grufolare nonostante sei uomini lo bracchino e lo spingano. Una volta rivoltato in terra, il macellaio gli conficca, sotto la spalla sinistra, un punteruolo che arriva dritto al cuore, spaccandolo. L'agonia è prolungata, la bestia sente il progressivo e inevitabile sfiancamento e se, in un primo momento, i grugniti appaiono intermittenti, arriveranno a un'altezza e a una vertigine terribili negli ultimi terrorizzati istanti di vita.

Ma già corrono, con secchi colmi di acqua bollente gli aiutanti, che scottano la cotenna del maiale per renderne più facile la pulizia. Vengono poi accuratamente mondate le orecchie, disuncinati gli zampetti, raschiate la lingua e la coda, bruciati col fuoco vivo i residui del pelo. Una mezz'ora dopo la bestia è pronta per essere macellata. Sotto il portico che dà sulla stalla sono due carrucole. La bestia viene issata per le zampe posteriori, prestando il ventre al macellaio. Lo squartamento procede veloce e sicuro: colpi di coltello, di accetta e di ascia. Viene estratta per prima la vescica e subito svuotata, poi gonfiata come un pallone e appesa al muro. Si procede con l'estrazione delle interiora.

Dalla cucina, le donne portano i panni in cui raccolgono le viscere dell'animale. Mentre il macellaio e i suoi garzoni procedono, nella stalla inizia la pulizia degli intestini, la separazione del fegato, dei reni e degli organi commestibili. I cani scodinzolano attorno a quel poco della bestia squartata che cade in terra. Infine lo sgozzamento vero e proprio: litri e litri di sangue piovono nei catini e vengono gettati nella fogna ben diversamente, come afferma il norcino, da quanto avveniva anche solo vent'anni fa: "Allora avremmo avuto almeno una trentina di pignatte e pentolini di povera gente a raccogliere questo sangue per poi friggerlo, perché l'uccisione del porco, che avveniva una sola volta all'anno, era una festa per tutti, e forse l'unica occasione, per tutti, di avere qualcosa da mangiare." Alcuni colpi di ascia, infine, dividono la bestia perfettamente a metà, e la prima parte del rito ha termine.

Ecco dunque alcune scene raccolte non certo nel paesino della Bassa Baviera, dove il commediografo Martin Speer ambientò una sua celebre tragedia contemporanea, in cui lo scannamento del maiale riuniva in una ambigua "normalità" una collettività ferocemente chiusa in se stessa. Non siamo nemmeno nell'olimpicità bergamasca dell'*Albero degli zoccoli* di Ermanno Olmi (altro maiale ammazzato e squartato, con platee deliranti in "Come è vero, com'è vero!"). Né siamo all'interno della grande e teatralissima corte emiliana di *Novecento* di Bernardo Bertolucci, che ha fotografato l'identico sgozzamento del porco con cura e perfidia hollywoodiana. Siamo più modestamente a Novi, in un paesino della bassa modenese, verso il mantovano, nella cascina di Francesco Galaverna, ex profugo con la famiglia dopo l'inondazione del Polesine e da anni ormai installato in questo centro prevalentemente agricolo, rinomato per i suoi laboratori antiquari e le sue fabbriche di scale. Siamo qui per raccontare, dal vero, un fatto di cui hanno parlato migliaia di volte i nostri nonni, che i nostri padri hanno forse già dimenticato e che noi, i figli, abbiamo la curiosità di scoprire come un evento nuovo, un rituale ormai perduto che ci riporta alle radici di quella che le anime belle si ostinano a chiamare, e a ragione, "cultura contadina", ma che vista un po' più da vicino, esaminata sul campo e non sulle immagini di "quando i mulini erano bianchi" – e il pane, probabilmente, nero – può ancora apparire nei suoi rituali più truculenti, nelle sue miserie ancora affondate nell'ignoranza e nella superstizione; retaggio di tempi in cui si sgozzavano gli uomini e si impalavano i cristiani, dove la legge del taglione e della sopravvivenza obbligava a non farsi troppe domande, a badare solo a se stessi e a quel poco che i padroni concedevano, dopo un intero anno di lavoro, per sfamare famiglie di trenta persone. Perché anche adesso, quando, visibilmente scosso, provo a chiedere se non c'è altro modo per finire l'animale, mi si risponde tecnicamente: "Spaccando il cuore, il sangue si raccoglie tutto nel ventre e non intacca le carni", e filosoficamente: "Ma questo lo fanno anche ai cristiani. E il porco è solo una bestia."

I due quarti dell'animale penzolano dunque sotto il porticato, dove verranno lasciati a raffreddare fino al giorno successivo, allorché si procederà a ciò che qui chiamano "far su il maiale", cioè scegliere i tagli di carne adatti, macinarli, impastarli e insaccarli. Tutto ciò avviene, dunque, il mattino seguente. Alle sei, già tutti sono pronti al lavoro. Nel cortile, il paiolo bolle come al solito, ma questa volta friggono i ciccioli o, come li chiamano qui, le "greppole" o i "grassoli". In questa delicatissima operazione è affaccendato Ricco: deve stare attento a mantenere il fuoco costante, affinché i pezzi di cotenna non brucino e non prendano "la malattia"; di tanto in tanto affonda le dita callose nel recipiente di strutto bollente e palpa un pezzetto dorato di grasso per tastarne la cottura e la mollezza.

In una camera fredda della cascina, invece, tutti gli altri sono riuniti attorno a un grande tavolo a "far su". Gli impasti di carne sono approntati in pallottole grandi due palmi, il macinino espelle la carne che viene insaccata nei budelli precedentemente cuciti. Cesco lega e annoda i salami, i cotechini... "Il segreto per un buon insaccato sta...", è sempre il norcino che parla, "primo: nella scelta dei tagli di carne; secondo: nella 'concia' e nella salatura; terzo: in una perfetta 'stùfatura' [*far asciugare i budelli ripieni*]; quarto: nella stagionatura." Si chiama Mirko, ha imparato quest'arte dal padre, fa il contadino e aiuta gli amici, durante la stagione morta per il lavoro nei campi, nella macellazione e nell'insaccamento. Di questi tempi presta ogni giorno i suoi servizi nei vari casolari della zona.

Attorno al tavolo, i contadini raccontano e parlano, ogni tanto una donna fa capolino. Fuori, in un paesaggio nebbioso e gelido, friggono le greppole che verranno poi scolate e pressate nell'antichissima morsa di legno.

A lavori ultimati, il grande pranzo: ragù saporitissimi, bracioline appena scottate, capponi disossati e ripieni, polenta alla brace con fagioli e cotiche macinate, greppole calde e salate e lambrusco, quello che ha bisogno di queste nebbie emiliane per sprizzare il suo aroma. Il porco ormai è andato, restano le risate e le chiacchiere di una grande famiglia che si è riunita con i vicini e i parenti di San Benedetto Po, di Concordia e di Novi. Una galleria di personaggi immutati nel tempo come le proverbialità contadine della Zina ("Male non fare, paura non avere", "Mena, menalotto, più lo meno e più diventa grosso, cos'è? Ma il gomitolo signori!!!"), i ricordi dell'alluvione e dell'antica fame, le cicatrici della guerra, le risate per un tempo ritrovato e di cui tutti già conoscono l'immediato dissolvimento, poiché tutto questo se ne andrà. Anche questo rito scomparirà, assorbito e distrutto dall'inesorabile sviluppo dei tempi.

IL TIRO CON L'ARCO. Ora che ci penso, anch'io ho posseduto un'arco. Era una leggerissima e piatta assicella di legno, curvata come un attaccapanni. Alle estremità c'erano i tagli per infilare e tendere la corda, un comunissimo spago. L'impugnatura, invece, era molto bella, rivestita di fili di plastica multicolori e morbidi. Le frecce terminavano in punta con una ventosa per aderire al bersaglio che era, questo lo ricordo benissimo, una grande maschera di clown con un naso a molla che, se centrato, faceva volar via il copricapo del fantoccio. Ma ci sono altri archi da ricordare. Quelli che si costruivano in bambù con la nostra ghenga di amici appena adolescenti nei campetti e nelle pratine, con frecce insidiose e intenti bellicosi: si cacciavano le rane lungo i fossi e i canali, per farne trofei e addobbi da sistemare nelle capanne di frasche, alla cui ombra parcheggiavamo le biciclette. E ci sono gli archi "alternativi" e "creativi" e "metropolitani", molto meno ruvidi dei primi, molto più consapevoli di sé: archi decorati con piume, stoffe colorate e perline di vetro che, coi ragazzi di un lungo corso di animazione teatrale, abbiamo pazientemente costruito, ricopiandoli dai libri sugli indiani delle praterie, allora molto in voga e molto pregni di senso marginale, parlo naturalmente del 1976. E ci sono poi archi immaginari e archi spirituali, venuti un po' più tardi, dopo aver letto, riletto, amato e studiato quel meraviglioso breviario mistico che è *Lo Zen e il tiro con l'arco* del filosofo tedesco Eugen Herrigel: archi, quindi interiori, con bersagli ancora più intimi e nascosti.

Ed è proprio a Herrigel che ho pensato nel curiosare fra gli archi sofisticatissimi e superaccessoriati che i tiratori della Compagnia Arcieri del Torrazzo tendono con indubbia perizia in questa palestra vecchiotta, a ridosso della nuova circonvallazione di Reggio Emilia. Ecco dunque entrare gli arcieri postmoderni: studenti, segretarie, commercianti, universitari, baristi, collaudatori, ragionieri, impiegati, geometri, operai... C'è il quattordicenne Andrea Artoni, secondo ai campionati regionali; c'è il quasi cinquantenne Luigi Monti, ex orefice a riposo, che tende il suo arco a doppia curvatura con classica perfezione; c'è il ventottenne presidente della Compagnia, Carlo Campioli; c'è il consigliere federale della FITA (Federazione Italiana Tiro con l'Arco) Franco Boeri, con il figlioletto; ci sono graziose signorine che, sulla linea di tiro, diventano stupende Diane cacciatrici, con o senza il gonnellino; ci sono un riccioletto che pare Cupido e un giovane architetto che tira di mancino; c'è il cortese istruttore Cristiano Giraud, che ogni mese inizia i corsi addestrativi in palestra e dispensa consigli e dettagli tecnici ai suoi allievi, tiro dopo tiro.

Gli arcieri arrivano dunque sul campo per le sedute bisettimanali di allenamento: arrivano come tanti orchestrali, ognuno con la sua custodia decorata da adesivi e medagliette, e la faretra. Negli spogliatoi aprono la valigetta e iniziano a montare l'arco (*take down*) sistemando attorno al corpo centrale (*raiser*) pesi e contrappesi, mirini e bilancieri, aste filettanti (*limbs*) e la corda in kevlar, resistentissima fibra sintetica usata per i giubbotti antiproiettile. I principianti si radunano con l'istruttore in un settore della palestra dove i bersagli sono ravvicinati, gli altri si danno il turno sulla linea di tiro e mirano ai "paglioni" posti a una ventina di metri. Portano a tracolla la faretra con i dardi numerati e alla cinta il binocolo, per controllare l'esito del tiro. A ogni volée (sequenza di tre frecce), ripongono gli archi e vanno a controllare i bersagli, discutendo, esaminando, confrontando. Momento, questo, cruciale e atteso, forse anche superfluo, visto che ogni buon tiratore è consapevole, nell'attimo in cui scocca la freccia, se il tiro sarà più o meno buono. È infatti nell'istante dello stacco, quando gli arti, la mente e lo strumento sono in perfetta sintonia ("Se l'arco è teso al massimo, allora esso racchiude in sé il Tutto"), in quello spasimo impercettibile che giunge a compimento solo al momento giusto, né prima né dopo, che si gioca, in tutta la sua completezza, il tiro con l'arco e con se stessi.

Lo sport del tiro con l'arco sta incontrando un crescente successo, soprattutto nelle città emiliane (diciotto compagnie, di cui sei bolognesi) che insieme alle roccaforti del Lombardo-Veneto detengono il primato nazionale di praticanti. A Reggio Emilia si sono svolte, negli anni passati, alcune manifestazioni internazionali e già ora si lavora per organizzare i campionati nazionali indoor della primavera prossima. Seppure non sia ragionevole attribuirgli la qualifica di sport di massa, è indubbio che la cerchia dei praticanti si va allargando, passando dagli ottocento tesserati nel 1976 agli oltre dodicimila attuali. Un arco da competizione non costa più di un buon paio di sci; imparare a tenderlo richiede un addestramento di non più di un mese potendo, per giunta, usufruire degli archi della Compagnia; inoltre i vantaggi psicofisici del tiro si dimostrano evidenti soprattutto se abbinati a una discreta preparazione atletica (pesi, flessioni ecc.). È uno sport senza limiti di età in cui, anzi, la maturità si raggiunge più facilmente a livelli di età che appaiono addirittura proibitivi per altri sport. Tutti qui citano come esempio, una sessantacinquenne atleta canadese alle olimpiadi di Monaco nel 1974 e ricordano campioni internazionali costretti su sedie a rotelle, ma in grado di piazzarsi ai vertici delle classifiche. Richiedendo soprattutto doti interiori – concentrazione, autocontrollo, disciplina, saldezza mentale, tensione spirituale – il tiro con l'arco è praticabile anche da chi presenta gravi menomazioni fisiche. Ammonisce l'istruttore giapponese di Herrigel: "A noi maestri d'arco è noto e confermato dalle esperienze quotidiane che un buon arciere, con un arco di media potenza, tira più lontano di un arciere senza spirito col più forte degli archi. Non dipende dunque dall'arco, ma dalla presenza dello spirito, dallo spirito vivo e vigile con cui tirate."

Seppure nello Zen (la sublime coscienza quotidiana che altro non è che "dormire quando si è stanchi, mangiare quando si ha fame") il tiro con l'arco non costituisce che un tirocinio per giungere all'Illuminazione (*satori*), è indubbio che la pratica dell'arco rappresenti anche per noi occidentali un gesto antico, gravido di implicazioni culturali. Quando l'arciere si tende con tutto se stesso, esegue un rituale classico e arcaico, un gesto sedimentato nella nostra memoria che torna a riverberarsi miracolosamente nell'oggi. E quando la freccia inizia la sua traettoria ondulata e sinuosa, l'arciere si blocca in una forma al di là del tempo: l'arco dondola nella sua mano, la tensione si scarica prodigiosamente, mentre nell'aria si diffondono gradualmente le vibrazioni sonore della corda, un suono magico che non si dimentica.

Afferma l'ingegner Pietro Bevilacqua: "La freccia altro non è che un prolungamento del tiratore stesso che ha lo scopo di raggiungere un'altra parte di sé che sta sul bersaglio. È un allungo misterioso: è come se seguissi te stesso dietro alla tua freccia, poiché insieme a lei partono tutti i tuoi movimenti." E il giovane neofita Pietro Soliani aggiunge: "Ogni civiltà è stata trapassata dalla corda dell'arco. In questa palestra, io sto cercando di capire il perché. Mi affascina questo essere tutt'uno con me stesso, interno ed esterno, gesto atletico e pensiero. Si tratta di una coordinazione di intensissima spiritualità."

Le motivazioni per cui si arriva a praticare il tiro con l'arco appaiono, naturalmente, assai diverse. Forse solo i più giovani hanno la consapevolezza della ricerca interiore; altri, appartenenti a generazioni precedenti, ideologicamente più solide, ricercano nello sport del tiro non solo le qualità mentali e l'autocontrollo, ma soprattutto un contatto diretto con la natura. Il tiro con l'arco è uno sport che si pratica all'aperto, che vive nello spazio di un prato o di una collina. Negli Stati Uniti si caccia ancora con l'arco, si pesca, si gioca addirittura una specie di golf (*archery golf*), si fanno raduni e tornei poi immortalati sulle numerose riviste specializzate che i praticanti nostrani sfogliano con gli occhi lucidi di ammirazione. E allora gli arcieri reggiani hanno organizzato, in un parco sulla collina emiliana, una giornata ecologica. Sono partiti all'alba, hanno fatto i percorsi di tiro, hanno mangiato al sacco, improvvisando bracieri e falò, sono ritornati al tramonto. Una giornata fuori porta che arricchisce ancora di più il senso di questo sport non violento, ecologico, sommamente educativo.

[1981-1982]

SALSOMAGGIORE TERME

In una calda sera di luglio sono arrivate le Oba Oba, otto splendide paia di gambe in frenetico movimento per oltre due ore di spettacolo. Piccoli seni all'insù, glutei ambrati e cosce affusolate proiettate nel vortice della musica popolare brasiliana hanno rinvigorito la fauna acciaccata che frequenta le terme. Vecchi signori con basco e coppola hanno deposto cappelli, sigari toscani e bastoni da passeggio per gettarsi nella danza come tanti Louis de Funès. Signore attempate si sono levate in piedi e hanno posato, leggiadre, le dita inanellate sui fianchi armoniosi dei danzatori brasiliani. Un cancan di una ventina di minuti che ha tramutato gli spettatori dell'Arena dei Platani di Salsomaggiore in ballerini, le terme padane in un improvviso carnevale di Rio, gli applausi in sguaiati apprezzamenti da avanspettacolo.

Mentre le nuore sbraitavano e rincorrevano i suoceri con giacche e pullover, mentre le figlie quarantenni pestavano i piedi e ammonivano: "No mamma, no!", loro, i protagonisti di questo rito mondano-ospedaliero della Belle Epoque, la fauna, arrugginita nel corpo, degli artritici, dei reumatici, degli sciatici, dei gottosi, dei sofferenti nel sistema endocrino e neurovegetativo (fauna malandata nel corpo, ma non nello spirito), loro, si gettavano nelle braccia delle belle brasiliane, alte come pertiche e pressoché nude, e cantavano e ballavano improbabili samba, bossa nova, merengue, lambada, cha-cha-cha, mentre le coetanee incanutite deponevano scialli, ventagli e mantiglie per arpionare i ballerini e sorridere e folleggiare in mezzo a una platea attonita e un po' imbarazzata di familiari e di amici. La rivincita dei "curandi" si è consumata nel breve volgere di un bis teatrale, ma è bastata per innalzare ancora una volta, se mai ce ne fosse bisogno, il vessillo di un'Italia popolare, sessantenne e forse più, che solitamente è dipinta nelle cronache come ormai rassegnata e delusa e tagliata fuori, e che invece, in questa e altre capitali della terza età, consuma il rito della vacanza con disinibizione, allegria e divertimento. A Salsomaggiore trovate, per esempio, negozietti di gadget e souvenir che non propongono madonne o santini, quanto piuttosto statuette dell'Oscar con su la targhetta "Al più vizioso", spazzolini da denti in forma di donnine nude, statuette in peltro o argento rappresentanti fauni e odalische in accoppiamenti del tutto contrari alle leggi della gravità. E nelle librerie, mi dicono, il best seller è sempre quello: *Le posizioni dell'amore.*

Salsomaggiore è una cittadina che i libri scolastici definirebbero, senza alcun dubbio, "ridente". Immersa nel verde della collina parmense, fra parchi, giardini, laghetti artificiali, piscine, patii e boschetti, ha una particolare aria impregnata di vapori iodici e salsedine che ti spingono, col naso in aria, a cercare il mare dietro ogni vialetto. Alla base del suo sviluppo come cittadina termale (avvenuto a partire dalla metà del XIX secolo, nonostante le sorgenti saline fossero sfruttate fin dall'antichità) c'è un accadimento che, pur confortato da relazioni scientifiche, conserva un alone di leggenda. Nel 1839, il dottor Lorenzo Berzieri, medico condotto del luogo, sperimenta su una bambina incurabile, Franchina Ceriati, le proprietà terapeutiche dell'acqua residuo della fabbricazione del sale ("acqua madre"). I risultati appaiono miracolosi. E tutta la fortuna di Salsomaggiore nasce proprio da questa storia con tre protagonisti: un medico, una bambina e l'acqua.

È proprio dalla fortunata presenza di un medico all'origine del mito di Salso (e non, poniamo, di un frate o di un altro ministro di Dio) che ci è stata probabilmente risparmiata, in terra d'Emilia, una Lourdes implorante e sofferente. L'acqua, infatti, come agente di salvezza, purificazione e rigenerazione, è già in sé un elemento magico, il cui rito è gravido di significati. A Salso, come nelle altre *villes d'eaux* dell'Europa della Belle Epoque il suo aspetto miracoloso è laicizzato e, per così dire, reso consono ai nuovi valori della borghesia industriale che, in quelle acque, specchia non tanto il proprio desiderio di salute, quanto il sogno di imitare i riti mondani della nobiltà.

Il problema fondamentale delle grandi cittadine termali come Aix, Vichy, Baden Baden e Bath, in cui si consumò il rito mondano e politico dell'età floreale, fu quello di nascondere, da un lato, qualsiasi immagine di sofferenza e di nosocomio dalla città; dall'altro, quello di "coprire" lo sviluppo industriale delle terme con sofisticate architetture del paesaggio, proprio per non ricreare, nel luogo della vacanza, quei problemi di sovraffollamento che legittimavano l'essenza stessa delle "città alternative". Le *villes des loisirs* dovevano essere popolate di grand hotel, di casinò, di principesse di sangue, di locali di divertimento, di caffè e di teatri, di grandi attrici e di artisti. L'aspetto terapeutico del soggiorno passa in secondo piano e non diventa che un pretesto per attirare una fauna internazionale e cosmopolita desiderosa soltanto di evasione.

"Già questa differenziazione è importante", sottolinea una giovane studiosa di Salso, Maurizia Bonatti, nel suo libro *Nascita e sviluppo di una città termale*, "per spiegare come solo alcune località saranno elette e prescelte a diventare *villes d'eaux*, cioè vere e proprie organizzazioni urbane della vacanza a uso esclusivo di particolari classi sociali."

Le smanie per la villeggiatura nelle località termali, pur avendo autorevoli precedenti nel corso del XVIII secolo (come Bath, in Inghilterra), arrivano al grande successo nella seconda metà dell'Ottocento (come Vichy, "lanciata" da Napoleone III con architetture Secondo Impero e poi definitivamente consacrata nel liberty svettante della *Halle des Sources*). In Italia, Salsomaggiore, come Montecatini e San Pellegrino, deve parte del suo sviluppo al rapporto con Milano, divenuta, nel frattempo, la capitale industriale del Regno.

Nel primo decennio del secolo è proprio da Milano che arrivano architetti, artigiani, artisti, imprenditori per realizzare la città delle vacanze. Salsomaggiore ricambia dedicando al capoluogo lombardo, strade (Via Milano), e caffè (Caffè Milanese) e alberghi (Grand Hotel Milano). Gli architetti lavorano a far sì che la "città d'acque" esalti, nella propria struttura urbanistica, quei concetti antindustriali, come il contatto con la natura, il rapporto interpersonale, i valori mitizzati dell'aria aperta, delle passeggiate, delle acque, che nella città – avviata verso il destino di metropoli – sono scomparsi, inghiottiti dall'edificazione, dall'inquinamento, dalla confusione.

Ecco allora la presenza, nel cuore di Salso, di un grande parco con laghetto e cigni, concepito come un'ecologica scenografia teatrale; ecco soprattutto i due grandi simboli della vacanza termale portati a inediti splendori: il Grand Hotel des Termes, simbolo del comfort dell'élite, e lo stabilimento termale, nel nostro caso il poderoso Palazzo delle Terme Berzieri, simbolo di una nostalgia d'Oriente, di un Sol Levante di incontaminata "naturalità" e bellezza.

Un decoratore ardito, Galileo Chini (1873-1956), approntando, oltre a queste due opere maggiori, una serie infinita di interventi in alberghi, ville, case e ritrovi, diventa l'artefice dell'immagine luminosa e cromatica di Salso. Basta percorrere l'appena restaurata Taverna Rossa del Grand Hotel (oggi Palazzo dei Congressi) per precipitare sul set di un Oriente ricostruito a Hollywood: archi moreschi che si infilano fino a un *trompe-l'oeil* marino nella *cave* destinata all'orchestrina; pareti che riproducono, in leggeri affreschi, acque, pesciolini, meduse, ippocampi, alghe, stelle marine, fiori acquatici. All'idea decorativa di fare della taverna un acquario, si contrappone poi quella di trasformare alcune pareti in voliere. E allora piume e piumaggi prendono il posto dei fondali marini, giapponeserie con animali, rami di pesco in fiore, volatili da cortile, dolci colline e tante lune multicolori si sostituiscono alla fauna acquatica; pavoni reali spuntano dai rivestimenti in legno laccato color rosso fuoco. Acqua, aria e luce in un tutto decorativo e scenografico ("Questa risata di colore", scrive Chini su un affresco) da cui vediamo spuntare non tanto il fantasma di un Gustav Klimt nebbioso, bensì quello di Theda Bara, assisa su un trono Bugatti, felice e contenta per il *décor* della sua scena in *Salomè*.

Allo stesso modo, la facciata del Palazzo delle Terme diventa una scheggia abbagliante di Estremo Oriente in piena Padania. Come è documentato in una piccola mostra alla Versilia di Marina di Pietrasanta (*Galileo Chini in Siam*), il Chini si era recato, tra il 1911 e il 1914, a Bangkok per decorare la sala del trono nel palazzo imperiale; e dal Siam riporta non solo motivi ornamentali, come le chimere, le teste di drago e di tigre e le odalische, ma anche il senso di un'atmosfera fatta di luce e colori. Così anche oggi, sedendosi nella hall delle terme tra signore sudate che sventolano i ventagli, camerieri silenziosi che scivolano via nell'aria umida e quasi polverosa, tavolini e arredi conservati perfettamente intatti dal giorno dell'inaugurazione (27 maggio 1923), fra quei giochi di luce e ombre subiamo, per qualche attimo, l'estrema rarefazione del pensiero. E ci scopriamo anche noi nel regno del kitsch, a fare il nostro passaggio a Oriente.

Qui tutti cantano. Dall'ora del tè fino a notte fonda, l'istituzione del *café chantant*, macina a ritmo vertiginoso l'intera storia della musica leggera, dai primi successi radiofonici dell'EIAR fino all'ultimo Festivalbar.

Ragazzone ben intonate, accompagnate al pianoforte da un maestro o da un semplice duo (la sezione ritmica è solitamente elettronica) si lanciano a gorgheggiare, brandendo i microfoni con piglio professionale e nonchalance. Alle volte più brave degli originali, più Mine di Mina, più Beatles dei Beatles, cantano e intonano, accompagnando i rituali dell'aperitivo, del caffè e, infine, dei drink del dopocena. Sono vestite come piacciono alle mamme e alle zie, hanno i capelli ben pettinati e la permanente fissata a dovere. Le gonne non scoprono il ginocchio (ma la sera è di rigore l'abito lungo); il sorriso è aperto, franco, emiliano, e sembra voler comunicare, come Loretta Goggi, un messaggio di pace, fiducia e felicità.

Fra la distesa dei tavoli, i camerieri in giacca bianca ricevono le ordinazioni sempre un po' curvi, nell'atteggiamento della riverenza. Un pubblico di belle quarantenni d'assalto, definite malignamente dai mosconi che ronzano loro intorno "tardone", ascolta attento, distribuendo occhiate e sorrisi ai probabili spasimanti. Un pubblico un po' più mesto, quello delle "sopravvissute", scruta perplesso i fondi della tazzina di caffè, cercandovi predizioni di buona sorte, e cioè l'arrivo di un principe che non potrà poi essere che azzurro per via dei capelli incanutiti, accarezzati dalla bianca luna che splende alta sulla campagna del Po.

Terminati i fasti della Belle Epoque, livellato il ceto sociale dei villeggianti attraverso l'edificazione di decine e decine di pensioni e alberghi, democratizzato l'accesso alle cure delle acque salsobromoiodiche, Salsomaggiore, e con essa le altre cittadine termali, si sono trovate di fronte a un irrisolvibile problema di identità. Nate per essere l'alternativa silenziosa e agreste alle città brulicanti della rivoluzione industriale, si trovano oggi, esse stesse, alle prese coi problemi dell'affollamento, del traffico, dello sviluppo, della confusione, delle isole pedonali, dell'inquinamento atmosferico. Sorte come espressione privilegiata di una classe sociale, come idealizzazione di valori e di miti (la natura, l'eterna giovinezza, la rigenerazione del corpo ecc.) di una borghesia che riusciva finalmente a far proprie le abitudini dell'aristocrazia, le nostre *villes d'eaux* sono costrette ad affrontare ora i problemi della vacanza di massa e del turismo popolare. Tentennando nell'offrire adeguate risoluzioni, rivelano curiosi anacronismi come l'Istituto Baistrocchi (cure e alloggi) che offre servizi di prima e di seconda classe, con netta separazione, anche fisica, delle rispettive sezioni. Così, i più recenti congressi internazionali organizzati a San Pellegrino e a Boario sembrano vertere più sugli aspetti storico-urbanistici delle località termali che non su quelli di un rilancio nella mutata società attuale.

A tutto ciò, Salsomaggiore risponde oggi con una "riminizzazione" della sua offerta, e dunque non solo valorizzazione delle risorse primarie (in questo caso i fanghi terapeutici, le acque, i bagni, i vapori, le inalazioni, le insufflazioni – soprattutto nella vicina Tabiano Terme – le irrigazioni, gli *humages*...), ma soprattutto grande incremento dell'industria del tempo libero e del divertimento.

Ecco allora il centralissimo Viale Romagnosi assomigliare un po' al riccionese Viale Ceccarini: *cafés chantants*, gelaterie, distese di tavolini, negozi, boutique del *prêt-à-porter* e profumerie che espongono i prodotti delle industrie cosmetiche locali, ottenuti dallo sfruttamento delle risorse del sottosuolo per la confezione non solo di latti detergenti, saponi, bagni di schiuma, ma soprattutto creme per rassodare il seno e argille per ringiovanire. Il passeggio di Viale Romagnosi, in certe ore canoniche della sera, appare in effetti un trionfo del navigato, del vissuto e dell'ironia degli anni, sull'ingenuità dell'imberbe giovinezza che consuma i suoi noiosissimi riti fra una gelateria e una sala giochi, fra un ciclomotore e una motoretta. E invece le nostre signore? Tutte lì! Le tardone agguerrite, truccatissime, tacchi a spillo, ventagli e scialli castigliani; le vecchie contadine che stazionano sul muretto di fronte al *café chantant* per godersi la musica a sbafo, con le gambe aperte e le mani incrociate su borsette grandi come cocomeri; le Kessler teutoniche che passeggiano altere con mamme e zie rigidissime; le Karen Black dai capelli arruffati e un accentuato strabismo di Venere e labbra turgide, così decise da far spavento; le nostre care sopravvissute ancora timidissime, nonostante gli anni, che passeggiano a braccetto seguendo tutti i buoni consigli dei rotocalchi femminili e, di tanto in tanto, slumano, ahimè, sempre la preda sbagliata, l'uomo che non farà mai per loro, il tipo che le potrebbe dannare per l'eternità, il farabutto, il mascalzone, il giovinastro; e così, tirando dritto e sospirando, altro non potranno fare che confermare la loro appartenenza alla categoria e mai fare il passo più in là, per accedere al rango e al censo della regina delle terme: la tardona.

I gigolo e i vitelloni non appaiono, al passeggio, solamente nei panni di trentenni ben nutriti e ben forniti (come nella riviera adriatica), guidando moto, vetture cabriolet o spider, masticando gomme per rinfrescare l'alito e ravviandosi il bel ciuffo corvino intriso di gel. No, qui i signori che, per esempio, corteggiano le quattrocento ospiti femminili che l'INPS spedisce per un soggiorno di cura di due settimane, sono in realtà uomini ringalluzziti, in stile Julio Iglesias (se va bene) o Claudio Villa. Non guidano bolidi o fuoriserie, ma sono perfettamente in grado di fare una "millemiglia" sulla pista di un dancing popolare come il Corallo, o di uno più sofisticato come il Poggio Diana, stringendo i fianchi delle compagne con sicurezza e maestria e instancabilità, senza rischiare dunque un testacoda.

È possibile scorgerli, davanti all'ingresso dello Slam o della Taverna, camminare ben vigili avanti e indietro, fino a notte fonda. Se la preda fa capolino in entrata o, meglio, in uscita dal locale, ecco che scattano sull'attenti come marescialli, si avvicinano, porgono il braccio, snocciolano avemarie e avanzano l'intorto. Instancabili come levrieri, infaticabili come segugi, i nostri vitelloni di mezz'età vengono soprattutto dalle province limitrofe: da Reggio, da Piacenza, da Modena, da Cremona e dal parmense. Conoscono le prede, gli itinerari, gli anfratti, le tattiche. Sono informatissimi, mi si racconta, sull'alternanza dei turni INPS, tanto per non fare un bel viaggio e trovarsi fra cinquecento uomini. Sono organizzati, efficienti, addestrati. Quella che in riviera di Romagna chiamano l' "industria del sesso", qui a Salso avanza e prospera in un più generale progetto di riabilitazione corporea, come se anche l'eros fosse parte integrante dei cicli di cure che vengono profuse con disciplina e professionalità. Niente di più distante, allora, dall'atmosfera di un sanatorio. Piuttosto un'isola di "vita separata", in cui i mali della vita – la solitudine, la perdita del vecchio compagno, della moglie fedele, delle amicizie più care, il dolore per l'avanzamento degli anni, la consapevolezza della propria precarietà al mondo – divengono occasioni per riciclarsi nel ritmo della vita di tutti i giorni, un'oasi in cui gli sfasamenti degli affetti vengono riallineati mediante nuove conoscenze e nuovi amori, una città per cantare l'irrisolvibilità della propria esistenza che poi, d'improvviso, incontrando uno sguardo, il "suo" sguardo, si salda magicamente nella gioia e nella speranza.

È, questa della "riminizzazione", una probabile soluzione di quella che abbiamo chiamato un po' seriosamente "crisi di identità" dei centri termali. Una seconda, sollecitata da più municipalità, potrebbe essere quella dell'apertura di un casinò. Ma quella senza dubbio più interessante e forse in un non lontano futuro, vincente, è la terza soluzione: quella che apre ai giovani e ai ragazzi.

A Salsomaggiore, per il quarto anno consecutivo, si è tenuto, fra giugno e luglio, il Basketball Camp. Organizzato da una società milanese, la EDB, supervisionato da Dan Peterson, con la partecipazione di campioni del circuito professionistico americano della NBA, ha raccolto quest'anno l'adesione di più di mille ragazzi di età compresa fra i nove e i diciannove anni. Gli iscritti si fermano per uno stage di una settimana, alloggiano in pensioni e alberghi, sfruttano le piscine, le palestre, lo stadio, i campi all'aperto della città, i parchi. Due lezioni di tecnica cestistica al giorno, tornei, allenamenti, sotto lo sguardo dei giovani istruttori. Divisi in gruppi di dieci, i ragazzi nuotano, corrono, saltano e la sera passeggiano in gruppo, lungo il viale cittadino, mischiandosi alla fauna dei villeggianti. Per più di un mese all'anno, la cittadina termale diviene un vero e proprio campus universitario in cui si parla prevalentemente inglese. Non è solo un tentativo a suo modo geniale. Non è solo un'ipotesi. Marco Bogarelli, giovane organizzatore dell'iniziativa, si dimostra più che soddisfatto. "Quest'anno," racconta, "abbiamo organizzato anche un campo di football americano. È la seconda volta. Centoventi adesioni. Un *coach* e due campioni della massima lega di football, la NFL, come Ray Willsey, Neil Lomax e Art Still. E per l'Italia, per uno sport così giovane, è un grande risultato."

La carnevalata di piena estate delle terme avanza così verso il proprio culmine: l'elezione di Miss Italia, che avverrà fra agosto e settembre, annunciando il gran finale di stagione. Per quel mese calerà a Salso l'intramontabile *demi-monde* radiotelevisivo, alloggiando al Grand Hotel des Termes. Si ripeteranno allora i riti di un tempo. E tutto tornerà brillante come durante la Belle Epoque. Un sogno che è fin troppo facile definire lungo un giorno.

[1985]

MODENA

In anni non lontani, avrei pensato alla Via Emilia come a una grande città della notte estesa trasversalmente sulla pianura del Po e percorsa, senza interruzione, dai TIR e dalle automobili, con le grandi discoteche come il Marabù di Villa Cella o il Bob Club di Modena innalzate nella campagna come sontuose cattedrali del divertimento, templi postmoderni di una gioventù ricca, attiva, disinibita... Avrei visto allora il grande rullo d'asfalto come una linea di separazione fra la dolcezza della collina emiliana, che di notte s'illumina di fari, bagliori colorati e punti fluorescenti, e l'estesa pianura che affonda verso la foce del Po, con le sue strade che derivano dalla via principale come tanti canali dal letto di un fiume e che portano, anche nelle terre più lontane, quello stesso messaggio di irrequietezza...

Avrei allora percorso questo viale molte e molte notti ancora, fermandomi, lungo il percorso fra Parma e Reggio, in bar per camionisti, in night-club per sopravvissute, in balere per quarantenni e giovin signori indecisi se abbandonare la mamma e i suoi tortellini per "accompagnarsi" con una ragazza che magari non sa nemmeno cucinare e le camicie le manda in tintoria. Mi sarei fermato nelle discoteche, avrei sentito le parlate straniere dei viaggiatori, avrei incontrato una fauna di coetanei vivissima e spumeggiante che, nel periodo estivo, si sarebbe mischiata con i propri simili provenienti da tutto il Nord nel punto terminale ed estremo di quella stessa grande strada, di quella stessa abbagliante cittadina della notte: Rimini.

Altre volte, a notte fonda – l'unico momento in cui, con un po' di spregiudicatezza o di incoscienza, puoi ignorare sensi vietati e isole pedonali – avrei attraversato le città che la Via Emilia solca come un'arteria percorre il corpo umano: sarei partito da Parma, poi Reggio Emilia, poi Modena, infine Bologna... Buona musica nell'auto e, fuori, la sequenza di pioppi, platani, grandi viali di circonvallazione, mura medievali, cattedrali, un entrare e uscire dal cuore delle città, e subito l'immersione in un altro ducato...

Modena, con la sua struttura circolare, l'avrei vista anche più volte dall'alto di un aereo decollato da Bologna e diretto a nord; l'avrei immediatamente riconosciuta per la torre della Ghirlandina e per il colore dei suoi tetti e sempre, schiacciando il naso sull'oblò, mi sarebbe accaduto di ripensare a quel periodo, un po' selvatico, in cui la Via Emilia era la prateria delle mie scorribande solitarie e le sue città erano i luoghi e le mura di un mio desiderio giovanile, istruito da certi autori nordamericani e, in particolare, dai cantautori emiliani dei miei diciott'anni: Equipe 84, Francesco Guccini, Lucio Dalla, Claudio Lolli. Un sogno americano, radicato da decenni in piena terra d'Emilia molto prima che l'Italia intera fosse soltanto una fra le molte province dell'impero, un luogo un po' marginale di omologazione e di livellamento.

I giovani di Modena, i ragazzi d'Emilia, in questo senso hanno mantenuto una loro identità, un codice di comportamento che, pur sviluppandosi da radici contadine, conserva le immagini della cultura dei padri innestandole nel panorama della contemporaneità e quindi, in definitiva, trapassa continuamente dalla provincia alla metropoli, in un mondo non conosciuto dai giovani di altre città italiane: non a Firenze, dove la fauna giovanile si istituisce da qualche tempo come una fauna d'arte attentissima a Londra e Parigi; non a Bologna, sempre più provinciale e perduta nei riti piccoloborghesi della provincia cattocomunista e della sopravvivenza gastronomica; non a Milano, così convinta della propria efficienza da guardare solo all'Europa; non a Roma, dove i ragazzi che assaltano ogni sabato pomeriggio Via del Corso, i coatti che stazionano al Pantheon, i borgatari che affliggono Piazza Navona, riportano la città a tempi di saccheggi e di invasioni barbariche...

Ma i ragazzi di Modena, i giovani d'Emilia, sembrano, nella loro tranquilla normalità, nella celebrazione dei riti provinciali del sabato sera, dell'uscita al caffè, del bar, del giro in Vespa, avere cambiato il volto della loro città, non rinunciando alle abitudini, ma riversando sugli stessi riti del "piccolo mondo" la consapevolezza di vivere in una provincia sempre più americanizzata.

Le ragazze, per esempio, le vedi andare in giro a gruppi, le incontri in cinque su una vecchia Dyane mentre, ferme a un semaforo, ti dicono qualcosa, ridendo e sbeffeggiandoti allegramente, te che vai in giro solo mentre loro, emancipate e allegre, se la godono quanto e come vogliono. Le incontri di notte, nelle belle e raffinate osterie modenesi in tutto simili, le ragazze, alle loro coetanee tedesche o inglesi o nordeuropee, e non solo perché preferiscono la birra ai rosoli delle altre brave signorine italiane, ma proprio per questa loro consapevolezza e sicurezza. Le belle ragazze emiliane, e modenesi in particolare, abituate dagli anni del boom a reggere sulla punta delle dita il decollo della fiorente economia, dell'artigianato, della piccola industria, proprio loro e le loro mamme, che a forza di spingere avanti e indietro le macchine da maglieria hanno fatto di questa provincia, di Carpi in particolare, una zona di benessere e di ricchezza. Così come erano le loro nonne ad andare alla monda nelle risaie per guadagnare qualcosa e le loro bisnonne a reggere matriarcalmente le famiglie contadine, queste ragazze emiliane anche oggi, hanno stampata sul viso la fierezza della loro femminilità produttiva e indipendente, una femminilità conquistata a fatica nel corso di decenni. La conseguenza è allora una varietà di atteggiamenti il cui simbolo, nel campo del tempo libero, è proprio quella Dyane rossa che brucia semafori e sensi unici e vola verso le grandi discoteche della pianura, lanciando sberleffi e facendo vittime, sentimentalmente intendo, sulla strada.

Ragazze di Modena in sella alle tradizionali biciclette – tantissime qui come solo ad Amsterdam – che nel motteggio popolare tenderebbero a dare alle natiche quella particolare floridità tipica del sedere della donna emiliana. Ragazze di Modena in un luna park o su una panchina di un giardinetto di periferia, non annoiate, ma dure e provocanti e disinibite. Ragazze di Modena sedute ai tavoli del fast food della stazione delle autocorriere, che smista la fauna studentesca under 18 verso le decine e decine di città satelliti: Spilamberto, Fiorano, Maranello, Fanano, Sestola, Vignola, Carpi. Ragazze di Modena impazzite per il loro Vasco Rossi che proprio in questa stessa stazione aspettò, probabilmente, gli autobus che dalla scuola lo avrebbero riportato in montagna, a Zocca. E, in effetti, non si può nemmeno lontanamente capire il fenomeno Vasco Rossi senza tener presente questa realtà emiliana, questi percorsi fra la città e la provincia, fra la metropoli e la sperduta cittadina dell'appennino: percorsi che lanciano, naturalmente, il mito e il sogno all'interno di un'esistenza un po' grigia e nebbiosa, ma pungolata continuamente dalla modernità e dalla ricerca dell'evasione.

I ragazzi di Modena sono i personaggi cantati dal loro aedo di Zocca, ragazzi selvaggi con una grande voglia di provare i propri limiti, ragazzi pronti a sfidare i miti inserendoli nella quotidianità, ragazzi lirici e in fondo sentimentali, poiché dietro il rock, anche più duro, batte da sempre il caldo cuore emotivo del ragazzo sulla strada, in cerca di sé e della sua bella. Modena è da questo punto di vista, insieme a Reggio Emilia e a certe sacche del mantovano, la provincia più freak d'Italia, in cui i comportamenti giovanili degli anni sessanta e settanta sono sopravvissuti non solo come mode (i jeans, i capelli lunghissimi, le motorette, i sacchi a pelo, gli amuleti orientali, i tatuaggi, gli zoccoli, le fusciacche indiane ecc.), ma soprattutto come contenuti: voglia di stare insieme, di fare casino, di raggrupparsi non tanto in opposizione ad altre compagnie, ma in antagonismo alla società adulta.

Benché la frammentazione degli atteggiamenti giovanili tipica degli anni ottanta, con la conseguente formazione di bande e tribù (i dark, i dandy, i punk, i rockabilly), sia arrivata anche qui, benché tutta questa umanità sia presente ogni fine-settimana al Graffio, locale dell'ARCI Kid, ora tempio della mondanità giovanile anni ottanta, la gran massa di giovani è quella con la Vespa accessoriata, i capelli lunghi, gli stivalacci sdruciti, un po' di marijuana in tasca, le cartine per rollare, una cascina abbandonata e ristrutturata in aperta campagna come luogo di ritrovo e di vita alternativa. Insomma, ancora una volta, gli struggenti eroi di Vasco Rossi.

Al Graffio, come si diceva, ecco invece la parata dei travestimenti, la carnevalata quotidiana degli anni ottanta: giovinotti e pulzelle che paiono usciti dall'ultimo Pitti Trend, la manifestazione fiorentina che consacra le nuove tendenze della moda giovane. Abbigliamenti a metà fra la Festa della Tavola Rotonda e *Guerre stellari*, recupero della psichedelia, orpelli e medaglie e strass militareschi appuntati ovunque, calzature elfiche da Terra di Mezzo, occhi bistrati da Marylin doposbronza, trucchi anche per i maschietti che nella toilette si passano gommine e kajal e rossetti e fard senza nessun problema ontologico, anzi con la frenesia di chi sa di dover entrare in scena fra pochi istanti.

Sono in maggioranza "creativi"; hanno tutti, in un qualche modo, a che fare con l'industria della moda; sono abili artigiani, hanno gusto artistico. Nelle campagne attorno alla città non ci si deve meravigliare di scoprire, per esempio, studi di registrazione ultraprofessionali che hanno lanciato la disco music italiana nel mondo, gruppi di designer, comuni di architetti, studi di animazione cinematografica come quello di De Maria che ha prodotto, fra le altre cose i *Fumetti in TV* e in cui hanno lavorato, fra i tanti, il Bonvi di *Sturmtruppen* e il Silver di *Lupo Alberto.* Ma i giovani di Modena sono anche i ragazzi che passeggiano eleganti sotto i portici della Via Emilia, che pranzano al ristorante Fini con le famiglie, che si commuovono da un palco del teatro Comunale per il loro tenore Luciano Pavarotti; sono le ragazze che debuttano con la spalla scoperta, all'annuale festa dell'Accademia Militare ospitata nel massiccio Palazzo Ducale. Sono i giovani in Toyota e Range Rover che prendono l'aperitivo al caffè Molinari, nel cuore del centro storico. Sono i ragazzi che studiano al vetusto collegio San Carlo in cui ogni rampollo ha il suo appartamentino personale. Sono i ragazzi che frequentano l'università e che si mischiano, nel passeggio, con i severi cadetti dell'Accademia, rigidi e trattenuti nelle uniformi classiche da cui penzola il tradizionale spadino luccicante.

Ma i giovani di Modena, i ragazzi d'Emilia, al di là delle differenze appaiono come una collettività ricca di senso, di talento e, anche, di forza. Nella loro globalità, rendono l'idea di un cambiamento d'immagine della città in senso europeo, arricchiscono i "ducati" di una nuova vitalità, di una nuova frenesia e danno alla grande città della notte – in certi magici momenti – l'aspetto reale di una metropoli in cui l'ariosità del carattere emiliano, la sua storia, la sua ricchezza si confondono eccitantemente con i segni, i colori, i suoni di una contemporaneità che pare, una volta tanto, concreta e ottimistica.

[1986]

FIRENZE

Scendendo a piedi, in un tiepido pomeriggio primaverile, dal Forte Belvedere fino a Porta Romana, attraversando i giardini, l'Orto Botanico, passando dal retro di Palazzo Pitti, stendendomi al sole di fronte alle quinte di alberi in fiore dei Boboli, avrei avuto un'immagine della città, Firenze, molto simile a quella turistica di certe gite scolastiche e quindi un paesaggio e un'architettura naturale assolutamente esteriori, non vivibile nella quotidianità: un'esperienza estetica confinata nella teca di cristallo del ricordo, una parentesi ritagliata dal ritmo della vita di tutti i giorni, che solitamente non comporta né bellezza né felicità.

Anni dopo, compiendo un'altra discesa fiorentina, questa volta rinchiuso nell'ascensore dell'hotel Excelsior, leggermente euforico per lo champagne in corpo, stordito dalle chiacchiere e dagli incontri del party che ben oltre la mezzanotte ancora stava svolgendosi sulla terrazza, avrei invece conosciuto una specie di *satori* e la città, Firenze, sarebbe apparsa l'esatto contrario dell'immagine turistica e esteriore di quella prima discesa: Firenze allora si sarebbe dispiegata come l'immagine dell'Occidente stesso, un Occidente avviato inesorabilmente verso la morte, cinto d'assedio dalle popolazioni dei continenti poveri, degradato da quell'identico disfacimento già così tangibile, palpabile come un affronto, in certi quartieri di Londra o di Parigi o di Bruxelles...

Ma, a differenza di altre città, solo Firenze, conosciuta in quella discesa al livello del suolo, avrebbe saputo darmi anche la consapevolezza di quella fine: l'immagine, cioè, di un cimitero in cui, in luogo della mineralizzazione dei corpi, erano gli stessi edifici, le opere d'arte del nostro passato, la nostra storia a sbriciolarsi e a scomparire. E allora nella notte, le facciate illuminate di Santa Maria Novella, San Miniato, il campanile di Palazzo della Signoria, la grande cupola di Brunelleschi, Orsanmichele, il campanile di Giotto, i tetti di certi edifici vetusti e rigonfi di aristocrazia e passato e nobiltà, le logge, i contrafforti e i bugnati, altro non mi sarebbero apparsi che pietre tombali, monumenti ai quali si accendono le torce e le luci votive, come si fa nei campisanti davanti ai ritratti dei morti.

Oggi Firenze mi appare come una fra le più vitali città italiane, una città da cui non riesco a tenermi lontano, che mi richiama con forza alla sua vita, alle sue notti, alle sue "discese". Ma che immagine abbiamo oggi, al di là dei vissuti e delle esperienze personali, di questa città?

Leggendo i giornali, guardando distrattamente la televisione, andando a teatro o al cinema, le immagini della Firenze di oggi si mescolano contraddittorie come in una qualunque frenetica metropoli. C'è la Firenze capitale europea della cultura che promuove spettacoli, mostre e convegni di elevato interesse culturale. C'è la Firenze dei "saranno famosi" in Borgo Santa Maria dove Vittorio Gassman dirige quella Bottega dell'Attore in cui transitano promesse per i nostri palcoscenici e una fauna variopinta di ragazzi, di varia estrazione e provenienza, si rinchiude per dedicarsi, monacalmente, al mestiere più folle che esista, quello della perdita d'identità. C'è una Firenze del turismo culturale di alto livello, la Firenze degli Uffizi e dei palazzi d'arte, dei patiti della cultura italiana, che arrivano dagli Stati Uniti e dalla Germania sfoderando una morbidissima pronuncia della nostra lingua. C'è la Firenze del turismo giovanile *railpass* e carte di credito, come ce l'ha raccontato David Leavitt in un episodio di *Ballo di famiglia*, una Firenze stracolma di giovani che bazzicano fra la stazione e Piazza della Signoria come per le strade californiane. C'è una Firenze meta di un particolare jet set omosessuale di doppio segno che trova, da un lato, in Radclyffe Hall e, dall'altro, in Oscar Wilde, i propri numi tutelari; una Firenze, quindi, che non estinguerà mai il proprio mito dandy. C'è una Firenze del delitto, del mistero e del rigurgito terroristico con gli sventramenti in luna piena, gli accoltellamenti al parco delle Cascine e l'agguato mortale all'ex sindaco Lando Conti. C'è una Firenze che osserva i riti dei caffè letterari e delle riviste d'inizio secolo, la Firenze degli scrittori che rinverdisce con la nuova generazione dei trentenni: da Monica Sarsini, autrice di *Crepacuore*, edito da Vanni Scheiwiller, e da Giorgio van Straten, accolto nella scuderia Garzanti. C'è la Firenze dell'aristocrazia dei vini, che lo scorso mese di aprile ha ospitato, privatamente, Carlo d'Inghilterra. C'è la *banlieue* fiorentina dei film di Francesco Nuti, dei Giancattivi e di Cinthia Torrini. C'è la Firenze internazionale delle avanguardie teatrali, dei laser portati sull'Arno dai Krypton, delle tragedie contemporanee e barbare dei Magazzini Produzioni; la Firenze squallido-sublime degli spettacoli pinteriani di Carlo Cecchi al teatro Niccolini. C'è la Firenze della moda, di Pitti Uomo e Uomo Italia, la Firenze che impazzisce per le serate mondane, gli inviti ai balli, ai cocktail, alle presentazioni, alle collezioni, alle sfilate, agli happening, soprattutto se organizzati da principesse e contesse e marescialle. C'è la Firenze della progettazione ambientale e del design, di Vittorio Savi e di Anna Mari. C'è la Firenze disinibita dei progetti dell'ex regista Rostagno, che lo scorso anno ha portato le stoffe e gli abiti Fortuny nelle sale di Palazzo Strozzi. C'è la Firenze efficiente dei progetti speciali di Westuff, i cui componenti sono, da almeno un paio d'anni, i principali sovvertitori di tutto ciò che bolle nel campo della creatività giovanile. C'è, allora, la Firenze dei gruppi rock e indipendenti, degli ormai storici Litfiba e Diaframma, Rinf, Soul Hunter, Dennis & the Jets, Neon, Esprit Nouveau, Les Enfants Terribles, Sybil Vane, Danseur Boxeur ecc.; la Firenze delle etichette indipendenti (che hanno prodotto anche i dolcissimi riminesi Violet Eves) e dei locali inseriti nei grandi tour delle popstar anglosassoni: Tenax e Manila. C'è la vivissima Firenze delle gallerie d'arte, Skema, per esempio, o Vivita, dove lo spazio è intelligentemente gestito come un punto di ritrovo, come un club dove puoi sorseggiare una birra, passeggiando per i saloni d'esposizione. C'è la Firenze elettronica della computer art dei Giovanotti Mondani Meccanici cui si deve l'ultimo riuscitissimo videoclip di Teresa De Sio. C'è la Firenze di Villa Romana, dove i giovani artisti tedeschi soggiornano e lavorano sotto la direzione di Katelin Burmeister; la Firenze di certi artisti nuovi e già affermati, come Lorenzo Bonechi, Fabrizio Corneli e, fra gli scultori, Carlo Guaita,

Antonio Catelani, Daniela Di Lorenzo e Angelo Barone. C'è la Firenze degli stilisti, dal capofila Emilio Pucci a Chiara Boni, dai Gucci a Enrico Coveri, fino ai poco più che ragazzi Sandro Pestelli, Samuele Mazza, Franco Biagini, Loretta Mugnai, Barbara Bai e agli avanguardisti che, nelle giornate del Pitti Trend, rendono l'atmosfera della città assolutamente metropolitana ed entusiasmante: una fauna cosmopolita che gironzola fra il Plaga di Santa Maria Novella e il Salotto di Borgo Pinti, una fauna d'arte che contribuisce a fare di Firenze la vera capitale giovanile italiana degli anni ottanta.

Cogliere allora in un'unica, sintetica, immagine, in un fotogramma, in una descrizione, il "senso" di questa città è impresa impossibile. Firenze è una grande capitale culturale ma, a differenza di altre città, in essa è ancora possibile rintracciare e vivere qualcosa che le altre città, o metropoli, hanno perduto, o forse, nemmeno lontanamente, hanno mai avuto: il centro. Poiché Firenze conserva, fra due piazze, un ponte e qualche via, un centro vitale e fervido in cui batte il cuore della città. Basta sedersi ai tavoli di uno fra i tre famosi caffè di Piazza Repubblica (Gilli, Patzowski, Giubbe Rosse) fra il tramonto e le prime ore della notte. Sugli stessi tavoli, appoggiandosi agli stessi schienali, ecco dapprima i vetusti esemplari della borghesia cittadina che sorseggiano l'aperitivo. Un ottantenne con le dita inanellate, la consorte dai capelli sfumati color pervinca che risponde con il capino ai cenni di saluto di altre ottuagenarie che entrano. Più tardi l'ambiente umano trascolora nelle tinte dei neri e dei grigi. Entrano i commessi dark delle boutique del centro che, da un po', hanno la consuetudine di ospitare nelle vetrine interventi di giovani artisti internazionali. Eleganti e trascurati, come solo sanno essere i più fedeli adepti delle ultime *waves* di moda filofrancese e filonipponica. Hanno appena chiuso i negozi e parlottano a gruppi, decidendo quale sarà l'andamento della nottata. Verso le otto e mezzo arrivano invece i rampanti, cercano gettoni per telefonare, vestono all'inglese come ogni giovanotto fiorentino perbene ama fare da generazioni, sorseggiano spumante italiano. Poi arriva la fauna in attesa del cinema, arrivano i ragazzotti della periferia in sella alle loro moto truccate, arrivano i gruppi di soldati che passeggiano avanti e indietro, senza il coraggio di entrare in un bar. Di ora in ora, la piazza cambia scenario umano, cambia colore, cambia faccia, cambia storia fino al grande mescolamento e alla promiscuità della notte, quando i ragazzi escono dalle discoteche e, ancora qui, nel centro, vengono a cercare sigarette e tramezzini e il caffè delle tre del mattino. Le ragazze escono accaldate dal vicino Jab Jum, i gay dal Tabasco, gli yuppie dalle discoteche della collina sulle loro Range Rover. In alto, sopra la piazza, l'orologio elettronico segna ora, giorno, mese e temperatura. I segnali luminosi rosseggiano intermittenti, la luce pulsa a intervalli regolari. I tassisti parlottano davanti alle loro auto bianche. Anche le ultime frequenze di vita si affievoliscono. Cala il torpore, la stanchezza. Il centro della città, il suo vecchio cuore millenario si irrigidisce nel silenzio e, privo di vita, ancora una notte si accascia.

[1986]

2

RIMINI COME HOLLYWOOD

IPPODROMO

È sufficiente trascorrere una serata all'ippodromo del Savio di Cesena, per rendersi conto di come lo sport ippico sia ormai un divertimento per tutte le tasche e per tutte le stagioni. Ce ne eravamo accorti già la scorsa primavera, in occasione delle gare di trotto della fiera di Modena, con un pubblico coloratissimo di giovani e giovanissimi, impiegati, contadini, operai, studenti: un pubblico talmente popolare da sconfiggere definitivamente la vecchia immagine di uno sport considerato, a torto, aristocratico, élitario e snob.

Che qualcosa, negli ultimissimi anni, fosse cambiato lo avevano colto le sensibilissime antenne delle emittenti private, che da tempo diffondono dirette quotidiane dagli ippodromi di Montecatini, Milano, Firenze e, naturalmente, Cesena. Sotto gli occhi elettronici di due stazioni televisive dunque seguiamo una serata all'ippodromo del Savio, una notturna fra le tante che, da luglio a settembre, si susseguono davanti a un pubblico che oscilla fra le cinque e le ottomila presenze, per impennarsi in vertici assoluti in occasione delle corse tris. Una serata all'ippodromo per capire chi è questo nuovo pubblico e, soprattutto, in che modo lo si tenta, lo si ghermisce, lo si diverte. Poiché, se una cosa è certa, nel successo di questo ippodromo, è che nulla è lasciato al caso, anzi, come vedremo, l'organizzazione e l'ospitalità del luogo sono esattamente le stesse che i romagnoli da sempre impiegano, con efficienza, nelle città della loro riviera. Insomma, alle corse come in un grand hotel.

Lungo l'atrio, al disotto delle tribune, organizzato come una modernissima hall di aeroporto, con tanto di monitor, terminali, banchi di accettazione, si snocciola la teoria dei banchi del totalizzatore, puntate anche da mille lire. I ragazzi che incassano le giocate hanno l'aria degli stakanovisti del lavoro estivo: gli stessi ragazzi, insomma, che lavorano per un paio di mesi ai caselli dell'autostrada, nei ristoranti, nelle fabbriche. Davanti ai loro registratori di cassa, si accalca una folla anonima di aficionados della puntata domenicale, con il giornale sottobraccio che registra le qualifiche, i piazzamenti, le velocità dei cavalli in gara. Per ogni corsa basta controllare le caratteristiche dei cavalli partenti, stilare il pronostico, prendere in considerazione l'outsider e puntare. Nell'intervallo fra una corsa e l'altra, i giocatori scendono dalle tribune come cavallette e si affrettano al totalizzatore vociando, strepitando, maledicendo: una folla che sa tanto di fauna da Piazza degli Affari, di piccoli risparmiatori di Borsa, di novellini del casinò.

Ci sono belle trentenni in giallo e in biondo, scollate e sbracciatissime, famigliole al gran completo, ragazzotti svelti e agili e manageriali, con camicette aperte sul torace e grandi catene d'oro; ci sono coppiette fedifraghe in luna di miele, ragazze alla pari, bambini. C'è una ragazzina in costume da ballo, tutta un'organza celeste e viola, e babbucce da ginnastica artistica; c'è una signora con canottiera nera e disegni di Capogrossi sul petto; c'è la fauna nervosa e anfetaminica che corre per la sala, controllando sui monitor del circuito chiuso le immagini degli altri ippodromi italiani.

Sulle tribune, fra gelatai ambulanti e piadine al prosciutto che girano di mano in mano e "brustulli" e lecca-lecca, c'è una vecchietta in scialle di rafia e abitino viola del pensiero. Ha il giornale sottomano, la penna biro che pende dalla catenina sul collo, tre paia di occhiali. Impartisce istruzioni al suo clan: il figlio, la nuora e tre nipotini. Decreta, con serietà e professionalità, l'entità della puntata e il cavallo favorito, dà i soldi al figlio quarantenne che si precipita dagli allibratori di fronte alla dirittura d'arrivo. Poco dopo il messo torna, estrae le giocate, la nonnina le controlla. Nel frattempo è partita, con diverse istruzioni, la nuora, quasi immediatamente seguita dai bambini con le mille lire. Nel momento in cui i cavalli staccano, il clan ammutolisce: i bambini tacciono, la nonnina ridacchia. Gli ultimi cinquecento metri sono una baraonda con gente che urla e grida e fa bordello e incita il cavallo o fa fatture perché "rompa", e il clan si alza in piedi e urla a perdifiato. Hanno azzeccato un'accoppiata: questa volta i messi partono per ritirare la vincita. La nonnina ha già gli occhi sulla prossima corsa, scrive, controlla, sluma verso i suoi confidenti.

Giù, agli stand dei bookmaker, si affollano i veri giocatori, quelli che incassano (o pagano) solo a fine serata e che puntano tranquillamente un paio di centoni a corsa. Sono perlopiù signorotti in maniche di camicia, dall'aspetto di mediatori agrari, di proprietari di fattorie e cascine: gente, insomma, che ha l'aria di essere legata alla terra e che conosce i cavalli come le proprie tasche; gente che si incontra sulle piazze nelle feste di paese; gente da fiera campionaria della Padania; gente secca e decisa che sa il fatto suo. Ma qui sono anche professionisti vestiti col blazer e pantaloni beige e mocassini scamosciati, coi capelli ben curati e impomatati, che vengono, sulle loro BMW, da Bologna, da Arezzo, da Ferrara, da Parma. I loro figli, giovanotti dalla flemma anglosassone, con cravattine regimental e camicine personalizzate e capelli corti, si accompagnano a fidanzate truccatissime e vestite in Dior e Chanel, con fili di oro sul collo, sulle caviglie, sulle braccia, ai seni, al naso, alle orecchie. La stessa fauna che si trova seduta ai tavoli del ristorante panoramico fra grigliate di pesci e secchielli di Trebbiano e champagne.

Dal ristorante, leggermente soprelevato, si ha la curiosa sensazione di trovarsi in un teatro: non solo perché a ogni inizio di gara le luci si spengono e rimane a brillare solo la pista, come se fossimo al cinema o al varietà, ma anche perché i tavoli stessi sono assegnati come palchi. C'è una piantina, nelle mani del maître di sala, con la disposizione esatta dei tavoli, che vengono sbarrati al momento della prenotazione, come si fa con le poltroncine sulle piante dei teatri.

Al ristorante non c'è più la fauna popolare e sbracata e fanatica della piadina che si incontra in tribuna, ma signore in bianco, con rose rosse sulla scollatura, occhiali che farebbero invidia a Lina Wertmüller, acconciature bizzarre e fantasiose che Danilo Donati non si sognerebbe nemmeno. C'è un tavolo tutto estero, con tre virago anni trenta, abbronzatissime e truccatissime, capelli rosso fuoco e grandi scialli lucidi: c'è una signorina che sembra l'ultima arrivata dei mitici Surf, i negretti del Madagascar, e ha un body scandalosissimo, con le chiappette al vento e i capelli imbrillantinati all'indietro come Rudy; ci sono i gigolo che vengono dalla riviera a imbastire incontri e libertinaggi; ci sono gli stranieri e i villeggianti.

In quanto a ristoranti, l'ippodromo appare attrezzatissimo con tavole calde e snack-bar ogni cento metri. Dopo un po' che giri nel parterre ti rendi conto che non solo ci sono i cavalli, il cui trotto arriva dalla pista di sabbia come un rombo del deserto, effetto vellutato e quasi struggente nella sua bellezza, ma sei nello stesso istante in un salotto mondano, in una fiera di paese, in una sala di Borsa, in un dopolavoro, in un bar, in un giardino pubblico, in un festival dell'*Unità*.

Intorno all'ippodromo, lungo i giardinetti, crescono amori e intorti; nel parco giochi, custodito da apposite baby-sitter, si lasciano i bambini in attesa che il papà si giochi l'appartamento, si sciolgono i cani per la loro presa di aria quotidiana: insomma, come spiega uno degli organizzatori, "qui si viene come in un salotto o in una sala da ballo, ci si ritrova come in piazza, si chiacchiera e, ogni tanto, ci scappa la giocata".

Con un pubblico che arriva dalla riviera romagnola, dalle città affogate nel caldo torrido dell'estate emiliana, l'ippodromo di Cesena sembra rappresentare una sintesi fra sport, spettacolo e vita quotidiana, un microcosmo variegato e in technicolor dove puoi incontrare tutti: dall'industriale, che gioca milioni con tutto il suo codazzo di segretarie e baiadere, alla struggente coppia di pensionati che, all'esterno del recinto, arrampicati sullo steccato come perfetti portoghesi sbirciano fra le siepi di protezione. Come se davanti ai loro occhi del 1911, si svolgesse in quello stadio accecante uno spettacolo mitico e proibito, qualcosa che è possibile intravedere solo di sbieco e solo di striscio, qualcosa che ha troppo del perfetto per non terrorizzare: il rituale potente della corsa, la gara della vitalità dell'eleganza, la purezza dell'agonismo e della forma. Insomma, l'incanto di una leggenda.

[1981]

PHOENIX

Nonostante le previsioni di un forte calo nell'affluenza turistica, soprattutto straniera, sulle spiagge della Romagna, in quest'ultima decade di giugno, si ha un'impressione diversa da quella che intristisce gli operatori turistici, chiusi nei loro uffici o nei loro studi di rappresentanza: e cioè che il ridimensionamento delle presenze nella Nashville italiana e provinciale non sia poi così grave, visto che, soprattutto durante i weekend, le spiagge sono affollate, le strade dei centri commerciali pure, le discoteche fanno il tutto esaurito e le birrerie faticano ad accogliere i clienti al riparo dei tucul di finta paglia e finto legno, nonostante i prezzi sostenuti.

Se tutto sembra rientrare negli alti e bassi della consuetudine, anche le previsioni più catastrofiche o i sondaggi più allarmanti, esistono alcuni elementi di novità nel modo in cui i turisti, soprattutto giovani, impiegano il loro tempo in vacanza. Ci sono le solite bande di gigolo, di rockettari e di skinhead, quei ragazzotti muscolosi e calvi che cercano rogne e aggrediscono, con i loro modi scorbutici e villani, anche le più inoffensive vecchiette, seguendo quindi le azioni dei loro ispiratori angloamericani, però bestemmiando in romagnolo: il che riconfermerebbe l'impressione di trovarsi nel pieno di una carnevalata autogestita in cui non esistono mai comportamenti originali, ma solo esibizioni, ri-calchi e ri-tratti. Ci sono le compagnie di sfaccendati e di veraci, di ragionieri e metalmec della Baviera; ci sono le belle di notte, le pupe e le falene, i gay dal baffo fremente e i macho dal bicipite suadente; ci sono alcune zie inanellate e piene di ori; ci sono i bambinetti sui pattini a rotelle e gli scugnizzi che lavorano nei cantieri edili, visto che qui è un continuo tirar su case e palazzi al punto da dar vita a centri rivieraschi esclusivamente immobiliari come Lido Adriano (Ravenna) in tutta un'agenzia di compravendita e affitto e investimenti e mutui, in un paesaggio che ha l'aspetto del Monopoli, con edifici vuoti e scuri e impalcature che arrivano al mare, dove il non fatto e il non finito e il non abitato danno, la notte, l'impressione di vivere in una città fantasma, un panorama futuribile ed estremo, molto *1999: i sopravvissuti...*

Ci sono i giovinotti *engagés* che a Rimini, in questi giorni di pioggia, hanno seguito la rassegna cinematografica dal gastronomico, e poco brechtiano, titolo *Bombe, babà e bonbon*, e dove al posto dell'immancabile *Angelo azzurro* di Von Stenberg, hanno dovuto, per un disguido, cacciarsi in testa *L'opera da tre soldi* di Pabst, non titolata e non tradotta, quasi un revival di quel masochismo *cinéphile* che credevamo ormai relegato solo nelle stanzette del DAMS; ci sono, infine, quelle bellissime cariatidi abbronzatissime e truccatissime che, dai tavolini di Riccione, in compagnia del loro whisky *on the rocks*, slumano intensamente i giovanotti con occhiate così esplicite che sono tutto un plot Harold Robbins e Jacqueline Susann.

Se l'ambiente sembra identico a quello della nostra infanzia balneare, con tutto il contorno di sospiratissimi luna park, fiabilandie e Italie in miniatura che ora gli addetti stanno spolverando per l'apertura del cancan imminente (e vedi spazzolare il Monte Bianco, strigliare Cenerentola e lucidare il Cupolone). Ma i giovani sembrano quest'anno orientati verso un tipo di svago nuovo e sofisticato: il videogame.

Non c'è bar, né gelateria che non abbia almeno un tris di questi coloratissimi monitor. Le sale giochi ne contengono tranquillamente un centinaio, divisi a seconda del tipo di gioco. Attorno alle macchinette di solito staziona una piccola ressa che segue soprattutto quella nuova figura dell'immaginario giovanile che è il campione, colui che riesce nell'ardua impresa di sbancare la macchina, idolo che se da un lato ricorda l'Elton John, campione di flipper (*Pin Ball Wizard*), in *Tommy* di Ken Russel, dall'altro soppianta il seguace baleromane di John Travolta, e cioè l'idolo giovanile più recente. L'ammirazione per questo nuovo campione, che manovra i pulsanti con l'abilità di un concertista di pianoforte, è unanime, uniforme e unisex, visto che ci sono parecchie sbarbe in vetta alle *top ten*.

Dai primi tentativi di proporsi, con l'avventura dell'elettronica domestica, come semplice passatempo o come simulazione di altri sport convenzionali (tennis, tiro a segno, basket ecc.), il videogame è giunto, in questi ultimi tempi, a una varietà di combinazioni pressoché illimitata, talmente sofisticata da relegare quasi nel ridicolo quei primi e grezzi meccanismi di gioco che solo qualche anno fa, applicati ai televisori, contendevano le serate in famiglia.

I nuovi videogiochi rappresentano solitamente una situazione di guerra spaziale o di invasione planetaria, se non di conflitto fra mondi. Il giocatore ha il compito di fronteggiare a bordo della sua astronave, l'impari guerra che mostricciattoli di altri pianeti, UFO o astronavi pirata, gli sferrano.

In Phoenix, l'astronave del giocatore è bersagliata da uccellacci spaziali simili a condor, di diversa grandezza, diversa velocità e diverso colore. La partita inizia con un motivetto musicale, la versione elettronica di *Giochi proibiti* (ma altri iniziano addirittura con un'irresistibile samba o con le note della *Cavalcata delle Walchirie* di Wagner o con l'*Inno alla gioia* di Beethoven) che fa da sfondo allo scendere del cielo stellato come tappeto su cui si svolgerà la battaglia. Anche qui il giocatore ha la possibilità, diversamente dal flipper, di azionare un salvataggio in extremis sottoforma di un campo magnetico tricolore che protegge l'astronave, per qualche decimo di secondo, dalle bombe degli uccelli (*barrier*). In altri videogame questa prerogativa di scampare alla catastrofe ormai sicura si chiama *iperspace* e comporta il dissolversi, per alcuni secondi, della navicella, che poi riapparirà in un punto a caso del video. In Phoenix, comunque, sono rappresentate, in maniera ineccepibile, le qualità che fanno la fortuna del gioco nei confronti del tradizionale flipper: il colore, la musica, gli effetti sonori, la varietà e mobilità dei bersagli.

Mentre la maggior parte dei videogame si svolge secondo un percorso verticale, dall'alto in basso, i nuovi e più sofisticati giochi elettronici, presentano un percorso orizzontale in cui la nostra navicella vola su una specie di *tapis roulant* che cambia continuamente colore, dal rosso più acceso al nero, al blu elettrico, a seconda degli stadi percorsi. Qui l'astronave deve bombardare le postazioni nemiche disposte alla base del video, fronteggiare attacchi aerei e, nello stesso tempo, rifornirsi di carburante, colpendo i depositi ancorati sul fondo. La novità è che ora la posizione di attacco è rappresentata dal giocatore, il quale non deve più solamente difendersi, ma può muoversi oltre che verso destra e verso sinistra, anche dall'alto in basso e viceversa.

Ma il gioco più sofisticato comporta anche la possibilità di invertire il percorso di marcia mediante un tasto apposito, e quindi far ruotare in senso contrario il *tapis roulant* con un improvviso cambiamento di rotta. Qui la guida della navicella è completa: avanti, indietro, sopra, sotto, all'incontrario. In questo videogame, la specializzazione è talmente raffinata che i tasti a disposizione del giocatore sono sei, con un tasto speciale, da usare non più di tre volte, che libera l'ordigno atomico. Inutile aggiungere che per giocare anche pochi istanti della partita occorrono le mani di un giocoliere, la rapidità di uno scattista, i riflessi affinatissimi, la diteggiatura di un Keith Emerson, una buona dose di capacità di giudizio per prevedere e impostare meglio la partita, oltre a una manciata di gettoni più cospicua di una vincita a una slot-machine.

Il successo dei giochi elettronici presenta motivazioni profonde (o quasi) che, per esempio, Emanuele Bevilacqua sul *Manifesto* ravvisa nella "rappresentazione che è tutta nello schermo (dunque habitat dell'azione) e riproduce così il rapporto televisivo fra occhio e video". Il fatto che questi giochi siano ormai oggetto di riflessioni sui giornali e sui periodici come *Linus* o addirittura in ambito estetico, come dimostra l'ultima performance di Bifo, che ne metteva in scena diversi, dicono che il fenomeno, soprattutto fra i giovani, è ormai radicato.

Il videogame rappresenta un viaggio avventuroso e una "trama fantastica" in cui il giocatore s'immerge con una forte carica di coinvolgimento emotivo. Il momento supremo è l'attimo in cui il videogame sconfitto si accende di tutti i colori, suona una musica di trionfo e sul video, completamente riorganizzato, appare l'immagine del giocatore-preda che diventa egli stesso inseguitore. Nello stesso tempo, l'ambientazione della partita in un locale apposito, in mezzo ad altre centinaia di monitor che lampeggiano, sparano, rimandano suoni robotizzati e segnali galattici, produce uno spiazzamento temporale, un'illusione fantascientifica, che coinvolge pienamente il giocatore.

E il caro, vecchio flipper? Le case produttrici stanno riguadagnando il terreno perduto, dotandolo di nuove ed elaboratissime opzioni: la partita può essere svolta da uno a quattro concorrenti, i piani di scivolamento possono essere raddoppiati, ci sono cunicoli, sottopassaggi, percorsi soprelevati che prolungano il campo di gioco, le biglie sono moltiplicate e possono scendere simultaneamente, mentre la voce del flipper mette in guardia o ammonisce sul basso punteggio ottenuto. Alcuni nuovissimi flipper si combinano addirittura con i videogame più affermati, riproponendo, su un minuscolo display, fra una pallina e l'altra, brevi partite. E il successo è assicurato. Aspettiamo ora dai nostri sociologi esperti di innamoramenti e amori un'esauriente indagine su queste macchine non più celibi ma in continua ricerca, e in gettoni sonanti, di partner con cui accoppiarsi.

[1981]

ADRIATICO KITSCH

È dunque questa della riviera adriatica una cosmogonia estiva e ferragostana della libido nazionalpopolare che, a dispetto dei decenni, delle mode e delle recessioni, persiste, più o meno intatta, nel costume e nelle manie della nostra gente, per cui ancora una volta sul fianco destro delle patrie sponde s'inscena la sfilata del desiderio in un missaggio di antiche forme e nuovissime attitudini, insomma ecco in breve qualche nota dalla riviera postmoderna.

Innanzitutto c'è un entroterra erboso e collinoso e galeotto, fatto di itinerari del Passator Cortese, visite guidate ai ceppi di Gradara, puntate dai bookmaker nell'avveniristico ippodromo del Savio di Cesena, in cui potete fare cenettine estive ai bordi della pista, godendo lo scalpiccio sordo dei puledri che arriva attutito fra il chiacchiericcio e lo champagne e i fruscii delle dame in fiore e il "tin tin" degli ori e lo "swishh" delle sete e dei volant e i "porcaeva" dei gigolo che non hanno azzeccato un'accoppiata, e la pollastra: "Oh, mia belva, tesoruccio, non importa... Però ora ti giochi il tuo Rolex, ah sì!"

Entroterra, dunque, godereccio e spendereccio per coppiette arrapate e assolutamente bisognose di concludere lì per lì, anche facendo i turni giù per i viottolini, con la guida poliglotta che smista il traffico al chiarore lunare; d'altra parte, non si può dar torto a tutta questa mezz'età eccitata dal cancan di valzerini libertini e mazurche sporcaccine che, appunto, lisce lisce non van giù, nemmeno nelle mastodontiche balere, uno scoscettare così kitsch da parere un Rainer Werner Fassbinder allo stato puro. Ma la scenografia della riviera ha paurose impennate d'immagine in certi periferici centri esclusivamente immobiliari, in cui nient'altro sono che agenzie di compravendita e affitto e investimento, e dove tutti paiono giocare, sul serio a Monopoli, e assolutamente *no bars, no dancings, no ties.*

Il paesaggio allora si complica di edifici, vuoti e scuri, e impalcature e bulldozer che arrivano al mare e gru e palizzate di cemento come una Centocelle rivierasca o una Garbatella costiera dove il non fatto, il non finito e, soprattutto, il non abitato danno, la notte, l'impressione eccitante di vivere in una metropoli abbandonata e galattica, costruitasi da sé dalle acque, principalmente per via di quelle luci d'astropista che le raffinerie di Ravenna diffondono nel cielo molto *Star Wars* del litorale. Insomma, un videogame a grandezza naturale piazzato ai margini dei viali luccicanti dei centri balneari, in un delta desolato e detritico come può esserlo il territorio di frontiera fra cervello e istinto e, quindi, con un corollario di intensità selvagge che esplodono: bande giovanili e punkettare, motociclisti sadomaso, emarginati, perditempo, drogatoni...

E poi le grandi città con i viali, i caffè, i moli, le pizzerie, i porti, le pinetine, le discoteche eroirock, le balere, i night-club VM di cinquant'anni, le sale da gioco dai nomi improbabili (Reno, Las Vegas, Montecarlo...), le spiagge, i vialetti, i dondoli, le gelaterie, i negozietti, le birrerie sotto i tucul in cemento: tutto per far sembrare più esotico, al visitatore nordico e birraiolo, questo fianco d'Italia. A ogni desiderio, dunque, un luogo adatto, appositamente costruito, come dire: "Per ogni bisognino, hai il tuo casino! Pardon, il tuo bagnino."

È fra i meandri di questo inconscio finalmente edificato, e di questa libido prefabbricata, che s'intreccia una fauna intensamente gravida di pulsioni esplosive, una fauna che pretende qui una sola cosa: partecipare all'orgia. Come non si andrebbe allo stadio come unico spettatore nemmeno a vedere Italia-Argentina, come non si andrebbe a un concerto soli nemmeno per gli Stones, così a Rimini non si andrebbe se non per il cancan. Tutto perfettamente accettato in partenza: "Io vado dove sono altri centomila."

Ed eccoli qui: i meravigliosi gigolo baffuti che abbiamo incontrato all'ippodromo la sera precedente, ora stanno ad arruffarsi il pelo appoggiati alla moto, dando ogni tanto una spolveratina all'arnese, quel vezzo di dita per cui riconoscete un italiano in mezzo ad altri diecimila; i soavi body builder che passeggiano coi bicipiti sempre in trazione come i signorini dei geroglifici egiziani; i rockettari dal cuore di panna, i giovinetti delle Vespe e dei motocicli e di "Coca-Cola è", gli skin villanacci che bestemmiano in romagnolo se non cedete loro il passo, i punkettari delle province più oscure sempre, a dir il vero, bellissimi e dunque che lo sappiano loro che anche il punk italiota più burino è sempre esteticamente migliore e accattivante del coetaneo signorino in look marinaresco e piratesco (new dandy o new romantic che sia): che lo si sappia! Mica star lì a credere che la cresta voglia dire diverso, emarginato, incazzato, laterale o trasversale, figuriamoci. Vuol solo dire esotico, meraviglioso, inusuale, personale, individuale: che lo si sappia, boy, che lo si sappia! Ci sono le compagnie di sfaccendati e di veraci, di ragionieri e di metalmec della Bassa Baviera; ci sono le belle di notte, le pupe, le sbarbe e le falene. Ci sono, naturalmente, le walchirie, le vichinghe e le ciclopesse; ci sono i gay con le loro spiagge, in cui si ricicla sex come in una catena di montaggio, e con i loro localini che fan tanto gola alla buoncostume: come successe l'anno addietro con il blitz all'ex Fragolaccia, caramba travestiti per il *cruising* a ramazzar finocchi con manette nei campi bui, trallallà! Ci sono le vecchie chire inanellate, con *pochettes* e *trousses* di strass, che urlano leggiadre: "Ohi carini, ma che faccio? Di giorno m'abbronzo e di sera mi sbronzo, oilalà!" Ci sono, infine, quelle meravigliose cariatidi abbronzatissime e truccatissime ed elegantissime che dai tavoli slumano, attraverso il fiaschettino di whisky, i bei giovanotti in canottiera, tutto un Sunset Boulevard alla rovescia, un riscatto generazionale della ruga, della plastica e della sauna, una sfida del "vissuto" e del "navigato" e della sublime decadenza del corpo a quello che è, nei toni complessivi, un paesaggio di baldanza fisica e prestanza atletica e giovinezza muscolare...

E allora la fauna, in questo paese delle meraviglie, cosa fa? Si mischia come in una Nashville patriottica e poliglotta, si interseca, si ricicla, si bagna, si asciuga, si dissolve, si droga, si eccita, prova variazioni alla "somma idraulica", si pigia in un caleidoscopico plot che nessun romanziere, o cinematografaro, ha ancora osato minimamente immaginare. E invece questa Italia un po' sbracata, che culla il sogno di una propria efficienza quantomeno import-export; questa fauna profondamente provinciale che, nell'orgia ferragostana, insegue le mille vibrazioni del *coitus mediterraneus*; questi ragazzi che limonano e spinellano e si stravolgono notte e giorno, costituiscono la più ardente, improvvisata e autogestita carnevalata rabelaisiana cui sia possibile partecipare in patria. Per questo, ogni anno si torna a Rimini: perché è questo l'unico luogo in cui è ancora possibile vivere e innestarsi nel continuum del romanzo nazionalpopolare. Per cui voi che siete a Rimini, ora, mandate una cartolina e raccontate. Siete già, o fortunati, in pieno romanzo.

[1982]

MACHOMAN

Sui lettini delle spiagge adriatiche continua la sacra rappresentazione del godimento e dell'intortamento, fra nuove attitudini e vecchi sistemi, la cui sostanza, però, non cambia la prassi dello sfarfallamento amoroso, il cui fine è sempre quello: una tacca in più sul calcio della pistola.

Ecco allora i macho e i gigolo uscire da mesi e mesi di accuratissimo body building, da stagioni di diete e cure a base di estrogeni nemmeno fossero dei vitelli da ingrassare, bensì tori da macello: eccoli uscire e prendere il posto che a loro compete nella carnevalata balneare che infiamma ogni centimetro di spiaggia da Grado a Santa Maria di Leuca. Eccoli distesi sui lettini e sulle sedie a sdraio, con le gambe aperte, i piedi incrociati, gli avambracci ripiegati dietro la nuca, gli addominali in tensione e quel perfido palpitamento senza, ahimè, eccitamento.

Se ne sorprendono un paio, noi attenti scrutatori della voglia e del desir nazionalpopolare, proprio in tale atteggiamento su due lettini, a Riccione. E la loro osservazione – condotta con binocoli e teleobiettivi come fanno gli ornitologi nel *bird-wachting* più scrupoloso – permetterà ora di disquisire e argomentare scientificamente della razza del Macho Mediterraneo.

I due soggetti in esame permettono innanzitutto la classificazione della specie in due sottogeneri: Tori e Belve. Il Macho-Toro, e quante fra di voi, pargoline, lo riconosceranno è di struttura fisica imponente: largo di spalle, esuberante nel deltoide, sinuoso nel trapezio, perfettamente scalare nei grandi dentati, che ricordano la tastiera di un pianoforte. Addominali bene in tensione, grandi glutei un po' bassi, ma perfettamente sferici, retto della coscia, vasto laterale e mediale ben sviluppati, come si conviene a chi molto sgambetta. Polpacci (gastroctemio laterale, gastroctemio mediale) assai ben formati, ma un po' sofferenti nella struttura generale della gamba, affossata e schiacciata dal culone mooolto muscoloso; pelo nerissimo, capelli ricci o rasati assai corti, baffi, barba non indispensabile, poiché dai pettorali tettuti e dagli addominali scultorei il pelo sale, e sale, e sale... E sembra non finire più. Il Macho-Toro, comunque, sul luogo di lavoro indossa rigorosamente slip neri, assolutamente *no boxer* o cose simili. La dentatura può deludere (fuma moltissimo); la caratura del Toro, invece, non delude mai.

Il Macho-Belva si presenta, al contrario, biondo e di gentile aspetto. Mai e poi mai, però, di costituzione esile. Ha tutti i bicipiti a posto, i tricipiti e gli infraspinati ben guizzanti, ha ricci biondi (anche ossigenati, va benissimo), è solitamente crespo e presenta una sottile peluria ambrata all'interno delle cosce affusolate (vasto mediale). Mentre il Toro mostra occhi a mandorla, nerissimi, e bagnati, e labbra al sanguinaccio, la Belva appare, il più delle volte, con iride nocciola (e Osiride in Cancro) oppure molto chiara, mascella larga e collo robusto (muscolo pellicciaio), labbra più Max Factor che Helena Rubenstein (non so se potete capire, mie belle frugoline). Di caratura, la Belva alle volte può, ahivoi, deludere, ma senza dubbio possiede nell'atto una vibrazione in più della razza sorella: è sinuoso, affusolato, aggressivo, sensuale. Insomma il Toro incorna, ma la Belva morde.

Riprendiamo l'osservazione sul campo: ecco i nostri due esemplari sui lettini. Hanno scelto un ombrellone di fianco al corridoio che divide il bagno, in modo da poter osservare qualsiasi preda si diriga verso il mare. Posizione non primaria, troppi bimbi, ma discretamente avanzata. Si unguentano a vicenda, portano ambedue occhiali da sole: Ray-Ban affusolatissimi e a mandorla il Toro, larghissimi Persol a goccia la Belva.

Transita una coppia di procaci signore, ridendo e scherzando. Ecco dunque la sequenza: il Toro allarga lentamente le gambe e fa scendere una mano sullo slip nero, con l'altra toglie gli occhiali e sluma. La Belva dà un gran colpo di criniera e si torce, finendo steso a pancia in giù e mostrando così il fluttuante paesaggio muscolare che dalle spalle rocciose, contro cui si infrangono a ciuffi le onde della criniera selvaggia, scende verso il grande dorsale, s'inerpica lateralmente nei contrafforti del grande obliquo, per svanire nella depressione arcuata del fondoschiena... Le due poverelle allibiscono, ma non s'arrestano. Poco più avanti si sgomitano e si cinguettano nell'orecchio. Decidono, ma non subito. Ritorneranno, dieci minuti più tardi e si siederanno sui lettini, si faranno ungere, offrire sigarette e, alla fine, impalmare. Noi si chiude il telescopio, il resto seguirà senza intoppi e senza toppe.

Rivedendo innumerevoli volte al rallentatore la precedente sequenza, abbiamo potuto notare che lo scatto del corteggiamento, il clic malandrino dell'intorto, è avvenuto proprio in un particolare momento che chiameremo, in lode alla mania calcistica italiana, "tocco di palla", gesto consueto tra i nostri macho, ma che in spiaggia assume, come dire?, valenze iperboliche. L'inevitabile corollario appare essere il seguente: che cosa mai terrà il machoman fra le gambe? In quei turgori da spiaggia libera, in quei gonfiori da pensione Cesarina, in quelle estensioni da bagno Nettuno?

Non si sa. Si presume: una cornetta del telefono, un pappagallo, un lampostil (punta fine), un idrante, un portamonete (o una scarsella?), un notes, la dichiarazione dei redditi attorcigliata (modello 740/Y: redditi da lavoro autonomo e indipendente), un joint di almeno dieci cartine, un chiloom, un fungo porcino, una moka di caffè (in ebollizione), una sequenza di bandierine marinare (SOS, HELP ME, INCENDIO A BORDO, PERICOLO GIALLO)... A noi seriosetti non è concesso sapere; a voi bimbacce invece toccherà vedere. E allora, finalino, cantiamo la canzonaccia del machoman da spiaggia:

La danese vuol la Belva riminese,
la svedese esige il Toro Bel Paese,
la walchiria il macho che suspiria,
la ciclopessa tanti machi che fan ressa,
l'inglesina vuole un macho signorina,
la francese cerca sol quello cortese,
l'iberica vuol la taglia stratosferica,
la tedesca non s'abbasta della tresca,
vuol tremare come un'esca
mentre il macho se la pesca.

CORO:

Io sono il macho e al bacio lo facio,
ogni puledra con me divien Fedra,
ogni zitella più non favella,
perché sono il macho e al bacio lo facio!

La baffochecca s'accontenta della stecca,
la chirotecnica pratica sol la metrotecnica,
la chiromante lo vuol duro di diamante,
la zietta non l'aspetta (lei ha sempre fretta!),
la piagnona vuole il macho porcellona,
la tremendina un macho lampadina,
la panchecca il macho bistecca:
non alla griglia – che meraviglia!
non al carbone – che buon odore!
ma al naturale – oh sì, questo è un baccanale!

CORO:

Io sono il macho e al bacio lo facio,
ogni puledra con me divien Fedra,
ogni zitella più non favella,
perché sono il macho e al bacio lo facio!

[1983]

BAR LINA

Quando, nell'agosto del 1981, la polizia fa irruzione al Club dei 99 (ex Fragolaccia) a Riccione alta, e arresta quindici gay più il proprietario della discoteca per reati connessi al comune senso del pudore e allo sfruttamento della prostituzione, la riviera adriatica scopre, in modo eclatante, la presenza del popolo di Sodoma sotto i propri ombrelloni, lungo il passeggio frenetico di Viale Ceccarini, nelle distese dei caffè e delle gelaterie, sui risciò, nei minigolf, sui mosconi e sui lettini da spiaggia. La fauna delle pensioni, delle mogliettine in vacanza, delle nonne con i nipotini, si accorge così, attraverso le pagine dei giornali, dell'esistenza di una tribù malandrina e galeotta che credeva relegata ai margini della società e del vizio. E invece, scorrendo quelle quindici storie di gente comune, si accorge che questa dell'omosessualità non è poi, in fondo, soltanto una stranezza per artisti, ballerini, stilisti di moda, ma riguarda ragionieri, commessi, insegnanti, piccoli commercianti, bidelli ecc.

In effetti, quello che distingue il normalissimo popolo gay della riviera adriatica da quello cosmopolita della "froceria" internazionale è proprio la sua dimensione casereccia e popolare. Basta dare uno sguardo allo splendido Bar Lina sul lungomare di Riccione per accorgersi di una via italiana all'omosessualità, contrapposta a quella dei paesi del Nord Europa, tutti un Incognito Bar, Why Not Bar, Spartacus Bar e Cosmo Bar. Qui, invece, una baracchina con distese di tavoli che debordano fin sulla strada, un semplice jukebox e un flipper, tramutano un anonimo bar in un punto di ritrovo con checchine in stile Renato Zero, macho dal baffo tremendo, culturisti dalla voce flebilissima, signori svedesi pieni di oro vichingo, tedeschi ciccioni col parrucchino, vecchie "zie" di Cremona o di Piacenza che hanno conosciuto tutti. Ci si accorge allora che certe località della riviera adriatica sono da tempo il naturale sfogo marino della popolazione gay del Centro Europa (e dell'Alta Italia) che disdegna le follie delle isole-santuari come Ibiza o Mykonos, e che preferisce invece la notte riccionese così luccicante e *popular*, con tutti i servizi a disposizione e le comodità dietro l'angolo (a pochi chilometri la spiaggia naturista gay della Bassona).

[1985]

RIMINI

Vista dall'alto di un DC9 che da Venezia mi riporta a Roma, in una splendida giornata estiva, la riviera di Romagna altro non appare che un'esilissima striscia di sabbia chiara che procede dolcemente fino a virare attorno a Cattolica, e da lì si increspa e si movimenta giù giù, fino ad Ancona. Vista invece di notte, dall'alto di Gabicce Monte, quella stessa striscia di sabbia mi sarebbe apparsa come il bordo luccicante di strass di un vestito da sera e, quindi, l'invito al desiderio, alla follia della notte, alle corse in macchina lungo la costa illuminata, confine fra la terra e il mare. Ma dove la collina e dove le acque? Tutto si sarebbe confuso così che non avresti potuto dire: "Lì c'è la campagna, lì invece il cielo. Quella è una stella, o forse la luce sulla prua di un battello, o forse nient'altro che il faro di un dancing ospitato in una cascina." L'unica certezza sarebbe stata quella sequenza ordinata di luci piantate sulla costa a indicare il cammino, un percorso di sopravvivenza e di divertimento come uno spartiacque nel vuoto nero della notte. E difatti, scendendo sul lungomare, camminando, attraversando i giardini e i viali, nemmeno per un momento avrei dubitato che tutto fosse così, che tutto fosse divertimento e allegria...

Allora mi dissi che sarebbe bastato procedere in linea retta, senza oscillare né da una parte né dall'altra, percorrere la costa come un viale lungo decine e decine di chilometri e concentrarmi su chi avrei incontrato: creature della notte che danzano come falene attorno alla loro sorgente di luce.

FESTIVALBAR. Tutto era molto californiano: le luci, il caldo, la discoteca all'aperto in collina, i prefabbricati dei servizi, i camper, le elettromotrici, i riflettori, il nomadismo, il parcheggio delle roulotte e delle grandi auto straniere da cui, ogni tanto, una ballerina scendeva pesantemente truccata, come se fosse già il momento di salire sul palcoscenico e invece altro non erano che le tre di un afoso pomeriggio di giugno. Avrei dovuto partecipare a una puntata dello show televisivo che si inaugurava al Bandiera Gialla di Rimini, e per questo ero stato convocato, dal mio ufficio stampa, alle tre del pomeriggio. Avrei dovuto conoscere il produttore televisivo, il curatore dei testi, il regista, la presentatrice.

Arrivai già stanco. Mi trovai di fronte al set televisivo, ben altra cosa rispetto a un set cinematografico. La televisione è già spettacolo nei chilometri di cavi elettrici, nelle centinaia di monitor, piazzati a gruppi di dieci come videosculture, nell'imponenza delle telecamere. Un set cinematografico viaggia lentamente, per ciak successivi, e sembra non vi accada mai niente di particolare; il set televisivo macina ore su ore di trasmissione come un mastino, ore e ore di prove, gli artisti, i presentatori, la pubblicità, il corpo di ballo, i tecnici del playback, i cantanti, i produttori, i registi, i tecnici, gli attrezzisti. Tutto ingranava sul palcoscenico, centinaia di persone davano ordini, e tutti obbedivano rispondendo con altri ordini. La presentatrice, in short ridottissimi, cercava di riposare allungata su un divanetto accanto alla sala trucco. Ma non dormiva. I muscoli del suo viso fremevano per qualsiasi vibrazione che incrinasse il silenzio. Fu in quel momento, quasi azzerato dal caldo e dalla luce del pomeriggio, fra i profumi stordenti delle lacche, delle creme e dei trucchi, che provai, per un istante, l'eccitazione di poter conoscere il mondo dello spettacolo. In quel momento di pausa – fra ballerine stanche e cantanti dagli occhi gonfi, fra telefoni che continuavano a squillare e telex che arrivavano in continuazione in sala regia – sentii, nella mia stessa stanchezza, il doppio e il falso dello spettacolo, la seduzione di una maschera grondante fatica e sudore.

La notte, dopo aver registrato, tornando in albergo, accolto nel refrigerante lusso del Grand Hotel pensai a Nathanael West, povero e sfortunato scrittore degli anni trenta, affondato nella Hollywood maledetta del massimo splendore e del massimo cinismo.

VIALE CECCARINI. Lungo questo viale che da Riccione porta al mare, dopo il sottopassaggio ferroviario di rito in ogni città della costa – una sorta di separazione trasversale che taglia in due fasce, anche sociali, il popolo delle pensioni da quello degli alberghi di prima categoria – lungo queste poche centinaia di metri, di giorno o di notte, l'immagine della riviera splende come in *One from The Heart* di Francis Ford Coppola: insegne multicolori, luci al neon, vetrine di negozi lucenti come specchi, grandi pannelli pubblicitari elettronici che si animano di disegni e di slogan, scritte, musica, senza una definitiva soluzione di continuità fra il dentro (i bar, i negozi, le case, le stanze...) e il fuori (la strada, il viale, gli alberi...). Tutto è riversato in una dimensione scenografica in cui anche i vecchi pini marittimi che costeggiano il viale sembrano elementi di una quinta prospettica, essi stessi addobbi di un grande negozio in cui si eseguono ritratti, si passeggia, dove sfrecciano i tandem e i risciò fra i tavoli in cui si beve un caffè in ghiaccio o si gusta un gelato. L'effetto è straordinario. Quando vi portai alcuni diffidenti amici romani, li osservai sciogliersi meravigliati, assorbiti dallo spettacolo della fauna in vacanza che dura per tutta la notte, fino al mattino.

DISCOTECA. In tutta la riviera di Romagna le discoteche, i club, i dancing, le balere abbondano a ogni angolo di strada. Ci sono quelle sul lungomare e quelle in collina, quelle rinchiuse in uno scantinato e quelle ospitate in villette e prefabbricati. Ci sono disco per ragazzi e per schettinatori, per dark e per paninari, per gay e per tardone, per ricchi e poveracci. Ci sono i night-club dall'atmosfera un po' equivoca e le grandi costruzioni come la Baia Imperiale, clima sfacciatamente da Basso Impero, a metà tra il Foro Romano e la Cinecittà di *Ben Hur*. In ogni discoteca, comunque, non solo si balla, ma si fa spettacolo: nuotatrici acrobatiche, culturisti, trasformisti, giocolieri, funamboli, prestigiatori, arricchiscono le serate e intrattengono un pubblico che in fondo, in quei posti, va per ballare e per divertirsi, certo, ma soprattutto per abbordare. Una vacanza senza partner che straccio di vacanza è?

Ecco allora un lui che gironzola attorno a tre, quattro girl piuttosto carine. Si vede che ne vorrebbe conoscere una in particolare. Lei se ne accorge, parlotta con le amiche, guardano l'intruso, fanno commenti, esaminano. Lui sta tranquillo, vuole fare il ganzo, ma non ci riesce. Fumacchia nervosamente un sigarillo, così per darsi un tono. Le ragazze si dirigono verso la pista. La prescelta cammina più lentamente, in modo da rimanere indietro. Lui, appoggiato alla colonna, capisce tutto, si stacca e l'abborda. Le tre amiche, giunte sul bordo della pista, si voltano. Lei e lui sono ora vicini, fianco a fianco. Camminano sempre, si sorridono, si guardano. Lui dice qualcosa così, per tentare. Come tre caravelle che lascino gli ormeggi, le tre amiche scendono in pista invitando l'amica. Lei continua a camminare, gli dice non è la serata giusta. Lui si blocca al limite della pista da ballo. Lei invece entra nella mischia. Lo lascia lì, immobile, come si lascia un molo per prendere il largo, e lui, rimasto a terra, la segue con lo sguardo allontanarsi e perdersi nell'orizzonte frenetico di altre centinaia di corpi in movimento.

GRAND HOTEL DI RIMINI. Un'altra notte. Dopo una grande festa, cui avrebbero partecipato un migliaio di invitati tra artisti, attori, giornalisti e amici, il regista se ne sarebbe tornato nella sua stanza, frastornato e stanco. L'orologio segnava le cinque del mattino. Le tempie gli battevano, la testa dolorava per il volume assordante della musica in discoteca. Aveva la gola secca e il respiro roco. Andò al balcone, aprì le finestre e si sporse per respirare l'aria fresca che proveniva dal mare. La luce della notte stava incrinandosi nel nuovo giorno. Tornò nella stanza e si gettò sul letto. Guardando il soffitto, il regista si chiese se fosse veramente questo ciò che aveva desiderato per la sua vita. Non seppe rispondere. In quel momento sospeso tra la notte e il giorno, in quella stanza dal soffitto altissimo, in quella ovattata assenza di rumori, sentì solamente di essere per la prima volta vivo nel proprio sogno di ragazzo. Il protagonista principale di un suo film. A Rimini, quella notte, tutto durò un attimo.

[1985]

SPIAGGE

Su una striscia di sabbia lunga all'incirca un centinaio di chilometri, dai lidi di Comacchio giù giù fino a Cattolica e Gabicce, si scatena la carnevalata estiva della riviera romagnola, tornata improvvisamente in auge quasi quando tutti la ritenevano come morta: un luogo del kitsch strapaesano e provinciale, caotico e assurdo, da lasciare al popolo delle pensioncine familiari e alle orde di metallurgici della Baviera. E invece quest'immagine di un'Italia che non si dà mai per vinta, che inventa a ogni stagione simboli di nuove mondanità per attirare i turisti, che diversifica le sue offerte, dalla vita di spiaggia ai festival del cinema, dalle grandi esposizioni d'arte internazionali al teatro, alla musica, ai megasantuari del divertimento notturno, è esplosa ancora una volta, portando milioni e milioni di presenze sulla sua costa e rendendo quasi un obbligo sociale una passeggiata per Viale Ceccarini a Riccione, un aperitivo al caffè delle Rose di Rimini, un bagno di sole su un qualunque metro quadrato delle sue spiagge. Spiagge galattiche e detritiche come quelle di Lido Adriano, illuminate, la notte, dalle luci astrali delle raffinerie di Ravenna e dalle lingue di fuoco che segnalano i pozzi. Spiagge a luci rosse per gay, freakkettoni, nudisti, voyeur e campeggiatori liberi, al Lido di Classe, fra dune e canneti. Spiagge anni sessanta, molto boom economico a Milano Marittima e Cervia. Spiagge con colonie a Cesenatico, dove i grandi edifici dell'epoca fascista sembrano castelli di sabbia sorti magicamente nel deserto. E poi la spiaggia di Rimini, brulicante e mitica, con il lungomare, l'acquario dei delfini, il porto, la sagoma di transatlantico del Grand

Hotel; la spiaggia di Riccione, dove gli ombrelloni lasciano il posto alle tende orizzontali. Spiagge che improvvisamente si svuotano nelle ore canoniche dei pasti in albergo e che, la notte, diventano una sorta di alcova sotto le stelle, per gli approcci amorosi e sentimentali, come se i nuovi amori, le nuove attrazioni dei corpi dovessero consumarsi sempre lì, nascere di giorno sotto un ombrellone e finire la notte al chiaro di luna: come se davanti al mare, al suo cospetto, tutto nascesse e tutto, inevitabilmente, giungesse al proprio eccitante culmine e alla propria fine.

C'è forse un luogo, in questo panorama di sfrenata ricerca del divertimento e del piacere, che può raccogliere, simbolicamente, l'essenza stessa del paesaggio: e questo luogo è un parco di attrazioni che sorge attorno a un lago artificiale di fronte all'aeroporto di Miramare di Rimini. Si chiama Fiabilandia. Organizzata come una piccola Disneyland, simile ai tanti Aquapark o Tivoli World della Costa del Sol, in Spagna, Fiabilandia mantiene però un carattere tutto italiano nella sua organizzazione interna, un po' luna park, un po' sagra di paese e non invece iperprofessionale attrazione, come nel caso degli esemplari spagnoli o dell'ultimo, nuovissimo Aquafan di Riccione.

Si entra attraverso le torri del castello di Cenerentola, torri che vent'anni fa mi apparivano altissime e svettanti e addirittura rosa, e lo scorso anno invece, al mio ritorno, alte non più di un secondo piano e color azzurro. Ma chi potrebbe ora stabilirne l'esatta altezza? Chi potrebbe con certezza dire se il King Kong che dorme in un capannone, sia effettivamente alto una dozzina di metri e non invece cinquanta o sessanta come si fisserà nella memoria dei ragazzini, al punto che, rivedendolo anni dopo, saranno certissimi che non di quel King Kong si tratti, ma del suo bebè? Ecco, Fiabilandia è questo regno, sorto in piena riviera romagnola, della fantasia e dell'ottica mitica con cui guardiamo le cose, gli oggetti, i paesaggi. Il villaggio cinese, il saloon del Far West, lo Space Shuttle, le piccole montagne russe percorse da un vagoncino-bruco che attraversa mele giganti e tunnel di vegetazione, il galeone dei bucanieri, la grotta del teschio dei pirati ferocissimi, non sono forse soltanto simboli del nostro immaginario, senza una grandezza reale, una consistenza materiale, se non nello spazio della nostra fantasia?

Fiabilandia, in questo senso, è la riviera adriatica tutta intera: un parco di divertimenti che si definisce in rapporto non tanto ai paesaggi reali, quanto piuttosto ai paesaggi della nostra immaginazione. E che queste spiagge, questi alberghi, abbiano molto a che fare con la nostra fantasia, con i nostri miti, con la storia stessa dei nostri ultimi decenni è fuori discussione. Prendiamo il Grand Hotel di Rimini, una costruzione massiccia e bianca, che potrebbe far parte della nostra geografia sentimentale, al pari di altri e più vecchi simboli nazionali come la Torre di Pisa, il Vesuvio o il Ponte di Rialto. Certamente hanno contribuito a tutto ciò i film di Federico Fellini, quelle scene in cui svariati personaggi spiano con la bocca aperta gli arrivi dei clienti nella hall; le scene in cui Gradisca si dona al principe in un clima da "cinema dei telefoni bianchi", quando baronetti, contessine, ballerine ed ereditiere si davano la caccia fra un palcoscenico, una barca da crociera, un'operetta e un casinò.

Oggi il Grand Hotel è rinnovato, accessoriato, razionalizzato come una fuoriserie. Mantiene inalterato il nome, ma è diventato il simbolo, il doppio contemporaneo di sé: una specie di disincantato fratello maggiore del suo vetusto predecessore. Eppure in certi momenti, quando i computer del ricevimento tacciono e il viavai degli anziani ospiti, in maggioranza ebrei anglosassoni, cessa; quando il rombo delle Ferrari parcheggiate davanti alla scalinata d'ingresso si placa e i ragazzini riposano nella fresca penombra delle suite, è ancora possibile rintracciare il fascino perduto dell'albergo di gran lusso. Basta allora affondare in una poltrona e tendere le orecchie per afferrare il silenzio che solo il Grand Hotel possiede. Un silenzio appena incrinato dai tintinnii dei bicchieri di cristallo che i camerieri raccolgono dai tavoli, il fruscio di un aspirapolvere sulla moquette, lo sfregare del panno di daino sulle vetrate, le battute sussurrate dai ragazzi di sala in dialetto romagnolo, mentre preparano la grande sala da pranzo, lo "splash" di un solitario tuffo in piscina. È proprio in queste incrinature del silenzio, in quel suo arricchirsi di piccoli riverberi quotidiani, che è possibile cogliere il respiro del gigante, il suo battito, il lavorio dei suoi nervi distesi. Il Grand Hotel, la sua spiaggia privata, il suo parco silenzioso, le sue ombre...

Poi, la notte, tutto esplode nella discoteca, nel salone da ballo, nelle chiacchiere che gli ospiti intrecciano davanti alle pietanze che il *kosher*, appositamente assunto, prepara ortodossamente per gli ospiti di fede israelita. La piacevolezza del mastodonte riminese è proprio in questa sua paradossale facilità di vita e di relazioni che è possibile intrattenere al suo interno. Potete liberamente sedervi agli sgabelli del bar per un aperitivo e gustarvi la vita del grande albergo con agio e tranquillità senza, per esempio, il lusso soverchio e antico dell'Hotel des Bains del Lido di Venezia, tutto legni pregiati e cuoi rossi, o l'imbarazzo del finto ammodernamento del Principe di Piemonte di Viareggio.

Ma la riviera adriatica non è soltanto sabbia e mare. Non solo alberghi. L'entroterra si rivela, anche al viaggiatore distratto, ricco di luoghi di incanto. A pochi chilometri da Rimini, ecco la repubblica di San Marino, il castello di Gradara, legato alla tragica vicenda dantesca di Paolo e Francesca, San Leo, un borgo delizioso, il Montefeltro, con i suoi villaggi e castelli medievali, Morciano di Romagna e Montecchio. E Sant'Arcangelo. Qui vive uno fra i nostri poeti e sceneggiatori cinematografici più apprezzati, Tonino Guerra. Qui, dove il mare altro non è che una striscia azzurra all'orizzonte. È proprio dall'alto di questo osservatorio privilegiato, fra le valli del Savio e del Marecchia, la campagna fertile e grassa, la pianura e il mare, che Guerra ha avuto l'ispirazione per comporre una fra le sue ultime più belle poesie. Nient'altro che un sogno, forse, o un segreto avvertimento: l'approdo, dal mare, di tre chiese misteriose, galleggianti su zattere. Come tre caravelle. E la folla chiassosa del bagnasciuga che guarda stupita e si chiede da dove mai arriveranno. Un gioco? Un nonsense ? Una profezia?

Ma qui tutto può succedere. Che arrivino chiesine dal mare come risorgano i fasti della Roma imperiale nel più sfarzoso stile hollywoodiano. Ecco il posto giusto, il clima giusto, per terminare un weekend in riviera: la Baia Imperiale a Gabicce Monte. Lì, arroccata sul promontorio dal quale si può godere uno tra i più romantici panorami notturni della riviera, colonne immense, gradinate, altari, statue di consoli e poeti della Roma classica, bracieri svettanti lingue di fuoco come a un'olimpiade accolgono il popolo delle vacanze. Schiavi in tunichetta bianca, pretoriani in costume rosso porpora, gladiatori in tenuta da combattimento, proconsoli in corazza e mantello, ancelle discinte con calzari al polpaccio si prendono cura degli ospiti offrendo drink, porchette, panini, birra e frizzantini. Ricostruita interamente sulle rovine della vecchia Baia degli Angeli come una megadiscoteca in stile *Satyricon*, la nuova Baia si distende su una molteplicità di livelli e attrazioni: discoteche con laser ed effetti speciali, piscine con giochi d'acqua e spettacoli di nuoto acrobatico, fori imperiali, mercatini, lupanari con sedili ricoperti di pelli di leopardo, taverne da suburra, scanni del senato, corridoi soprelevati in stile galattico e futuribile. Qui ci si può divertire scoprendo, per esempio, che le toilette hanno un nome latino e la stessa, identica birra acquistata presso lo spaccio degli schiavi costa la metà di quella distribuita, al piano disopra, dai pretoriani. Giovani e scultorei culturisti, ingaggiati dopo severe selezioni, vi accolgono sotto le bianche tende da campo sistemate nel prato all'ingresso. Li vedrete poi, a notte fonda, salire sui tralicci e manovrare i riflettori per illuminare la notte e la folla nell'arena che balla, si diverte, chiacchiera o semplicemente sta a guardare rapita dall'emozione di trovarsi dentro il set cinematografico.

[1986]

FUORI STAGIONE

Improvvisamente quella che è stata la più grande "città della notte", una città che dai lidi di Ravenna al promontorio di Gabicce si estende per circa centotrenta chilometri, si spegne. La scia di luci e di bagliori accesa ininterrottamente per i tre mesi della stagione si smorza. I milioni di turisti che hanno vissuto la loro vacanza, le coppie che si sono formate e disperse e poi di nuovo riciclate, consumando le offerte della prima industria della riviera adriatica, quella del sesso, tornano a casa finalmente placate. I circa cinquemila alberghi, i millecinquecento stabilimenti balneari, i centosessanta dancing o discoteche, i club sportivi, le scuole di vela, di windsurf, i centri nautici, i settanta camping, gli aeroclub, i ristoranti, i bar, i negozi sul lungomare, chiudono i battenti, così come chiude il grande parco di divertimenti dell'Italia in miniatura, a Viserba.

La fauna che si osserva lungo Viale Ceccarini, per esempio, o lungo qualsiasi lungomare nelle cittadine dai nomi così splendidamente turistici come Bellaria, Bellariva, Miramare, Rivazzurra, Marebello, emigra e svanisce: i playboy con catene d'oro attorno al collo, ai polsi e alle caviglie; i culturisti dalla muscolatura ben oleata, con i capelli rasati a zero e le mascelle bloccate in espressioni scultoree, come fossero tutti in cima al Foro Italico; i ragazzini con gel e gomme e brillantine sui capelli, i freakkettini, i punkettari, i gay, i teddy boy, le ragazze abbigliate in modi sensuali come tante leonesse nella savana, le donne mature che slumano arrapate dai tavolini dei caffè; e poi i turisti stranieri, i tedeschi, gli svedesi, i francesi, i macho, i tipi da spiaggia, i conquistatori e le prede, i dominatori e gli schiavi; ognuno torna alla propria città, e la concentrazione eccitante e straordinaria dei tipi umani, delle abitudini e dei caratteri improvvisamente, con il sopraggiungere dell'autunno, si sfalda, come se la Bisanzio degli stili e delle mode entrasse anch'essa, insieme alla stagione, nel letargo invernale.

Ecco, la prima sensazione nel camminare attraverso queste città di frontiera, così sospese fra il sogno e la realtà, fra l'illusione del divertimento, della festa, del piacere e il peso della vita quotidiana, è proprio questa: anche le cose, gli oggetti, le costruzioni, gli edifici, entrano in letargo, accordandosi al ritmo naturale del succedersi delle stagioni. In nessun altra città è forse possibile osservare così da vicino, e in modo tanto toccante, la vita delle cose, l'alternanza della materia come se possedesse, essa stessa, un nascosto ritmo biologico. Così, mentre il mare si fa grigio e si ingrossa e gli alberi perdono le foglie e gli uomini della riviera si rinchiudono in casa, anche le cabine, i battelli, le sedie a sdraio, i negozi, le serrande, gli infissi delle finestre, si chiudono in se stessi, offrendosi alla salsedine spinta dal vento, alle intemperie, alla pioggia, alla neve che le invecchierà allo stesso modo in cui invecchia i corpi degli uomini.

Quello che affascina della riviera adriatica, durante i mesi invernali, è dunque la scoperta della vita segreta delle cose e degli oggetti. In un primo momento, tutto ciò che era movimento e frenesia si acquieta e si placa. Un grande sudario di silenzio cala sulle città della costa, immergendole in un'atmosfera irreale e per certi versi metafisica: quelle lunghe file di cabine disposte in sequenze ordinate, dai colori pastello – assumono l'aspetto di un paesaggio d'infanzia, – però disertato, come se appartenesse a una stagione dell'esistenza ormai perduta, scomparsa, per sempre inghiottita dalla vita adulta. Gli edifici, privati dell'elemento funzionale umano, divengono misteriosi assemblaggi di altri materiali per altri uomini.

Il paesaggio invernale della riviera appare come lo scarto di qualcosa di cui non c'è più bisogno e di cui si farà a meno per sempre. Una cabina scrostata dal vento freddo della burrasca è in sé molto più definitiva di un atto di morte. Parla di qualcosa che c'era, di un sole che l'aveva illuminata, di uomini o replicanti che l'avevano usata. Nessuno crederebbe che, al giungere della nuova stagione, al pari degli alberi, essa rifiorirà a nuova vita.

Dopo il primo momento di silenzio, a ben guardare, ecco rivelarsi i segni del brulicare delle nuove energie. Gli uomini della costa iniziano a scendere in spiaggia, a ripulire, riordinare, rifare, ricostruire. L'inverno diventa la stagione del restauro. Dietro l'apparente sonnolenza della spiaggia deserta, dietro le pareti degli alberghi sprangati, dietro i vetri delle finestre sigillati fra assi di legno, si svolge con fervore il lavoro di riorganizzazione. Non esiste quindi una vera morte della città: esiste semmai un periodo di stasi di un ciclo vitale analogo a quello di qualsiasi altro essere vivente. Ma quello che avvince del paesaggio adriatico fuori stagione è anche il suo presentarsi come un grande contenitore, vuoto e spoglio, in cui la fantasia può liberamente ambientare i propri sogni, ricoprire con le immagini e i ricordi le spiagge bagnate e sporche, innestare situazioni romantiche e solitarie in un luogo che invece è sinonimo di chiasso, confusione, calca, ressa.

In questi momenti – passeggiare teneramente abbracciati sul bagnasciuga, attendere l'alba infagottati nei sacchi a pelo, stare semplicemente a osservare l'ondeggiare di un tronco sbattuto dalla furia delle onde – il paesaggio espande il sentimento ponendosi come confronto fra soggettività e una natura liberata dai vincoli funzionali in cui l'uomo l'ha imbrigliata.

Il fascino della riviera d'inverno può anche essere, per sensibilità più intellettuali e più fredde, analogo a quello di percorrere un palcoscenico dopo la rappresentazione, quando gli attori se ne sono andati e le attrezzature sceniche sono state smantellate. È la curiosità di vedere dietro le quinte, in questo caso, di capire le strutture emotive di una fra le più grandi finzioni dell'uomo-massa contemporaneo: la vacanza estiva. È in essa, infatti, che è possibile rintracciare l'unico proseguimento, nella contemporaneità, della medievale cultura carnevalesca. E quindi: l'adozione di linguaggi alternativi a quelli dell'ufficialità (i gesti, il corpo, il sesso); la costruzione di un mondo alla rovescia (ribaltamento del giorno con la notte, vivere fra dancing, discoteche, caffè fino al mattino); lo sberleffo dell'autorità e del potere (accantonamento delle preoccupazioni della vita quotidiana e delle leggi di convivenza sociale); l'esplosione delle intensità intime e dei desideri.

Rimini d'inverno, come qualsiasi altra città della riviera, è anche la visualizzazione straordinaria di una particolare nevrosi della cultura contemporanea: l'attesa. Attesa del nuovo, del sogno, della vera vita. È in questo senso che film come *I vitelloni* di Federico Fellini o *La prima notte di quiete* di Valerio Zurlini o, per certi versi, anche *Fuori stagione* di Luciano Manuzzi, sono ritratti di un paesaggio straniato, assunto a metafora dell'intera condizione umana: l'attesa del cambiamento, della liberazione dalla grigia vita provinciale, dalle ossessioni erotiche, da se stessi, dalla precarietà degli anni giovanili. Per questa strada si arriva fino al videoclip in cui Loredana Bertè interpreta la canzone di Enrico Ruggeri *Mare d'inverno*, attendendo spasmodicamente sulla spiaggia ghiacciata l'arrivo di un bellissimo principe azzurro: "Mare, mare, qui non passa mai nessuno a portarmi via..."

[1985]

3

SCUOLA

QUEL RAGAZZO...

"Queste vecchie riesumazioni sono lugubri, ma spesso mi sono... (*Krapp ferma il registratore, medita, lo rimette in moto.*)... d'aiuto prima di imbarcarmi in una nuova... (*Esita.*)... retrospettiva. Difficile credere d'essere mai stato quel giovane imbecille. La voce! Gesù! E le aspirazioni! (*Breve risata cui Krapp fa eco.*)... E le risoluzioni!... Quella di bere meno, soprattutto..."

Samuel Beckett, *L'ultimo nastro di Krapp*

Vorrei commemorare qui gli anni settanta, anni molto cari e molto amati per quello che hanno effettivamente rappresentato per un ragazzo che li ha attraversati dai quindici ai venticinque anni d'età. Il ragazzo non avrebbe fatto parte di nessuna organizzazione politica dell'estrema sinistra, non avrebbe occupato scuole, avrebbe contestato il nozionismo degli insegnanti in modo individuale, avrebbe sfilato, qualche volta, in corteo per le strade del suo borgo, non si sarebbe mai azzardato a prendere la parola in un'assemblea. Avrebbe detestato la politica, pur conservando aspirazioni terzomondiste e comunarde. Si sarebbe sbarazzato del giogo cattolico tutto d'un tratto, crescendo; in seguito sarebbe arrivato a rivedere tutto quanto il suo misticismo e la sua ansia di assoluto rivolgendosi alla contemplazione delle religioni e delle filosofie dell'Estremo Oriente. Il ragazzo avrebbe letto quotidianamente *Lotta continua*, mensilmente *Re nudo*, ogni tanto *Lambda*. Avrebbe collezionato testi, poesie, romanzetti, diari e confessioni pubblicati da case editrici di cui ora non può ricordare il nome, ma che in quegli anni erano conosciutissime, e testimoniavano di una collettiva voglia di prendere la parola. Si sarebbe sentito in contatto con tutti i suoi coetanei, li avrebbe cercati iscrivendosi all'Università di Bologna, li avrebbe trovati solo per rendersi conto che la propria vita si sarebbe giocata in solitudine e avrebbe potuto unirsi agli altri unicamente attraverso l'esercizio solitario e distanziato di una pratica vecchia quanto il mondo: la scrittura. Avrebbe capito che non sarebbe mai stato un protagonista, ma semplicemente un osservatore.

Avrebbe praticato l'arte macrobiotica; la sua stanza avrebbe sempre profumato di incensi indiani e cinesi ed echeggiato la musica di Peter Gabriel, Leonard Cohen, Banco, Francesco Guccini, Tim Buckley, Claudio Lolli, Claudio Rocchi, Pink Floyd, Fabrizio De Andrè, Bob Dylan, Carol King, Patti Smith. Il giorno in cui Pier Paolo Pasolini fu ammazzato, si sarebbe raccolto in silenzio, a casa di un'amica, e insieme avrebbero ascoltato, commossi, un inno di Francesco De Gregori: *Pablo*. Il giorno in cui venne celebrata la morte di Demetrio Stratos, sarebbe stato all'Arena di Milano, insieme a migliaia di altri ragazzi: e già in quell'occasione gli parve di fiutare nell'aria qualcosa di nuovo, un po' di ottimismo dopo la bagarre e le guerre giovanili che avevano strozzato la metà di quegli anni, e che nel suo ricordo prendevano l'immagine della festa fallimentare del parco Lambro (e di una canzone di Gianfranco Manfredi). Avrebbe lavorato brevemente in una cooperativa teatrale, si sarebbe sbattuto per i programmi culturali di una radio libera, avrebbe dato il via a un cineclub. Avrebbe amato l'impegno del cinema americano degli inizi del decennio (*Fragole e sangue*, *Alice's Restaurant*, *Comma 22*, *L'impossibilità di essere normale*, *Festa per il compleanno del caro amico Harold*, *Cinque pezzi facili*, *Conoscenza carnale*, *Klute*, *L'ultimo spettacolo*, *Un uomo da marciapiede*, *Non si uccidono così anche i cavalli?*, *Panico a Needle Park*, *Fat City*, *Piccoli omicidi* ecc.), avrebbe adorato Ken Russel (*Messia selvaggio*, *L'altra faccia dell'amore*, *Donne in amore*...), si sarebbe commosso per due struggenti commedie inglesi: *La ragazza del bagno pubblico*, *Domenica, maledetta domenica*. Avrebbe, come tanti suoi compagni, lavoricchiato d'estate per potersene andare poi quindici giorni a Venezia, alle Giornate del cinema italiano (dette "il controfestival"); avrebbe partecipato alle Biennali i cui spettacoli costavano cento lire. Avrebbe visto tanti cinegiornali Luce, tante parate di regime, tante rievocazioni filmate di stragi e di attentati. Incontrò tante persone e ognuna riuscì a parlare alla sua immaginazione.

Milano era la città della fantasia, della libertà, del desiderio. La raggiunse. In quegli anni di cultura metropolitana, di esperienze di periferie e decentramenti, niente ai suoi occhi, meglio di quella città, poté rappresentare la contemporaneità. Si perdeva ogni giorno scoprendo la poesia dei ghetti urbani e dei quartieri periferici: viveva ogni ora un proprio sogno. La solitudine, la tristezza, la malinconia erano sentimenti che non lo spaventavano. Sapeva che ogni ragazzo della sua età li provava in quello stesso momento. Essere giovani, in quel decennio, significò una cosa importantissima: essere presi in considerazione, avere la consapevolezza che il destino della società si giocava (ed era giocato) sulle proprie spalle. I ragazzi erano la "piazza". Fu da questo giovanilismo imperante che nacquero, da un punto di vista esistenziale, le degenerazioni di quegli anni; proprio dal fatto di voler vivere la propria vita (e di essere autorizzati a farlo dalla violenza di stato) come un "assoluto avventuroso".

Ripensare oggi a quegli anni, ricercare nel ricordo quel ragazzo, tra le lettere che ha scritto, le pagine che ha inviato agli amici, le fotografie, le registrazioni, è cercare nel doppio dell'esperienza (non quella che fu, ma quella di cui abbiamo conservato un riverbero nella memoria), motivazioni e atteggiamenti che sembrano appartenuti, in realtà, a un'altra persona, come succede al personaggio di Beckett, Krapp, che ascoltando le registrazioni dei propri discorsi deve ricorrere al dizionario per poterli comprendere. Eppure è fondamentale, oggi, ripensare a quegli anni, anche se non sarà mai più possibile farlo con la testa di allora. Ma, certo, non si potrà rimanere impassibili di fronte alle speculazioni che vengono avanzate su un decennio in cui sembra che tutti fossero violenti, sprangatori, estremisti. Per molti, quegli anni sono stati anche divertenti, creativi, fertilissimi, pieni di fantasia. È per questo che non chiuderei il riascolto della voce di quel ragazzo così disperatamente, come fa Krapp: "Qui termino questo nastro... Scatola... Tre... Bobina... Cinque. Forse i miei anni migliori sono finiti. Ma non li rivorrei indietro. Non con il fuoco che sento in me, ora. No, non li rivorrei indietro." Forse, di quegli anni, quel ragazzo e io rivorremmo un po' di progettualità e di tensione ideale.

[1985]

MEMORY

Ai nostri tempi delle mele, in anni a cavallo fra il 1968 e il 1971, usciti dalla scuola dell'obbligo e non ancora liceali, in provincia usavamo moltissimo le feste da ballo del sabato sera. Il problema era allora quello se tenere accesa o spenta la luce, se distribuire alcolici o meno (ma non si sarebbe andati comunque al di là di qualche birra o Martini bianco), se toccare le rotondità profumate delle ragazze, o se baciare in bocca, pratica ritenuta comunque lasciva e da grandi.

Colonne sonore di quei party, inevitabilmente, gli slow che andavano da *Heloise* di Barry Ryan a *If* dei Pink Floyd, a *I Talk to The Wind* dei King Crimson, a *Michelle* dei Beatles, per altri ritenuti vecchi e decrepiti miti dei nostri fratelli maggiori. E naturalmente Lucio Battisti.

La prima volta che ho abbracciato, durante uno di quei pomeriggi, una ragazza è stato ascoltando *Mi ritorni in mente*, capolavoro di quell'idolo che travolgeva le mie amiche e che a me piaceva non tanto come personaggio, ma proprio per le sue musiche, i temi dell'amore felice e sospirante, una certa sua modernità di perdizione, il ritmo, diciamo pure la poesia. In una gita scolastica alle Cinque Terre, *Acqua azzurra, acqua chiara* fu l'accompagnamento musicale ed ecologico più adatto; *Emozioni* andò benissimo un po' più tardi in certi pomeriggi lenti e sospesi nella media Padana; *Fiori rosa, fiori di pesco* si cantò a squarciagola sul pullman dei campeggi estivi. Battisti lo si abbandonò poi, verso il 1977, non perché le sue canzoni non piacessero, ma forse perché si era cresciuti e già era il tempo di Francesco Guccini, di Francesco De Gregori, di Antonello Venditti, degli Inti Illimani e, bene o male, si era passati attraverso l'ineguagliabile esperienza radiofonica di *Per voi giovani*.

Lucio Battisti fu comunque, in quei primi anni settanta, il più compiuto esempio di una musica leggera d'autore che, da un lato, non tendeva verso la monocromia e il folk dei cantautori e, dall'altro, rifluiva dall'establishment canoro italiano, ripetitivo e melodico. Riempiva gli stadi e i palazzetti come anni dopo succederà solo a Claudio Baglioni. Una grande figura di professionista in anni in cui di professionismo non si parlava forse tanto.

Resta, comunque, il mistero di come con tutta quella Woodstock, quell'isola di Wight, quei concerti per il Bangladesh, quelle prime morti per overdose, quelle lotte studentesche, quegli anni della repressione, Battisti sia piaciuto e sia stato così tanto amato. In particolare da una classe di giovani perbene, cui riusciva a dare il gusto del brivido, fors'anche del proibito, e le vibrazioni dei primi approcci sessuali. Resta il mistero di come il suo poster fosse appeso nelle camere fra Che Guevara, Don Milani e Carlo Marx. Fra le foto dei B52 che bombardavano il Vietnam e Jimi Hendrix che tirava, inebriatissimo, da un chiloom. Forse, Battisti, come nessun altro in quegli anni, riuscì a cantare di sentimenti ed emozioni adolescenziali, di grandi fughe e grandi dispiaceri, eseguendo belle canzoni da mandare a memoria e quindi incomparabili refrain per la barba e la doccia, per il petting e per quei cori attorno al falò su una spiaggia o in una baita di montagna, con dieci chitarre per volta a dirigere giovani ugole innamorate e malinconiche, prima della rivoluzione.

[1986]

TERZA LICEO

Di quegli esami di maturità, affrontati al liceo classico Rinaldo Corso di Correggio nel luglio del 1974, posso ricordare solamente dettagli abbastanza esteriori: gli spostamenti in bicicletta, al mattino presto, per raggiungere la campagna e lì, sotto un pergolato, ripassare i programmi di italiano e di storia; gli inviti frenetici dei compagni a partecipare a gruppi di vacanza-studio nelle seconde case, fresche e tranquille, a Campiglio, a Pomposa, sul lago di Garda, in Val di Fassa; il training autogeno condotto, la sera, su basi musicali di Leonard Cohen; le sigarette Gauloises, il meticoloso rito scaramantico di infilare nel taschino della camicia, a sinistra, una cartolina di saluto della fidanzata; le telefonate ansiose dell'amica del cuore per alleggerire, chiacchierando, la paura che inevitabilmente prendeva corpo in certi momenti: l'angoscia, non tanto del dover rendere conto di un ciclo di studi bene o male terminato, ma proprio l'idea stessa dell'essere esaminati, guardati, giudicati, valutati come persone, con i propri tic, le insicurezze, i difetti di linguaggio, le emozioni, i sentimenti... Quegli esami di maturità si risolsero poi, come nella maggioranza dei casi, senza traumi e senza particolari contraccolpi. Nonostante si attraversasse un periodo in cui il discredito per le tradizionali materie di insegnamento fosse totale, ci veniva ricordato che ancora l'anno precedente il commissario di greco aveva segnato come "errore blu" la traduzione di "frutti" in luogo di "frutta", e la nostra commissione d'esame fu molto severa, abbondando nei trentasei e attribuendo, se ben ricordo, un solo sessanta.

Il presidente della commissione, la cui firma oggi riguardo sul mio diploma, era docente all'Università di Bologna, e ora mi spiace doverlo ricordare non tanto per la sua cultura, la sua preparazione, le sue attenzioni, quanto piuttosto per una grave menomazione: era cieco.

Quando entrò nel corridoio lungo il quale erano sistemati i nostri banchi, ci fu un mormorio di stupore e di incredulità. La figura di quell'uomo imponente, fasciato in un doppiopetto scuro, con gli occhiali neri e un lucido cranio calvo, avanzava verso la cattedra, appoggiandosi a un altro insegnante. Quello che mi colpì, anche quando me lo trovai a un metro di distanza, al tavolo degli orali, fu il fatto che non riusciva a modulare l'intensità della voce a seconda dello spazio. Il volume, sia che parlasse a cento studenti disseminati in un corridoio, sia che ne interrogasse uno solo, era identico: forte, deciso, stentoreo. Interveniva su ogni materia: latino, storia, chimica. Mi chiese che cosa significasse l'aggettivo "vaghe" nella lirica leopardiana, e io mi intestardii nel proporre sinonimi di "indefinito", "lontano", "irraggiungibile". E lui disse semplicemente: "No. 'Vagheggiate.'"

Si complimentò per il risultato dello scritto, soprattutto per il fatto che si era trattato dell'unico componimento di storia dell'arte. Si dimostrò incuriosito da una tesina che avevo preparato su Ippolito Nievo, chiedendomi se veramente pensavo che fosse letterariamente superiore al Manzoni. Non ricordo la mia risposta, certo tacqui la verità, e cioè che si trattava soltanto di uno snobismo o, meglio, della testarda necessità di credere in qualcosa di diverso da quello in cui credevano tutti. Anche con i miei compagni fu abbastanza tollerante, e nessuno fu bocciato. Si aprì così, finalmente, la possibilità di uscire dal paese e dalla provincia, un desiderio di fuga che ci proiettava nel futuro, lontano da quel periodo un po' sonnolento, nemmeno così formativo, e per ricordare il quale non troverei assolutamente appropriata la parola "nostalgia". Con gli anni seguenti iniziarono i veri e più spaventosi esami di maturità. La selezione della vita, delle carriere, anche della fortuna, giocò il ruolo principale e, ovviamente, non tutti sono arrivati a cogliere i frutti di quello che il diploma, ufficialmente, aveva decretato. Ora, a distanza di anni, è strano che di quegli esami di maturità, come della successiva sessione di laurea, non conservi interiormente che qualche dettaglio e nemmeno un'emozione, una traccia di quel vecchio modo di sentire. È strano perché, mentre ogni tanto si affaccia nei miei sogni l'immagine di una piazza d'armi e una voce minacciosa chiama il mio nome all'appello o a rapporto, provocando ancora turbamento e angoscia, non torno più, dormendo, nelle aule della mia giovinezza. E solo oggi, ripensandoci, trovo addirittura inquietante che quel rito di passaggio sia stato officiato, per tutti, da una presenza cieca e severa, come la sorte o il caso.

[1989]

ESAMI DI MATURITÀ

Giungono ormai agli sgoccioli, con il rituale del colloquio orale, gli esami di maturità. Davanti alle commissioni sfilano i candidati con i loro libri, i loro timori, le loro ansie per una prova che, sebbene non sia minimamente paragonabile al sadico rigore della vecchia maturità, costituisce tuttavia una fonte di ansia, nevrosi, dubbi e sbattimenti non solo, com'è logico, per le vittime designate che sono gli studenti, ma anche per docenti e commissari. Questo nostro piccolo viaggio di mezz'estate attraverso alcune sedi d'esame non sarà soltanto il racconto della fauna, ormai conosciuta e già indagata degli studenti, ma soprattutto uno sguardo su quell'altra fauna costituita dai presidenti e dai professori, poiché mentre i ragazzi paiono comportarsi come sempre, e c'è chi si tira su coi Pavesini e chi con lo zabaione preparato dalla gentile bidella, chi fa lunghe frignate e chi dice: "Sono pronto, tirèm innanz!" e avanza impavido verso la commissione seduta là in fondo, i professori si comportano in modo differente e variegato e multicolore, e offrono macchiette tipiche, bozzetti classici e tic godibilissimi: insomma, anche se apparirà un po' sadico rintracciare un motivo di piacevolezza durante lo svolgimento di una prova d'esame, dobbiamo assicurare che, dopo alcuni giorni, il nostro unico interesse era "svelare le commissioni", presi da un'irrefrenabile libido del comportamento del docente. E di questa insana mania di mezz'estate, diamo qui il resoconto.

Prendiamo, per esempio, la commissione insediata all'ultimo piano del liceo scientifico Manfredo Fanti di Carpi per esaminare e vagliare i rampolli di una ricca e ormai mitica cittadina di provincia, esplosa, durante gli anni del cosiddetto "boom", alla ribalta dell'economia italiana, con traffici leciti e illeciti di maglierie e filati. Ecco, qui si entra in un ampio locale in cui è praticamente impossibile distinguere a prima vista gli esaminandi dagli esaminatori. La commissione, infatti, è composta da docenti giovanissimi, vestiti di quello stesso ottimo casual indossato dagli studenti. La partecipazione degli uditori è la più alta che abbiamo trovato in tutte le sedi d'esame visitate. I ragazzi sono una trentina. Molti di loro hanno già sostenuto la prova orale, ma sono lì a "tifare" per i ritardatari e, tutto sommato, a divertirsi, poiché in quest'aula l'atmosfera è talmente rilassata e distesa che non ci si stupisce – dopo pochi minuti – di vedere il presidente, professor Giuseppe Ciannella, passeggiare nell'aula e battere la spalla agli studenti e salutare sorridente ora questo ora quello, invitando piacevolmente al silenzio e interrompendo più avanti il candidato che sta parlando, in un ottimo inglese, di Oscar Wilde, offrendogli una caramella.

C'è il commissario di matematica, che è una ragazza molto bella e molto giovane, con treccia scura di capelli che scende per tutta la lunghezza della schiena sulla maglietta giallo limone; c'è il commissario di italiano, che è un giovane abbronzato e sorridente, con occhiali da sole e completo azzurro aviatore; il commissario di inglese, che è una ragazza un po' pallida, affiancata dalla professoressa di filosofia, che costituisce la vera perla – una signora poco più che trentenne, molto Lia Zoppelli a quell'età, o Elsa Merlini – e che muove la boccuccia con assensi e sorrisi di incitamento, come se fosse in un buon salotto borghese, attendendo di servire il tè alle amiche.

C'è dunque un palpabilissimo feeling fra la commissione e gli studenti. "L'importante non è tanto l'esame," spiega il presidente, professore di lettere in pensione da un anno, bolognese bonario e paterno, "quanto il colloquio. Solo così l'esame è valido; se non c'è dibattito, o addirittura scontro, non possiamo evidenziare la personalità dell'alunno. L'altro giorno si è presentato un ragazzo, dicendo pressappoco: 'Se c'è uno stato, una patria, c'è un capo che comanda.' Abbiamo discusso moltissimo, dibattendo le varie motivazioni e, alla fine, il ragazzo aveva un po' incrinata quella sua idea iniziale. Uscendo ha detto: 'Sono riuscito a capire, è stato molto bello.' "

La bellissima e piacevolissima atmosfera di disponibilità colloquiale e dialogica del liceo scientifico Manfredo Fanti non si ritrova, per esempio, nei corridoi vetusti e silenziosi del liceo classico Rinaldo Corso di Correggio, dove si avverte immediatamente che gli studenti sono tesi nonostante, a detta di tutti, le prove scritte non abbiano tradito nessuno. C'è il commissario interno, professor Alberto Malaguti, docente di fisica e matematica, ex insegnante dell'Accademia Militare di Modena, vicepreside della scuola, che è tutto dalla parte degli studenti, nel senso che siede vicino a loro, al di qua della barricata, e li sostiene, lungo il corridoio, con barzellette e incitamenti e scherzetti; c'è il commissario di greco che chiede la funzione dello storico nella *polis*; c'è un presidente anzianotto, e serioso e molto scuro, che mormora: "Non ho dichiarazioni da fare", come se fosse Sophia Loren che scende a Ciampino; c'è il commissario di matematica, una signora minuta che fa le punte alle matite, arrivata direttamente, pare, dal *béguinage* di Bruges con tutte le consorelle di Margherita di Fiandra; c'è un giovane e manageriale commissario di filosofia che fa domande da un milione di dollari, come quella rivolta al biondino Roberto Davoli: "Sulla base della sua conoscenza della storia della filosofia fra Ottocento e Novecento, è in grado di trarre elementi unificanti o, meglio, un suo quadro filosofico?" Oppure domanda a una ragazzina, in tailleurino beige, se sono lecite le più recenti interpretazioni del pensiero di Nietzsche, e lei naturalmente risponde: "Mah" e "Bah", ma io credo che abbia già il cervello fuso, come l'avrei io alla sua età.

"Quello di cui hanno bisogno questi ragazzi," dice sommessamente la professoressa Silvia Zambianchi, commissario di italiano, "è di avere tutto l'anno un rapporto più aperto con la stampa, la città, con gente che parli con loro. Non è più possibile una scuola che s'identifichi solamente con se stessa." In effetti, le rapide puntate sull'attualità, proposte dai docenti di italiano e filosofia, non hanno successo: sembra, in sostanza, che il liceo classico ancora fatichi a interessarsi e a discutere della contemporaneità. Solo qui per esempio, abbiamo trovato studenti impauriti e terrei e quasi collassati, nonostante gran parte dei quesiti di storia della letteratura italiana procedessero per grandi movimenti di idee e pensiero, domande che cercavano di cogliere più i nessi di continuità nello sviluppo letterario nazionale che le opposizioni di scuole, di accademie, di movimenti. Domande, insomma, da mettere a proprio agio, ma che presuppongano non solo una buona conoscenza della storia della letteratura e del pensiero, ma anche una notevole dose di organizzazione personale, di riflessione, di capacità espositiva e, per dirla tutta, di maturità. Che è poi, in fin dei conti, quel benedetto quid che i commissari stanno cercando di scoprire in questo quasi-giallo di mezz'estate.

L'istituto magistrale Matilde di Canossa è ospitato in una palazzina verdolina a tre piani, appena a ridosso della circonvallazione di Reggio Emilia, in una zona residenziale folta di abeti, pini marittimi, vialetti e siepi fiorite. L'aspetto esterno ha il rigido e squadrato assetto dell'architettura del periodo fascista, mentre l'interno assomiglia più al vestibolo di una piscina pubblica che a una scuola, colpa o merito dei finestroni, della scalinata, delle ringhiere.

Qui sono insediate tre commissioni esaminatrici e l'atmosfera generale è dunque ben più vicina a quella di un corridoio universitario, con gruppi di studenti che sciamano avanti e indietro, drappelli che si compongono e si disfano, gente che legge i giornali o che parlotta. Atmosfera, insomma, più cittadina e ben diversa da quella del liceo di Correggio, immerso nella pace di un chiostro monacale, con contorno di uccelletti che pigolano e cicale che gracchiano e alberi che s'affacciano alle finestre spalancate, atmosfera insomma talmente tipica da sessione d'esame (tutto quel silenzio! Tutta quell'ombra estiva! Tutto quel meriggio ozioso! Tutta quell'aria rallentata!) che non ci si stupirebbe di veder entrare Mita Medici a tradurre Euripide come in *Terza liceo*.

Ma all'istituto magistrale sembra di stare ai seggi elettorali: ci sono le ragazzine in taglia unica che paiono vestite tutte dalla stessa congrega di sorelle di clausura, con pizzi, gonne sotto il ginocchio, camicette caste, sandalini dorati e babbucce e paperine; c'è qualche ragazzo capellone, qualcun altro brufolone, ma il tono generale è quello che definiremmo "perbenino". La seconda commissione è insediata in un'aula spenta e smorta, con i tavoli a ridosso delle vetrate; quattro ragazze che assistono annoiate, tra il pubblico; alla parete di fianco è appesa la tabella del sistema periodico degli elementi, unica nota colorata e piacevole.

La commissione sta interrogando una ragazza con domande, ahimè, alquanto banalucce e manualistiche, del tipo: "Kant, perché ha scritto le tre critiche?" Il commissario di filosofia è una non più giovanissima signora, o signorina, con abitino azzurro, l'aspetto da istitutrice o precettrice o dama di compagnia; porge le domande con grazia antica, e non mi stupirebbe se offrisse alla candidata un bicchierino di rosolio. Il commissario interno di lettere gira un po' distratto, con il toscano tra i denti, in pieno revival Mario Soldati. Il presidente, invece, ha l'aria annoiata di un produttore cinematografico, con occhialini da presbite, spezzato azzurro e blu, capelli brizzolati e figura massiccia ma sportiva, insomma un De Laurentiis in sede d'esame.

Al piano, disopra, la terza commissione è invece affiatatissima e raccolta tutta attorno al candidato: sembra un pranzo di famiglia. Sul gruppo impera la figura alta e statuaria del commissario di scienze, una signora in abito a righine bianche e rosse e collane di perle e bella permanente che pare uscita dritta dritta dagli schizzi del giornalino di Gian Burrasca, che gestisce come Shelley Duvall nei panni di Olivia o Sara Simeoni in fase di concentrazione. Sorride alla ragazza che sta cercando di ricordare le tre leggi che regolano il moto dei pianeti; sorride, assente, e ruota le mani ossute, come se parlasse in playback, e sluma verso le ragazze del pubblico come a dire: "Questo, bimbe mie, lo abbiamo studiato, no? È facile no?" E queste dicono anche loro di sì e sorridono, tanto che ci si aspetta da un momento all'altro l'invito al pranzo di gala.

Il commissario che sta interrogando è invece un signore rapato a zero, che fuma dal bocchino e porge le domande come Chris Evert, con eleganza e grazia e precisione. Ma ha il difettuccio di dilungarsi a parlottare con il collega di latino a proposito del significato del termine "legge", tanto che il presidente interviene e fa riprendere l'interrogazione, pardon, il colloquio.

Una commissione invece tutta in maniche di camicia è la numero uno, che sta interrogando Giancarla Annigoni, l'unico candidato che abbiamo ascoltato esporre con voce alta, ferma, chiara e intelligibile, mentre tutti gli altri complottavano sottovoce, come se dovessero discutere di piani di guerra allo stato maggiore. Si sta svolgendo un'interessante discussione su Giovanni Verga, poi sui poeti popolari del romanticismo, per passare, infine, al Carducci e alle sue *Odi barbare*. La commissione è attenta, intervengono altri professori, interviene il presidente: "Insomma, signorina, com'è il sole per Leopardi e il sole per Carducci?" E poi rivolto alla collega di scienze: "Ma il sole è sempre quello suo, stia tranquilla signora!"

Insomma, tutta la commissione è coinvolta, a eccezione del commissario di matematica, un signorino con baffetti e sandalini francescani e pantaloncini azzurro cielo, che si produce in uno show a tutto vantaggio del vostro cronista. Infatti, benché non ci sia assolutamente confusione nell'aula, così sovrastata dalla bella voce di Giancarla, lui si prende la briga di girarsi verso il pubblico e inizia a squadrare torvo, a uno a uno, gli astanti, come se fosse il capitano della compagnia che cerca l'imboscatore di gallette, e con lo sguardo da furetto sembra dire: "Ora vi sistemo io, razza di maleducati!" E mentre il sottoscritto sta per scoppiare a ridere come un matto, perché ha già in testa tutta una prolusione su "Scuola e caserma: metodi di intimidazione", lui interviene con la sua vocina, ahimè, molto poco maschia e dice: "Il giornale vai a leggerlo fuori!"

Il ragazzetto che stava scorrendo in silenzio e tranquillità e beatitudine i titoli della prima pagina, lo nasconde imbarazzato. "E questo vale anche per te!" conclude rivolto a un'altro, che invece non leggeva nemmeno e il cui unico torto sembra quello di essere una persona istruita e civilmente educata, visto che ha lì, ben piegato, il suo bel quotidiano del mattino. Insomma l'atmosfera in questa commissione è forse la più affiatata e corale che abbiamo visto come metodo d'interrogazione, seppure appena turbata dalla solita mania italiota di sentirsi sempre col fischietto al collo e la paletta in mano: ma bisogna capirli: tra indennità di trasferta irrisorie, rimborsi spese che non arrivano, viaggi scomodi, nomine all'ultimo minuto, supplenze coatte, lavoro straordinario, anche loro hanno i propri guai.

Un salto, per concludere, anche all'istituto tecnico commerciale Einaudi, perso nell'afosa campagna correggese. Qui i futuri ragionieri sono alle prese con una commissione (forse data l'ora tarda e la stanchezza) assolutamente assente, con il commissario di lingua straniera che legge ben tre quotidiani in un colpo, quello di italiano che sfoglia la cronaca locale, un docente coi baffi che guarda fisso davanti a sé e sembra guardare il mare e la spiaggia e il fresco dell'acqua luccicante e il sale sulla pelle, il presidente non c'è: insomma, la candidata parla a quattr'occhi con la propria interlocutrice di tassi di sconto, rimborsi, liquidazioni, tangenti, ferrovie dello stato, nella più totale indifferenza. Un modo come un altro per terminare il proprio corso di studi, qualcosa che sembra mitico e che invece fa parte della più piatta e bieca quotidianità. Visto che, come si sa, gli esami non finiscono mai, questa specie di prova della maturità resterà un ricordo un po' goliardico e un po' nostalgico, ma nient'affatto qualcosa che cambierà il corso di una vita o di un'esperienza. Fa parte di un piccolo salto di qualità nella nostra vita, ma niente di più. Ben altri salti faremo, ragazzi, alla ricerca della vera qualità.

[1981]

RAGAZZI DELL'85

Già in molti se ne sono accorti durante le manifestazioni studentesche delle settimane scorse, ma qui, nella grande parata romana di tutte le tribù giovanili italiane, le ragazze, queste ragazze dell'85, hanno dato il segno più concreto, e non solo a livello di immagine, della novità del terzo movimento giovanile che il paese abbia conosciuto dal dopoguerra a oggi. Le ragazze, queste ragazze, hanno alzato la voce e, a sorreggere gli striscioni dei vari istituti scolastici, sono sempre apparse loro. Mentre le tribù sfilavano eccitate dall'acquazzone, con loro sfilavano tutti i personaggi dei fumetti: da Lupo Alberto ai personaggi di Forattini, da Bobo a Charlie Brown, ma soprattutto, a farla da padrona, era l'immagine agrodolce, a suo modo cattiva e impertinente, terribilmente saggia, della Mafalda di Quino.

Le decine di migliaia di Mafalde che hanno gridato, ballato, cantato sotto la pioggia, da Piazza Esedra a Piazza del Popolo, apparivano ora bambine acqua e sapone, ora giovincelle aggraziate dagli orecchini e dal trucco, ora sbarbine abbigliate alla maschiaccio, ora pulzelle terribilmente sprovvedute e limpide come in una sfilata dello *Zecchino d'oro*, ora pavoncelle variopinte raccolte nei gruppi punk che, per qualche istante, hanno riproposto, nel pieno centro di Roma, quadri e sequenze berlinesi.

Le ragazze sono state le uniche, per esempio, che hanno inalberato, ben scritto, sui loro striscioni, il nome di uno scrittore, in questo caso Virginia Woolf, sotto lo slogan: "La lotta decide, decide chi lotta." Da Gela a Milano, da Iglesias al Coordinamento studentesco italo-sloveno di Trieste, da Catanzaro a Genova, a Ferrara, a Bologna, hanno riproposto un'immagine e un senso collettivo la cui nota dominante era proprio quel loro essere alla testa delle "delegazioni", quel loro vestirsi di cartelli, quel loro incitare, con megafoni e cori, la gran folla di curiosi a partecipare al corteo.

La grande manifestazione è sembrata a tratti un interminabile raduno rock: grandissimo uso di simboli, di tagli di capelli, di abbigliamenti, di spille e gadget delle più famose popstar. A tratti è apparsa invece una sorta di carnevale veneziano per il gioco dei travestimenti; a tratti, ancora, una parata di arti e mestieri in cui gli studenti dell'Istituto di studi per la cinematografia e la televisione, per esempio, si ornavano la fronte e il capo con spezzoni di pellicola, quelli degli istituti d'arte con pennelli e scalpelli, quelli degli istituti magistrali con penne e grembiulini. Percorrendo solitario, sotto il diluvio, Viale Trinità dei Monti per raggiungere il Pincio, mi sono trovato improvvisamente fuori della mischia. Il viale era deserto, avvolto dai grandi alberi che insonorizzavano il percorso. Eppure, in questo silenzio, il rumore del corteo che passava disotto si faceva sempre più forte, fino a esplodere, tra quelle frasche, come il grido di uno stadio all'entrata dei giocatori: cori, fanfare, grida, inni, "alèooh". Questa è stata, per un attimo, la sensazione più forte, come se al di là di quella cortina di verde si giocasse una grande partita, una sfida, una finale di coppa. E quel rumore, quel coro gaio e allegro che si innalzava da Piazza del Popolo è diventato, alle mie orecchie, la vibrazione più vera, l'anima, forse della manifestazione: il suo canto. Qualche anno fa, i Rolling Stones, idoli indiscussi di una civiltà rock che ha interpretato le ansie e i desideri dei giovani di tutto il mondo, cantavano: "*It's only rock'n roll. But I like it.*" Il manifesto clou del corteo di ieri diceva: "Siamo soltanto studenti." E indubbiamente alle migliaia di Mafalde, alle decine di migliaia di ragazzi dell'85, il gioco doveva piacere parecchio.

[1985]

LA PANTERA

Una sera romana, verso le undici, a fare un giro d'ispezione alla facoltà di architettura, a Valle Giulia, occupata dai ragazzi della Pantera, in compagnia di un amico che mi garantisce grande vitalità, piacevolezze, concerti rock, happening... All'ingresso ci viene chiesto se siamo studenti ("Un po' fuori corso", avrei voluto rispondere io), ma sono tutti molto gentili, ci lasciano entrare e salire. Magari lasciare un'offerta per il Movimento. Svacco dignitoso sulle scalinate, solo tre, quattro che parlottano fitti, sdraiati o appoggiati alla balaustra. Le pareti sono colme di volantini, manifesti, caricature, comunicati stampa, fotocopie, fax, manoscritti, avvisi, annunci, fumetti, slogan...

Avete mai visto le tavole di Andrea Pazienza? E i disegni ambientati all'Università di Bologna durante i mesi dell'occupazione del 1977? I murales che ricoprivano infissi e muri al DAMS non usano più. Non vedo più quei gessetti colorati, i ghigni, le facce, le caricature dei docenti, gli sberleffi del tipo: "Eco, *coiffeur pour DAMS*", le canne disegnate, i graffiti psichedelici che si arrampicavano sui soffitti (possibilmente del Settecento). Né l'uso delle bombolette spray. Né i ciclostilati su quella carta ruvida e gialliccia. Come racconta Valerio Magrelli: "Gli anni ottanta sono iniziati nel segno del computer e finiscono con il fax." Diverse le rivendicazioni, diversi i motivi delle occupazioni e della protesta studentesca. Identici, al contrario, i volti, i corpi, le facce, le barbe, le treccine, le permanenti, i caschetti e, anche, gli abbigliamenti. Come se l'atteggiamento dello "studente che occupa" fosse, almeno in Italia, una costante biologica che si riproduce identica, anche a distanza di anni. Osservo ragazzi che dipingono un grande striscione da portare alla manifestazione nazionale che si terrà il giorno seguente. Assisto a uno scrosciare di applausi quando il grande disegno è finito. In un'altra sala si possono comprare birre e panini. La luce è quella delle candele e c'è un'atmosfera che può apparire rilassata solo a chi è coinvolto in prima persona nell'occupazione. Sento come una specie di ostilità nei confronti di chi è lì e sta guardando e ha una faccia diversa, un'età diversa, un abbigliamento diverso. Forse, più che ostilità, è indifferenza. Così preferisco andarmene. Chiacchieriamo amichevolmente, dabbasso, con i ragazzi che nulla hanno del picchetto, ma piuttosto assomigliano a degli annoiati bigliettai di un cineforum anni settanta: "Mo', ve ne volete annà proprio adesso?"

Ma il senso di essermi trovato esattamente in mezzo ai volti di tanti anni fa, questo è intollerabile. E non tanto per quelli che oggi portano avanti una protesta civile, una richiesta culturale in nome dell'intera società, ma proprio per me, perché io sono ancora, in questo momento, lo spaurito studente di quindici anni fa che sente la propria separatezza dalle ragioni e dalle lotte degli altri come una condanna inappellabile. Esco in fretta e tutto si ristabilisce. Più tardi, nella camera d'albergo, protetto dalla mia solitudine, penso: chiameremo tutto questo, avanti negli anni, il *satori* di architettura? Mi addormento con un sorriso sulle labbra.

[1990]

SESSIONE DI LAUREA

Entriamo in Bologna a piedi, da Porta Zamboni, una giornata di quelle buone fin dal mattino presto, il sole che allarga la luce nei porticati, pochi studenti, i visi ancora tirati: saranno al massimo le otto e trenta, ma questa primavera bolognese già si sente sotto la pelle, scricchiolano le ossa al sole, si sta bene distesi sull'erba dei giardini Margherita che abbiamo raggiunto poi, nel pomeriggio, così per goderci un poco il *down* del dopolaurea tra i richiami dei ragazzi che giocano a football e le grida dei bambini, e quel poco di tensione visiva che lanciano le coppiette silenziose... Buona giornata per i ragazzi che terminano in queste ore la loro carriera universitaria all'ateneo bolognese: gli ultimi momenti per salutare quella che, bene o male, è stata una professione o un impegno, fors'anche una seccatura o un incubo. Comunque è andata! Nel sorriso emozionato e soddisfatto dei neolaureati si sciolgono, per un istante, frustrazioni e noie, la rabbia per le trafile agli sportelli, le ansie per le code interminabili, l'angoscia degli appelli saltati e rimandati, la sorda impotenza che sempre attanaglia chi, in un modo o nell'altro, si è imbattuto in un'istituzione totale, anche se non carcere o manicomio, ma semplicemente scuola.

Lungo le due settimane dell'attuale sessione di laurea circa trecento ragazzi lasceranno la facoltà di lettere e filosofia raggruppati in due commissioni giornaliere: trecento giovani espulsi con tanta fiducia e tanta incoscienza dalla Grande Madre che per quattro o cinque anni li ha nutriti, assistiti, nevrotizzati, resi forse felici. Se ne vanno ricevendo strette di mano e sorrisi e abbracci e la formula di rito: “In virtù dei poteri di questa commissione, la dichiaro dottore in...”

Martedì scorso, 26 febbraio, in Via Zamboni è stata la volta di undici fra questi trecento laureandi bolognesi: nove studentesse e due studenti. Alle otto e trenta, eravamo già intruppati disordinatamente davanti all'aula magna, gran chiacchiericcio e scambiarsi di tesi e rubarsi notizie e annotarsi indirizzi e telefoni a mano a mano che cresceva la solidarietà di trovarsi tutti, per quel momento, nella stessa barcaccia, anche se poi ognuno si allontanava in silenzio o scappava a bersi un caffè in solitudine, per non perdersi il training.

Una delle ragazze s'è portata dietro non solo due fotografi personali con Canon e teleobiettivi, ma anche papà, mammà e quindici fra amici e parenti di non so quale grado. Vestita con un abito lungo di seta viola con ori e foulard e spille, è uscita dall'aula gridando: “La lode! La lode!!!”, così che tutto il suo codazzo s'è messo a strillare e far bordello, e giù i lacrimoni e le strette di mano e anche un mazzo di tulipani rosa e iris gialli, sbucati chissà da dove, che le hanno ficcato in braccio non appena è uscita, cosicché un tizio diceva: “Accidenti, sembra che abbia vinto il giro d'Italia!” Ma loro erano tutti festanti fra i sorrisi e le lacrime, che sono colate giù al momento giusto, proprio quando è scattato il flash. La tribù ha poi infilato il corridoio che porta a un giardinetto interno, e lì tutti in posa per altre foto con la ragazza al centro e i fiori in alto, a rubare la luce di questo febbraio per un ricordo che si spera non appassirà mai più: come volere testardamente imbrigliare e trattenere un momento che si vorrebbe a tutti i costi “storico” nell'esperienza di una vita, quando invece si sa che la propria storia si snoda attraverso intensità molto meno appariscenti e cambiamenti molto meno repentini, tanto che, guardandoti indietro, scopri che è stato proprio un piccolo passo a farti cambiare, un piccolo scarto cui non avresti dato cento lire, un attimo che non ti avrebbe mai fatto arrestare la testa e pensare: ecco, di qui inizierà la mia storia, i miei equilibri cambieranno, crescerò, non sarò mai più quello di adesso; ecco ci sono, tutto diventerà nuovo, sarò un altro, sarò uomo. E, infatti, gran parte degli altri candidati stavano lì, un po' cinici e un po' seccati, per il disbrigo di una pratica, in fin dei conti, burocratica e senza alcuna suspense, tanto si sapeva già come sarebbe andata a finire.

Partito il carrozzone del giro d'Italia, il corridoio si è svuotato ed è stato il turno di Rossella Biamino, una ragazza minuta, dagli occhi svelti e azzurri, viso affilato, capelli lunghi, che ha presentato uno studio sul Kindertheater a Berlino Ovest che le è costato sei anni di frequentazione di spettacoli per bambini nell'intera Germania. Con Rossella si è molto parlato di animazione teatrale, io insistevo a chiedere quale fosse la differenza fra le modalità di intervento dei gruppi italiani e quelli tedeschi, lei rispondeva che, in Germania, questa teatralizzazione è pressoché istituzionalizzata, raggiunge risultati di una professionalità indiscutibile e gode di un massiccio apporto di pubblicazioni specialistiche mentre, in Italia, sono sempre i mimi ad andare per classi e improvvisare piani di lavoro e inventarsi giorno dopo giorno un programma.

Ho assistito poi alla discussione con il relatore, professor Claudio Meldolesi. Si è parlato naturalmente di Agitprop, di Asija Lacis, di Walter Benjamin, di un progetto di teatro socialmente e politicamente impegnato, ma non noioso e neppure serioso, anzi brillante ed effervescente e stimolante, un teatro che assuma il gioco e l'interesse del bambino come momento principale dell'azione drammaturgica.

Teatro anche per Federica Ricci Garotti che ha studiato "Il problema della rielaborazione in Bertolt Brecht: Madre Coraggio". Laureatasi con lode, appariva molto soddisfatta e scuoteva la testa ricciolona e salutava con un po' di svogliata secchezza la madre che l'aveva raggiunta. Con lei si è parlato soprattutto del dopo. Essendosi laureata in lingua tedesca pensa di cercare lavoro nel ramo commerciale, anche se è poi un impiego noioso e per niente creativo, ma tanto serve a mettere da parte i soldi per partire. Per dove? "In Germania, magari. Però c'è sempre l'America, lì sì che vorrei andare."

Forse però il pezzo forte della mattinata è dato dalla nota inconsueta di un ragazzo, Lucio Giudiceandrea, in costume tirolese, pantaloni alla zuava di loden verde, giacchettino della stessa stoffa, pullover di lana grezza, sul quale ricadeva il nastrino rosso legato al collo della camicia pure lei bianca come i calzettoni di lana, e scarponi neri da roccia. Capelli corti, viso stretto e furbo, occhi verdi, Lucio ha discusso una tesi su "Il problema della finzione dal Rinascimento al Barocco", partendo dallo studio del trattatello del napoletano Torquato Accetto *Della dissimulatione honesta* (1641) e transitando per *Il pastor fido* (1590) di Giovan Battista Guarini. Ma quello che colpisce è che alla sua elaborazione si è affiancata, costante e persistente, la lettura di un testo a dir poco distante, e cioè *L'uomo senza qualità* di Robert Musil. "Quello che mi interessa," afferma Lucio, "è vedere che cosa può succedere nella mente dell'uomo quando si sgretola un sapere, una conoscenza fino a poco prima ordinata e stabilizzata. È per questo che Musil agisce dallo stesso punto di vista dei trattatisti barocchi. La pratica della dissimulazione è una pratica tipica del soggetto malinconico, del soggetto che 'nasconde' e pratica la finzione proprio per sottrarsi al vuoto catastrofico che si allarga intorno a lui. In questo senso, la dissimulazione è opposta alla pratica della metafora, che invece è sempre un riempire ed espandere, un'infiorescenza conoscitiva."

In aula assiste alla discussione anche il padre arrivato da Bolzano, che scuote la testa ad approvare e sorride compiaciuto e soddisfatto, anche se controllatissimo, quando inaspettatamente il figlio si trova a rispondere in lingua tedesca a un paio di domande rivoltegli dal presidente della commissione. Ma tutto va bene: Lucio riceve la sua gratificazione, dottore in filosofia con lode, ci stringiamo la mano, forse ci scriveremo, chissà?

La commissione continua poi il suo lavoro, altri candidati, altre strette di mano, altre lauree: verso l'una, è tutto finito, undici dottori in più. Ognuno se n'è andato per la sua strada, probabilmente non ci si incontrerà più, se non per combinazione o caso o congiura astrale. Anche i relatori non vedranno i loro candidati; per molti di questi ragazzi l'unica cosa certa è non voler tornare mai più in un'università: una volta finita, basta, cancellare. Eppure è stata per tutti una giornata importante, magari soltanto curiosa, soltanto una leggera perdita di senso, la spossatezza che fa dire: "Che farò ora e dove andrò e come sarà domani?"; magari è stato soltanto un incontrarsi di storie che, per un attimo, si sono avvicinate e intrecciate e che subito dopo, come è naturale, si sono disperse: ognuno per la propria strada. Ma, in fondo, fa bene pensare che, nonostante tutto, il dolore e l'esasperazione e la frustrazione della nostra esperienza giovanile, nonostante le sofferenze e le bastonate e la precarietà di questi anni universitari; nonostante tutto questo, la vita si rivela ogni tanto come una sottile e delicata vibrazione che raccorda e uniforma il tono di diverse esperienze e diverse storie. In fondo, fa bene pensare che, alla base dei nostri percorsi, scorra una delicata armonia che ci fa incontrare. E che va semplicemente rispettata, anche se dura un attimo.

[1980]

4

AFFARI MILITARI

PARTIR SOLDATO

Eppure, dentro i muri scalcinati della patria, anche oggi, come un tempo, viene a consumarsi quel particolarissimo rito di passaggio che è l'attraversamento della prima giovinezza e l'approdo a un'età, se non definitivamente adulta, quanto meno diversa e nuova: l'età del lavoro, della famiglia, degli obblighi sociali; cosicché quelle stanze dello stato fanno, per tutti, da sfondo ai cambiamenti degli equilibri intimi, sovvertendoli, cancellandoli, spazzandoli, per arrivare a uno scoperchiamento della propria personalità adolescenziale così da mostrarla, spietatamente, come un fascio di nervi scoperti e indifesi, in una sola consapevolezza accecante nel primo giorno del doponaja: "Non tornerò mai più indietro. Niente sarà più come prima. Dove andrò ora e che farò? Ho già dimenticato, dannazione, quel che ero prima di quel fottutissimo inizio di servizio militare."

Così, in quei dodici mesi da schiavo, qualcuno piglierà i primi stupefacenti, qualcun altro le prime sbronze, chi avrà il primo rapporto con una donna e chi il primo con un compagno di branda: ci si scoprirà in quelle camerate drogati, alcolizzati, terroristi, froci, normali, fascisti, teppisti o superuomini, saggi avvezzi a tutte le angherie o arrabattoni e trafficanti; si azzarderanno azioni condotte sul filo del proprio equilibrio psichico e altre ai bordi di quello fisico; qualcuno imparerà una professione, qualcun altro si raffermerà, decidendo così di non uscire mai più da quel limbo virile, infantile e gagliardo; altri ancora lo ricorderanno come un solo giorno di amicizia, altri ancora – poveretti – non potranno mai più avanzare un atto sessuale senza rivestire le proprie donne di anfibi e berretti grigioverdi o i propri macho di svastiche e di borchie paramilitari. In ogni caso, però, si prenderanno solennemente quei voti maturati per l'intera adolescenza, e che dureranno per tutta una vita. Caserma, quindi, né più né meno di un monastero, di una scuola, di un carcere o di un collegio. Quel che vale è il concetto di istituzione totalizzante e chiusa; quel che conta è il trovarsi obbligati lì.

Tutto questo può anche significare che non esistono, in fondo, differenze qualitative fra un "fuori" in abiti borghesi e un "dentro" in divisa. Nell'uno e nell'altro caso, strisciano i kapò, trafficano le spie e razzolano i capetti a cui si deve obbedienza. In caserma manca solo la libertà, ma questo, in ultima analisi, non è del tutto vero: l'unica libertà che conosco è quella di continuare a esserci, un fulmine divino mi può sempre far secco, e non importa che in quel momento io sia inguantato in una mimetica FFAA o in una tutina Armani (si può piuttosto dire che "dentro" manca l'anarchia, e questo, alle volte, può prendere male). Per il resto, i dischi e le *top ten* sono identiche, stessi i profumi, gli alfabeti e gli accessori, stesse le droghe magari "un filino più tagliate", stessi gli alcolici, magari un tantino più annacquati, stessi i desideri e i tiramenti, stesse le voglie. Fino a qualche anno fa, stesse anche le spinte politiche.

Nel caso del variegato arcipelago della vecchia e nuova sinistra queste diedero vita a un movimento, i Proletari in divisa, di cui troppo poco si è parlato e che anche la pubblicistica più avveduta ha trascurato, forse non rintracciando in quegli entusiasmi giovanili, motivi per riflettere e dibattere uno dei nodi più importanti della convivenza civile: il momento, cioè, in cui l'individuo incontra gli occhi di ghiaccio dell'istituzione.

È uno sguardo che, in ogni caso, sconvolge. Gli ospedali militari e le infermerie, come racconta Giovanni Pascutto nel suo bel romanzo d'esordio, *Milite ignoto* (1976), traboccano di soldatini in tilt; ognuno di noi che ha servito docilmente l'Italia ha assistito a "scoppiamenti" anche violenti, la cronaca nera si occupa di tanto in tanto di casi clamorosi, suicidi o defezioni assolute, anche il cinema italiano, dopo *Marcia trionfale* di Marco Bellocchio, ha gettato un occhio per di là, come nella parte iniziale del *Buon soldato* di

Franco Brusati: insomma, un fondo regressivo, repressivo e violento permea interamente il microcosmo della caserma.

I modi per affrontare questi temi sono, negli ultimi anni, alquanto cambiati. All'esperienza ideologica e collettiva dei Proletari in divisa si è ormai sostituita una goliardia generalizzata e imbecille. Ogni tipo di sopruso, di sevizia e di sopraffazione fra soldati, è legalizzato dalla legge dell'anzianità: intimidazioni mafiose, congiure di scaglione, trame fra nonni e vicenonni, "chicchirichì" e "coccodè", che annullano, nel nuovo arrivato, ogni stimolo di ribellione, più o meno come si sente dire all'inizio di certi film carcerari: "Tu che arrivi ora, ricordati, non sei niente. Solo un buco per il tuo capo." E su tutto imperversa l'omertà. Chi ha fatto per benino i suoi dodici mesi, può capire tutto questo da una sola virgola; per gli altri basterebbe dire che, con l'ingresso nel patrio esercito, si entra anche in un regime di giustizia tribale e assoluta, tollerata dalle gerarchie che fingono di non vedere, finché non scappa il morto.

A tutto questo si può sopravvivere. Sbolliti gli ardori di dieci anni fa, che volevano i soldati uniti contro l'istituzione, identificando, il più delle volte, la caserma con l'intera società, oggi si cerca semplicemente di svicolare, da un lato, dalle impostazioni della vita militare, dall'altro, dalla sopraffazione fisica dei najoni e dalle loro violenze, dal loro esigere il tuo guardaroba, i tuoi soldi e il tuo magro riposo. Si tratta, quindi, di crearsi alleanze laterali e non contrapposte, circoli d'affetti e di solidarietà estranei, relazioni costruttive fra singoli individui, anche graduati, che si proiettino al di là del tempo della naja per rientrare nel *fluxus* ordinario dell'esperienza. Si tratta, in fondo, di sopravvivere in divisa, sapendo che forse sarà cambiato tutto, quando non avremo apparentemente fatto niente; quando in fondo la caserma altro non sarà che uno scenario per le nostre storie e per le nostre irriducibili tresche; quando diverrà una trama su cui ordire il nostro passaggio; nient'altro, solo una scenografia. E un mondo di cartapesta non vale la pena di abbatterlo né di mitizzarlo. Come ammonisce un passaggio di Pascutto: "Devi smetterla di considerare la caserma come un carcere, altrimenti finisce che lo diventa veramente. Pensa che ti permette di stare lontano da casa. Motivo sufficiente per apprezzarla."

[1982]

UFFICIALI E GENTILUOMINI

Già in quel freddo aprile del 1980 in cui sono partito, non con terrore ma con curiosità, per il servizio militare, molte cose erano cambiate rispetto alla naja dei decenni precedenti. La paga del soldato, chiamata "decade" anche se veniva liquidata una volta al mese, si era impennata sulle seicento-mille lire al giorno. I mesi di ferma erano diminuiti da quindici a dodici; non circolavano più, nelle camerate, le guide per la sopravvivenza di Stampa Alternativa, di *Re nudo*, dei Proletari in divisa, o altre fanzine underground dedicate al proletariato giovanile e metropolitano: carte dei diritti, numero delle licenze stabilite dalle varie circolari ministeriali, turni di guardia, visite mediche, ricoveri in ospedale militare; come entrare in forza assente; come essere distaccati, aggregati, congedati, sospesi, avvicinati, riformati; come comportarsi in caso di punizioni o, al peggio, di trasferimenti nei carceri militari di Gaeta o di Peschiera... L'atteggiamento generale era di svacco, trasandatezza, insonnia e noia. Il nostro principio: eseguire gli ordini e le mansioni più in fretta possibile per potersi poi imboscare al bar, in fureria, al minuto-mantenimento, nei sotterranei della palazzina comando, nei giardini dietro le camerate, a parlare di musica, di libri, di film, di storie... E quando arrivava il giorno della licenza, e i miei amici partivano abbandonandomi per tre, quattro giorni, non solo mi intristivo, camminavo lungo i corridoi scorato, accarezzavo con gli occhi le loro brande vuote, mi sedevo sui loro cubi, guardando quello stesso pezzo di soffitto su cui, ogni mattina, si apriva il loro sguardo – "Chissà a chi penserà Gianni seguendo quella crepa che ora si allunga sul muro e, come una ragnatela, si espande fino al soffitto? Chissà a cosa penserà Lele scrutando quella macchia di umidità proprio sopra alla sua testa?" – ma, soprattutto, mi arrabbiavo.

Mi lasciavano per quella che era la loro vera vita: la famiglia, l'amore, la ragazza, il paese, le partite a carte con gli amici del bar, le corse in macchina, le discoteche, i vecchi equilibri. Una vita che esisteva ancora prima del nostro incontro e che sarebbe continuata, sempre senza di me, anche dopo la parentesi del servizio militare. E questo lo ritenevo intollerabile e mi faceva soffrire, tanto mi sentivo indissolubilmente legato a loro.

La mia vita era confinata in quella caserma, e per quanto mi fosse capitato, i primi tempi, di consolarmi riguardando fotografie del passato borghese, ora si giocava interamente dentro le mura della patria. Il resto era cancellato, fastidioso come un complesso di colpa. Per questo mi seccava il fatto che i miei amici parlassero spesso di licenze e della loro vita a casa, negando, in un certo senso, quanto di piacevole e forte andavamo costruendo insieme. Io li avrei voluti tutti per me. Cercavo di far loro capire che la vera eccezionalità era rappresentata da quell'anno in divisa e per questo dovevamo impiegare ogni nostra risorsa per passarlo nel modo giusto, conoscendoci, facendo delle esperienze insieme, parlandoci. Il segreto per non farci umiliare dalla caserma, dalle sue leggi, dalla sua meschinità, dalla sua violenza, era quello di occuparla con le nostre storie e la nostra sensibilità. E quando ciò avveniva, quando in certe domeniche senza ufficiali, né servizi di guardia, né marescialli, né personale civile, capitava di essere veramente noi i responsabili dell'istituzione, si entrava nell'avventura. Si scoprivano i luoghi inaccessibili, si restava in mensa fino alle tre, facendoci cucinare *à la carte*, si stava in branda a sentire musica, si andavano a trovare, portando rifornimenti come crocerossine, il Renzu che stava al corpo di guardia o Elio, che punito, non poteva uscire dalla compagnia. Oppure arrivavano tutti in fureria, dove ero di servizio per compilare i ruolini, e si sbaraccava: Gianni puliva le vetrate con una scopa nonostante gli dicessi che non mi sembrava il caso, la Bella Perotto arrivava a mostrare i suoi nuovi sandalini in strass e improvvisava una canzone di Renato Zero, la Baffina mi scompigliava gli archivi nella disperata ricerca del numero di telefono di un certo granatiere: "Zì, zì, zì, è del zecondo ottanta, deve ezzere qui, fammi guardare..." In quei momenti la caserma era un universo virile e celibe, lo scenario teatrale di un gioco da ragazzi. Erano i miei fratelli e mai come allora mi capitò di avvertire il senso della solidarietà, dell'amicizia, del reciproco aiuto, del "virile amore dei compagni" (Walt Whitman) che era possibile donarsi l'un l'altro. Pure, o a maggior ragione, in una situazione di costrizione e di difficoltà.

Se sono sopravvissuto abbastanza decentemente a quell'anno in divisa, e con me tantissimi altri, credo di doverlo a quell'atteggiamento iniziale di curiosità e non rassegnazione, con cui sono riuscito ad affrontarlo. Prima di partire, non sapevo assolutamente niente dell'esercito, non sarei riuscito a distinguere un ufficiale da un capocuoco, né una mitragliatrice da un FAL (Fucile Automatico Leggero). Non è che ora ne sappia molto di più, però ero incuriosito dalla scoperta di quello che, giorno dopo giorno, veniva a configurarsi come un vero e proprio mondo separato, un doppio, in sostanza, della vita borghese, con particolari riti, leggende, miti, retoriche, simboli, eroismi, meschinità. Presi a studiare la storia del battaglione in cui ero inquadrato utilizzando soprattutto le pubblicazione dello SME (Stato Maggiore Esercito). E mi accorgevo che in quelle storie non c'era traccia della sofferenza e del lavoro dei soldati, ma solamente improbabili episodi di cosiddetta "fedeltà", dedizione alla bandiera, eroismo, strenua difesa dei valori del Corpo. A me interessava invece quel particolare soggetto psicologico che è l'uomo in divisa o, se volete, l'uomo in battaglia. Poiché anch'io, pur nella differenza pressoché imparagonabile dei tempi, vestivo una divisa (che non mi piaceva) ed ero costretto a rispettare regole (che non approvavo) come milioni di altri cittadini italiani. E nell'osservare le abitudini, i modi, l'educazione, soprattutto il linguaggio dei vecchi ufficiali, cercavo di rendermi conto delle tracce che la storia lasciava ancora, debolmente, nell'oggi: in altre parole, poiché tutti rispondiamo agli stimoli negli stessi modi da migliaia di anni, volevo capire come l'uomo in divisa, ancor oggi, si comporta di fronte al comando, alla subordinazione, alla perdita di identità, alla regola gerarchica, all'osservanza di un dovere che, il più delle volte, non condivide. E molte volte, osservando le adunate del battaglione, mi dicevo: questi ragazzi sono simili ai loro padri e i loro padri ai loro nonni. Hanno le stesse facce delle vecchie fotografie, le stesse mani tozze di vecchi contadini, le cosce robuste e basse di chi lavora da generazioni e generazioni la terra. Sono loro che hanno combattuto e sono morti nelle guerre in ogni parte del mondo. È quel ragazzetto calabrese che si è trovato in trincea sul Carso, e quell'altro napoletano, dagli occhi larghi e neri, che ha attraversato il deserto libico. È con questi ragazzi, è con i loro corpi maciullati che si è fatta la storia.

Non potevo certo illudermi di immaginare, attraverso di loro, la guerra, il terrore delle incursioni aeree, il frastuono delle artiglierie, le grida ferali degli assalti, ma potevo raffigurarmi un po' meglio alcuni momenti arcaici dell'uomo sotto le armi: la malinconia di certe adunate serali quando si formano bivacchi di compaesani che parlano un dialetto strettissimo; le lacrime del soldato di Lucca, un ragazzo alto quasi due metri, statuario, bellissimo, con sopracciglia folte su un viso spigoloso, le sue lacrime improvvise quando esce dalla maggiorità con la licenza strappata; le furberie, i sotterfugi, le meschinità, le spiate, il servilismo, la piaggeria del piccolo soldato umbro, la spavalderia di quello bresciano, l'imbecillità del romagnolo, la generosità imprevista del compagno di Ascoli Piceno che, di fronte all'unico episodio di vigliaccheria di cui mi sono macchiato, si è fatto avanti per addossarsi la punizione. Quante volte tutto ciò si era ripetuto, negli stessi identici modi, nel corso dei secoli? Quante migliaia di volte il soldato avrà estratto la fotografia della fidanzata per mostrarla all'amico del cuore? E le parole, i gesti, i movimenti, le posizioni di questi ragazzi provenienti dalle province più oscure e dimenticate d'Italia, non saranno in tutto simili a quelli dei loro padri? Rileggevo *Il nudo e il morto* di Norman Mailer, uno dei migliori romanzi sulla guerra. Si raccontava del Pacifico o dell'Alabama o del Texas. Ma i ragazzi che osservavo, non erano la stessa gente? Il tempo si annullava e mi permetteva di sopravvivere, di rendere meno angosciose quelle giornate carcerarie. Avrei potuto trarre le medesime conclusioni di Alfred de Vigny: "*C'eût été là assurément quatorze ans de perdus, si je n'y eusse exercé une observation attentive et persévérante, qui faisait son profit de tout pour l'avenir. Je dois même à la vie de l'armée des vues de la nature humaine que jamais je n'eusse pu rechercher autrement que sous l'habit militaire*" (*Servitude et Grandeur Militaires*, 1835). Se poi pensavo a me stesso in trincea o in prima linea, non avevo dubbi. Come Remarque sarei morto al primo assalto.

Superati i primi mesi, assestato nella routine del lavoro d'ufficio, inquadrato in una nuova, scalcinata, compagnia di servizio al ministero della difesa – quei pochi alzabandiera a cui si veniva, a turno, comandati erano molto più che penosi; non c'erano due soldati che avessero il copricapo dello stesso colore: c'erano alcuni alpini con la penna, alcuni parà con il basco viola, io ero riuscito a tenermi quello nero; i soldati del magazzino avevano il berrettino con la visiera, le guardie scelte il basco kaki, un bersagliere, capitato lì chissà come, aveva il fez bordeaux con il pompon azzurro; quanto alla nostra statura e alla nostra taglia c'era di tutto: alti, bassi, magri, pingui, mezze taglie, taglie forti; chi aveva le scarpe da libera uscita, chi quelle da ginnastica, chi gli scarponcini, chi i mocassini e le calze rosse, chi la mimetica, chi la drop, chi i pantaloni corti, chi la camicia, chi la t-shirt, chi la barba, chi i baffi, chi i basettoni, chi tatuaggi, anelli, orecchini, spille con su scritto PUNK NO DEATH – superati quei primi mesi, dicevo, anche il mio atteggiamento cambiò, stemperandosi nell'abulia e nella noia della vita di caserma. Nel momento in cui mi accorsi che il tempo trascorso aveva fatto di me un soldato, un poveraccio a cui tutti gridavano e urlavano e imponevano, un mentecatto sporco e trasandato, buono solo per lavare i pavimenti e passare carte negli uffici, addirittura sottomesso ai "tiramenti" del personale civile, allora provai schifo per tutto e desiderai solamente, come gran parte dei miei compagni, di finire il più presto possibile. Quella specie di incanto, che aveva trasformato il servizio militare in una sorta di allegra e incuriosita vacanza in divisa, si ruppe. I miei amici vivevano in altre caserme. Partivano per i campi o per i turni di guardia in polveriera, e per tre settimane li perdevo di vista. Quando tornavano c'erano le licenze. Molti di loro avevano seguito la trafila dei graduati di truppa e si trovavano ora a comandare il picchetto di guardia o l'alzabandiera. O scortavano i CM, (Camion Militari), in giro per Roma. Quanto a me, ero rimasto un soldato semplice, e il tempo libero non mi mancava. Ma tutto era ormai corrotto. Nelle camerate, la sporcizia, la promiscuità e la violenza di certe nottate erano insopportabili. L'ignoranza e la volgarità, pure. Speravo solamente di finire, anche se il *down* maggiore avvenne proprio durante il primo anno da congedato. Non avevo più nulla. Ero tornato quello di prima, ma con un nuovo lutto da elaborare, quello della perdita dell'affettuosa e protettiva consuetudine dei miei amici.

In quei mesi sbandati, abulici, di ritorno alla vita civile tutto mi appariva sbiadito, senza emozioni, senza passioni, senza avventure. Ero esattamente come un innamorato abbandonato: *triste, solitario y final*. Non avevo perduto una persona in particolare, ma un modo di vita attento, scrupoloso, eccitato. Mi accorsi solo allora di quanta energia mi era costata la sopravvivenza in divisa. Per dodici mesi, non mi ero mai rilassato, non avevo mai staccato. Non avrei potuto permettermelo. Così ora, nella mia stanza, in campagna, dormivo sonni lunghissimi. La febbre di quei dodici mesi mi aveva spossato. In un certo senso avrei dato ragione alla baronessa Dinesen quando nella *Mia Africa* racconta: "Mio padre, ufficiale nell'esercito danese e in quello francese, una volta, giovanissimo luogotenente a Duppel, scrisse ai suoi: 'Tornato a Duppel, ho avuto il comando di una lunga colonna. Lavoravo sodo, ma era splendido. L'amore della guerra è una passione come un'altra; si amano i soldati come si amano le belle ragazze: fino alla pazzia. E un amore non esclude l'altro, come le ragazze ben sanno. Ma di donne se ne ama solo una per volta, mentre i soldati si amano tutti insieme, e si vorrebbe che fossero ancora di più, se possibile.' " In un certo senso era questo che avevo provato per l'avventato e bizzarro plotone di cui avevo avuto l'investitura. Ci eravamo comportati oltre ogni più ottimistica previsione. Avevamo vinto la nostra battaglia. Nessuno era crollato, seppure le tentazioni, i ricatti, le difficoltà fossero state innumerevoli. Eravamo felici? È così difficile parlare di tutto questo senza correre il rischio di essere fraintesi.

Mentre scrivo, a distanza di qualche anno da quel periodo, Videomusic mi rimanda ossessivamente un filmato pubblicitario delle forze armate che invita i giovani ad arruolarsi, a servire la patria, a difendere, in divisa, il prestigio delle istituzioni. Nello stesso tempo sono stati prodotti serial televisivi ambientati fra gli improbabili cadetti di una qualche accademia navale o aeronautica; le riviste machiste di sopravvivenza abbondano in edicola, e nessuno si scandalizza più, come accadeva negli anni antimilitaristi, se il vicino espone il tricolore alla finestra. Molte cose sembrano cambiate. Più controllo democratico sulle forze armate, più professionalità dei quadri e delle unità operative, maggiore interesse delle organizzazioni giovanili dei partiti nei confronti del servizio civile, della ulteriore riduzione della durata della leva, della sua regionalizzazione. Più denunce delle morti accidentali dei militari, dei casi di sopraffazione da parte dei superiori, degli episodi di violenza, di nonnismo, di suicidio.

È il caso dello spettacolo di Angelo Longoni, *Naja*, che racconta di una morte in divisa attraverso il confronto serrato di cinque personaggi: Tonino, "piccolo e magro, di umili origini... tipo tranquillo, senza molti problemi, né grandi aspirazioni"; Franco, "milanese, arrogante e aggressivo"; Claudio, "originario della provincia romana... esile, debole e influenzabile"; Carmelo, "siciliano, intelligente e sicuro di sé... orgoglioso e molto individualista"; Luca, "friulano, introverso e nervoso... silenzioso". L'azione si svolge nella camerata della caserma come in tutti i classici del genere carcerario militare, dal violento, e assai raro, *In disgrazia alla fortuna e agli occhi degli uomini* (*Fortune and Men's Eyes*, 1971) che il canadese Harvey Hart trasse dalla commedia off Broadway di John Herbert, a *Streamers* di Robert Altman. Nello spettacolo di Longoni c'è, però, la musica di Vasco Rossi e un impasto linguistico abbastanza inedito nella produzione teatrale italiana. D'altra parte che cosa faranno, insieme, un friulano, un siciliano, un bergamasco e un romano se non "parlato" e gergalità? E che cosa un timido, un violento, un riflessivo e una gatta morta, se non commedia di caratteri? E un suicidio, se non critica all'istituzione? *Naja* dichiara le sue intenzioni già nel titolo e nella locandina delle *dramatis personae*. In un certo senso evita di scavare in profondità, nelle motivazioni del suicidio, nella personalità dei suoi protagonisti, accontentandosi della giusta e tempestiva scelta del tema. Che cosa succede di interesse generale, stando alle cronache, in una camerata del patrio esercito? Suicidio. Ma perché?, chiediamo noi. Perché va così, risponde lo spettacolo. Ma perché va così?, insistiamo. È colpa dell'istituzione, della scoglionatura, della noia, della mamma lontana (anche), della fidanzata che manca, del tenente, del colonnello, del maresciallo? Chi o che cosa fa scattare il gesto tragico? Sarà successo come in certi reparti degli alpini in cui la "stecca" viene benedetta dalle "spine" infilandosela su per di là? O come in certi squadroni di prodi viriloni che si tolgono, l'ultima notte, lo sfizio innominabile, scegliendo, non tanto a caso, la povera, espiatoria, vittima? Che gli avranno fatto a quel poveretto per costringerlo ad ammazzarsi? Era depresso? Era scorato? Era perseguitato? Era, ogni notte, bagnato? È stata la promiscuità, il fatto di non avere mai un momento di intimità con se stesso, a spingerlo a impiccarsi? È stata la fatica fisica, la sporcizia, la brutalità, la bestialità degli altri soldati a provocare il crac?

Il testo di Longoni non lo dice chiaramente, e non raccontandolo, sceglie la seguente equazione simbolica: se c'è un'istituzione repressiva, c'è anche l'individuo, più debole o più sensibile, più intelligente o più sfigato, che soccombe. In questo senso, la caserma di *Naja* assomiglia di più a un carcere. Del vissuto dei soldati, di cui il regista dichiara di aver fatto ampiamente uso, e della quotidianità della vita in branda, non mi sembra che emerga granché.

Bisognerebbe rileggere il volumetto *Dentro i muri della patria. Il personale-politico di alcuni giovani in servizio militare* (1977), raccolta di testimonianze e confessioni di autori vari così squisitamente miscelate nel *mood* anonimo e collettivo degli anni settanta – Allen, venti anni, milanese, studente; Paolo, ventisette anni, fiorentino, impiegato; Vittorio, diciannove anni, milanese, disoccupato; Giuseppe, ventun anni, milanese, operaio – al punto che, come sempre, sorge il dubbio che dietro quelle storie così canoniche e paradigmatiche si nasconda, in realtà, la mano di un qualche autore. (La via del romanzo italiano, in quegli anni antiromanzeschi e antinarrativi, passava anche di qua...)

I ragazzi, definiti dall'anonimo curatore "giovani compagni in servizio di leva", raccontano le loro esperienze, seguendo una traccia di sette domande: com'era la vita prima di partire? Com'è in divisa? Quali problemi si hanno con la gente del posto? Che cosa rappresenta il servizio militare? Come si gestisce la propria sessualità? Come sono i rapporti interpersonali? E, per finire: quali ripercussioni si avvertono nell'immediato ritorno alla normalità?

Lo studente, il disoccupato, il freak, l'impiegato e l'operaio rispondono a tema e, cosa ragguardevole, raccontano con proprietà di linguaggio e gusto del particolare. Molte volte ideologizzano e traggono conclusioni politiche sul proletariato giovanile, sull'istituzione repressiva, sull'ordinamento gerarchico della società: "La caserma, con la sua struttura gerarchica, con la sua esaltazione della forza bruta, della virilità, dell'obbedienza e dell'asservimento totale a un capo, chiunque esso sia, è una macchina che prepara, abitua, istiga alla violenza." Oppure: "In caserma il bisogno di affetto è evidente, palpabile e lo si realizza nelle lotte, negli avvinghiamenti, nella mimica di atti sessuali che si praticano continuamente fra uomini, fino a trasformarsi in un autentico desiderio e piacere omosessuale."

L'analisi di questi ragazzi è dunque precisa. Avranno forse letto *Infanzia di un capo* di Jean-Paul Sartre? Quando mettono in relazione desiderio sessuale, spirito di gruppo, bisogno di obbedienza e di autorità, colgono l'essenza del problema. E sono innumerevoli, talune altissime, le controprove letterarie, cinematografiche, artistiche che danno loro ragione. In *The Toilet* (1963), ecco allora Amiri Baraka (LeRoi Jones) impostare il quesito di sempre: chi si nasconde, in realtà, sotto la maschera del capo? Che cosa c'è dietro la virilità esasperata, il machismo, il mito della forza bruta?

Gli undici ragazzini di LeRoi Jones si ritrovano nel cesso della loro scuola per dare una lezione a "quel finocchietto" di Karolis, che ha osato mandare un bigliettino al loro capo Foots. La banda è composta da alcuni ragazzi di colore e da altri bianchi. Le rivalità razziali si sprecano: "Cazzo! Che cazzo è successo a Donald?" "Mi ha dato dello sporco negro!" "Be', che cazzo sei? Cosa ti succede? Ti vergogni della tua gente?" "Fanculo! Di cosa ti immischi? Ehi, Donald perché non ti tiri su? Ho un salsicciotto bello grosso qui per te!"

Tutto il dialogo è su questi toni. Bestemmie, offese, ingiurie, doppi sensi, oscenità, come se i ragazzini di LeRoi Jones non conoscessero altre metafore che quelle degli svuotamenti e dei riempimenti dei visceri, come se quel cesso maleodorante in cui si svolge l'azione fosse un universo totalizzante che uniforma gli atteggiamenti, i gesti, i linguaggi e i sentimenti. Non c'è nient'altro al di fuori di quel grande gabinetto spoglio che "deve avere l'impersonale bruttezza del gabinetto di una scuola e della latrina di una qualche istituzione". Non ci sono case, non ci sono famiglie, se non per mandare una qualche maledizione. Esattamente come in caserma. Il gioco violento arriva al suo culmine. Facendo a botte, fingendo di sodomizzarsi, mostrando l'uccello, pisciando uno sull'altro, i ragazzi si sono preparati al momento cruciale. E nell'azione corale di tutto questo gioco di preliminari a sfondo sessuale, il testo di LeRoi Jones, brevissimo in verità, è perfetto. Nessun ragazzo dice nulla di sé, nessuno si lascia andare a confidenze sulla mamma, la campagna, i biscottini all'ora del tè. Nessuno ricorda. Eppure riconosciamo, immediatamente, i tratti inconfondibili del loro carattere. Anche le loro debolezze, i tentennamenti, la stupidità o l'intelligenza.

Karolis è dunque portato disotto, nei cessi. Uno solo tenta di difenderlo, intuendo quello che sta per succedere. Karolis, inaspettatamente, accetta di battersi con il capo. Ma il capo tentenna. Gli scimmioni urlano, vogliono il sangue, pestano il difensore d'ufficio. Karolis accusa il capo: "Devi batterti con me. Ti ho mandato un biglietto, ricordi? Quel biglietto in cui ti dicevo che ti amavo... Un biglietto in cui ti dicevo che eri meraviglioso... che ti volevo prendere dentro la mia bocca. Ti ho chiamato Ray, in quella lettera... oppure Foots? Ti spezzerò quel tuo collo fottuto. Proprio così. Ecco chi voglio uccidere. Foots!... Sei Ray oppure Foots, eh?... Mi batterò con te. Proprio qui, in questo stesso schifoso gabinetto in cui mi hai detto di chiamarti Ray... Hai messo su di me la tua mano e hai detto Ray!"

L'avvinghiamento è inevitabile, ma il reo confesso sembra inaspettatamente prevalere con la forza della disperazione. Intervengono allora i brutaloni ("Riempiamogli il culo di calci a 'sto pompinaro!") finché il povero Karolis non perde conoscenza. Resta solo in una pozzanghera di piscio e sangue. Tutti se ne sono andati. Il poveretto geme. Il suo sogno d'amore è finito. D'improvviso si apre la porta. In silenzio entra Foots (o Ray). Si china sul corpo del ragazzo e lo prende fra le braccia, cullandolo. Nella fogna maleodorante, fra schiamazzi, sciacquii, odori irrespirabili anche il capo, ora, finalmente, decide di gettare la maschera.

Se può apparire spropositato, in regime di libertà, seppur vigilata, un dramma che nasce da un'innocua azione per via orale (chioserebbe Aldo Palazzeschi), è altrettanto vero che LeRoi Jones carica il conflitto sessuale di ben altre valenze e dinamiche interpersonali. Alla fine, sembra dirci: se la tenerezza è continuamente interpretata come segno di debolezza, allora non potrà che aversi tensione e violenza. Bisognerà reprimere, rimuovere, sublimare, finché qualcosa non arriverà a spezzarsi. Ma *The Toilet* ci dice anche un'altra cosa assai importante, e cioè che è sempre possibile scardinare le regole della tribù di appartenenza per scegliere la strada della propria realizzazione, della conoscenza interiore, dell'accettazione di sé. A costo di perdere supremazia sociale, onore mondano, potere.

Per questo appare insopportabile il vittimismo marchettaro delle prime scene dell'omonimo video che Longoni ha tratto dal suo spettacolo. Il soldatino si lamenta perché ha dovuto sottostare alle imposizioni sessuali del suo tenente, o di chissà quale altro pervertito, per ottenere la licenza. Davvero? Qui bisognerà essere molto franchi perché se questi marchettoni lo danno, al tenente di picchetto, al generale o al maresciallo, al furiere o all'infermiere, o sono degli sprovveduti a cui basta una strizzatina d'occhi per calare la divisa, o sono dei coglioni che accettano di compiere un atto contro la propria volontà. Delle due, l'una. Se si vantano di essere sempre dei maschiacci, rotti a tutto, perché poi vanno a lamentarsi in giro, piagnucolando: "Il tenente mi ha toccato sul didietro con un dito"? Perché non gli hai dato un bel ceffone, rispondiamo. Non sarà piuttosto che non aspettavate altro? Quante ne abbiamo conosciute, in caserma, di queste madonne di Pompei, che lo fanno per le sigarette, per la licenza, per il motorino; che lo danno, ma non fanno; che abbracciano, ma non baciano; che non toccano e non guardano. E se parlano, ahinoi, è solo per ricordare le scopate con le belle e virginali fidanzate.

Dal momento che nel nostro paese la miseria non è così catastrofica, né è questione di ramazzare un pezzetto di pane per sopravvivere, non sarà, in fondo, che narcisismo, esibizionismo, piacere, desiderio si mischino in quell'antica offerta del corpo all'asta? È sempre la solita, vecchia storia: c'è un voyeur, direbbe Moravia, perché c'è qualcuno che sessualmente si eccita nel lasciarsi guardare. C'è qualcuno che compra, con piacere, perché c'è qualcun altro a cui piace, o interessa, essere acquistato. Se così non fosse, quel tenente avrebbe, giorno e notte, gli occhi pesti dalle botte. O, talmente tartassato dal senso di colpa, se ne andrebbe in un angolo a spararsi.

È infatti esattamente questo che succede a Rod Steiger nel *Sergente* (1968) di John Flynn, tratto dall'omonimo romanzo del californiano Dennis Murphy. Quando la sprovveduta recluta John

Phillip Law s'inquadra al corpo, incontra un sottufficiale dai modi rudi, e sudatissimi, che prima tenta di portargli via la ragazza, poi di sedurlo. Quando i due si incontrano, scatta una colonna sonora di violini. È chiaro che il sergente Callan è cotto del soldato Swanson. Ma evidentemente non si può. Così, alla fine, dopo appostamenti, inseguimenti, provocazioni, tentazioni, cattiverie e gelosie il sergente si lancia al collo del soldatino, gridando: "Tu sei ogni dannata cosa che conta a questo mondo, e tu sei mio." Grande e arruffato bacio fra i due. Poi il sergente imbraccia il fucile e si spara in faccia.

Direbbe Christopher Isherwood: "Doveva il soldato Sebastian respingere o no le offerte del centurione Severus?" Si parla qui, ovviamente, del cult movie *Sebastiane* (1976) di Derek Jarman, ma il problema è analogo. Nel *Sergente*, Rod Steiger si uccide perché non riconosce la natura del proprio desiderio omoerotico, in *Sebastiane*, il bellissimo Leonardo Treviglio si fa trafiggere dai dardi, infliggendo così una punizione ancora maggiore al suo centurione: "Rifiutando nobilmente il sesso e abbandonandosi al gran gesto del martirio, Sebastian spingerà Severus a compiere un delitto tremendo, che lo farà soffrire spiritualmente per il resto della vita e forse anche oltre. In questa situazione, chi dei due è il più crudele? Chi è il più orgoglioso? Chi è realmente colpevole?" (*Ottobre*). Forse aggiungiamo noi, il bel soldato Swanson non ha capito un bel niente. Né Rod Steiger gli ha detto, magari in latino, quelle bellissime e tremende parole che il centurione grida ripetutamente, e inutilmente, al suo dio: "*Sebastiane! Me amas!*"

Anche Marlon Brando ci lascia le penne, non appena indossa i panni del maggiore Penderton in *Riflessi in un occhio d'oro* (regia di John Huston, 1967), tratto dal romanzo, del 1941, di Carson McCullers. Ecco la McCullers: "Il corpo del soldato era coperto di oro pallido e stava eretto. Senza i suoi vestiti addosso era così snello che si poteva vedere la curva pura delle sue costole. Mentre marciava in pieno sole, sulle sue labbra si disegnava un selvaggio sorriso sensuale che avrebbe sorpreso i suoi compagni." Ed ecco Marlon Brando, che così riassume alla classe dei suoi soldati, con un pragmatismo geniale, la doppia incognita della sua equazione esistenziale: "È moralmente onorevole per il piolo quadrato continuare a sforzarsi di entrare nel buco rotondo, piuttosto che cercare il suo buco quadrato?" Silenzio. I soldati tacciono e il maggiore, alla fine, risponde con un secco: "No!" Omicidio, comunque anche qui. Brando uccide il soldato che aveva spiato, nudo, calvalcare di notte e di cui aveva raccolto, come reliquie, le cartine usate delle sue caramelle. Lo uccide quando si rende conto che il ragazzo non entra nella sua stanza da letto per concedersi finalmente a lui, ma per giacere con sua moglie, Liz Taylor. E che dire dell'epilogo di *Rose e cenere* (*Eustace Chisholm and The Works*, 1967) del sommo James Purdy? "Sin dagli inizi, dalla profondità del proprio essere, il capitano Stadger aveva visto e capito che il soldato Daniel Haws aspettava e desiderava la prova e la tortura che stavano per venire... Tutto ciò che riguardava il soldato semplice Daniel Haws era scolpito nella memoria, registrato e archiviato nel capitano Stadger, suo unico esperto, giudice, confessore, nemico, amico e boia autorizzato... Schiacciò il proprio torace contro il soldato finché questi non gli si arrese, cedendo al suo abbraccio. Nella sua enorme sofferenza fisica, Daniel alla fine invocò pietà dal suo aguzzino e fu ora evidente che il capitano, nella sua disperazione, esigeva proprio questo dal soldato, perché senza la sua invocazione non sarebbe riuscito a trovare la forza per infliggergli l'ultima e più sottile punizione che aveva in serbo per l'uomo a tal uopo scelto. [...] 'Ho cercato tutta la vita l'uomo adatto, il corpo adatto e la volontà capace di accettare questa arma perfetta,' continuò a dire il capitano Stadger, guardandolo negli occhi. 'Ora ho trovato finalmente tutto questo.' Quindi entrambi giacquero l'uno accanto all'altro sul muschio, accanto a una notturna fiorita di crisantemi, senza assolutamente niente addosso, calmi e raccolti. [...] Si sfilò i pantaloni e si stese accanto all'ufficiale, sotto una delle sue braccia allungate, che anche nel sonno era un solo e duro fascio di tendini. [...] La rosea luce dei lampi illuminava i fili taglienti dell'arma e, senza aggiungere altre parole, il capitano cominciò il suo lavoro, spingendo lo strumento, come fiamma, nell'inguine di Daniel, spingendo in su e rivoltando; e poi, quando il suo lavoro fu quasi completato, avvicinò la faccia a quella di Daniel e, premendosela contro, in un sanguinoso abbraccio, disse qualcosa che neppure Daniel udì. [...] Il corpo del capitano Stadger non fu trovato fino al pomeriggio del giorno seguente: era riuscito a nascondersi fin troppo bene nel posto che aveva scelto per spararsi alla testa con la pistola regolamentare."

D'altra parte che i soldati l'abbiano sempre fatto, fra loro e con estranei, è cosa vecchia e risaputa, soprattutto nella letteratura di ogni lingua e paese.

Nel libro di memorie indiscrete *Mio padre e io* (1968), J.R. Ackerley, grande amico di E.M. Forster e W.H. Auden, racconta, tra l'altro, la sua passione per i soldati. Il suo amico del cuore sarà per parecchi anni un marinaio: "Piccolo di statura e peso piuma piuttosto noto in marina il suo corpo dalla pelle di seta, muscoloso e perfetto, era una delizia per gli occhi, come l'Efebo di Kritios. La sua faccia appena scimmiesca, con gli occhi castani, il naso appiattito e le labbra carnose, mi attrasse subito. Se aveva un odore, era quello salmastro del mare." Su quel particolare tipo di soldati che sono i marinai, in letteratura, dovremmo aprire una lunghissima sexy-parentesi dal *Libro bianco* di Jean Cocteau ("Da tutti gli angoli della terra, gli uomini invaghiti della bellezza maschile vengono a ammirare i marinai che vanno a zonzo da soli o a gruppi, rispondono alle occhiate con un sorriso e non rifiutano mai l'offerta d'amore") a *Querelle di Brest* di Jean Genet ("Certi pezzi d'uomini della flotta da guerra... certe spalle, certi profili, certi riccioli, certi deretani mareggianti e collerici, certi maschi elastici e forti...") a *Recidiva* di Tony Duvert ("Dunque troverei un marinaio, e la cosa durerebbe tutta la notte. Dormirebbe, mi piacerebbe dormire fra le sue braccia, ma faremmo l'amore fino all'alba. Ciò che manca ai guanciali sono delle braccia. Se no, va bene ").

Preferiamo rimanere nell'esercito. Continua Ackerley: "Negli anni trenta, mi trovai a concentrare sempre più la mia attenzione su una particolare confraternita di giovanotti metropolitani, alla quale avevo già attinto e che aveva tutta l'aria di potermi fornire, senza ulteriore perdita di tempo, ciò che volevo. Il Corpo delle guardie di Sua Maestà aveva una lunga storia di prostituzione omosessuale. Eternamente a corto di soldi, di birra e di occupazioni per la libera uscita, la sera era facile trovarli a ciondolare, con le loro giubbe rosse, davanti all'unica mezza pinta che potevano permettersi o che gli aveva offerto qualche compagno 'in grana' nei vari pub di Knightsbridge, Victoria, Edgware Road e altrove; oppure gironzolavano per Hyde Park e Marble Arch, senza niente da fare [...] e pronti all'eventualità che comparisse qualche cortese signore a offrir loro qualche pinta, in cambio della quale, e della conseguente, tradizionale mancia – una sterlina era la tariffa riconosciuta per le guardie reali di fanteria, mentre le guardie a cavallo costavano molto di più – erano perfettamente dell'idea, spesso addirittura bramosi, di 'divertirsi un poco'."

In un eccentrico romanzo, *I pantaloni d'oro* (1969), Gian Piero Bona mette al centro di un rabdomantico intreccio nella Torino dei riti occulti e delle reincarnazioni, il personaggio del bersagliere Giacinto Salutati che, di tanto in tanto, "andava a vendersi al cinema Porta Nuova, presso la stazione". Il bersagliere è un recidivo. Cinque anni prima delle vicende narrate "a Roma, al cinema Umberto", un approccio troppo spinto aveva provocato una rissa. Col bersagliere bisognerà saperci fare. "Egli conosceva bene le varie tecniche di adescamento cinematografico: gomito contro gomito, ginocchio contro ginocchio, tosse insistente, leggero sfioramento nel raccatto di un oggetto fatto cadere a bell'apposta, piede contro piede, invito al fiammifero, sospiro prolungato e indicativo." Niente avances troppo decise, né sguardi languidi ("Gli dava sui nervi"), ma solamente una parola buona, un po' di sentimento, altrimenti si corre il rischio di beccare "pugni, schiaffi, mozziconi spenti sulle mani, insulti o addirittura calci".

Vediamo le pagine, davvero ben scritte, del rito della prostituzione del povero soldato, ambientate in un cinema. "Giacinto sapeva bene che la sua prestanza fisica non passava mai inosservata e, prima di entrare, si tolse il fez rosso, lo infilò sotto una spallina del giubbotto e si ravviò i capelli con un pettine andaluso rubato alla contessa. Poi scostò lentamente la tenda dell'ingresso e lasciò che un fascio di luce esterna lo colpisse sul volto, sovrastante di un palmo la calca degli spettatori, in modo che il violento e improvviso contrasto strappasse il solito mormorio di meraviglia. Gli spettatori più infantili gli si pigiarono subito contro, fingendo di essere stati urtati di botto, e sorridevano sdegnandosi con se stessi. [...] I miopi si limitarono a respirare a occhi socchiusi, con espressione ebete, l'odore di pagliaio umido emanato dalla sua divisa. Il bersagliere si fece largo a gomitate, si appoggiò alla parete di fondo in un angolo meno affollato e aspettò. Un'ombra lo sfiorò, poi un'altra, un'altra ancora, e tutte tossicchiavano, si avvicendavano al suo fianco, sospiravano, si soffiavano il naso, fumavano nervosamente, s'inciampavano, si squadravano con disprezzo, si scacciavano con odio, incattivite nella sfida della priorità.

"Ingigantito dalla propria bellezza ineffabile sino alla stupidità, Giacinto si lasciò indurre alla provocazione. Divaricò le gambe ad arco, sporgendo in avanti il ventre, in modo che i calzoni scivolati sulle anche dessero rilievo alle forme del sesso. Era un 'dio burino' dalla vita bassa, i pollici infilati nella cintura, la sigaretta pendula dal labbro carnoso e sensuale, il profilo romano sprezzante e freddo, i muscoli delle braccia disegnati sotto le maniche troppo strette, un bullo svogliato e disinvolto fino alla più completa disponibilità di se stesso.

"Nessuno osava toccarlo o rivolgergli la parola, nessuno osava disturbare la sua quiete insolente e voluttuosa, protetta dal mistero delle tenebre. Eppure Giacinto vedeva tutto: il battente della latrina sotto la spia rossa che si apriva e si chiudeva con violenti schiaffi, le tende di plastica che ondeggiavano presso le uscite di sicurezza, i suoi compagni seduti sulla seconda sedia di una fila in attesa della vittima, il luccichio di qualche occhiale d'oro, gli accendisigari accesi troppo sovente sotto il naso del vicino; vedeva tutto, sapeva tutto e immobile aspettava l'approccio di un ragioniere coraggioso o di un duca irresponsabile."

Drammatizzando oltre ogni ragionevolezza il servizio militare si rischia, realmente, di sfiorare la tragedia. A tutti sarà capitato di incontrare qualche esemplare di quella fauna che passa da una licenza di convalescenza all'altra, da un ricovero "in osservazione" all'ospedale militare a un periodo di congedo, per poi rientrare al Corpo per un paio di giorni, essere rinviata al Celio, ottenere una nuova licenza e così via, per sette o otto mesi finché, se ci sarà la raccomandazione giusta, non si entrerà in forza assente, e di lì al congedo permanente illimitato.

Vagavano, questi ragazzi, come fantasmi nelle camerate. Senza mostrine sulla divisa, ma ancora con le stellette del CAR, nonostante il loro scaglione si avviasse a celebrare quei fatidici cento giorni all'alba che permettevano l'ingresso nella bieca gerarchia della camerata: vicenonni, nonni, congedanti, borghesi. Non avevano indumenti né mimetiche né drop perché dopo qualche giorno di lontananza tutto veniva razziato. Non riuscivano a conservare, per gli stessi motivi, né un armadietto né la branda. Giravano, la sera, con un materasso e le coperte sulle spalle, in cerca di un posto libero. Se vedevano una branda vuota si informavano: il soldato tornerà stanotte dalla licenza? Erano i veri paria, senza diritti, evitati da tutti peggio dei cucinieri, il cui tanfo, il puzzo d'olio irrancidito, si mischiava alla traspirazione del corpo, si impastava, diventava tutt'uno con gli abiti e la pelle, e anche la sera, in giro per Roma, li riconoscevi all'olfatto. Erano, insomma, l'immagine dello scoppiato, la figura vivente di quello che avrebbe potuto fare di te il militare se l'avessi presa male: un fantasma intristito e vacuo.

Il giorno del mio venticinquesimo compleanno, comandato di servizio piantone in caserma – era domenica – lo trascorsi insieme a uno di questi ragazzi. Non aveva nessuno con cui parlare. Era divorato dal panico. Mi seguiva ovunque, non tollerava di essere lasciato solo. Continuava a contare i minuti che lo separavano dalla libera uscita. Ripeteva come un ossesso: "Domani, lunedì, vado in infermeria, aspetto il tenente che firmi il ricovero, corro in maggiorità, faccio firmare, poi porto in fureria: se tutto va bene alle undici riesco a uscire. Al Celio mi daranno altri trenta giorni, forse già mercoledì riesco a essere a casa; e quando la licenza scadrà, dovranno darmi il congedo perché su nove mesi ne ho passati sei all'ospedale e non potranno più farmi niente. È la legge, sai?"

I comandanti delle compagnie si accanivano contro questi soldati. Quando tornavano dalle licenze di convalescenza non concedevano né permessini, né altre facilitazioni. Non potendo adibirli a servizi pesanti, li tenevano semplicemente a bagno, in caserma, per ore e ore, sapendo che questa era la punizione peggiore. E il mio amico ventenne di Monte Mario, figlio di un ingegnere elettronico e di una professoressa di lingue straniere, riccetto, con una bella pronuncia romanesca, amico solamente di quella domenica di settembre e poi mai più rivisto, era la dimostrazione perfetta, da manuale psichiatrico, di come nevrotizzare un evento della propria vita fino alle soglie dell'annientamento mentale. E il percorso era iniziato già anni prima, alla visita di leva. Per anni la sua famiglia aveva cercato, senza riuscirci, di far esonerare quel figlio capriccioso dall'obbligo militare. Era ricorsa a tutto. E a ogni insuccesso, la paura del riccetto di Monte Mario era cresciuta, fino al giorno dell'arruolamento. E anche allora, invece di mettersi il cuore in pace, si intestardivano, dentro e fuori dalla caserma, per ottenere rinvii, licenze, permessi. Qual era il risultato? Un ragazzino che, sdraiato ai miei piedi, cercando ossessivamente la mia mano, diceva: "Sai, le paranoie che uno si fa, diventano vere."

D'altra parte, come è possibile prendere così sul serio un mondo che a ogni occasione diventa il proprio, comico, doppio parodico? Come si può permettere la propria distruzione? Come affidare a dei buffoni le sorti delle proprie energie mentali? Mi capitava più volte di scuotere la testa, rassegnato, nell'osservare i comportamenti dei graduati: come potevano pretendere che un qualunque soldato credesse in quel cerimoniale da operetta a cui, per primi, loro non obbedivano? Come credere al ruolo dell'istituzione, alla sua serietà, alla sua rappresentatività, quando i primi ad approfittarne, a degradarla, a sfruttarla con i loro traffici di piccolo o grande cabotaggio, erano proprio i marescialli e gli ufficiali? Come imporre il concetto di disciplina, di spirito di corpo, di solidarietà a dei militari di leva, trattandoli come straccioni o come personale di servizio, baristi, camerieri o facchini per le proprie, privatissime, esigenze? E la loro ignoranza, lo spreco del denaro e del materiale, quel pittare e ripittare sempre le stesse pareti (visibili dall'esterno), lasciando le turche senza acqua corrente? Perché se una cosa ho imparato durante quei mesi è che tutto, in caserma, si risolve in un formalismo becero e ridicolo. Le armi devono essere lucidissime e ben oliate, le divise impeccabili. Se poi quelle non funzionano e tu puzzi come un caprone, pazienza, chi può controllare la parata? E noi avremmo dato ai protagonisti di questo triste, desolante, avanspettacolo militaresco la possibilità di farci a pezzi? A gente che guardavi interrogativa negli occhi per sentirti rispondere sempre il solito: "Cosa nun se fa per la pagnotta..."

Avevamo la nostra dignità, come la maggior parte degli altri ragazzi obbligati alla ferma. E se c'era un fatto che ci faceva imbestialire, era lo scoprire in noi atteggiamenti da caserma che, giorno dopo giorno, senza che ce ne fossimo accorti, avevano attecchito. Mi vergognai molto di me quando, finalmente, ebbi l'opportunità di vendicarmi di un pezzente di Latina ricorrendo al rituale abietto del gavettone. Mi feci schifo, ma avevo provato piacere. E ora, a distanza di anni, credo che quell'individuo se lo sia ampiamente meritato. Certo non è stato facile accettare il fatto che quei dodici mesi da schiavo abbiano rivelato lati del proprio carattere che non si conoscevano o che, conoscendoli, preferiamo che non si manifestino, evitando con cura gli avvenimenti che potrebbero scatenarli. Certo non è stato facile scoprirsi oltre che generosi e disponibili e forti e coraggiosi, anche meschini, calcolatori e vigliacchi. Cosicché di quell'anno in divisa, accanto all'esaltazione di certi magici momenti collettivi, agli abbracci, alle notti trascorse in branda a chiacchierare, all'esuberanza di scoprire che nonostante tutto riuscivamo a reggere il senso della nostra vita, rimane come una nausea, il senso di fastidio per esserci, alle volte, scoperti diversi da ciò che avevamo immaginato. Un velo di malinconia, come si dice. Che è poi nient'altro, come avremmo in seguito scoperto, che l'inevitabile meccanismo del crescere.

[1988-1990]

5

UN WEEKEND POSTMODERNO

UNO

Siamo dunque qui, nelle tre sospiratissime stanzette di Via Morandi – in tutto un tripudio di rossi bolognesi e tegole, come squame di terracotta, e fantasiosi comignoli a torretta che un giorno di questi certo disegneremo – Erik e io, come pezzi di una scacchiera a solo uso e consumo dei più intimi frequentatori delle nostre stanzette; siamo qui avvolti dal sole primaverile del primo pomeriggio, caldo e pulito, che manda nitide le colline al nostro sguardo e soprattutto quel grazioso pronao di Villa Aldini, che ci mancava da un po', appunto dai giorni di questa vacanzina londinese appena appena conclusa, il tempo di ritirare le valigie e le sportine, cercare il taxi e salire qui, all'ultimo piano di Via Morandi.

E subito il telefono che canta e squilla e rumoreggia. È dunque il Digo che annuncia dall'autogrill il suo passaggio a Bologna, in compagnia della Funny. Ha intenzione di lasciare da noi, giù in piazzetta, l'auto con su una certa lignea Immacolata di famiglia portata a restaurare, e prendere poi il rapido per Napoli, dove assolutamente deve essere in serata per via di uno spettacolo che insegue per mezz'Italia solo perché ha disegnato le acconciature del balletto. E allora noi si dice: "Okay, ti aspettiamo, ma vedi di far presto."

Il Digo e quella cafona della Funny che sempre sempre nei dopopranzi e dopocena ai ristoranti smista i resti come un croupier: "Mille a te, diecimila a me", e naturalmente vince sempre il banco, arrivano un'ora dopo, quando Erik è ancora in doccia e io sto sorseggiando un drink sospiratissimo, cambiando dischi e *tapes* e *bootlegs* londinesi. Baci e abbracci.

Il Digo è un artista lombardo di una quarantina d'anni, quindi *bien plus agé que nous*, avendo l'Erik appena fatto venticinque anni, e non ancora la tesi di laurea, ma solo saggetti su riviste e dispensine che smista in facoltà; e io ventidue. Credo abbiano avuto un *love affair* ai tempi andati, sennò non si spiegherebbe quel loro sentirsi una sola volta l'anno e poi baciarsi e abbracciarsi come veri fratelli, quando si incontrano. D'altra parte, Erik è bravissimo a mantenersi sul vago, non appena cerco di scavare un po' nella sua vita. Ma certe cose si sentono. Come quell'unica volta in cui siamo capitati nella cascina rinascimentale e bergamasca in cui Digo vive con una madre dispotica e nevrotica che guida la BMW come fosse una cyclette e ha, credo, sessant'anni o giù di lì. Quella volta il Digo mi fece una corte spietata, ho capito che gli piacciono i giovani, perché parlava e parlava e ciarlava di tutto il suo Seicento spagnolo e delle sue tele e della sua vita così intensa: ogni mattina in serra a dare disposizioni ai giardinieri; pomeriggio nella barchessa, riadattata, per dipingere; notti accanto al fuoco con le sue confraternite di musicisti e melomani e artisti della bassa cremonese, quelle zie ancora perdutamente macchiaiole e pecorecce, figuriamoci! Tutte cose che si crede affascinino un ragazzetto. Ma a me non importava nulla. Però l'Erik deve esserselo fatto, sei o sette anni fa. L'ho visto da come si muoveva ai piani alti della casa. Si capiva che lì, in corpo o in trance, c'era già stato.

Di Fanny ho già detto. Ha una galleria d'arte in città alta; è amica del Digo, che frequenta fin dalla più tenera età e forse già da quei periodi scolastici, intenta a invischiarlo in un matrimonio titolato che le garantirebbe, se non fix di sex, quantomeno un'entratura in quegli ambienti anomali e inusuali in cui vivacchiano artisti e poeti e scultori e musicisti e *bohémiens*. Lei vorrebbe fare esposizioni, lanci, creare promesse, allattarle, proteggerle, mantenerle. È fatta così, ha il trip di Mecenate. E anche ora sta blaterando, fra un whisky e un bourbon, di un certo artista, uscito con la 180, che per lei è un vero genio: "Figuratevi, miei cari, l'unico che usi dei colori... cerebrali. E che potenza in quelle pennellate, che forza! Solo i folli possono capire l'insensatezza di questi anni, solo i pazzi. Voi che dite?"

Erik inforca un paio di vecchi Ray-Ban con le lenti azzurre, sfumate. Il Digo guarda l'orologio. Io faccio di sì con la testa, annuisco e verso da bere. Però il Digo mi fa pena. Quella ormai non se la toglie più di torno. È come se l'avesse sposata. Quel genere di donne, dove s'attaccano... niente le smuoverà mai più: sono bravissime a chiudere gli occhi. E mi fa pure incazzare quando mi chiede come va con le ragazze. Ostia! Non ha capito ancora in che casa è capitata? Per fortuna, il rapido sta partendo: ci si veste, li si accompagna in stazione e si resta padroni della Rover fino a lunedì mattina.

Ma la mezz'ora, o poco più, trascorsa con i bergamaschi ci ha talmente stravolti che ci troviamo lì, muti e silenziosi, sulla 2000 a guardarci come cani bastonati, con la statua della Madonna a farci compagnia, e che ci toccherà pure portare fin su al quinto piano, grossa e pesante com'è. Accidenti, non appena torni in patria, cominciano i guai.

È allora che Erik dice: "Senti, qui ci vuole un poco di relax, andiamo a farci un taglio di capelli." E allora subito verso Via Ugo Bassi per recarci dal Maestro e, fra una sforbiciata e una postmoderna pettinata, sentire un po' le novità che si agitano in città. Non appena si entra è tutto un "ooooh" di meraviglia. Hanno cambiato arredamento un'altra volta. Le pareti e il soffitto sono rivestiti di carta argento, come se ci si trovasse in un laboratorio della NASA. E sopra: decori, triangoli, frammenti di geometrie, molti zig-zag e fulmini di Giove. I ragazzi di bottega inguainati in tute d'alluminio, aderentissime. Le shampiste con la coda di cavallo come Barbarella, però rizzata e modellata all'insù come un kriss. Un paio di giovani artisti, amici dell'Erik, che stanno marmorizzando uno specchio. Un architetto allestitore che decora il flipper e i videogame della sala d'attesa. Videoclip trasmessi dai televisori, un po' qua e un po' là. Capitelli corinzi come puf sui quali ci si siede. Un Apollo di Belvedere a grandezza naturale sul quale spicca la gualdrappa con la griffe del Maestro. E new wave ad altissimo volume. Tutti corrono da una stanza all'altra, muovendosi a ritmo. Gira un po' la testa. Arriva Richard, fa due piroette, scalcia con la gamba destra, poi con quella sinistra, butta il ciuffo all'indietro e saluta. Lo salutiamo anche noi, ma ha già oltrepassato il frontone con le metope che ci separa dall'altra sala. Ci guardiamo interrogativi. Ma eccolo che sbuca di nuovo, come se avesse un elastico legato in vita che lo tira e lo respinge, avanti e indietro.

"Prendiamolo al volo!" grida Erik. "Adesso!"

Lo acciuffiamo, lui ci copre le spalle con le mantelline e ci scorta al lavaggio dove le shampiste lavano e frizionano, saltellando qua e là che sembrano le Coconuts. Incontriamo un videoartista piuttosto noto, poi uno storico dell'arte che si tiene sulle sue, quasi imbarazzato di vederci lì, nemmeno fosse un bagno turco, poi un ballerino-coreografo che ha fatto "delle cose con Bussotti", dice proprio così, e noi ci guardiamo attorno preoccupati: speriamo che nessuno l'abbia sentito. Poi arriva il segretario dell'ARCI Kid, con i capelli alla Billy Idol, ma a quel punto noi si passa sotto a un timpano e si arriva al cospetto del Maestro, che ci accoglie con inchini e riverenze e ci invita a un party, la sera stessa, nella *cave* del Kinki Club.

Che bello, che bello essere tornati appena in tempo per la grande festa in costume non Seicento, ma sessanta, come va di moda ora, basta togliere uno zero e il gioco è fatto! Viva, dunque, il sommo revival, che viva, che viva!

Mentre sono lì che mi stanno tosando, sento improvvisamente un grido dell'Erik: "Uaaahhh!"

Oddio, gli hanno mozzato un orecchio, penso io, dalla mia poltrona. Mi volto e lo vedo correre per il salone.

"La Madonna! La Madonna!" sbraita Erik. "L'abbiamo lasciata in macchina. Se passa un tossico, addio!"

Si scende di corsa, con ancora le mantelline sulle spalle, due becchi sulla crapa, e dietro Richard con il conto in mano. Tutto come previsto. La 2000 è al suo posto, ma sui sedili posteriori quel tocco di quercia non c'è più. Torniamo in Via Morandi tristi e sconsolati, nonostante i ghirigori sulla nuca e i ciuffi colorati. "Chi glielo dirà, ora, al Digo? Magari non era un pezzo di valore, sì, l'esecuzione è buona, però quella barca su cui poggia il piede la Signora..."

"Non è una barca," scatta l'Erik, "è una mezzaluna. E certo che è preziosa! Figurati se il Digo porta a restaurare una robaccia."

"Potremmo sostituirla con una copia in cartapesta, la tingiamo color del legno e la lasciamo in auto. Abbiamo tre giorni di tempo. Poi, quando torna, se la vedrà lui."

Erik si versa da bere, furioso. "Come ti vengono in mente queste cose?"

Accuso il colpo. E mollo l'osso. Meglio pensare alla festa di stasera. Qualche telefonata per avvisare quanti ancora non lo sanno e finalmente, poco dopo le ventitré, si parcheggia davanti a Via Zamboni. Ma ecco che appare una folla e un ammasso, una strafila da far paura: ingresso bloccato, invitati scalpitanti, gruppi vocianti, coppiette sospiranti. Manifestanti. Ci gettiamo nella mischia agitando il nostro invito scolpito sulla nuca, la firma del Maestro, insomma, ma c'è niente da fare, non si passa, non si passa, cosicché Erik fa tutta una tirata che gli pare d'essere a una Biennale veneziana proprio di quei tempi là, con resse e calche e code e tutto un: "Voi non sapete, o gente bigliettaia, chi simboleggio io!" E via declinazioni e rappresentanze di comitati di fabbrica, gruppi di salute pubblica, comitati di zona, assistenti sociali, femministe del collettivo della Maddalena, omosessuali del ghetto, capireparto, cipiesse, cidieffe, SUNIA, inquilini, sfrattati, senzatetto, morosi, cooperative di pulizia scale, delegazioni di fuoriusciti, disertori di coscienza: tutti lì, tutti lì a voler entrare, ognuno bandiera di qualcun altro, nessuno, semplicemente, di se stesso. "Ma tanto," dice Erik, "non si entrava." Insomma, la sensazione elettrica di essere capitati al posto giusto nel momento giusto, anche perché, nella calca degli invitati, lungo le scale che s'inabissano nel discoclub, si riconoscono facce note e volti celebri per cui becchiamo pure, dalla Francis, l'invito a un *vernissage* per l'indomani.

Finalmente riusciamo a incanalarci verso l'ingresso. Raggiungiamo il Maestro sulla soglia, che ci attende indossando uno smoking vermiglio con brillantini sui revers e gel ovunque: sul ciuffetto a banana, sulle basette e financo sui baffetti. Subito dentro, via il soprabito e tutti a ballare in pista, in mezzo a stelle filanti e palloncini colorati e stelline luccicanti, come a un college party, e camerieri che girano fra i tavoli, servendo bastoncini di zucchero colorato e bubble-gum e caramelle dalle strane forme e bibite da sorseggiare con cannucce. Soprattutto chinotti, limonate e cocacole.

Ma Erik incomincia a storcere il naso, seduto sullo sgabello triangolare, e scomodissimo, del bar. Gli alcolici sono del tutto assenti, e questo non gli va giù. "Insomma, se questo è un Sixties party perché non Cordial Campari e Gin Martini e Negroni Cocktail? Perché dannazione? Che siamo? Tutte bamboline in babbuccette?"

Però poi gli passa perché vede un gigolo in canotta da boxeur e si lancia all'inseguimento.

C'è poi l'elezione della Miss dei Sixties, una commessa che già si conosceva, ma che regge benissimo lo stile fra Audrey Hepburn e Anouk Aimée. Fotografi, pubblicitari, operatori del settore, damine, telecineoperatori, telefonata in diretta con Radio Città. Una vera festa che è durata finché tutti i beveraggi sono finiti, e a quel punto ci ha preso la noia e nessuno è riuscito a cacciarla via, la maledetta, nemmeno il boxeur. È arrivata la stanchezza, abbiamo salutato la combriccola e poi a casa, col pensiero ancora, mannaggia a noi, alla Madonna trafugata.

Il giorno dopo è tutta una stanca colazione, pensando alle signorine in fintapelle del Colherne Pub con cui abbiamo tirato le notti divertendoci davvero; ma non c'è tempo ora per nostalgie, il telefono chiama, si va da Lila per il tè, dove si prenderanno accordi per l'inaugurazione della Francis.

In Piazza Verdi capitiamo proprio al top, nel bel mezzo di arrivi e smistamenti di ospiti da Roma e invitati da Milano e conoscenti di Torino, tanto che par d'essere alla stazione, con Lila che smista i convogli e i gruppi sui divani e sui sofà, proprio come in pensilina. Noi ci troviamo fianco a fianco con una veneta che pare la figlia degli aztechi tanto oro ha nei polsi, sulle orecchie e, naturalmente, nell'anima dei denti. Ci sono pure un paio di artisti mantovani, ragazzine con creste di capelli sorprendenti, e poi critici, scultori, decoratori, pittatori e geni illustratori, scheggine sparse del Movimento, intrusi e rockettari e newyorkesi e messicani e il solito gigolo, dai bei bicipiti, che cerca di smistare assegni postdatati e tutti lo evitano come un appestato, tranne quell'ingenuo dell'Erik che continua come se niente fosse la solfa della notte prima.

Si esce di casa e si sale sulle auto con tutto un codazzo che sembriamo un corteo di nozze e i drink in mano, tanto per non smettere l'abitudine. Si arriva in galleria dopo aver percorso sensi unici e direzioni vietate, tutte però permesse dalla nostra targa estera, e infilato i casseri e le porte, sui viali, come anelli, uno dietro l'altro. E lì, in galleria, è tutto un balletto e una frenesia di strizzate di mano e bacetti sulle guance e pacche sulle spalle, che ci fanno subito sentire a nostro agio, e gente che non si vedeva da anni e invece eccola qui, con le solite squizierie di linguaggio e i soliti vezzi stralunati e solo i capelli un po' phonati.

Arriviamo al cospetto dei quattro, cinque stand in cui espongono i ragazzi della Francis: tavole magnifiche e fumetti eccelsi, con tratti di china svelti svelti e neri e seducenti, forse arrapanti, come proprio il di loro segnatore. Eppoi le geometrie spezzate e l'ottica scomposta, come attraverso un prisma di cristallo e le unghiatacce da transbrivido, tutte però ovattate e sfumate nel flou infantile del perverso-polimorfo; eppoi, rivelazione!, cieli californiani e fusti di palme del Pacifico con aviogetti, piccini piccini come formichine, ritagliati in un cielo che è rettangolo e su una nube che è triangolo. Dov'è l'autore? Chi è? La Francis lo presenta. Ma è bellissimo! Erik trascura il boxeur e si mette a fare il filo al biondo. Tanti complimenti, lo si invita sulla Rover. Quello ci sta, Erik è ormai rapito. Sta lì a cicalare e non mette in moto. Così che la figlia degli aztechi fa in tempo ad arrivare. Toc toc sul finestrino. Il biondo si volta, la vede e strabuzza gli occhi come se non avesse mai visto una donna. La fa salire, contandole i bracciali.

"Non ci stiamo! Siamo in troppi," tuona l'Erik. Ma il biondo gli mette una mano sulla coscia e fa bacino-bacino con la boccuccia: "Davvero non vuoi dare un passaggio a questa damigella?"

Così Erik mette in moto, sgomma e sfrigola come un indemoniato. E io, che lo conosco, so che si sta facendo, mentalmente, tutte le giaculatorie oscene imparate da soldato.

È l'ora più bella. Il sole tramonta dietro ai colli. La città sembra ardere nei rossi accecanti e ultravioletti; i tetti delle case, le torri, le cupole, le pietre delle basiliche si accendono di fiamme. La Rover ritorna sui viali dove le luci dei grandi fari si stanno scaldando. Presto, con il buio, diventeranno incandescenti e, insieme ai neon delle vetrine e delle insegne pubblicitarie, agli alogeni, alle lampade ai vapori di mercurio, alle luci ronzanti dei televisori e alle scritte elettroniche sulle cime dei palazzi, illumineranno la città per un'altra notte ancora che ci vedrà, come sempre, in giro per bar e discoclub.

Non c'è tempo per visioni di poesia. L'Erik è bruscamente stoppato nelle sue divagazioni sul tramonto. La ciurma incalza: l'ora è tarda e lo stomaco borbotta. Finiamo alla Buca di San Petronio, in venti, trenta che sembriamo le figlie di Maria in libera uscita (e senza la padrona) e anche qui va tutto bene, e chiacchiere e racconti, finché non si torna sulla Rover, e via in una discoteca, badando bene di rimorchiare quel solito biondo artista che a noi piace tanto tanto, ma che non fila manco un briciolo così, del tutto ormai irretito dalla figlia degli aztechi e dal suo look precolombiano.

All'Art Club, altri drink e ritmi afroasiatici che stravolgono certi critici lombardi che noi davamo frigidi e impassibili, e invece guardateli come si agitano con la rumba e con la samba, con il tango e con il mambo. Ma ormai l'ora è piccola, la discoteca chiude. Noi non s'ha voglia di andarcene a dormire, la newyorkese attacca con la solfa che là, a quest'ora, s'inizia la nottata. Sul serio? Una scossa di anfetamina e metedrina ci attraversa. Dove andare in questo capoluogo di provincia? A Borgo Panigale!

Si finisce così, con uno spaghetto a casa dell'artista, la giornata. Non abbiamo più visto il biondo, né l'azteca e la Rover, senza di lui, è vuota come una cella frigidaire, benché siamo in sette, pigiati pigiati come sarde di Norvegia. Prende la malinconia. Erik continua a chiedere del vichingo, gli passano il numero di casa. Domani tornerà all'attacco.

Viene poi questa domenica un po' stracciata, con la testa che pesa e gli occhi gonfi, come se avessimo subito un fuso orario di otto ore. Il *down* è grave. Ancora qualche telefonata nel primo pomeriggio, ma soprattutto docce e frizioni e massaggi e maschere di argilla e cetrioli, tanto per ristabilirsi un po'. Verso le cinque, ci invitano a una festa, che pare stia esplodendo proprio ora, e certo non si può mancare. Ci prepariamo e lasciamo Via Morandi a piedi, tutti belli e profumati come avessimo dormito per le centocinquantore. A casa di Fredo, tutti sfrenati nelle danze, bellagente, molti che si sono visti la notte scorsa e che hanno davvero un ottimo aspetto. Come avranno fatto? "Per me gira polvere," dice l'Erik, tirando su col naso. "Non me la dicono tutta, questi." Ben presto cala l'abbiocco, tre giorni di festività sono fin troppi. Anche per noi. Sbadigliamo e sonnecchiamo. Cala la sera e nessuno accende le luci. C'è un film in televisione. Arriva il biondone in compagnia dell'azteca. Erik riprende quota. Li vede scomparire oltre il corridoio. Allora si alza e va all'inseguimento. Nel bagno non ci sono, né nella stanza guardaroba, né in camera da letto. Nello sgabuzzino? No, no. Proviamo in questa stanza. Cautamente sospinge la porta, nessun rumore. Entra dentro e... stock! Un colpo micidiale. Vede le stelle, i pianeti, meteoriti e buchi neri. L'oro della regina degli aztechi? No. Il biondo nudo? Nemmeno. Ha scrociato malamente in un pezzo di legno, robusto e secco. Accende la luce. Ma è la Madonna del Digo! Ci raggiunge in sala, urlando come un invasato. Io penso che abbia preso due ceffoni dal biondone, e invece mi tira per le maniche e balbetta: "La Ma... la Ma... la Ma... La Donna!"

"Vuoi sentire i Mama's & Papa's?" chiede Fredo.

"No, vuole Donna Summer," dice Lila. "Buona idea. Diamoci una mossa."

Intervengo: "Non capite, l'Erik ha visto la Madonna." Tutti scrollano le spalle. A nessuno sembra interessare. Così vado di là e vedo anch'io la ex nostra scultura. Tiro un sospiro di sollievo. Fredo sta cannando. Gli chiedo: "Dove l'hai presa?"

E lui: "L'ha lasciata il mio pusher. Tornerà a prenderla domani. Non sapeva dove tenerla, dice che è un bel pezzo. Mica ci si può fidare a lasciarla in auto. Vuoi un tiro?" Erik e io ci guardiamo complici. Lui sgomita e io risgomito. Lui ancora una volta. "Ho capito!" urlo, "finiscila di darmi botte." Così aspettiamo che tutti siano cotti, facciamo un blitz nella stanzetta, prendiamo la statua, la copriamo con un plaid e ci avviamo all'uscita.

Nessuno si accorge di niente, noi facciamo solo un bye-bye nella penombra. Scendiamo di corsa le scale. Per fortuna Via Morandi è dietro l'angolo. Quanto pesa la scultura!

Siamo costretti a reggerla ai due lati, così che sembra che la portiamo in processione. Ma sulla soglia c'è qualcuno ad aspettarci. È il Digo, arrabbiatissimo e scalpitante. È tornato da tre ore e non sapeva dove trovarci. Lo spettacolo di Napoli è saltato, la Funny l'ha piantato e lui è corso qui da noi. Finita la sfuriata si accorge della statua. "La lascio ancora un giorno," dice in un soffio. "Domani passerà il restauratore."

Noi ci guardiamo furiosi. Raggiungiamo la Rover parcheggiata in piazzetta, carichiamo la Madonna, spingiamo dentro il Digo e gli diciamo: "Buonanotte." Finalmente saliamo in casa. Per fortuna domani è lunedì.

[1982]

DUE

Insomma eravamo tutti lì, ancora lì, ma chi c'era? Che cosa era? Boh, mica ha importanza, c'era da bere, questo sì, forse anche da tirare, forse era un dopoteatro, un dopoconcerto, una prima? Un'anteprima? Mah, comunque si era tutti lì: assatanati, assetati, affamati, una casuccia niente male sul Lungarno, di fianco a Ponte Vecchio, un puzzo, però grande veranda e loggia sul blu notte della città, la Sister, impazzita e fradicia, scorgeva dabbasso i toponi e gettava le bottiglie vuote di vinello frizzante, cercando di beccarli; Hysterix, subito coinvolto nel match, faceva la spola fra la loggia e la sala, in cerca di munizioni, strappando calici e bottiglie ancor piene ai commensali. Insomma, erano lì tutti e due, ubriachi pazzi, che strepitavano, un colpo uno e uno l'altro, una corsa, un lancio, un grido, finché la partita non ha preso anche altra gente, e allora tutti a gettare dalla loggia tartine e risotti e spiedini e ostriche (svuotate) e tutto un "L'ho preso, l'ho colpito!". Tutti lì, come sul Canal Grande, a far piazza pulita dei beveraggi e dei formaggi, finché non è intervenuto un certo assessore cipiglioso e cespuglioso, assessore a non so che accidenti, fognature, tubature, ecologia, idraulica, malacologia, protezione ratti dell'Arno e del Lungarno, una cosa così, e fa tutta una berciata: "Ma siete pazzi, ma siete idioti." Fredo corre in soccorso della Sister e giustifica e acqueta; gli altri continuano a sbevazzare e ridacchiare... Comunque eccoli qua, il produttore, il tennista, il circolo ufficiali, la confcommercio, gli attori, le attrici, i musici, i carpentieri, le maestranze, una marchesa, una colonnella, una presidentessa, più una tribù di giovani tossici che si nascondeva nelle camere e poi in bagno, e proprio non c'era modo di far pipì, il Lino bussava, spiava e, molto saggio, mi diceva: "Che ci vuoi fare? A quell'età, o ti peri o ti disperi."

Lino aveva dunque organizzato il gran serraglio, dopo una serata all'Affratellamento. O questa è stata una altra volta? Un'altra storia? Sempre troppo fatto per ricordare, tanto più che, a Firenze, si andava soprattutto per farsi consolare e ricevere un po' di caldo affetto quando le cose da noi andavano male, davvero molto male, e le storie si intricavano in labirinti impercorribili, e gli amori erano tutti epitaffi e cimiteri, non di certo poesie... e quindi a Firenze si fuggiva – Sister, Hysterix, Fredo e me – per farci abbracciare e coccolare fra tutte quelle gentildonne così carucce e carinucce e tettute e schienute: la Giuly, la Donny, la Marty, la Papy, la Ully, la Francy, l'Anny, la Wally... Insomma, a Firenze era tutta una gran festa quando si arrivava noi piangenti a causa di lasciamenti, sfidanzamenti e mollamenti, con il Lino che diceva: "Ma non gliela si fa più, non se ne può più! Sempre innamorate e sempre sbandate, basta, basta!" E via allora che ci organizzava party, cocktail, cenettine e risottini...

Comunque, quella era la notte post Affratellamento, cioè dopo uno spettacolo al quale Lino aveva invitato mezz'Italia e smistato biglietti e poltroncine e cuscinetti come un maître di cerimonia, tanto che poi, al pranzettino, un tiaso di nobildonne smaritate commentavano fra loro: "Ohi ohi carine, quando la mi sposo, a lui gli dò l'ufficio stampa delle nozze, così che sembrerà la mia *première*!" In quell'attico sull'Arno eravamo comunque a festeggiare non si capiva bene cosa, forse solamente quella voglia di far chiacchiere e tirar tardi: il vino comincia a dare alla testa prima ancora del colpo di grazia dei superalcolici, e il Fredo attacca una lamentazione lì, irrigidito sulla Machintosh come sulla grata del supplizio, una delle sue solite tiritere sull'amore disperato: "Io lo amo, amo quell'angelo e sono parte della sua salvezza. Ma rappresento il suo dolore. Finché sta male e soffre, io sono da lui, e lui ha bisogno di me. Quando sta bene, non mi cerca, cerca una donna. Per tutto questo, in fondo, posso dire che lavoro amorevolmente alla mia scomparsa dal suo cuore. Non vi pare una masoch-situazione deliziosamente complicata?"

Altre notti sarebbero apparse in seguito molto più divertenti, a raccontarle: un appartamento sopra le Giubbe Rosse, per esempio, in cui s'è tirato un Capodanno con la solita fauna (più teatranti che letterati in verità), passando in rassegna numerosissimi brindisi del repertorio nazionalpopolare, naturalmente intonati, e stonati, a squarciagola: *Cavalleria rusticana*, innanzitutto, perché la padrona di casa voleva esser benservita, poi *La traviata*, poi *Si colmi il calice di vino eletto, nasca il diletto e muoia il dolor*, e già s'era tutti ebbri e insani e rivoltati sui cuscini, appiattiti sulle stuoie, stesi come panni sui divani... Una pseudocontessa russa dal nome impronunciabile (in verità, al videocitofono si era così presentata: "Sono Vuagina Sueminova, da... da... da... e vengo a far la supperbuona..."), tre metri di altezza, mica esagero, giuro, lo giuro, tre metri, dieci chili di tette, cinquanta di chiappe, un quintale di cosce, veramente; Gianfrancis, che quel giorno mancava, avrebbe trovato pane per i suoi denti, lui che quando incontra una marchetta chiede, come una maestrina in pensione al garzone del macellaio: "Vorrei un chilo di girello, costerà mica troppo, neh?" Insomma, lei stava lì, spaparanzata su una *chaise-longue* come una pitonessa tutta nera, irraggiungibile, controvertibile, non un bicchiere, ma un barile di vodka in mano e, a un certo punto, attacca perentoria: "Non curiamo l'incerto domani, se quest'oggi c'è dato goder!", e Fredo le salta alla gola dicendole: "Borgia, Borgia facciamo l'orgia!" Finché poi non s'è, con diletto, scoperto che la russa era un falso etnico, ancorché geografico, e allora, dai brindisi e dalle cantate della Donny, s'è passati a un *down* scazzatissimo, Hysterix che stava male per il troppo alcool e tutti noi a provargli la pressione, ma c'era niente da fare, *Fin c'han dal vin calda la testa...* Dopo, *down* a precipizio.

Altre cantate fiorentine, in un'alba nient'affatto tragica, attesa alle Cascine con un gruppetto di chire sonnambule e ansiose, molto champagne quella notte, e la Sister che fa una jam-session sul cofano della sua Rover tutta bianca, usando come tema vocale una tirata di Hysterix, ubriaca: "Non era solo cielo quel che vedevo, non era solo mare quel che guardavo, ma erano calde lacrime che io bevevo, di te, di te, di teeeeeee!", fra tutto un viavai di buche fiorentine sporcaccionissime, e Fredo che bussava a tutte le auto in sosta dicendo: "Cerco un angelo, cerco un angelo e con lui un mio romanzo!" Finché alle cinque, o sei, del mattino, s'è avviato sconfitto lungo il viale alberato con la bottiglia ormai straziantemente vuota in mano canticchiando, appunto, un epitaffio per se stesso: "*Adieu, my friends! My work is done. And to the dust I must return. Far hence, away, my spirit flies to find an angel beyond the skies.*" Poi non s'è più rivisto.

[1983]

TRE

Tutti lì, tutti lì... Cento, dugento, trecento, di più, di più, una ressa, una strafila, una calca: che bello, che ballo! E che bulli! Dentro tutta una sauna, un caldo, un vapore, un'abluzione, un sexy matto, tutto un cicaleccio, tutto un inchino, tutto un piedino, tutto un abbraccio. Ma perché questo bacia sempre nell'orecchio? Viene forse da Cernecchio? Fuori: una fauna esclusa e caciarona che scalpita e preme e resiste e insiste per entrare. Niente da fare: "Vien giù l'architrave!" "Ma voglio vedere, voglio guardare!"

Manca il posto, il teatro è zeppo, strapieno, rigurgita di fumettari, artisti, parrucchieri, musicisti, giornalisti, creativi e lettristi. Tutta la Bologna partygiana che impazzisce ultimamente non per discoteche o caffè-concerti, ma proprio per party e festini dati in luoghi insoliti: una Buca di San Petronio, una cella frigorifera, una Soffitta. Gente da Milano, da Firenze e dal pollaio. Grandi divi, sigarette, alcool (tanto!), tartine futuriste, Radio Città, Bimbine di Maria del Cassero Gay. Appena dentro, un Orlando infuriato gira in cerca della sua anima gemella, un bellissimo paladino latino e culturista che saluta di soppiatto: "Hai visto la mia bella?" Poi un'altissima reginetta prussiana cigola: "Vieni qua, vieni qua!" "Che c'è, ma che ci sta?" "Arriverà dai viali un travestito, con il sen di bianca coca farcito." "Ma va' là!" "Aspetta, aspetta dove vai?"

Vado, io vado e volo! Bevo, ribevo, beviamo. Uno, due e... tre sono le Grazie (Grazia, Graziella e grazie del cazzo!) che incontro, leggiadre e in gran forma, lì allo spaccio beveraggi. Rivedo l'Orlando che ancor non l'ha trovata. Poi una miss di *Linus* a cui presento l'Angelo biondo, poi scappo. Beppe Starnazza sul palco, magnifico, o forse immaginifico! C'è gente che poi dirà: "Saluto il talento della mia generazione", e in effetti nella ressa, e fra la calca, brilla la crème della crème, me l'han giurato, io dico niente, però sono d'accordo. Sfilano un po' di kinkaglieria dal Kinki Club, un po' d'acciacchi dal Ciak, un po' di arti e membra sparse dall'Art Club. Nei camerini del teatro un fattaccio, si tenta un po' di ginnastica con una tettona arrapantissima, terzo incomodo un ostinato voyeur arrampicato su dal cesso per copiare. Poi si conclude niente. E l'Angelo biondo? Boh! In sala, c'è il ballo, poi viene il giallo: hanno rubato una tavola esposta. C'è una spiata generale, iniziano le indagini; fuori c'è ressa, dentro uno svacco sublime, un bordello mai visto, un intorto, uno smistamento fra il palco, il retro, il prestigiatore, i concertanti e Starnazza. Installazioni, decorazioni. Poi arriva un suberbono, tutta una sgomitata, un supersex, la moglie di un fumettista chiede: "Ma quello è Toro o Belva?" Le si risponde: "Suvvia, mia signora, ma quello è Tora-Tora!"

E la Sister? E Hysterix? "Stanno fuori a dar di matto! Bisogna che li vai a prelevare!" Vado e volo: la solita atmosfera, pugni, schiaffi, è già l'una di notte, ma la fila resiste e la coda insiste. Entro con la Sister, Hysterix dietro che scalpita e incespica. Torna l'Orlando dolcissimo, torna la prussiana lamentosa: "Deh, quel maldestro d'un travesto, non è per niente lesto!" Tutti che attendono le zinne piene di neve, uffa, uffa...

Ancora alcool; sul palco esercizi di levitazione trascendentale: sarà vero, sarà falso? Passa "Julie Christie", abbagliante, la direttrice ammiccante. Angelo biondo dove sei? Poi "Tintin" con gli amichetti e camelie al petto, insomma "sublime". Tutto perfetto, un gran successo... Ma io una corona di spine, ahimè, mi son messo. E son qui crocefesso.

(Ingredienti della serata: oggetti di design creati da Massimo Iosa Ghini; performance musicali rumoreggiate da Massimo Giacon, Maurizio Maldini; silhouette di carta progettate con tridimensionalità da Simonetta Scala; video in multivisione di Lorenzo Mattotti e Silvio Cadelo, prodotti dalla cooperativa Storiestrisce; cartoni animati di R. Fleisher: *Superman*; tavole originali in plastica concepite da Ugo Bertotti; poesie e fonemi citati da Jerry Kramsky; Lorenzo Mattotti, Daniele Brolli; mangimi progettati da Giorgio Carpinteri; biglietti da visita disegnati da Igort; ritratto di Marko Caro di Marcello Jori e, naturalmente, *drink'n dancing*. Presenta Beppe Starnazza.)

[1983]

6

FAUNA D'ARTE

TIE SOCIETY

Quando Robert Mapplethorpe fotografò la sua ex fiamma Patti Smith per la copertina dell'album *Horses* (lei, l'innocente "rovinata" è appoggiata a uno sfondo di luce opaca, regge sulla spalla sinistra una giacca scura, decorata soltanto da un cavalluccio-spilla, porta un paio di jeans come si deve e una camicia candida, ha i capelli ritti e decisi, il viso emaciato e androgino, lo sguardo disperato e fisso e terribilmente frontale) è il 1975. In Italia non è ancora celebrata, come avverrà tre anni più tardi, come la vestale del rock, l'antidiva dal carattere spigoloso, dalla maledizione facile, dalle impennate superbamente liriche e decadenti. Eppure è già presente in quella fotografia, un dettaglio che aprirà le porte a un nuovo stile, a una nuova musica, a un nuovo modo di progettare la propria immagine: appoggiata al collo della poetessa ecco scendere fino alla vita una sottile, morbida, nera cravatta. Una cravatta non annodata che fa più pensare senz'altro a un tipo di bretelle, a una sciarpetta o, più semplicemente, a una striscia di nappa. Ma si tratta di una cravatta, senza l'orgoglio del nodo, d'accordo, ma è pur sempre una cravatta. È merito dunque della new wave e, in particolare, di Patti Smith, di David Byrne e dei Talking Heads, dei B52's, di Brian Eno e, naturalmente, di quel dandy di David Bowie, aver riconciliato una generazione con la cravatta, e tramite questa, con il modo di immaginare il proprio abbigliamento senza nessun complesso di colpa.

Se penso a quanto impegno mettevamo, sottomessi dalla rudezza dei fratelli maggiori della contestazione, nel non vestire, nel voler manifestare il disprezzo delle convenzioni, della forma e delle regole attraverso un'immagine non conformista, *delabrée* e vissuta (e avevamo, noi beati, quindici anni), allora, da un lato, provo sentimenti di tenerezza e approvazione, poiché alla base di tutto era la conscia voglia di ricercare un epos nel quotidiano, un'avventura "sulla strada" totalizzante e assoluta che ha portato i più caldi di questa stessa generazione dove sappiamo; dall'altro, un senso di fastidio per molti anni sprecati nel rifiuto, nell'autoemarginazione, nel deridere "le sporche regole del gioco", che in fondo erano solamente le regole della vita e della "crescita" che non riuscivamo, però, assolutamente a comprendere. Per cui, anni dopo, fu veramente seccante accorgersi che a furia di fare sempre i mendicanti e gli straccioni si stavano frequentando, per l'appunto, solo mendicanti e straccioni; che a furia di liberarci il cervello, questo stava sul serio schizzando per i fattacci suoi; che a forza di accusare gli altri e la società di personali e collettive paranoie, altro non si faceva che accelerare un processo autodistruttivo che sfociava solo in tossicodipendenze, pesissime e senza via d'uscita. Ma solamente quindici anni fa erano proprio questioni di stato i matrimoni, i battesimi e le celebrazioni familiari: c'era sempre una mamma isterica per ogni jeans stracciato, comprato magari da Fiorucci a carissimo prezzo; una zia burbera che tirava le orecchie e scuoteva le proprie altere pappagorge con disapprovazione; una zia buona che capiva, ma non condivideva: "Ora che ti guarda dall'alto del cielo, lo zio non sarà per niente contento di come ti presenti al suo funerale"; un cugino che aveva girato il mondo che cercava di mediare. Ma noi, ferrei, non transigevamo: "Fatemi di tutto, ma la cravatta, no!"

Si doveva sempre gridare allo scandalo, si era sempre dalla parte degli oppressi e degli sfruttati, non si facevano vacanze se non nei campi-scuola o in quelli di lavoro. C'erano sempre gli altri da aiutare. E, in più, un atteggiamento romantico e sognatore, un sentimento di solidarietà diffusa, una predisposizione attenta alla sostanza delle cose e degli uomini, una volontà di partecipare all'evolversi della situazione sociale, mantenendo con essa un forte contatto emotivo: cose che risultano essere, in fondo, le migliori di tutti quegli stessi anni, tanto più nel ripensarle ora, in una situazione talmente realista che appiana ogni punta eccessiva e livella ogni contestazione.

Insomma, per farla breve, cosa volete che importasse allora di un farfallino, un papillon, un foulard o una cravatta? Erano soltanto sciocchezze, che non meritavano un attimo del nostro preziosissimo tempo.

Sviluppi successivi, comunque, hanno innescato atteggiamenti assai diversi nei confronti delle piccole e grandi cose che costituiscono il nostro contemporaneo arredo esteriore e mentale. Già nel 1977 ci si congeda da quell'atteggiamento di scontro frontale, e di posizioni contrapposte, riguardo alla realtà: se molti si dileguano per strade violente, moltissimi altri scelgono un modo di vivere laterale, una specie di scrollata di spalle nel tentativo di costruirsi agganci da tribù a tribù e non più nella massificazione del concetto di "popolo". Molti intraprendono strade creative nella consapevolezza che l'individualità può allargare molto di più i circuiti di solidarietà e di conoscenza che non l'opposto. In questo senso, la stagione dei grandi e ultimi concerti degli anni settanta rappresenta un rito di passaggio: c'è ancora la forte tendenza a sentirsi uniti, ma gli eroi che si celebrano sono, come Patti Smith o Bob Marley, eroi solitari. Poetici proprio perché solitari. Da qui un nuovo interesse per l'arte che esploderà nel 1980 con l'entrata sulla scena italiana, in forma massiccia, del fenomeno inglese del new dandy. È ormai avviato il decennio della rinascita rock e dell'immagine. E la nostra cravatta riconquista quello stesso prestigio che, a fasi alterne, ha mantenuto per oltre due secoli.

La cravatta new wave è dunque rigorosamente nera, sottilissima, in seta. Apre la strada a un recupero del *preppy*, adatto ora non solo ai rampolli dei campus americani, ma anche a impiegatini e, soprattutto, ai commessi d'abbigliamento. Il nodo è solitamente strettissimo e a forma di trapezio rovesciato; il nodo triangolare, invece, proprio non va. Recentemente ho visto diversi modi in cui ragazzi delle ultime e postmoderne leve usano indossare una bella cravatta. A Londra, all'Heaven Club, le regimental sono usate come cinture per pantaloni larghissimi e lunghi al polpaccio. Inoltre, cravatte coloratissime anche fra i capelli e attorno alla fronte, in un look demenziale, ma efficace. A Firenze, che come si predica da un po' è la capitale italiana degli anni ottanta, i più accorti, tra la fauna d'arte, usano invece indossare la cravatta al disopra del colletto della camicia, non rispettano gli accostamenti classici di colori, prediligendo fantasie cachemire su losanghe, pois su camicie stampate, azzardando addirittura cravatte color salmone su sfondi amaranto, o disegni color lilla sul turchese o sul giallo canarino e fluorescente. Inoltre, i bravi signorini dalle lunghe notti assolutamente astemie e senza sesso, costituite solo di vagabondaggi in auto e lunghe chiacchierate ironiche e pettegole, hanno inventato un nodo che proprio nodo non è. La cravatta è indossata correttamente, ma sostenuta al colletto mediante una sola sovrapposizione, come un *cache-col*.

Per quanto riguarda i materiali è assolutamente bandita la pelle, ma hanno buon accesso al collo della look generation tutti gli altri tessuti e ogni tipo di stoffa: si va allora dalla solita seta al *crêpe*, allo *shantung*, alle sete opache e pesanti, al lino e al cotone, dalla lana alle fibre sintetiche e alla plastica delle cravatte trasparenti che racchiudono, all'interno, piccoli oggetti come ovetti di Pasqua; ci sono cravatte hard core con femmine nude e sconce, vendute soprattutto nei mercati rionali; ci sono anche cravatte in legno, come mi ha detto, affermando di possederne un esemplare, lo stilista Massimo Osti.

Per quanto mi riguarda, posso solo raccontare di come, durante il periodo di leva, la cravatta abbia contribuito a celebrare alcuni momenti di libertà. Non potendo uscire in borghese, la notte, per recarmi a qualche pranzo, ero solito presentarmi in divisa d'ordinanza, resa però sfavillante da una serie di regimental scelte tra le più vistose, con preferenza a grandi strip gialle e argento, rosso e argento, viola e gialle... Era il mio solo modo per sentirmi in libera uscita e, difatti, quando dovetti congedarmi, celebrai anche quell'evento cambiando la cravatta d'ordinanza e sostituendola con una a losanghe verde e oro.

(E il punk? Perché non se ne è parlato in questa confusa dissertazione? Ma sono loro, diranno i bene informati, che hanno usato le cravattine di cuoio e borchie già nel 1975-1976. Vorrei allora raccontare di come solo lo scorso maggio una rassegna-sfilata sulla moda giovanile a Bologna, *Life During Wartime*, fu mandata al diavolo da una loro contestazione, da me peraltro molto goduta, perché il mio accompagnatore fiorentino, con tutte le sue modelle e parrucchiere e sartine, perse il suo aplomb, così anni ottanta, caricò tutta la compagnia su un furgone e se ne ripartì a gran velocità, apostrofandomi: "Ma cosa ridi! Te e tutti i bolognesi! Sempre così anni settanta, dannazione!" Valga comunque, come epitaffio, la risposta di un viveur alla mia domanda sul punk e la cravatta: "Guavda, cavuccio, con la mia collezione di cvavatte da bambino ho affvontato molto elegantemente tutto il peviodo punk." E giù il telefono.)

[1984]

POSTMODERNO DI MEZZO

La giovanile ed eclettica fauna del "postmoderno di mezzo" mischia e confonde immagini, atteggiamenti e toni con la prerogativa non già di sconfessarsi ciclicamente nel passaggio da un look all'altro, quanto piuttosto di trovare una inedita vitalità espressiva proprio nel fluttuare delle combinazioni e nell'attraversamento dei detriti vestimentali. Ciò che apparteneva al già remoto "primo postmoderno" – databile dal piano quinquennale 1975-1980 e segnato dal massiccio culto del revival e del *repêchage* – non è più. Tutto tramontato, o piuttosto sfociato in un diverso atteggiamento frenetico. Quindi che pena e che noia sentire ancora parlare di punk e postpunk, di look gallinaceo e look savanico, di new dandy, new romantic, metallari e skinhead, look sadomaso, new wave e *preppy* d'accatto, raffinate giapponeserie dei Gaz Nevada, nazinipponerie di Rettore, american-stracci di Bertè. Non sono più. Anche i nostri divi se ne sono accorti, riciclandosi e con loro la nostra fauna giovanile, artistoide, ambiziosa, sfiziosa e, soprattutto, carina.

Il tratto caratteristico del "postmoderno di mezzo" risiede dunque nel vorticoso missaggio di tutti i look preesistenti e nel trovare proprio nelle sovrapposizioni nuovi stimoli estetici. Tutto ciò sembra dipendere dal fatto che stiamo finalmente assaporando i piaceri dell'era elettronica, cioè della fulmineità dei segnali, della loro iperscambiabilità e, di conseguenza, del loro azzeramento ideologico e semantico in funzione della sublimità del sembiante. Basta notare come si è rivoluzionata la musica rock, il suo modo di proporsi: sempre più musica da guardare e toccare e vestire, sempre più colonna sonora accessoria e sempre meno musica d'orecchio. Ogni gruppo ha il suo look e ogni gruppo il suo video. La fauna del "postmoderno di mezzo", sempre con il telecomando a portata di mano, cambia programma ogni centottanta secondi. Il corto circuito elettronico che stiamo gustando, fatto di continui riverberi e interferenze, ci porta così, ineluttabilmente, al superamento definitivo del postmoderno, verso un nuovo ellenismo in cui – mentre replicanti galattici bussano minacciosi alle porte del pianeta – la fauna risponderà in sublime *souplesse*: "Arriva la fine e ho tutto da mettermi."

[1985]

UNDERGROUND

A Londra, una sublime fauna giovanile continua a mischiarsi e a fluttuare incessantemente attraverso atteggiamenti, pose, comportamenti e gesti del tutto imprevedibili, quasi a voler spiazzare qualsiasi tentativo di definizione dall'esterno e di comprensione. I giovinotti che passeggiano nel West End, con i loro codini libertini, i completi azzurri o cremisi o violacei, le calzature di plastica color del mosto d'uva, del lillà o addirittura maculate di leopardo e di ghepardo, con i loro scaldamuscoli da danzatori e i copricapo da registi, saranno più new dandy, new romantic o postmoderni? E le signorine squiziosissime con minigonne a paralume, frappe e pizzi e alamari, giubbetti e corsetti e volant e spilloni nei capelli, saranno più figlie del Corsaro Nero o non piuttosto sorelline delle gheisce del già celebratissimo Edo? Di più: i tracagnotti e guerrafondai skin, tutti perfettamente uguali nella taglia e nell'aspetto e nel modo di dominare, in queste domeniche primaverili, Trafalgar Square, dall'alto del basamento della colonna di Nelson, saranno più androidi computerizzati o non piuttosto bambolini omogeneizzati e igienisti e culturisti con il loro bravo curriculum di saune e palestre e sollevamento pesi come diligentissimi lettori di *Star bene*? E finalmente: questi punk, che anche da noi ormai si riciclano agli angoli dei portici e nelle discoteche, sono veramente quella "spazzatura" che ci aveva inorriditi a King's Road, nel 1976, o non forse anch'essi già revival, visto che lo slogan che preferiscono citare nei giubbotti, non fra tre, ma fra tremila spille, è sempre quello: PUNK NO DEATH?

Questo è veramente il problema. Mai come in questi mesi, a Londra, è tutto talmente mischiato, sovrapposto e confuso, tutto così ondeggiante fra spinte, controspinte, riflussi, regressioni e slanci, da far perdere completamente la testa (e i capelli). Tutto ormai coesiste: dall'esuberanza estetizzante del new romantic, anch'esso già citazione di se stesso, all'ossessione paranoica degli skin, passando attraverso tutte le irrequietezze dei ragazzi di colore di Brixton, dei rasta, dei mod, dei blouson noir, degli ska, dei gay e dei freak che loro sì non sono ancora morti.

Meglio allora affidarsi a un primo sguardo, indiscretamente gettato sui vari livelli in cui brulica la vita della metropoli. Innanzitutto la superficie: strade, muriccioli, negozietti, mercatini, parchi, giardinetti, stazioni, capolinea, posti telefonici e sale d'incisione. Ecco allora una fauna vagabonda, che gira e passeggia irrequieta, accogliendo il vento freddo del Nord fra le sublimi spettinature dei capelli: creste stupidotte da Picchiatello; creste squisite da Mandarina Duck; creste algide di cigno; creste di anatre, oche, folaghe e strolaghe; creste da tacchine e pollastre e pavoncelle e cocorite: insomma, tutto un look gallinaceo che invade la superficie, tramutandola in un coloratissimo e imprevedibile bestiario galattico, stralunato, esotico e demenziale.

Nel secondo livello, quello coperto e al chiuso che vive nelle discoteche, nei pub e, soprattutto, nei numerosissimi club e cineclub del sottosuolo, fra campanelle tibetane e arpeggi country e bastonate dell'heavy metal, l'osservatore annota quell'identico atteggiamento insolito ed effervescente: sempre creste e crestine, ma anche tonsure e tatuaggi sul cuoio capelluto, a forma non solo di escheriane ragnatele, ma anche crome, biscrome e chiavi di violino. All'Heaven di Charing Cross – che si vanta d'essere l'*Europe's largest gay disco*, con tre pub, decine di biliardi, videogame, televisori, slot-machine elettroniche, self-service, caffetteria e, naturalmente, un tripudio e un giubilo di luci e lumicini sulla pista – ecco insieme, e tutti lì, gruppetti di raffinatissimi dandy, di dementi acconciati come Ridolini, di checchine in tweed e cravattino, di macho in short da basketball, di allievi del "gluteo-gusto" in calzamaglia, di sfrenate figlioline di Caligola, con toghe e pepli e ghirlande da Baccanti, e poi sadomaso con chili e tonnellate di catene (vanno bene anche quelle del WC) da far arrossire qualsiasi punk d'annata, travestiti anni sessanta con acconciature phonatissime e gioiellini pop in plexiglass e ragazzini implumi vestiti solo d'orecchini. La ricetta appare la seguente: "Mischiare & citare & confondere (e sul cranio, per favore, un tocco di colore!)."

Ma è soprattutto al terzo livello, quello del sottosuolo vero e proprio, nelle centinaia di chilometri di gallerie e cunicoli che i convogli dell'Underground percorrono, ahimè, solo fino a mezzanotte, che l'esuberanza della superficie mostra l'altra faccia. Qui, dove i gay battono, rischiando a ogni slumata duecento sterline di ammenda e processo, dove i tossici festeggiano questi ingloriosi tempi delle pere e i barboni si rannicchiano a ridosso degli sfiatatoi, tutta l'effervescenza e l'eccitazione della fauna postmoderna cambia di segno, gradatamente, scendendo per le catacombe. E allora le creste si spettinano, le bocche vomitano pinte e pinte di umori cerebrali, gli occhi girano a vuoto, spesso le mani si incrociano in gesti battaglieri. E allora – mentre il treno risale alla superficie dai sobborghi, tutti così cimiteriali e sepolcrali e speculari, tanto da temere di perdere lì la testa per l'eternità – allora si può solo gridare: "Un po' di colore, per pietà, e un poco di follia!" Come se tutta la fauna metropolitana improvvisamente si rendesse consapevole di un futuro, centrifugato nelle perdite di senso, che è già qui e che loro, per primi, nei modi di un confuso e missato gioco di travestimento, facessero scattare per tutti; come se non restasse altra via di sopravvivenza allo sgretolarsi dei linguaggi e dei discorsi che la regressione a un gran serraglio balbuziente.

[1982]

TRIP SAVANICO

È dunque il momento del trip savanico. Da anni non succedeva che l'immaginario giovanile si identificasse così omogeneamente in un mito o in un'avventura collettiva come pare stia succedendo per tutta una poco più che ventenne fauna, estroversa e creativa, che pratica i territori contigui del teatro, dell'arte figurativa, della performance, della musica.

Alla radice di tutto ciò, due immagini simbolo: la frontiera, intesa come punto di rottura dello spazio metropolitano verso intensità di sopravvivenza primitive, un luogo dove l'esperienza della megalopoli, computerizzata e iperorganizzata, si innesta nel suo perimetro desolato e detritico, appunto nel limite di frontiera fra il cervello e l'istinto; e il selvaggio come pratica quotidiana della vita ai bordi, e quindi: grandi safari alla ricerca di intensità tribali e primitive, grandi spedizioni nell'immaginario e negli archetipi della infelice coscienza occidentale, grandi viaggi nelle sonorità, nei ritmi e nei sound etnici, come sta succedendo ai Talking Heads, a New York. Riviste giovanili, fumetti, performance e spettacoli teatrali altro non fanno che raccontare le migliaia di doppi dell'uomo postmoderno, sempre più come il RanXerox di Tanino Liberatore e Stefano Tamburini, automa e macchina computerizzata, in grado di trasferirsi, senza brusche rotture, nei travestimenti dell'uomo primitivo o di quello spaziale e galattico.

Al *Frontiera party* siamo andati un sabato notte, nei locali sotterranei del Segreto Pubblico, ex fabbrica del ghiaccio, un palazzone micidiale piazzato sotto il cavalcavia della Via Emilia, un largo spiazzo buio, un cancello che nessuno viene ad aprire, poi finalmente una torcia puntata negli occhi del visitatore. E lì grandi scariche del savanico: tutti i ragazzi della Bologna creativa a danzare sulle interferenze tribali della musica elettronica dei Tom Tom Club, altri a suonare postpunk e postwave; altri ancora, come Ivo Bonacorsi a decorare di graffiti ellenistici e postmoderni la cupola frigidaire della cantina, con vernici fluorescenti e sabbia in terra, come in un'arena di gladiatori, e luci violette come radiazioni stellari; altri infine a smistare *tropical fruits* e cocktail equatoriali e beveraggi savanici, sotto lo sguardo attento dell'organizzatrice di questa nuova utopia creativa, Francesca Alinovi: "L'arte del futuro spia, con grandi occhi scuri, spalancati sul centro dalla periferia, mescolata coi detriti e le macerie della città degradata, confusa tra i ghetti delle minoranze razziali, nutrita dal sangue caldo della negritudine."

Alla galleria d'arte moderna, invece, ecco i già lodatissimi ragazzi della Società Raffaello Sanzio esibirsi con *Mondo-Persia 1-1,* in un trip savanico pressoché allo stato puro: corpi felini e stupendamente sinuosi nella muscolatura, teste rasate e torsi davvero del belvedere, pelle zebrata sulle cosce e anfibi con ferri da cavallo ficcati nelle suole, che s'agitano, s'inseguono e s'accarezzano, in mezzo a interferenze elettroniche e walkie-talkie e zanzariere e mosche tze-tze allevate dall'incredibile dottor Phibes. E scenari di una giungla postnucleare, che rivive immagini e suoni dell'immaginario giovanile (fumetto, televisione, cinema) non già semplicemente citando, ma assorbendo e naturalizzando. E anche qui, visto che i componenti del gruppo vengono da Cesena, l'etnia e le memorie tribali funzionano con ineccepibile ironia, non solo con le immagini dell'ippodromo del Savio, di galoppatoi e allevamenti, ma con dialoghi folli e surreali del tipo: "Vuoi imparare il mio mestiere?" "Non pensare di potermi dare prosciutti, mortadelle, salami, caciotte, cotechini, zamponi, lardi, pancette, coppe, spalle cotte, grana, pecorini, mozzarelle, gorgonzola, trippe, braciole, provoloni, costoline, salsicce, fegati, burri, stracchini, bistecche, petti, spezzatini, cosce, carote, frutta, pani." Ma anche la tenerezza dello splendido *pas de deux* dialogico, con l'aggiunta del suffisso etnico romagnolo "z" dei due protagonisti: "Di' zuova." "Zuova." "Di' Zarancio." "Zarancio." "Di' Zamore." "Zamore." "Zamore." "Come dico io?" "Zamore."

Sempre in galleria i tre componenti di Padiglione Italya, Emanuela Ligabue, Claudio Bacilieri e Andrea Taddei, con *Verdi sponde*, dove il selvaggio viene assunto nella sua componente estetizzante, fino a raggiungere quasi il neodandy. Qui il territorio è simboleggiato da un tavolo verde da biliardo, in cui i tre androidi si agitano, mangiano e bevono in un *tableau vivant* del *Déjeuner sur l'herbe*, si dispongono a coppie, fanno l'amore, si combattono come superbi e denudati lottatori manieristi, ballano come a un party americano nel periodo del proibizionismo. Stupisce la capacità di immedesimazione dei giovani attori nel revival di atmosfere e posizioni e mutamenti non solo di decenni fa, ma addirittura di secoli, come se loro fossero stati là e ci venissero a raccontare com'erano, come si muovevano e come gesticolavano. È lo stesso procedimento alla base di *Tango glaciale*, lo spettacolo del gruppo napoletano Falso Movimento, inserito nella rassegna *Frontiere selvagge: teatro tendenze Bologna '82*. Al di là delle citazioni e delle frequentazioni, abbiamo il senso di trovarci non a teatro, ma davanti a un monitor televisivo il cui telecomando impazzisce, fornendo sprazzi di storie e immagini diverse: dall'ambiente metropolitano alla piscina hollywoodiana anni cinquanta, alla notte stellare e galattica, alla Grecia olimpica, a Broadway, al fumetto domestico, all'esibizione pornoerotica. Il senso anche di trovarsi nei chip di memoria di un computer di fronte all'avventura umana ricapitolata in vista della fine del millennio, centrifugata nei doppi inautentici dell'uomo, nelle sue intensità primitive e nelle sue utopie futuribili. E proprio qui risiede il cuore dell'atteggiamento selvaggio e avventuroso: qui dove si scatenano le voglie di animalità, qui dove il senso collettivo si perde nei microcircuiti dell'elettronica, per giungere alla celebrazione della propria inautenticità e della consapevolezza che non c'è niente di nuovo nel sole e nella pioggia, e la nostra sopravvivenza è legata alla possibilità di ripercorrere simultaneamente il passato e i suoi fantasmi. "È inutile illudersi di poter essere mai più dei raccontatori spontanei", scrive Gianni Celati sul nuovo periodico bolognese *Quindi*, "saremo sempre più macchine, sempre più automatici e artificiali. È l'unico modo di difendersi."

[1982]

NUOVO FUMETTO ITALIANO

Eccoli dapprima sfilare, nel maggio 1984, come autentici fotomodelli, sulle pagine della rivista mondan-giovanile *Per lui*. Indossano le prestigiose firme del made in Italy, accanto ai già conosciutissimi fratelli maggiori Milo Manara e Sergio Staino. Sulla stessa rivista, l'ottobre successivo, Antonio Glessi e Andrea Zingoni, meglio conosciuti come Giovanotti Mondani Meccanici vengono colti dall'obiettivo mentre sfoggiano *blousons* di Gianfranco Ferrè.

Nel gennaio di quest'anno è la rivista *Vanity* che se li accaparra in blocco per illustrare le collezioni di moda: ecco allora Tanino Liberatore interpretare, con il segno truculento di RanXerox, il pierino dello stilismo italiano Franco Moschino; Giorgio Carpinteri geometrizzare Fendi; Marcello Jori tinteggiare nel lillà gli stampati di Giorgio Armani; Daniele Brolli stilizzare Soprani; Massimo Mattioli storicizzare Byblos; Massimo Iosa Ghini comporre vortici neofuturisti di colore e di segni attorno a Krizia; Igort ambientare, in uno scenario da olocausto nucleare, fra scheletri di dinosauri e vegetazione amazzonica, gli abitini di Cinzia Ruggeri.

La nutrita pattuglia del "nuovo fumetto italiano", pur continuando a svolgere il proprio lavoro sulle amate riviste degli esordi (*Alter*, *Frigidaire*, *Corto Maltese*, *L'Echo des Savanes*) si affaccia alla ribalta della società dell'immagine, offrendo il proprio innegabile talento alla televisione (Massimo Iosa Ghini firma l'arredo della trasmissione *Obladì obladà*), al teatro (Liberatore crea i bozzetti di scena per *Sulla strada* dei Magazzini), al design industriale (collezione di tappeti del gruppo Valvoline per "Alchimia"), alla pubblicità cinematografica (Pazienza si trasforma in cartellonista per il Fellini della *Città delle donne* e per il duo Casini-Marciano di *Lontano da dove*).

Di questa attività si accorgono tempestivamente i critici d'arte o, almeno, i più giovani e disinibiti tra essi. La megamostra emiliana *Anniottanta*, appena inaugurata nelle sue quattro sedi, Bologna, Imola, Ravenna e Rimini, organizzata con grande civiltà, fra gli altri, da Renato Barilli e da Flavio Caroli, dedica una sezione ai nostri fumettari, dimostrando, secondo il curatore Roberto Daolio, "che non esistono differenze con le punte più avanzate della ricerca artistica attuale". Chi sono dunque i nostri autori? E da dove vengono?

Il fenomeno "nuovo fumetto italiano" nasce verso la fine degli anni settanta come espressione, senza alcun dubbio, di quella vasta fauna creativa, irridente, dissacrante e non violenta che è passata sbrigativamente alla storia degli ultimi anni come generazione del 1977. Una generazione formatasi culturalmente davanti al teleschermo, cresciuta con in testa il sound delle più belle ballate della storia del rock, diventata giovane maneggiando i paperback e altri gradevoli frutti dell'industria culturale.

Una generazione che, nell'impossibilità di offrire a se stessa una ben precisa identità culturale (seguendo percorsi, ponendosi obiettivi, rivalutando origini), ha preferito non darsene alcuna, o meglio, mischiare i generi, le fonti culturali, i padri putativi, fino ad arrivare alla compresenza degli opposti. Una generazione, e ora lo si vede bene, in cui i linguaggi si confondono e si sovrappongono, le citazioni si sprecano, gli atteggiamenti e le mode si miscelano in un cocktail gradevole e levigato che forse è il succo di questa tanto chiacchierata postmodernità.

Andrea Pazienza è stato, sin dall'inizio, il grande cantore di questo universo giovanile attraverso le tavole delle *Straordinarie avventure di Pentothal*, pubblicate a partire dal 1977 su *Alter* e raccolte più tardi in un volume della Milano Libri con una indimenticabile prefazione di Oreste del Buono. Narcisismo e autobiografia, giochi di parole e slang giovanile, tecnica rivoluzionaria nel disegno e nella composizione della tavola, talento inverosimile nella coniugazione di stili opposti, ma sempre riconducibili a un tratto personalissimo, politica e Movimento, droga e sballi, donne e amici e branchi e gruppuscoli, deliri e paranoie... Anche adesso, risfogliando quelle pagine, si capisce al volo come Pazienza sia stato definito, in Italia, e soprattutto all'estero, il James Joyce del fumetto.

Tanino Liberatore è il creatore, con Stefano Tamburini, dell'ormai celebre "coatto sintetico" RanXerox, discendente della stirpe di Conan il Barbaro, pronipote di Big Jim (ramo cadetto), fratello dell'*interceptor* Arnold Schwarzenegger, cugino dei replicanti di *Blade Runner*, zia di Rambo (uno), a sua volta nonnina del machissimo Rambo (due). Con il suo iperrealismo muscolare calato, ora in una Roma imperiale e postatomica ora in una megalopoli detritica, Liberatore-Tamburini sono indubbiamente riusciti a rappresentare una porzione di immaginario giovanile e contemporaneo in cui gli echi della rivista *Urania*, dei Marvel Comics e della fantaletteratura in genere, si uniscono al culto della forza, del bicipite e della virilità. Ritorno dell'eroe, dunque, seppur sotto forma di robot body builder, poiché i cattivi sono ovunque, ci stanno spiando e ci faranno la festa. E anche questo fa parte di certe paranoie giovanili a cavallo degli anni settanta e ottanta.

Più o meno nello stesso periodo, esordisce su *Frigidaire* Nicola Corona, con una serie di tavole in cui il nesso narrativo appare vago e indefinito a scapito del predominante aspetto visivo. Sono immagini di metropoli terrestri senza più collocazioni geografiche precise. La tecnica è un collage minimal: caratteri cirillici sovrastano l'Empire State Building, così come palme del Pacifico crescono al centro della Piazza Rossa. In queste tavole, siamo in pieni anni ottanta: computer graphic, cibernetica, epicureismo, levigatezza, frivolezza delle citazioni californiane da Hockney a Don Bachardy. E soprattutto già *fashion*, già *Vogue*.

Accanto agli apripista, si schiera tra il 1983 e il 1984 il gruppo Valvoline (Brolli, Burns, Carpinteri, Igort, Jori, Mattioli, Mattotti), cui "va riconosciuta l'innovazione di un allargamento operativo e concettuale nei confronti del fumetto" (Daolio). Stili diversificati che vanno dalla spigolosità di Giorgio Carpinteri, dal suo disegnare umani, oggetti e paesaggi come attraverso la scomposizione ottica operata da un prisma di cristallo, alla morbidezza, all'ironia, al languore di Mattioli o di Charles Burns, che rifanno il disegno dell'epoca d'oro dei comics americani, identificati come la grande tradizione figurativa del fumetto.

In opposizione, opera Igort con il suo filosovietismo anni ottanta: la ricerca, cioè, di coniugare il folle amore per il costruttivismo russo degli anni venti con il realismo socialista di epoca staliniana; il desiderio di caricare i visi di marmo dell'estetica sovietica con il sentimento e il colore delle culture dell'Est. È proprio in questa estrema libertà di movimento, nella capacità di trarre ispirazione da contraddittorie fonti culturali, nel trattamento raffinato di ogni materiale visivo, nella versatilità delle tecniche adottate (ultimamente una cartella di serigrafie, *Valvonauts*) che i ragazzi del "nuovo fumetto italiano", quasi tutti sotto i trent'anni, riescono a comporre un variegato affresco dei gusti e dei trip di questi anni ottanta.

Nello stesso tempo, sconfinando nel campo della decorazione, della scenografia, del teatro e del design industriale, come il giovanissimo e geniale Massimo Iosa Ghini, vengono a formare, insieme ai gruppi di punta della cosiddetta "nuova spettacolarità" (Magazzini, Società Raffaello Sanzio, Gaja Scienza, Falso Movimento) un più generale fronte innovativo nel campo dell'immaginario e della cultura visiva di questi anni, operando nuove contaminazioni e interdisciplinarità. Nell'accademismo della nostra società culturale (imperante, per esempio, tra le belle lettere dove il pathos è ancora libresco e pare non ci sia mai stato, linguisticamente, un mutamento avvenuto attraverso la cultura di massa, il rock, i fumetti, il cinema) il consolidamento di questo fronte polifonico e polimorfo appare l'unico grande progetto di seducente novità.

La rassegna *Anniottanta* ha dunque pensato bene di dedicare uno spazio, nella Chiesa di Santa Maria ad Nives di Rimini, ad alcuni di questi autori, affiancandoli criticamente, e giustamente, ai graffitisti newyorkesi come Kenny Scharf, Keith Haring e Jean-Michel Basquiat (hanno avuto solo qualche vagone di metropolitana in più su cui pittare); ma ospitando anche un gruppo come i Giovanotti Mondani Meccanici, iniziatori del computer fumetto, ha rilanciato nell'immediato futuro il proseguimento di questo genere artistico.

I GMM (Glessi e Zingoni, under 30, ex campioni del basket toscano, alti e prestanti) hanno iniziato da pochi anni a usare un personal computer Apple II per comporre fumetti in video. Andrea Zingoni, sceneggiatore, afferma: "Il tratto e il colore del calcolatore rappresentano la realizzazione materiale, visibile, dei miei sogni letterari, la possibilità di visualizzare il mio immaginario sentimentale." Per Antonio Glessi, disegnatore, il calcolatore è invece "l'ebrezza di esplorare sullo schermo un nuovo linguaggio visivo apparentemente rozzo e primitivo, ma che in realtà nasconde un microcosmo da scoprire".

Espressione sofisticata della video generation, i due di Firenze compongono storie che, invece di battere le strade della freddezza e della glacialità tecnologica, dimostrano il cuore sensibile, e a suo modo romantico, dell'elettronica. Più dandy che androidi, i Giovanotti ci insegnano che nel computer batte da sempre un cuore giovane, e nel loro caso, un caldo cuore generazionale.

[1985]

ANDREA PAZIENZA

Una tragica sera di giugno di quest'anno il *genius* di Andrea Pazienza è volato via, verso il paradiso degli eroi, trascinando con sé ricordi, giornate difficili, scazzi, incomprensioni, fughe, abbracci sinceri, dediche sui frontespizi dei suoi libri, che ora rileggo con lo strazio di un vecchio sentimentale.

Non sarò certo io, che non amo né la retorica *post mortem*, né l'agiografia, a stendere qui una tra le molte, e più tardive, orazioni funebri. Vorrei invece scrivere una specie di ballata per un amico che non è più, un'ode per un artista che, al pari di tanti altri coetanei, si è bruciato inseguendo quella particolare follia che solo i grandi talenti conoscono, uno spreco di energie e di vita che fatalmente accorcia i tempi dell'esistenza, li dimezza, li azzera. Così, mentre lo si piange, è necessario porsi la solita, ottusa, domanda: "A chi appartiene la vita di un artista?" Ognuno può rispondere come crede.

Vorrei raccontare del carattere solare e generosissimo di Andrea (che regalava a chiunque tavole e disegni); della sua ospitalità, che offriva disinteressatamente a chi aveva conosciuto magari solamente la sera prima; della sua passione – che definivamo "terruncella" – per le grandi auto iperaccessoriate, per le schiere di fanali, i sedili rivestiti di montone o di velluto leopardato come nei film di Almodóvar, i clacson, le luci, i portafortuna, al punto che quando mi vide alla guida di una Rover, la sua stima nei miei confronti raggiunse il culmine, con grandi pacche sulle spalle e abbracci e "noi, sì, che ce ne intendiamo di macchine". Vorrei raccontare di quella sua spiccata propensione, tipicamente levantina, a far tresca fra uomini; potrei parlare del suo machismo, che lo portava quotidianamente in palestra a sollevare pesi o a esercitarsi nel kendo e che, sulla pagina, causava battute pesanti e fallocratiche, in pieno stile *Frigidaire*: sempre, però, con un'ingenuità di fondo, come quando lo vidi, abbronzatissimo, indossare orgogliosamente una canotta bianca con su stampato un disegno di Tom of Finland; gli spiegai allora che quel macho che si portava sui pettorali era, in realtà, l'emblema del gay international. Andrea fu felicissimo della scoperta, però si tolse immediatamente la maglietta e me la regalò. Mi piacerebbe parlare di quella sua stanza bolognese, ai limiti della città, in cui continuava a vivere dai tempi del DAMS come uno studente fuori sede, fra acquari, pesci tropicali, qualche foto di cover girl alle pareti, i suoi disegni, il presunto blasone ispanico della sua famiglia, le piccole piante grasse, i cactus. Dovrei raccontare della sua voce, delle sue erre arrotate, di quella sua pronuncia pugliese nobilmente adenoidale, della sua risata gorgogliante, del suo adolescenziale narcisismo, del suo sorriso e del suo bellissimo fisico da atleta.

Certo, potrei raccontare tutto questo; ma quello che invece sento con urgenza – contro quel po' di ipocrisia beatificante che si è scatenata alla notizia della sua morte – è una sorta di stonatura esistenziale, forse anche politica e generazionale. Poiché, e di questo sono certissimo, Andrea Pazienza è riuscito a rappresentare, in vita, e ora anche in morte, il destino, le astrazioni, la follia, la genialità, la miseria, la disperazione di una generazione che solo sbrigativamente, solo sommariamente, chiameremo quella "del '77 bolognese".

Di quel movimento, Andrea – pur avvertendo tutto il disagio di una presa di posizione individuale, come testimoniano le tavole delle *Straordinarie avventure di Pentothal* (1977) – è stato il cantore, il poeta, l'artista forse più grande, insieme agli Skiantos di Freak Antoni e Stefano Cavedoni, il *Boccalone* di Enrico Palandri, i programmisti di Radio Alice. Appena ventenne, Andrea si è trovato in una certa università, all'interno di un certo gruppo di amici e, da artista, ne ha succhiato i modi di dire, le espressioni, il gergo, le paranoie politiche, i modi di vita, innestandoli su un talento naturale (sul quale ironizzava continuamente) grandissimo. Chi ha avuto modo di assistere al dispiegarsi di questo, o di qualsiasi altro, talento, sa che cosa voglio dire. La facilità, l'improvvisazione, la generosità, la prontezza, la velocità di esecuzione, la possibilità di fare assolutamente, e con estro, qualsiasi cosa. All'esame di italiano di Piero Camporesi, Andrea si presentò con una sceneggiatura a fumetti dell'intero *Morgante* di Pulci, che costituiva l'oggetto del corso monografico. Quelle tavole, poi regalate a Gianni Celati, sono andate purtroppo perdute. Ma è questo che voglio dire: che Andrea riconduceva qualsiasi stimolo esterno – l'occupazione della facoltà, gli scontri con la polizia, o la tesina dell'esame di italiano – alla sua arte, cioè a quello che era il suo modo di vivere, l'unico che, come ogni grande talento, conoscesse: quello della propria ispirazione. Andrea non trovò quindi la propria vocazione con i fatti del 1977, ma seppe, in quell'occasione storica, come sottolineò il suo scopritore Oreste del Buono, piegarla alla propria sensibilità: "La Bologna che fa da sfondo alle *Straordinarie avventure di Pentothal* non è una Bologna fantastica, ma una Bologna storica fantasticamente immaginata da Andrea Pazienza prima che la storia accadesse, mentre la storia si avviava a essere."

Ma il centro del mio discorso non è tanto questo. È che con la vitalità, il gusto della beffa e della provocazione, l'ingenuità, le ragazzate di quel movimento, Andrea ha pure assorbito le mitologie negative degli anni settanta. Non tanto sul fronte politico, quanto su quello ben più esteso, e nel quale tutti, prima o poi, abbiamo transitato, dello svacco e dello scazzo. E allora: guadagnare tanto per buttare via tutto, non pensare mai al futuro, non fare mai progetti, vivere alla giornata, avere orrore di costruirsi una carriera (e in questo, Andrea, con tutto quel talentaccio sparso da ogni parte, è stato un vero, grande antimaestro), provare ribrezzo dei ruoli professionali, identificarsi completamente con la *bohème* del proprio lavoro artistico, unire le ragioni della vita a quelle dell'arte. In sostanza giocare, con il proprio talento, alla roulette russa. Strapazzarlo, gettarlo, immiserirlo, sprecarlo, dannarlo, sapendo di poterlo ritrovare intatto il giorno dopo, ancora più brillante e sgargiante.

È questo che la morte di Andrea mi mette davanti, spietatamente: il lato negativo di una cultura e di una generazione che non ha mai, realmente, creduto a niente, se non nella propria dannazione. Nonostante il successo, nonostante l'equilibrio raggiunto nell'oasi di Montepulciano, nonostante il matrimonio, Andrea è morto – probabilmente per overdose – come uno dei tantissimi suoi coetanei, come uno di quei ragazzi che meglio di ogni altro aveva interpretato e saputo raccontare. In tutto questo c'è, a mio parere, una grandezza straordinaria, anche se costruita sulle miserie del quotidiano, e una coerenza che solo gli ipocriti possono biasimare.

Molti altri, vittime e interpreti di quegli anni, sono scomparsi. C'era qualcosa che non andava allora, ed era il mito dell'autodistruzione. Qualcuno ne è saltato fuori, qualcun altro no e ha pagato carissimo. "Ogni vita è quella che doveva essere", scriveva Pavese. Allora sia resa lode a chi ci sta precedendo lassù.

[1988]

ENRICO PALANDRI

A chi dichiarava solennemente che non esistevano ormai più autori, individualità ben precise, idee sulla letteratura, così travolta dall'univoca proposta di vissuti, di esperienze reali, di storie vere, il 1979 ha portato una sorpresa, inaspettata: *Boccalone*, scritto in due settimane da un ragazzo poco più che ventenne, Enrico Palandri, nato a Venezia, residente a Bologna dove si sta laurendo al DAMS. L'azione del libro si situa a ridosso del marzo del 1977, dei mesi della rivolta creativa, dei carri armati inviati a presidiare la cittadella universitaria, della latitanza di Bifo e del trasversalismo, dell'assedio di Radio Alice. Episodi che di *Boccalone* costituiscono lo sfondo e lo scenario principale, come nelle tavole di Andrea Pazienza. Ma *Boccalone* è soprattutto una storia d'amore, prima ancora che di crisi politica, la storia di come un innamoramento possa far scoppiare i propri equilibri, creare intensità nuove: "Con Anna tutto era dimenticato, senza neppure rendermi conto, dimenticavo tutto." E ancora: "Anna aveva fatto saltare tutto ciò, il letto rimaneva regolarmente sfatto, anzi, irregolarmente sfatto, mi dimenticavo anche di mangiare." *Boccalone* è la trascrizione, ora eccitata, ora depressa, ora ironica o addirittura comica, di come un rapporto d'amore vissuto con limpidezza e sincerità possa far crescere, e anche abbandonare quelle cose che prima si definivano come abitudine. *Boccalone* è soprattutto un libro che testimonia di una crescita, del suo autore innanzitutto, del suo personaggio, del giro degli amici: "Appartengo al popolo alto dei camminatori: notturni, silenziosi, attraversiamo la città e non temiamo le distanze.

[...] Tempo fa, Giancarlo mi ha detto che sono cresciuto, sono un popolo alto anch'io!"

Gli scatti di questo processo di crescita sono descritti con estrema freschezza, scrupolosamente annotati senza alcuna compiacenza, senza narcisismo. Il sottotitolo del volume porta questa didascalia: *Storia vera, piena di bugie*. Palandri sembra affermare, con divertito stupore, il riavvicinamento alla letteratura. Sigla con essa un patto biografico e, nello stesso tempo, attraverso la consapevolezza della scrittura, le preoccupazioni del linguaggio da usare, il taglio dell'azione, le contrapposizioni degli episodi, lo trasforma in operazione estetica. Il materiale di partenza è, come per gli scrittori selvaggi nati dal '68, la propria esperienza, ma differentemente da quelli, in *Boccalone* si instaura un filtro stilistico, una riflessione metatestuale sulla pratica della scrittura. Il romanzo è anche la storia dei mesi in cui è stato scritto, costruito con una tecnica di montaggio cinematografico. "La storia è stata scritta in fretta, quasi in una settimana," racconta l'autore al telefono. "Dopo le prime trenta pagine, tutto è filato liscio. La fatica è venuta per le riscritture, a montare e tagliare e aggiungere e riformulare. Quella, sì, è stata la vera fatica, ma anche il vero lavoro del libro." Enrico Palandri parla molto adagio, sommessamente. Dice di come è cambiata la sua vita in questi ultimi mesi, dice che col '77 e Bologna ha chiuso."Era un periodo 'piagnone', ora sto bene. C'è il fatto che ho accettato il mondo senza nessun moralismo: in realtà, a me interessava tutto. Sto ascoltando della musica, ma roba che non avrei ascoltato prima. Certo, c'è stato un grosso cambiamento, ma bello. Ora sto bene." Gli chiedo dei progetti, del futuro. Lo sento sorridere, dice che ora è un periodo ancora fluttuante: la casa a Milano, la convivenza in famiglia che è cambiata, i genitori che lo guardano con più interesse. Ma l'accento è tutto su un fatto: "Scrivere. È la cosa più importante che ho, perché non solo riempe certi scarti della vita, ma soprattutto perché scrivere mi serve per studiare il mio linguaggio, per essere finalmente padrone delle parole, usarle, combinarle." Una fiducia nella letteratura che può spiazzare. Ma Enrico Palandri ha dimostrato, con semplicità, con urgenza quasi, che è ancora possibile per un giovane risolvere la frattura tra quotidiano e fantastico, ricercare con le parole una propria identità;

soprattutto è possibile affidare alla letteratura, al libro, la comunicazione di una propria esperienza e di un proprio linguaggio reali.

[1979]

Molti appunti di lettura, molte immagini, molte riflessioni e domande, molti perché senza ovviamente risposte immediate, molte emozioni interiori, rispecchiamenti, e analogie con la mia situazione, immedesimazioni testuali o semplicemente romantiche, ha suscitato la lettura del romanzo *La via del ritorno* di Enrico Palandri. È inevitabile, quando si legge l'opera di un coetaneo, di un autore di cui si conoscono i precedenti lavori e di cui si continua a ammirare, dopo più di dieci anni, quel *Boccalone*, forse il libro che ha aperto la strada alla nuova letteratura degli anni ottanta.

Si tratta del racconto di un doppio viaggio: una direttrice che va da Londra a Roma. Un lungo viaggio in treno, con soste, ricordi, emozioni. Il desiderio di rivedere gli amici dopo dieci anni di volontario esilio in Inghilterra, la paura di trovarli cambiati e indifferenti, il peso del passato, di una militanza politica che ha travolto qualcuno, il sospetto, l'ansia del sentirsene ormai fuori, insieme a un mondo, a rapporti, che sono completamente cambiati con l'evolvere degli anni. L'altro viaggio, innestato in quello principale, da Londra a Edimburgo, è il viaggio della scoperta dell'altro, la nascita dell'amore fra il protagonista, conducente di autobus e la ragazza scozzese che, sullo stesso pullman, fa la hostess. Se Palandri avesse privilegiato nel racconto solo il primo viaggio, avrebbe, come giustamente stanno dicendo i critici, scritto un romanzo generazionale, sulla generazione ormai trentenne che ha attraversato gli anni settanta fra impegno politico, occupazioni, Movimento, creatività, autonomia e fuochi del terrorismo. Se avesse raccontato solo il secondo aspetto, quel bellissimo viaggio fra personaggi giovani, semplici e sinceri come in un film di Truffaut, avrebbe scritto un romanzo sentimentale, una storia d'amore. In realtà, Palandri fonde i due piani, adottando – nel segno di una prosa poetica, quasi poematica – una scrittura lirica, riflessiva, molto pulita, io direi "insonne". Una scrittura da tre del mattino. Molto silenziosa e assorta, molto recettiva delle sensazioni e delle immagini dell'esterno e del profondo. Alle tre del mattino, come insegnano Bergman o Cohen, si tirano i conti con la propria vita, ma non burocraticamente, bensì attraverso intuizioni poetiche e sofferte immagini interiori: il sé bambino, la madre, il padre, l'andare, il tornare, il senso impossibile della vita, della felicità, il peso della propria storia: "Prego il silenzio con la mia insonnia, ma chi può rispondermi? Angeli, fantasie divine, un tempo consolavate queste ore!"

Così il tema principale del romanzo diventa quello di una ballata sul tempo, sulle persone che si perdono, su quelle che restano nella nostra coscienza come un grumo irrisolto di dolore e su quelle che si ritrovano con gioia pur in un'altra lingua o in un altro paese : "Sentire che al di là del gelo allucinato in cui sentiamo scorrerci attorno i giorni... c'è un altro cui tutto questo si può dire e dare, un altro che viene da un'altra solitudine e che racconta di quel mondo."

[1990]

VIDEOSEXY

Un'improvvida, ma non del tutto sconsiderata, tremendina capita in una taverna affollata di uomini pettoruti, tatuati, seminudi che avanzano tra loro pericolosi giochi di mano, bevono birra, flettono il bicipite, buttandole gli occhi addosso, con l'aria di domandarsi: che ti faremo? Che ti prepareremo? Di che ti farciremo? L'intrepida gira e gira tra le schiene sudate, i peli arruffati e le cosce scoperte; osserva, con golosità, tutto un armamentario di oggetti sadomaso & nazi: copricapi con visiera, canottiere di pelle, fruste borchiate, gambali, stivali, bracciali di cuoio; osserva e canta la piccina. Al piano superiore, un anziano e lardoso trimalcione, attorniato da un paio di efebi discinti che lo rinfrescano e lo detergono, guarda giù e ridacchia. La baffina canta, il vecchio ride, i macho complottano. Come finirà? Ma finirà con una pioggia d'oro che, dall'alto, scenderà sulle bambinacce del bar nei modi di uno zampillo biologico, un *pissing* di luccicante denaro che proviene direttamente dalle viscere del luculliano inquilino del piano disopra, incontinente come tutti i re Mida della sua età.

Parrebbe un Fellini-*Satyricon* girato non a Cinecittà, ma al Mine Shaft, la stamberga newyorkese dove ogni sporcaccione può trovare sfogo alle proprie perversioni e dove non si è ammessi – raccontano i bene informati – se non ci si presenta con la barba di almeno tre giorni, l'afrore della t-shirt di almeno tre mesi, i jeans di almeno tre anni. Si tratta invece del videoclip dei Frankie Goes to Hollywood, *Relax*, ritenuto dalla BBC talmente provocante e dissacratorio da inibirne la messa in onda. La stessa sorte è toccata al video di David

Bowie *China Girl*, anche se in questo caso è stata la casa discografica a intervenire, sforbiciando, dopo le prime reazioni negative.

Siamo di fronte a una nuova ondata di moralismo, o quelle scene risultano realmente contrarie al comune senso del pudore? Siccome il quiz è di difficilissima soluzione (sarà più osceno David Bowie che si accoppia in riva al mare con una splendida ragazza asiatica, o Diana Ross che gorgheggia tra pompieri, culturisti e stradini in *Muscles*?), è preferibile constatare come ormai l'erotismo e, più in generale, le immagini sexy siano divenute fondamentali nella produzione dei videoclip, come insomma se il particolare di un muscolo gonfio, di una tetta velata, di una coscia sfrontata fossero elementi decisivi nella riuscita commerciale e pubblicitaria di un pezzo musicale. E tutto senza dover rimettere in gioco i vecchi termini della questione: sex & drug & rock'n roll.

In *Bad Girls* di Don Fender, l'inizio è molto significativo: tre pupe si apprestano, una sera, a uscire. Si lavano, si vestono, si pettinano, ma lo fanno come se dovessero essere dirette da David Hamilton per la pubblicità di una qualche ditta underwear, e quindi tutto un ammicco della coscia, una traballata di tetta, un colpo di lingua, una mordicchiata di labbra, una mossa d'anca. Così, in *Uptown Girl*, Billy Joel e i suoi scagnozzi compaiono travestiti da metalmeccanici e garagisti, e perdono la testa quando appare, nella rimessa, la bellissima Christie Blinkie, "la top model che non esce mai di casa per meno di duemilacinquecento dollari", ben piazzata su una Rolls, con grande sfoggio di seni e di gambe. Le stesse scene appaiono in *Sharpe Dressed Man* degli ZZ Top: passerella di belle ragazze ruggenti, Cadillac, limousine, Rolls, Ferrari e le tre protagoniste vestite come in *Flashdance*, e quindi: short, canottiere, capezzoli fieri e ritti. In quanto ai bei ragazzi, sia Boy George che Olivia Newton-John ne hanno abusato nelle passate stagioni e ora anche la divina Loredana Bertè che, in *Mare d'inverno*, ne fa di tutti i colori per attirare l'attenzione del bellissimo americano ex top model della campagna pubblicitaria di Giorgio Armani e ora ingaggiato da Cesare Paciotti.

L'ideazione dei videoclip pare sempre più spostarsi da semplice mezzo di distribuzione e promozione di un album a prodotto compiuto in se stesso e come tale fruibile, un prodotto che parrebbe quasi il vecchio sogno di arte totale delle avanguardie: cinema, musica, teatro, poesia, computer art che interagiscono nello spazio di pochi minuti. Se da un lato il canale privilegiato di fruizione è costituito dalle reti televisive specializzate, come l'americana MTV o l'italiana Videomusic, è altrettanto vero che ormai anche le discoteche si sono attrezzate con monitor, schermi giganti, sistemi multivision sui quali passano, a ritmo frenetico, i videoclip, trasformati così in sorgenti di luce decorative e voyeuristiche.

Così si arriva pure alle classifiche. È il caso del mensile francese *Samourai* che dedica, nel suo numero 18, una sezione al videosexy. Qui, con il tono che ora va più di moda, il BCBG (Bon Chic, Bon Genre: è così il fedelissimo di Boy George, che per strada si ferma davanti a un mendicante, china la chioma tacchinesca, cerca fra i pantaloni larghissimi, maglionacci a strati, i calzoni a ridolini, trova una moneta e la pone nel cappello del mendicante dicendo: "Tenga buon uomo, vada in pace!"), il redattore attribuisce premi ai video più sexy: premio Oscar videochic a Elton John per *I'm Still Standing* (tutti quei danzatori sulla Costa Azzurra!), Oscar dell'esotismo a David Bowie (*China Girl* e *Let's Dance*), Oscar dell'androgino selvaggio agli Eurythmics ("*Annie Lennox s'impose comme la nouvelle diva gay des mid 80's*"), Oscar della tenerezza agli UB40, Oscar della sensualità a Prince per *Little Red Corvette*.

[1984]

VIDEOARTE

Nel padiglione centrale della XLI Biennale veneziana, un gruppo internazionale di artisti propone il video come oggetto di ristrutturazione dello spazio e di produzione di inedite suggestioni elettroniche.

Del tutto inquietante l'ambiente che il ventottenne ungherese Gusztâv Hâmos allestisce con toni funerei e catacombali: un mucchio di candido poliuretano sbriciolato, simile a neve o a sale, racchiude, al vertice, un monitor che ora trasmette immagini di maree e ondulati flussi d'onde, come seguendo le sculture d'acqua di Fabrizio Plessi, ora invece fotogrammi di una stanza spoglia che risulta essere un settore dello stesso ambiente rivestito di sottili lamine d'oro. Musica funeraria e oratoriale, sciabordii, pause, grandi suggestioni come, insomma, se l'attivazione di un circuito elettronico collegasse non già il futuro, ma si costituisse, all'opposto, come percorso arcano e ancestrale: come se quella stanza scura appena riverberata dai riflessi candidi e dorati, fosse la placida e austera tomba dell'illusione elettronica.

A ben guardare, il tema cimiteriale ritorna anche in altri allestimenti, come un leitmotiv, al punto che è lecito chiedersi: sarà ancora una volta per via della morte dell'arte? Risiederà in questo la classicità dell'era elettronica? O non sarà il frutto di troppi *Day After* o *War Days* o *Atomic Café*?

Marina Abramovič e Ulay, già notissimi performer, propongono sassi e pietre. Ecco, da un lato, un macigno di forma grezzamente piramidale con su dipinti occhi sbarrati che fissano immagini lente e circolari di ruderi e tombe trasmesse da un monitor lì di fronte. Ulrike Rosenbach, invece, sceglie smaccatamente l'elegia funebre con *Memorial for A Disperate Woman*, quindici lenzuolini decorati con ghirlande di rose delimitano lo spazio in cui un'immagine di donna a grandezza naturale giace assopita. Il televisore, da un lato, trasmette il pasto completo di una ultranovantenne chiacchierona, dall'aperitivo al dessert, e potrebbe sembrare uno di quegli interminabili film di Andy Warhol o un'intervista di Marco Bellocchio per *Matti da slegare* (videotape come strumento di indagine sociale).

Justine Colette (*Art and Stage*) e Friederike Pezold (*Nirvana rosa*) intendono invece il video come elemento del corpo umano, ed entrambe piazzano un monitor di qualche pollice nella pancia di un manichino. Sorprende invece piacevolmente tutti gli amanti dei videogame e della spericolatezza l'effetto creato da Ingo Gunther con *Ceterum Censeo*, dove una Mercedes 380 poggia le ruote su altrettanti televisori: immagini però non realistiche, ma strisce di frequenze visive che accelerano, frenano, saltano, si combinano con mutevoli effetti sonori: stridori di gomme, frastuoni di motori, impennate, rimbombi; come se la nostra berlina viaggiasse su *tapis roulants* di colore e di immagini captate accidentalmente, lungo gli asfalti galattici, lungo le autostrade orbitali.

Ancora un messaggio di disagio e di morte in *Split Monument* di Valie Export: immaginate un triangolo equilatero, di un paio di metri di lato, ai cui vertici sono posti tre televisori. Nei due lati alla base, vediamo i primi piani di un uomo e una donna che si guardano; al vertice, una mitraglietta che fa fuoco continuamente all'indirizzo dei due che, infatti, giacciono al centro dell'area, fotografati distesi ed esanimi. Fine della coppia? Fine della comunicazione interpersonale? Fine dei rapporti? Per consunzione o troppa televisione?

Si transita poi in piccole sale dove è possibile sedere in compagnia di una selezione di video, anche a richiesta. Fra le novità, ecco *Perfect Leader* di Max Almy che racconta, in pochi minuti, e con grandissimo senso del ritmo, la figura dell'uomo-massa americano (uno dei rarissimi video ironici e dichiaratamente politici). Costruito invece come quei disegni prospettici che illustravano le tabelle demografiche nei vecchi libri di testo, ecco *Noli me tangere* di Owen Lind, senza dubbio il primo medical video: su sfondo retinato si alternano sagome maschili senza volto, indagate dai capelli ai piedi, mentre la base dello schermo è occupata da sdoppiamenti del volto che corrono in orizzontale come il tracciato di un elettrocardiogramma. Colonna sonora costituita da gemiti, urla e sospiri. Sarà la clinica del nipote postmoderno del barone Frankenstein?

Due geniacci dell'elettronica, Dean Winkel e John Sanborn, presentano *Act III*. Sulla serpentinoide musica di Philip Glass, vediamo agitarsi, in perfetta armonia, una serie di figure geometriche piane che velocemente si moltiplicano su se stesse: le possibilità combinatorie poi prendono il sopravvento con grande fantasia fino a creare solidi e superfici frattali; rose del deserto vorticose, scatole cinesi che si aprono all'infinito, colonne stratificate che crollano e si ricompongono parallelamente al crescere o al ritornare delle spire musicali di Glass. Le figurine arrivano persino ad avere un'anima nel volteggiare come dischi volanti su Manhattan, paiono spiritelli nei loro colori pastello, diventano fuochi fatui, giocosi e allegri come marzianini. *Act III* diventa, a ben guardare, il primo videoclip che, raccontando se stesso, racconta anche della tecnologia del proprio genere: a tratti semplice sigla di trasmissione televisiva, a tratti computer art della razza più sofisticata, a tratti quasi videogame, e poi ancora cinema d'animazione, effetti speciali e, nel complesso, tentativo riuscitissimo di dare plasticità visiva al testo musicale.

[1984]

FAUNA D'ARTE

BOLOGNA. Su questa piazza, la grande Piazza Maggiore, la piazza cantata dai nostri migliori cantautori degli anni settanta, la piazza di Francesco Guccini, di Lucio Dalla, di Claudio Lolli, la piazza del grande cuore emiliano celebrato da Dino Sarti, la piazza che ha visto le contestazioni del 1977, le cerimonie incredule e stupite, e rabbiosamente sgomente dopo le stragi dell'Italicus, l'esplosione della stazione, dopo il massacro sul rapido 904, la piazza dei raduni e delle sagre di paese, la piazza delle sfilate di moda organizzate da Vittoria Cappelli, la piazza dei saltatori d'asta e dei meeting sportivi, la grande piazza bolognese che, in certi momenti di strazio o di gioia, è diventata la piazza dell'Italia intera; bene, su questa piazza, oggi, non sembra più succedere alcunché.

Mentre il cuore della zona universitaria, Piazza Verdi, ricade nella tristezza e nell'ombra dei soliti riti fra devianza e illegalità; mentre il Qu-Bò, una delle discoteche multimediali di una qualche qualità, apre e chiude in continuazione per noie con la "quiete pubblica", la grande piazza sembra vivere solamente in una figura strana e nello stesso tempo straordinaria: l'immagine di un cantastorie, di un rockettaro girovago che, come un ultimo, disarmato, profeta, ancora lancia alla gente il suo messaggio semplice e forse ingenuo.

Si chiama Beppe Maniglia, ha poco più di quarant'anni, una capigliatura bionda, un fisico muscoloso e atletico da body builder. Viaggia su una Harley-Davidson Cagiva che porta due casse, l'amplificatore, la sua chitarra. Suona un genere melodioso, country, molto popolare, alla Santo & Johnny. Non appena la gente gli si raduna attorno, lui attacca la chitarra e inizia lo show, un'edizione aggiornata dell'artista di piazza: canta; conversa con il pubblico; espone i pettorali, gonfiandoli per far scoppiare una boule Pirelli; incita il pubblico a gridare forte, sempre più forte, per liberare l'energia repressa; predica l'igienismo vegetariano e l'astinenza da qualunque tipo di droga; si impegna negli aiuti all'Africa andando a Londra, unico italiano, invitato da Bob Geldof per la manifestazione *Sport Aid*. Ha suonato da ogni parte, a ogni festa: sulla riviera adriatica, come per le strade di Birmingham, dove è stato trionfalmente accolto dalle autorità e dalla gente che, dice, "mi ha permesso di cogliere secchi e secchi di sterline da non saperle dove mettere", e che ha destinato interamente a *Aid for Africa*. Ora, nella grande piazza, nel centro di una Bologna sempre più perbenista, sempre meno spontanea, di una città che follemente non sa darsi pace del proprio carattere provinciale, vivibilissimo e piacevole, e deve per forza smaniare come una servetta per la villeggiatura; sulla grande piazza, Beppe Maniglia continua a cantare e far scoppiare boule e raccontare con la sua chitarra storie di indiani d'America. E la piazza, a ogni sua uscita, rivive e ricorda gli anni in cui non uno, ma cento erano i cantastorie; e non dieci, non cento, ma migliaia i ragazzi che qui cercavano di sognarsi e immaginarsi qualcosa per la propria vita che non era il successo, non era la rivoluzione, non era il business sfrenato, ma semplicemente un modo di allargare i propri contatti e vivere, tutti, un po' meglio.

VENEZIA. Che lieta sorpresa! È la prima volta che succede di fare le tre del mattino a Venezia, incontrando gente, girando locali e bar, cenando alle dieci di sera. L'uso veneziano di chiudere improrogabilmente la città appena fa buio, rendendola ancora più spettrale e arcana di certe immagini, acide e paranoiche, che lo scrittore austriaco Peter Rosei le ha dedicato in *Chi era Edgar Allan?*, si sta forse frantumando.

Una nuova onda veneziana, fatta di studenti, artisti, gruppi rock, garage band (su tutti, il dark dei Death in Venice) si sta allargando nella città frequentando locali, organizzando feste ai giardini Sant'Elena, tirando tardi sulla scalinata del teatro La Fenice, assistiti dalle birre che l'adiacente bar-tabacchi-edicola-ristorante-pizzeria spaccia fino a notte inoltrata.

Nel pomeriggio, i luoghi di ritrovo sono essenzialmente due. A Campo San Bartolomeo, a due passi da Rialto, ecco la fauna dei teen-ager invadere la piazza senza un ordine preciso. Tutti stazionano in piedi, i gruppi si fanno e si disfano, ci si scambia appunti scolastici, si elaborano progetti per la serata. A Campo San Luca, per l'aperitivo, identico modo di occupare il selciato: non seduti ai tavoli del caffè, ma sempre ritti e pronti a cambiare un capannello con un altro. Giovani, qui, più eleganti e forse più ricchi. Cani al guinzaglio, zainetti sulle spalle, ancora libri di testo, ragazze con capelli smossi dalla permanente. Mi abbasso sulle ginocchia e guardo, come in un film di Nanni Moretti, la sequenza dei piedi calzati: Top Siders, All Stars, Timberland estive, mocassini College (pochi), Superga blu e rosa confetto, Docksteps... L'età e le facce giuste per entrare in un serial dei fratelli Vanzina.

La sera, nel salone del Paradiso Perduto, alle Fondamenta della Misericordia, si può pranzare fino a mezzanotte e ascoltare musica eseguita dal vivo da gruppi jazz. L'atmosfera è quella di una grande osteria bolognese: tavoli lunghi parecchi metri al centro del locale, servizio amichevole, grandi chiacchiere annegate nei bianchetti. Incontrate studenti fuori sede, turisti portati quaggiù al Cannaregio da qualche amico bene informato, avanguardie musicali che fanno le ore piccole avvicendandosi alle tastiere. I nottambuli passano poi, per un ultimo drink, al caffè Cherubino, un bar arcadico-chic che s'apre, con qualche tavolo, anche all'esterno sulla calle. Infine davanti alla Fenice. Qui, l'immagine di una Venezia turistica si confonde con quella new wave che viene soprattutto da Mestre e dalla terraferma e che con fanzine (*Indie*, *Rockgarage* ecc.) incontri, happening, etichette indipendenti, come la Materiali Sonori animata da Luciano Trevisan "Fricchetti", sembra esprimere in modo nuovo, né turistico, né contemplativo, di vivere la città trasferendola in quinte di un disseminato e attivo scenario rock.

FIRENZE. Firenze sembra proporsi, ormai da qualche anno, come l'unica capitale italiana di questi ludici, festaioli, artistoidi anni ottanta; e non solo per l'arditezza della sua fauna giovanile, che ha dato il via alla new wave italiana con gruppi ormai mitici come i Litfiba o i Diaframma, cui si sono aggiunti, nel corso degli anni, i Rinf, Soul Hunter, Neon, Sybil Vane, Les Enfants Terribles, Esprit Nouveau ecc.; non solo per l'eclettismo di personaggi-organizzatori come il gruppo Westuff, che ha creato occasioni di scambio e di incontro mondan-culturale, fondando una sorta di mecenatismo contemporaneo; non solo per le luccicanti notti fiorentine animate fino all'alba, ma proprio per aver opposto alla tetraggine milanese del mito della professionalità e quello di segno opposto, ma di altissimo lignaggio, del dilettantismo: atteggiamento che permette la costituzione di una vera e propria "fauna d'arte".

In Piazza del Carmine, a ridosso di Borgo San Frediano e di altre contrade pratoliniane, incontro i rappresentanti di questa civiltà fiorentina anni ottanta seduti davanti a un nuovissimo punto di incontro: il caffè La Dolce Vita. Il designer del locale, Simon Miller, sorseggia un coloratissimo drink. È molto giovane, alto e attraente. Nato in Australia, è da poco in Italia. "Ho voluto unire in questo locale", afferma, "l'atmosfera internazionale del caffè anni cinquanta con l'accoglienza, la morbidezza di un punto di incontro fiorentino. Per questo, ho arrotondato le strutture, inserito curve... Uno deve sentire subito, appena entra, come un abbraccio accogliente." Accanto, due esponenti dei Giovanotti Mondani Meccanici, Andrea Zingoni e Antonio Glessi, parlano di basket e della passione sportiva che li ha fatti incontrare. Dieci anni fa, diciottenne o poco più, Glessi calò infatti dal Veneto ingaggiato dalla Società Olimpia di Firenze (che in quel tempo militava nel campionato di serie B). Ma la sua non fu una grande carriera, come d'altra parte quella del playmaker Zingoni. Presto si trovarono a strappolare attorno a un vetusto personal computer Apple II e da qui, dalla passione letteraria dell'uno e dalla capacità grafica dell'altro, nacquero il primo computer fumetto e la sigla GMM, che riunirà poi anche il musicista Maurizio Dami, Marco Paoli e Loretta Mugnai. In questi giorni, stanno preparando una videoinstallazione da portare ai Magazzini Seibu di Tokio, nell'ambito di una panoramica sul made in Italy.

Più in là ecco i Krypton: Gianfranco Cauteruccio, architetto trentenne, e Pina Izzi, un bel viso abruzzese e grandi occhi neri. Nel 1984, hanno illuminato, vitalizzato il tratto dell'Arno fra Ponte

Vecchio e Ponte alle Grazie con un megaspettacolo, *Intervallo*, fatto di raggi laser, musica computerizzata, ballerini, attori, settanta subacquei, chiatte, riflettori hollywoodiani. Anche i Krypton appartengono alla nuova immagine di Firenze, a gruppi che lasciano le cantine per arrivare in Giappone o, nel caso loro, a Linz, in Austria, dove a luglio hanno allestito *L'oro del Reno* e, anno dopo anno, porteranno l'intera tetralogia wagneriana. "È proprio Firenze," spiega Cauteruccio, "la sua architettura, il rapporto fra la natura e la classicità dell'intervento dell'uomo, che ci ha portati a interpretare la natura attraverso la tecnologia, sia essa laser, sistema multivision, musica elettronica."

Disegnatori, architetti, teatranti tecnologici, artisti, musicisti, etichette indipendenti, riviste e fanzine come *Westuff* e *La voce del Boper*. "A Firenze," annota Bruno Casini, trentatré anni, animatore culturale fra i più impegnati e meticolosi, "si sta sperimentando di tutto. Sì, vuoi una formula? A Firenze, la vita è sperimentata!" Ma perché proprio ora questa esplosione? "Era inevitabile," prosegue Casini, "dopo anni e anni di underground. Dopo una vita sotterranea alla ricerca di nuovi assetti, nuovi spazi, nuove possibilità creative. Era inevitabile che scoppiasse... E ora si sperimenta di tutto: dal *trend*, che nasce proprio qui, a nuove formule di divertimento mondano."

A tarda notte, ecco le feste che fanno impazzire i giovani fiorentini. Si tratta di party che iniziano alle tre del mattino, di sfilate di moda che iniziano alle due, di appuntamenti che, ospitati nelle discoteche della rinascita fiorentina, Tenax e Manila, arrivano all'alba in un crescendo di decibel, di ritmi metropolitani, di balli scatenati. Animatore di queste follie è un ragazzo di ventisette anni, longilineo, pallidissimo, vestito sempre di nero secondo la *vague dark*. Si chiama Stefano Bonamici. È un ex disc-jockey ed ex art-director di locali storici come il Salt Peanuts (ora Plagine) di Piazza Santa Maria Novella, locale che lanciò il ritorno dello psichedelico. Ora, insieme alla sua compagna, la stilista Anna Maria Calosi, ha creato Tokiø Productions che organizza serate a tema nelle discoteche e gestisce locali, sull'esempio newyorkese, una sera per settimana, trascinandovi tutto l'esclusivo indirizzario *trend*. "A notte fonda," racconta Bonamici, "c'è un'atmosfera particolare in città, le cose sono molto più belle. Romantiche. Quando gli altri finiscono e se ne vanno a letto, ecco che arriva il pubblico sceltissimo delle mie feste. L'ambiente, la discoteca, è tutta per noi come il salone di un palazzo. Posso far finalmente ascoltare una musica affascinante come quella di Nina Simone o di Ella Fitzgerald. E così fino alle sei del mattino."

NAPOLI. Nella filosofia del buddhismo Mahayana i punti di orientamento non sono soltanto rappresentati dai quattro punti cardinali. C'è un quinto punto, che simbolizza lo spazio: il Centro. A Napoli, città che conoscevo solamente in un suo aspetto trucido-ferroviario (le gallerie della Circumvesuviana attraversate all'alba, dove non sai se le presenze che qua e là sostano siano ombre di vivi o di morti, in cui la sporcizia, la tetraggine, la sordidezza hanno momenti intensamente abbaglianti e degni di una *pièce* di LeRoi Jones. Sì, questo è il posto giusto per mettere in scena *Dutchman*); a Napoli, dicevo, questo Centro è stato, per me, Falso Movimento, il gruppo di punta dell'avanguardia teatrale italiana, ora alle prese con il nuovo spettacolo *Alphaville*; e non solo perché mi ha illuminato su una città quantomeno tentacolare e irriducibile a formule e luoghi comuni, ma perché attorno a loro ho incontrato giovani artisti, musicisti, organizzatori culturali che, pur costituendo altrettanti punti cardinali del panorama creativo napoletano, toccano il gruppo di Mario Martone, trafficano con le musiche dei suoi spettacoli, ne realizzano le scenografie.

Tutto ciò che si è detto sulla scena metropolitana di questa città ha un inizio: il terremoto del 23 novembre del 1980. "Fu allora," dice Mario Martone, "che ci accorgemmo che quella città, che per noi era solo uno sfondo in via di estinzione, se ne era andata via sotto i nostri piedi, lasciandoci in aria." Il periodo successivo unisce i giovani napoletani, dà loro una carica particolare, si trasforma in un ottimismo, anche rabbioso, che vuol cambiare la città. Due anni dopo, in una città ancora imbalsamata, in un teatro, il teatro Nuovo che anche oggi vedo fatiscente e puntellato, debutta *Tango glaciale*, il primo cristallino frutto di quella stagione preparata da anni e anni di lavoro in capannoni, in fabbriche semiabbandonate, in appartamenti svuotati. Ed è il successo internazionale. E si comincia a parlare di una nuova scena napoletana.

All'indomani del terremoto torna anche Marco Pierno, musicista trentenne e coordinatore di Viva Musica Viva, organizzazione che raccoglie oltre settanta gruppi musicali della fascia napoletana. Il momento di una prima aggregazione è stato, mesi fa, l'occupazione del teatro Bracco. Una festa improvvisa. Gente che suonava da ogni parte. Un passaparola fulmineo che raduna centinaia di giovani. E lo sgombero da parte delle forze di polizia. "Sì, allora, sei anni fa, fu solo l'inizio," dice Marco Pierno, "ora cerchiamo di ottenere un luogo, una struttura, un tetto insomma, per poter suonare e lavorare... Una 'casa della musica', per poter organizzare convegni musicali e anche incontri con quei critici che seguono il rock italiano e metropolitano. Ma non è facile. A Napoli esistono ottimi studi di registrazione, eppure manca una base operativa. Esistono decine di sale e di teatri abbandonati, ma ottenerne uno in gestione è praticamente impossibile. Noi ora cercheremo di farlo. Insieme."

Il problema, sbrigativamente detto, delle strutture in cui operare e della mancanza di un progetto culturale per i giovani artisti ritorna ossessivamente nei discorsi che faccio con tutti coloro che intendono sfidare la regola per cui chiunque, a Napoli, sia disposto a creare un progetto deve pagare caro in sbattimenti e precarietà: con il gruppo Panoramics, per esempio, cinque educatissimi e soavi ragazzi autori di un jazz soffice molto difficile da definire, comunque assai piacevole; con il gruppo Idra Duarte, composto da sette artisti (Lino Fiorito, Maurizio Colantuoni, Aldo Arlotta, Alberto Manzo, Ferdinando Mondillo, Luca Ausilio e Gennaro Castellano) che lavorano, gli uni accanto agli altri, negli atelier di un ex convento le cui finestre si aprono sontuosamente sul golfo.

Ma il trucco c'è, poiché questo centro polivalente è uno spazio privato che ospita anche una palestra e una scuola di pattinaggio. "Vogliamo che Idra Duarte diventi un punto di riferimento," dice Fiorito, artista e scenografo già affermato, "per tutti coloro che sono interessati alle vicende dell'arte. Un moltiplicatore di idee. Noi mettiamo a disposizione la nostra galleria ad altri artisti, abbiamo presentato alla stampa l'ultimo disco del gruppo rock I Bisca, cerchiamo di creare una linea di comunicazione diretta artista-artista, poiché la critica e il mercato vengono dopo."

Dalle giocose sculture pop di Colantuoni a quelle sofferte, mutanti e informali di Arlotta; dalle grandi tele colorate di terra su cui è graffiato, di tanto in tanto, un puro disegno alla Cocteau di Alberto Manzo ai curiosi tagli delle tele di Mondillo; dai putti della Ausilio alla mano ironicamente *cartoonist* di Fiorito, le opere si accavallano sulle pareti, sulle scale, contro le finestre, scandendo già il percorso di un'esposizione. Com'è possibile lavorare gomito a gomito? "Qui c'è il piacere di lavorare insieme, di vedere crescere le cose e i progetti ai quali, giorno dopo giorno, ci si affeziona," afferma, con pacata ma ferma convinzione, il giovane Castellano. E aggiunge: "C'è un piacere di essere insieme che non è militanza, ma la forza di un progetto. Poi, si sa, ognuno resta solo con i propri problemi di stile e di lavoro."

La notte, poi, al Diamonds Dogs, club realmente underground, tutto cunicoli e grotte, si possono d'un sol colpo incontrare i molti rappresentanti della Napoli creativa. Qui, persi nei vari passaggi, addossati alle pareti decorate in stile psychedelic-graffiti e grondanti umidità, fra il buio e i fumi sulfurei, la Napoli-garage celebra i suoi riti, le sue danze, i suoi concerti, e i suoi protagonisti – avvolti dalla musica stordente – diventano immediatamente simili ai loro coetanei di ogni altra città dell'Internazionale Occidentale, mandando a rotoli l'immagine agiografica e folkloristica di una napoletanità che nei suoi rampolli invece svanisce, accecata da un flash teatrale o da un vibrante accordo di chitarra elettrica.

LECCE. Attorno al salotto sudamericano di Piazza Mazzini, a Lecce – pianta quadrata, palme lungo tutto il perimetro, grande fontana centrale, altissimi getti di acqua iridescente alla luce – la fauna giovane del capoluogo salentino si raduna, a varie ore del giorno e della notte, con una particolarità: la rotazione. Così al bar Poker, in un angolo, un gruppo va solo per l'ora dell'aperitivo, l'una e mezzo. La sera, il gruppo si sposta al bar Raphael, mentre quelli che al Raphael sono transitati a mezzodì qui arrivano la sera. Così accade per gli altri bar-ritrovo: per il Bamboo, frequentato da giovani bene; per l'Arnold's dei paninari; per l'Alvino, storico bar di Piazza Sant'Oronzo, di fronte all'anfiteatro e a un parapetto scheggiato da graffiti neofascisti.

La vita della città appare frizzante e piacevole. Sembra di trovarsi in una ricca città di provincia in cui tutti vestono benissimo, hanno auto scintillanti, ogni minorenne la propria Vespa e, la domenica mattina, tutti a comprare pasterelle, torte e gelati. In realtà, questo benessere è apparente. A Lecce prosperano le finanziarie che, a interessi altissimi, prestano denaro, non già per riconversioni industriali o per avviamenti artigianali, ma per la festa della prima comunione, l'abito delle nozze o la motocicletta per la stagione estiva.

Ogni notte, tutta la notte, ci si sposta in macchina, seguendo le strade o le superstrade che solcano la penisola salentina. Così si arriva fino a Tricase, nella videodiscoteca Tam Tam, famosissima qui non solo per aver organizzato manifestazioni di garage band pugliesi, ma soprattutto la rassegna jazz che ha visto sul palco, tra gli altri, Massimo Urbani, Steve Lacy e Lee Konitz. Oppure ci si sposta nei bellissimi paesi dalle cattedrali barocche per frequentare discoteche come il Ciak di Castrignano, l' Enoteca di Maglie, in cui si suona musica jazz, il Gatto Rosso di Melpignano, aspetto freak, luogo d'incontro di gruppi di teatro antropologico collegati alle esperienze di Eugenio Barba. L'impressione, dopo qualche notte perennemente scarrozzati fra il Salento e la Grecia, è di una vita *on the road* consumata in pub, discoteche e bagni notturni fra l'Adriatico e lo Ionio, sotto un grande cielo meridionale sfavillante in ogni sua luce.

Il volto rock di Lecce, che iniziò, a cavallo del 1977, con il mix *A Tour in Italy* dei Band Aid, è oggi confermato. I Band Aid non esistono più, ma il loro creatore, Tony Robertini, ventottenne dottore in filosofia è ancora sulla breccia. Tornato da Bologna e da Urbino, dove si è perfezionato, oggi ha dato vita a un nuovo gruppo, Moments of Life, che cerca le vie di un "pop transculturale". Nella formazione, oltre a Robertini, Luigi Lezzi, Stefania Miscuglio e Massimo La Greca, ci sono anche due ragazzi tedesco-occidentali, Norbert Loghin e Effath Fatemah Djalili, di ascendenza ungherese il primo e araba la seconda. Studiosi di percussioni hanno, nella loro casa di Aradeo dove il gruppo prova, una straordinaria raccolta di strumenti degna di un museo etnologico: dai grandi tamburi del reggae giamaicano a semplici zucche dell'Africa Occidentale. Come altri giovani della Lecce progressista, Robertini collabora alla pagina culturale del *Quotidiano*, e quando gli dico, sinceramente, che non mi aspettavo di trovare qui tanta alacrità, dice: "Le cose più interessanti a Lecce sono tutte nate per iniziativa dei fuori sede, di chi ha studiato a Bologna, a Pisa, a Firenze, a Urbino, e che, una volta tornato, ha cercato di ricreare qui momenti di scambio culturale."

Conferma questo giudizio Francesco Spada che, dopo varie esperienze artistiche a Roma, è tornato per formare il gruppo Atlantide-Nuovi Scenari di Comunicazione. Gli otto membri del gruppo hanno restaurato i bellissimi locali di Palazzo Guarini nella centrale Via Palmieri, "la via", dicono, "della nuova imprenditorialità giovanile leccese". La loro ricerca è rivolta a costruire ambienti e oggetti che appartengano a uno scenario mitico (Atlantide, dunque, come metafora di ciò che può riemergere) da poter rilanciare nella quotidianità attraverso materiali tradizionali come la pietra leccese, il ferro battuto, l'artigianato locale della tessitura e della cartapesta.

"Siamo ricchi di esperienze che vanno dal teatro alle arti figurative, alla grafica e alla fotografia," dice Spada, "e per questo cerchiamo di costruire, al Sud, il più grande punto di riferimento per l'assemblaggio di immaginario."

La giovane stilista Pai, ventiquattro anni, minuta e frizzante come una Shirley Temple, sembra fargli eco: "Io voglio lavorare in pace, e Lecce, per me, è un punto poetico di riflessione sul mio lavoro. Mi divido con Milano perché il mio lavoro lo esige e perché non posso stare ferma. Ma qui torno sempre, e qui ho voluto la mia sede, un negozio nel centro storico che, come tanti altri giovani, ho ristrutturato da sola."

L'immagine della Lecce di oggi stravolge il luogo comune di un capoluogo oppresso, ma diviene, al contrario, un centro in cui, lontani dai clamori e dagli stress della metropoli, sembra addirittura più facile produrre.

[1986]

MAGAZZINI

Sandro Lombardi con i suoi silenzi attenti, i suoi sguardi timidi e lunghi, il suo modo di fumare e giocherellare con gli avana. Sandro con la sua voglia inestirpabile di Africa: "Pomeriggi polverosi di Accra, con la polvere portata dal vento, il vento proveniente dal deserto, il vento secco, caldo, arido del deserto..."

Sarà un pomeriggio fiorentino, o una notte fiorentina, non lo ricordo, era senz'altro di primavera quando Sandro raccontava sottovoce, in modo antico, di una tempesta di sabbia su Marrakech: il senso dell'attesa, la migrazione di tutti gli abitanti in riva al mare, l'aria pregna di sabbia, la stagnazione delle intensità intime, il sapore della fine. Tutto è silenzio, fermo. Poi, nell'atmosfera sospesa, miracolosamente, scattano i corpi e i sessi attivati dal desiderio bruciante di consumarsi prima della catastrofe, silenziosamente, pacatamente ma con decisione, obbedendo a una specie di istinto di annientamento, come un'irrefrenabile nostalgia di essere uniti, uomini e cose, nell'acqua, sulla sabbia, nel vento, dentro la luce, annullati in quell'unica sensazione di muta paura come succede ogni qual volta il cuore del mondo, misteriosamente, sussulta. Sandro Lombardi è l'imminenza di una tempesta di sabbia su Marrakech; i suoi occhi e i suoi ricci scuri sono quelli di un ragazzo arabo. La sua Africa, il suo Oriente sembrano costituire l'unica metropoli contemporanea: una città di detriti occidentali affacciata sul Mar Rosso, un aeroporto situato a Mogadiscio, una pista di asfalto che si insabbia nel deserto e sulla quale svettano i jet del turismo di massa e i computer di un imminente futuro tecnologico si inceppano in messaggi senza senso, come accade in *Crollo nervoso*.

Federico Tiezzi ha una narrazione imprevedibile e giocosa, ora poetica, ora seria, ora nostalgica. Nei suoi gesti, nella sua andatura, nel suo modo di recitare c'è un bambino che si diverte e un uomo che riflette; c'è un lato estremamente perfezionista, matematico, colto, puntiglioso; e un altro, divertente, autoironico, imprevedibile, come la storia che ha inventato attorno al tatuaggio che nella forma di un grande serpente gli attorciglia, in cinque spire, l'avambraccio: "Sono entrato in una fumeria d'oppio, a Canton, uscendone cinquantadue ore più tardi, inspiegabilmente, con quella decorazione sul braccio. Era il ritrovo di una setta misteriosa. Poi, alcuni marinai mi hanno spiegato che ogni spira del serpente rappresenta una nuova vita." E c'è, nella sua personalità, un lato eccessivo: "La sauna è il mio dominio, un impero sotterraneo di fumi velenosi di vasche circolari di acqua calda e merda! Ai giardini di plastica e cazzi del club Hulehorst, le luci orientate, la disco accesa, le lampade al neon... La mia pelle è la frontiera."

Ma il corpo generazionale dei Magazzini se sembra occupato nella sfera mentale e lunare dall'influenza di Sandro Lombardi, in quella dell'effervescenza fertile e vitale del sesso da Federico Tiezzi, il cuore, questo muscolo gonfio di passione e sangue e avventura pulsa senza dubbio sotto l'influenza di Marion D'Amburgo.

Lei è l'attrice per eccellenza, le sue labbra turgide e delicate sono l'immagine della potenza, e nello stesso tempo, della sentimentalità del gruppo intero. Lei, la diva che non assomiglia a nessun'altra grande diva, ma a cui si farà riferimento per qualsiasi nuovo talento sanguigno e passionale e sentimentale che calcherà le nostre scene, e allora si dirà: "È come la D'Amburgo, come Zora, come Jacula." Bella, stupenda e calda Marion: "Il mio corpo ha bisogno di vibrare, di arrivare a quel punto in cui si crea un'intermittenza nel cervello, in cui tutto salta, tutto diventa più leggero, tutto diventa possibile. È un odore di caccia e di sangue, c'è più ossigeno nel cervello, non esiste il tempo. Qui, e ora, brucerò la mia carne, il dopo non conta, non esiste."

L'energia, che vorrei dire tutta autobiografica, che Marion ha messo nel faticoso personaggio di Venezuela in *On The Road* è qualcosa che stupisce, che incatena, che fa vibrare. E infatti la

D'Amburgo arriva a bruciare sulla scena, e probabilmente anche nella vita, tutto quanto di sé, per arrivare a un'energia nuova e magica, obbedendo ancora una volta al suo motto: "Sono sempre in overdose sentimentale." In *On The Road*, quando agita per venti minuti il machete sopra la propria testa, pronunciando parole lontane, primitive, selvagge, è più di Zora, di Messalina e di Jacula messe insieme, più di una baccante e di una menade, più di una Giuditta e più di Venere. È un'essenza fisica della terra e della femminilità: "Ero solo un'avventuriera e dovevo sfidare il destino."

Ora i Magazzini incontrano *Genet a Tangeri*. Come per Kerouac è probabile che nella progettazione del nuovo spettacolo confluiscano temi autobiografici: l'Africa, il nomadismo, l'universo chiuso e concentrato dei rapporti interpersonali, il mito del Sud, la natura. A differenza di altri spettacoli sembra qui emergere un nuovo aspetto: la rilettura del concetto di classicità. Non ne abbiamo parlato molto, non so nulla del Genet che stanno preparando, "classicità" è un termine algido e inscalfibile che va rivestito di sentimento e di idee. Ma anch'io sto lavorando al sentimento della frase e della pagina come probabilmente i Magazzini stanno lavorando attorno al sentimento della scrittura scenica. Dopo anni di isolamento, c'è come uno spirito di generazione che riemerge. Posso ancora usare una vecchia espressione: "Compagni di strada."

[1984]

I Magazzini nascono a Firenze nel 1971 con il nome "Il Carrozzone". Al nucleo storico del gruppo, composto da Federico Tiezzi, Marion D'Amburgo e Sandro Lombardi, si affiancano, di volta in volta, attori come Giulia Anzilotti, Rolando Mugnai e Virgilio Sieni; critici d'arte come Pier Luigi Tazzi; architetti come Alessandro Mendini che, per *Crollo nervoso* (1980), firma una scenografia composta esclusivamente da tende veneziane; musicisti come Jon Hassell, cui si deve la colonna sonora di *On The Road* (1982). Nel 1984, il gruppo dà avvio alla trilogia *Perdita di memoria* che si compone di *Genet a Tangeri* (1984), *Ritratto dell'attore da giovane* (1985) e *Vita immaginaria di Paolo Uccello*, che ha debuttato a Venezia, alla Biennale Teatro

1985. Hanno prodotto finora una trentina di spettacoli teatrali, svariati video, tre LP di colonne sonore e la rivista *Magazzini*, giunta all'ottavo numero e pubblicata da Ubu Libri.[1]

(*Conversazione con Federico Tiezzi sulla spiaggia del Lido di Venezia. Tarda mattinata. Un sole autunnale invita a distendersi ai tavoli dei caffè, guardando il confine fra il mare e il cielo.*)

"Dopo tanti anni di ricerca prevalentemente visiva i Magazzini affrontano ora un testo scritto. E per intraprendere questo attraversamento della parola avete scelto un autore maledetto come Jean Genet..."

"Per essere sincero, quando ho iniziato a lavorare non pensavo che avrei scritto un vero e proprio testo. Volevo esclusivamente ritagliare alcune parti dai romanzi di Genet secondo un certo procedimento... Genet, insomma, è uno di quegli autori che danno la loro letteratura come 'corpo straziato' e allora, quando li avvicini,

[1] In seguito al gioco al massacro esercitato dalla quasi totalità della critica italiana dopo la recita santarcangiolese di *Genet a Tangeri*, i Magazzini si trovarono completamente isolati, privati del loro stesso teatro, senza finanziamenti, e terra bruciata attorno. La pubblicazione sulla terza pagina del *Corriere della Sera* di questa intervista, in una forma assai più breve e quasi completamente riassunta nell'ultima parte, quella relativa alle dichiarazioni di Sandro Lombardi, provocò conflitti interni e una durissima reazione del critico Roberto De Monticelli, allora vivente. A ricordare quegli avvenimenti, cinque anni dopo, ho la netta sensazione che i Magazzini abbiano rivestito, quasi paradigmaticamente, il ruolo di capro espiatorio. Come fu chiaro dai molti, e deliranti, interventi che si susseguirono nell'estate del 1985, colpendo loro, ostracizzandoli, insultandoli senza cercare minimamente di capire, in realtà si tagliavano le gambe a tutto il nuovo teatro italiano, alle formazioni della cosiddetta "postavanguardia" o "teatro della nuova spettacolarità", che proprio in quegli anni cercava di reintegrare il testo letterario nel tessuto spettacolare, risolvendo in modo nuovo la complessa sperimentazione visiva e musicale da cui era nato. I Magazzini intrapresero questo percorso per primi, attraverso la *Trilogia*. Un bisogno di classicità e di confronto con i grandi autori della drammaturgia novecentesca attuato nella riscoperta del verso e della parola. Negli anni successivi, i Magazzini daranno forza a questo loro progetto con la messa in scena, nel corso del 1987, di *Come è* da Samuel Beckett e di *Artaud*, su testo dello stesso Federico Tiezzi. Il 1988 è l'anno di due spettacoli del drammaturgo tedesco orientale Heiner Müller, *Hamletmaschine* e *Medeamaterial*. Nel 1989, prende avvio il progetto sulla *Divina Commedia* che prevede la riscrittura delle cantiche dantesche a opera di poeti contemporanei: *Commedia dell'Inferno, un travestimento dantesco* è basato sul lavoro di Edoardo Sanguineti; *Il Purgatorio, la notte lava la mente*, che debutta nella primavera del 1990, sulla drammaturgia di Mario Luzi. Si attende ora il terzo spettacolo che prenderà le mosse dal *Paradiso*, rielaborato da Giovanni Giudici.

non puoi far altro che prendere dei brani, coinvolgerti in una frammentazione continua..."

"Ricordo un'immagine straordinaria: il cuore di Genet portato al Polo Nord, fra i pinguini."

"Per metterlo su un'ara. Con Goethe e Maria Callas."

"Avrei cantato Joe Jackson: '*Take a knife, cut out this heart of ice, hold in tight, walk into the sun.*' ('Afferra un coltello e strappa via questo cuore di ghiaccio, portalo con te e cammina verso il sole.') L'ultimo frammento della *Trilogia*, *Vita immaginaria di Paolo Uccello*, è assai diverso dai precedenti."

"Si tratta di una serie di situazioni drammatiche, in cui il testo conserva un aspetto didascalico. Ho pensato tanto a Bertolt Brecht, soprattutto alla *Vita di Galilei*, proprio per il modo di Brecht di essere così preciso nel teatro di idee. E anche a Pasolini, nel manifesto sul suo teatro: il teatro dev'essere un testo di idee, poche, basilari..."

"L'idea allora è quella dell'artista, Paolo, che propone nuove visioni, nuove linee di fuga in contrasto con il monocentrismo prospettico di un Brunelleschi appoggiato dal potere, da Lorenzo il Magnifico."

"Infatti l'arte di Paolo Uccello è vissuta dal potere come sovversiva, proprio perché ricerca il formicolio della vita nascosta nella misteriosa ragnatela delle linee, nella molteplicità dei punti di vista."

"Nei vostri spettacoli i riferimenti alla storia dell'arte sono vivissimi. Nel *Ritratto dell'attore da giovane*, per esempio, gran parte dell'azione si svolge ai bordi di una piscina nel tentativo di recuperare la Speranza, il quadro *Il naufragio della Speranza* di Kaspar David Friedrich, intendo."

"In fondo io credo che un testo e uno spettacolo per essere tali e belli devono costituire un corpo unico con il pubblico. L'attore e il pubblico devono diventare... come un corpo che respira nello stesso momento."

"Questo è Artaud, d'accordo. Ma tu pensi che oggi, nei teatri di oggi, con il pubblico di oggi sia possibile creare un rito come hanno fatto per esempio, in anni diversi, Barba o Grotowsky?"

"Sì, è possibile... Non tanto forse il rito, quanto a questo... respiro universale... Io credo che il compito dell'artista sia quello di esercitare nei confronti di tutte le cose la pietà."

"Intendi la *pietas* latina?"
"Quella. Compassione nel senso di patire, sentire insieme. Questo per me è altissimo."

(*Incontro con Marion D'Amburgo. Viali del Lido di Venezia, verso mezzogiorno, in cerca di un mazzo di fiori.*)

"Marion! Congratulazioni!"
"Chi te l'ha detto?"
"Niente... In scena si comincia a vedere, non credere."
"Avanti, chi te l'ha detto?"
"Bartolucci, ieri sera, sul motoscafo che ci riportava in albergo."
"Ah. Te l'ha detto Beppe? Come? In che termini? Dimmi subito cosa ti ha detto?"
"Be', così... Mi ha detto: 'Marion è incinta.'"
"E non avete fatto commenti?"
"Oh, lui è stato molto carino. Ha parlato della tua femminilità sempre più prorompente. Anch'io la penso così. In *Paolo Uccello*, c'è quel momento in cui alla ribalta, impersonando lo spirito dell'arte, fasciata di porpora, tu offri il seno al pubblico. In quel momento, sei una perfetta attrice bergmaniana. Penso a *Sussurri e grida*."
"Mi hanno spento la luce subito."
"Beppe mi ha raccontato anche del vostro incontro con Francesca Bertini."
"Ah, la vecchia era splendida. Veramente sublime."
"È stato a Roma, al Grand Hotel, vero?"
"Naturalmente. Sembrava un testamento. La vecchia mi ha sussurrato all'orecchio: 'Diffida, diffida.'"
"Cosa voleva dire?"
"Era rivolto alle compagne di cordata e, più in generale, al mondo dello spettacolo. Era un invito a riporre una grande fiducia in se stessi, perché è l'unica cosa che ti può illuminare."
"Incredibile. Sai che le ultime parole di Anna Magnani in un film furono 'Nun me fido' rivolte a Fellini, in una piccola sequenza di *Roma*?"
"Ah, 'nun me fido'! (*Ride.*) Ma l'incontro con la Diva, con la Bertini! È stato illuminante veder la carne viva di lei, quelle mani

adunche, completamente contratte, le unghie dipinte con un rosso lacca incredibile."

"Come era vestita quel giorno?"

"Quando sono entrata, lei era già lì, al Grand Hotel. Mi ha subito ringraziato dei fiori che le avevo mandato. Mi ha raccontato della sua ultima apparizione televisiva, quando aveva indossato un abito bianco delle sorelle Fontana. Quel giorno aveva invece un tailleur di lana pesante."

"Quando è stato?"

"Giugno. Primi di giugno. Faceva un caldo incredibile."

"Era truccata?"

"Quel suo incredibile fard rosa! E la pelle, senza una ruga, a eccezione di qui, sul collo, dove portava una collana. Tipo Chanel... Ma non di Chanel, era molto voluminosa. Aveva dei mocassini da pomeriggio. Si vedeva una gran miseria."

"Era stata dal parrucchiere?"

"Per me, no. Però si vedeva che si era preparata, che l'aveva fatto lei da sola. Ha avuto un'uscita stupenda."

"Raccontami."

"Io dovevo ormai andarmene e così ci siamo alzate. Si è appoggiata al mio braccio, e ci siamo avviate verso l'uscita. Lì ha trovato delle persone che conosceva: camerieri... maître. Allora si è distaccata dal mio braccio, perché probabilmente non voleva mostrare di aver bisogno di qualcuno per reggersi in piedi. Era uno sforzo stupendo, capisci? Era improvvisamente tornata lei, la Diva, la Bertini. Le è bastato immaginarsi un pubblico."

"E poi?"

"Insomma, eravamo ormai prossimi, all'uscita. Lei forse ha creduto che la volessi accompagnare a casa, c'era il mio autista che ci stava venendo incontro. Certo non mi sarei mai permessa, mah... Non so come lei abbia potuto credere questo, e ha avuto un sussulto di paura, un soprassalto. E..."

"Continua. Non ridere..."

"Trac! Le è venuta giù..."

"Cosa?"

"Le è crollata una calza!"

"Una calza?"

"Una calza di nailon."

(*Incontro con Sandro Lombardi. Tramonto. Sullo sfondo, alla Riva degli Schiavoni, è attraccato un incrociatore statunitense. Sul ponte, in controluce, alcuni marinai fanno ginnastica.*)

"Nel corso degli anni settanta, molti artisti hanno usato il sangue, e anche una grande violenza, per esprimersi: Günter Brus, per esempio, si 'disegna' la faccia usando lamette da barba; Rudolf Schwarzkögler addirittura muore per essersi evirato e accecato durante una performance; Arnulf Rainer si avvolge nel filo spinato; il Living Theatre pratica su un attore completamente nudo la tecnica di tortura del 'Pau de Arara'; Fabio Mauri espone saponette ricavate da cadaveri di ebrei e poltrone in pelle umana marchiate a fuoco con la scritta JUDEUS. Hermann Nitsch, con il suo Teatro delle Orge e dei Misteri usa decine e decine di animali squartati e obbliga i suoi attori a ingurgitare litri di sangue caldo oppure li seppellisce nelle viscere fumanti... Eppure nessuna di queste azioni ha suscitato critiche così violente e spietate quanto la rappresentazione di *Genet a Tangeri* in un mattatoio, durante la macellazione di un cavallo."

"Per noi è stato scioccante. Mi ha stupito, essenzialmente, questa reazione. Io, sinceramente, avevo paura di quel momento, ma non l'orrore o il terrore del sangue."

"Hai una spiegazione per quelle critiche?"

"Mi è venuta dopo questa considerazione che tutto forse dipendeva dal fatto che sia io che i miei compagni di lavoro abbiamo vissuto l'infanzia e l'adolescenza in una società contadina, per cui l'apparizione del sangue, la mattanza degli animali era un fatto quotidiano. Fa parte del comune vivere... Credo che lo stesso tipo di abitudine abbia fatto sì che a Sant'Arcangelo, paese in cui questa Italia contadina sopravvive, nessuno si è stupito o scandalizzato. Certo, si trattava di un fatto eccezionale, ma sempre nell'ambito di una quotidianità."

"Vuoi dire che quel fatto ha condotto, per così dire, allo scontrarsi di due mentalità?"

"Probabilmente sì. Ci siamo scontrati con un'Italia, una mentalità urbana che non accetta più queste cose del passato e tende a rimuoverle."

"Come si sono svolti esattamente i fatti?"

"Volevamo fare *Genet a Tangeri* in un cimitero, obbedendo così a una precisa indicazione dello stesso Genet secondo la quale i teatri dovrebbero essere costruiti a ridosso, o addirittura dentro, i cimiteri. Il rapporto del teatro con la morte, le apparizioni degli attori come fantasmi della morte eccetera. Avevamo così trovato uno stupendo cimitero di campagna..."

"Dov'è quel cimitero?"

"Sulla strada fra Sant'Arcangelo e Verucchio. Un cimitero in mezzo ai campi, abbandonato da una ventina d'anni. Era ormai solo un recinto con un paio di croci, una spianata d'erba con un solo grande albero al centro. Era un luogo con una sacralità fortissima."

"Perché avete abbandonato questa ipotesi?"

"Sembrava vi risultasse una sepoltura relativamente recente, quattro o cinque anni. Avremmo potuto agire ugualmente, però la nostra azione avrebbe rischiato di assumere un aspetto dissacrante, o comunque provocatorio, che esula dalle nostre intenzioni."

"Questa si chiama ironia della sorte."

"Questa è stata proprio, capisci, la beffa: rinunciare a un evento e ripiegare su un altro proprio per non essere... per non rischiare di essere fraintesi, di essere scambiati per provocatori."

"A questo punto, ha preso consistenza l'ipotesi del mattatoio."

"Sì, ci è stato proposto..."

"E durante lo spettacolo?"

"Niente, lì c'era quella bestia, l'animale destinato alla mattanza. Hanno solo spostato l'orario alla sera. L'unica norma che le autorità sanitarie hanno preteso, è stata che non ci fosse alcun contatto fra l'animale macellato e gli attori. E questo perché l'animale era destinato all'alimentazione."

"Il cavallo veniva macellato in un altro ambiente?"

"Sì... Il mattatoio era abbastanza grande, composto di vari locali. Così, per usare tutto lo spazio, come abbiamo d'altra parte sempre fatto, il testo è stato scomposto in un prologo, che si svolgeva all'esterno dell'edificio, nel cortile, poi la prima scena dell'atto primo nella stalla, con il cavallo vivo alle nostre spalle, dopo di che gli attori si sono spostati in una sala adiacente, molto grande, in cui, sulla sinistra, erano anche i... Loro li chiamano così, i 'campi di morte'."

"Campi di morte?"

"Sì, è terribile, hanno questo nome... È l'ambiente del mattatoio in cui gli animali vengono trasformati in carne da macello. E lì, del tutto separati, noi siamo andati avanti con lo spettacolo."

"Gli spettatori vedevano tutto?"

"Sì, vedevano."

"Assistevano, cioè, allo squartamento dell'animale parallelamente alla vostra azione scenica, è così? Il cavallo era già morto quando è arrivato ai 'campi'?"

"No, l'hanno ucciso lì."

"Capisco."

"Comunque non l'hanno ucciso gli attori, non ci hanno messo le mani dentro, non hanno tracciato scritte sui muri con il sangue!"

"Era stato scelto, drammaturgicamente, il momento in cui l'animale doveva essere ammazzato?"

"Sì... Era previsto."

"Che parte era?"

"Il momento in cui Genet, vecchio e stanco, attraversandoli in volo, piange disperato sui massacri nei campi palestinesi di Sabra e Chatila."

[1985]

KRYPTON

Nel panorama della "nuova spettacolarità" italiana in cui sempre più spesso il teatro si fonde con il cinema, con le arti visive, la musica rock, dove gli attori sono più acrobati o mimi o danzatori che altisonanti dicitori di testi letterari, dove lo spazio scenico assomiglia sempre più a monitor televisivi in cui si cambia canale e programma ogni cinque secondi, non poteva mancare il tentativo di sposare il teatro con l'architettura, dando luogo a performance altamente spettacolari in cui la multimedialità fila dritta dritta verso l'opera d'arte totale.

Di questo connubio, già "provato" dalla scena umanistico-rinascimentale e dall'ingegneria barocca, si fa oggi carico il gruppo Krypton, nato a Firenze nel 1982 dalla scissione del Marchingegno e diretto da due trentenni, Pina Izzi e Giancarlo Cauteruccio: abruzzese la prima; calabrese, con una laurea in architettura, il secondo. Dopo qualche anno di underground, il gruppo esplode quest'anno sulla ribalta internazionale con un paio di spettacoli: *Metamorfosi*, realizzato in prima mondiale nella Hautplatz di Linz e ripreso il settembre scorso a Firenze, e *L'oro del Reno* di Richard Wagner, con la Bruckner Orchester di Linz, diretta dal maestro Bruno Moretti, allestito nell'ambito dell'annuale festival della città austriaca. In entrambi i casi, il regista Cauteruccio ha impiegato strutture colossali, raggi laser multicolori, sistemi di diapositive multivision, attori, atmosfere di luce/energia, ologrammi, video, monitor.

Nel caso dell'opera wagneriana il tentativo di Cauteruccio è stato quello di immaginare l'intero auditorium della Brucknerhaus ora come il fondo del Reno, ora come il regno dei Nibelunghi, immergendovi dunque, senza più distinzione fra platea e palcoscenico, gli spettatori e l'azione. Nel caso di *Metamorfosi*, ecco invece più specificamente l'architettura proporsi come centro del progetto-spettacolo: architetture appositamente costruite, monumenti, luoghi storici, cupole di cattedrali che, avvolte dai laser, dalla musica, dai suoni agiscono lo spettacolo come tanti protagonisti.

Le azioni *monstre* di Krypton (il nome del gruppo è quello del laser a luce bianca che, scomponendosi, produce la luce rossa e quella gialla; l'altro laser si chiama Argo e dà, invece, il verde e il blu) coinvolgono dunque lo spazio nella sua integrità, alla ricerca, forse, della mano perduta dell'uomo. E quindi piazze e monumenti storici, ma anche corsi d'acqua, come nel caso di *Intervallo*, spettacolo effettuato su un tratto dell'Arno. Sorge allora una domanda: non sarà tutto questo una riproposizione elettronica di *sons et lumières*? Non ci sarà il rischio di cadere in un kitsch di fine millennio?

"No," mi dice Cauteruccio, "perché nell'arte contemporanea il teatro deve, per forza di cose, essere, proporsi come sintesi dei linguaggi, e quindi non può non essere che multimediale. Stiamo viaggiando verso una nuova forma di spettacolo, l''opera contemporanea', dove la compresenza di strati tecnologici avanzatissimi convive, anche contraddittoriamente, con strati popolari."

Ma di che cosa trattano, in realtà, gli spettacoli di Krypton, al di là del predominante carattere tecnologico? Assai coerentemente, il gruppo fiorentino non mette in scena testi letterari con tanto di battute, non cerca funzioni narrative all'interno dell'azione. Anche quando produce *Eneide* (1983), forse lo spettacolo più noto e acclamato del gruppo, per via di un famoso duello di raggi laser imbracciati dai guerrieri come spade, roba da Spielberg o da *Blade Runner*; anche quando si rifà all'*Apocalisse* di Giovanni, come in *Angeli di luce* (1985) o alla *Città del Sole* di Tommaso Campanella, il prossimo, annunciato spettacolo, Krypton sembra prediligere più un tema, o una sequenza di suggestioni mitiche che non una narrazione vera e propria. E, in effetti, le loro rappresentazioni sono più da vivere con i sensi che non da seguire con ferrea logica mentale: lo spettatore è trascinato in un'atmosfera galattica e spaziale, al di là del tempo e degli spazi abituali.

"La rappresentazione della natura attraverso l'uso della tecnologia," continua Cauteruccio, "va di pari passo con una nostra assidua ricerca sul laser e sulla multivision. Vogliamo rapinare strumenti all'industria e usarli spettacolarmente."

Nei progetti di Krypton c'è anche un'utopia: la città dei teatri. "Si tratterebbe," afferma il regista, "di svaligiare tutti i depositi di scenografie dei teatri e degli stabilimenti cinematografici e innalzarli a nuova vita come quinte di un palcoscenico immaginario e atemporale."

"Una sorta di deposito della fantasia spettacolare del nostro secolo, dunque. Ma chi lo abiterà?"

"Questo non è un problema," dice Cauteruccio, ridendo, "soltanto macchine. Che poi io manovrerò a distanza con un telecomando."

[1986]

GIOVANOTTI MONDANI MECCANICI

"Mio nonno era ingegnere delle Regie Ferrovie Asburgiche. Era un tecnico, ma aveva alle spalle anche una severa scuola di disegno dal vero. Nei rari giorni di vacanza, si sedeva all'aperto per ritrarre gli scorci del giardino di casa. Quando mio padre mi regalò la prima scatola di pennarelli, lui, sprezzante, sentenziò: 'Con quelli lì sono buoni tutti. Se vuoi imparare a disegnare devi usare la matita.' "

Che faccia avrebbe fatto l'austero ingegnere asburgico nel vedere, vent'anni dopo, il nipote usare, per disegnare, non colori a spirito, ma addirittura un computer, un semplicissimo e domestico Apple II? Perché Antonio Glessi, trent'anni, veneto di nascita, ma fiorentino d'adozione, è stato, insieme al coetaneo Andrea Zingoni, l'inventore del computer fumetto, di parole e immagini, cioè, realizzate al calcolatore, esplorandone in senso estetico il linguaggio visivo.

Nel maggio del 1984 i due, conosciutisi otto anni prima in una squadra di basket, pubblicano infatti sulla rivista *Frigidaire* il primo di una fortunata serie di computer comics il cui titolo *Giovanotti Mondani Meccanici* diverrà poi il marchio del gruppo in cui confluiranno, via via, il musicista Maurizio Dami, la scenografa e costumista Loretta Mugnai e Marco Paoli. In soli due anni di lavoro i GMM approdano dal fumetto alla video art, alle performance, alle installazioni, al primo videoclip di Teresa De Sio, *Tamburo*, tratto dall'LP *Africa* e rimissato per l'occasione. Un video che ha suscitato ampi consensi e plausi nelle platee dei festival e sulla stampa specializzata proprio per l'elegante e ironica fusione di elementi caldi come i pupi siciliani, con scenari artici e colori freddi.

Per *Un certo discorso*, la vivacissima trasmissione di Radiotre, i GMM hanno realizzato una serie di interventi didattici con trasmissione di dati sull'uso dell'elaboratore. Per il nuovo programma del Mister Fantasy Carlo Massarini, hanno invece prodotto un serial di undici puntate dal titolo *Le avventure di Marionetti*. Alla galleria Il Navile di Bologna, invitati dal critico Roberto Daolio, hanno esposto i lavori grafici insieme alle giovani star del "nuovo fumetto italiano". A Barcellona, invitati alla seconda *Bienal de produccióne juveniles de l'Europa mediterranea* hanno portato una videoinstallazione, così pure allo Studio Marconi di Milano e al Modit di Milanofiera.

Nell'ex convento delle Leopoldine, a Firenze, trasformato per l'occasione in palcoscenico-atelier dagli interventi di pittori e architetti vicini al gruppo, affrontano nel giugno 1984 un vero e proprio spettacolo, *Nel cuore delle immagini sensibili*, in cui video, fumetti, attori, monitor, oggetti, luci, musiche, "si confrontano, cercando una reciproca collaborazione per una nuova forma di fare spettacolo, o di spettacolarizzare l'arte" (Zingoni).

Nel seguire la loro produzione, sorge spontaneo l'imbarazzo delle definizioni. I loro prodotti saranno più arte visiva, più fumetto, più cinema, più televisione, più *fashion*, più poesia visiva, più grafica, o quale altra diavoleria ancora?

In effetti, il dato più importante del lavoro dei GMM è proprio la commistione dei linguaggi, il loro intersecarsi e interagire. In altre parole quel concetto, quella musa, che sta alla base di tutta la produzione dei giovani degli anni ottanta; e quel concetto, quella musa, ha un nome: "multimedialità". "Solo mescolando i linguaggi ed evitando ogni tic legato al genere, si può sperare in una comunicazione immediata del racconto," afferma Maurizio Dami, autore delle colonne sonore, ottenute con un sintetizzatore digitale, pilotato da un personal computer.

Quello che colpisce nei GMM non è tanto, allora, l'uso intelligente e sentimentale dell'elettronica ("Usare un computer è facile, non altrettanto usarlo in maniera creativa", scrive Michael Crichton), quanto piuttosto lo spostamento continuo su scenari di comunicazione differenti: dalla discoteca alla sfilata di moda, dalla rivista alla galleria d'arte. È proprio questa mobilità creativa, che fa dei GMM uno dei gruppi più interessanti e più sensibili che lavorano sull'immaginario scheggiato della generazione nata a metà degli anni cinquanta.

[1986]

PITTI TREND

Un osservatorio certo non privilegiato, ma certamente particolare, sui comportamenti e le attitudini giovanili è dato dalla rassegna fiorentina del Pitti Trend, rassegna-mercato delle nuove tendenze nell'ambito della moda, dell'abbigliamento in genere, delle manie giovanili.

Se ci eravamo un po' scandalizzati, nella passata edizione, perché tutta la fauna cosmopolita e *trend* ci sembrava in preda a baccanali e festini da basso impero, culminati in una nottata acida e sbronza al Tenax, il weekend della terza edizione ci ha sorpreso per il nitore delle proposte e la compostezza del *tour de force* fra sfilate, concerti, esposizioni d'arte nei negozi del centro, mostre di scultura, happening e party in giro per la città.

Non essendo giornalisti del settore, tantomeno commercianti o industriali, quello che interessava di più era sbirciare fra gli stand e i cocktail per cercare di individuare le tendenze e i comportamenti oggi d'élite, ma destinati, tra breve, almeno nelle intenzioni degli organizzatori e dei creativi di mezza Europa arrivati a Firenze, a influenzare i gusti delle masse giovanili. Per cui basta tenere gli occhi bene aperti, fare provviste di impressioni, per essere al riparo da "oooh" di meraviglia nel frequentare concerti, discoteche, *vernissages* e spiagge alla moda. Un po' come successe al Manila, discoteca di Campi Bisenzio, dove si ebbe il piacere di conoscere tutt'intera la classe degli stilisti italiani emergenti, caricata in branco, con il sottoscritto, su un Bedford per tornare in albergo. Quella notte, steso a terra fra abiti e maglierie, a ogni curva che il furgone affrontava, piombavano sullo stomaco appendiabiti e sportine e fagotti e beauty e stendini con tutto l'occorrente per il taglio e cucito, senza parlare poi degli accessori in legno di una ragazza francese, pericolosi come proiettili, e proprio non c'era modo di sollevarsi da tutte quelle cianfrusaglie, contrattate senza dubbio con un senegalese, a Ponte Vecchio. Non si poté far altro, allora, che prendere visione delle collezioni in modo realmente fisico e poi complimentarsi con quei ragazzi e quelle signorine che, in un paio d'anni, sarebbero arrivati fino a Milanocollezioni. Così, in nome di quei ricordi sul furgone si cerca di non perdere un appuntamento *trend* nella convinzione, ormai vecchissima, che Firenze sia davvero la capitale di questi nostri anni ottanta proprio per la presenza di una fauna giovanissima, che fa e conclude e propone e inventa.

È per questo che non hanno stupito più di tanto, a questo terzo Pitti Trend, i ragazzi seminudi in giarrettiere e bretelline nere come comparse del *Portiere di notte*, né quegli altri tutti bicipiti scoperti, con i reggicalze del nonno a tener in posa i calzini in seta nera, quasi pronti a entrare in un video porno; né quelli in pantaloncini da ciclista ai quali semplicemente chiederemmo, come a ogni danzatore che si rispetti, di esibire almeno una cornetta del telefono, lì, fra le gambe, e non la candelina della prima comunione. Sennò che gusto c'è?

L'effetto è quindi un po' un effetto Madonna con la biancheria di sotto portata di sopra, anche per i ragazzi. Che vorrà mai dire? Che vorrà mai significare? L'uomo-oggetto della fotografa Patrizia Savarese? Una rivincita del femminismo o una brillante idea della direzione di *Playgirl*? Tanto più che questa stessa immagine sexy del corpo maschile la si è vista impressa sulle leggiadre e malandrine t-shirt di Phisique du Rôle, dove un atletico e seminudo ragazzone, per esempio, riposa, a occhi sognanti, stretto stretto a un *Prigione* di Michelangelo. E in seguito, alla sfilata domenicale al night-club Monnalisa, dove Samuele Mazza, Barbara Bai e 00B (leggi: zero-zero-bi) hanno presentato al pubblico le proprie creazioni. Ecco tutto un fascino da Orient Express per Samuele Mazza: vestaglie, foulard, sete, *arabesques*. Barbara Bai, invece, si applica ai vestiti come Lucio Fontana ai quadri, tagliando e scoprendo non solo ombelichi.

La morale che si trae, alquanto seriosamente, è che una produzione di questo genere, può solo essere destinata a quel grande mercato costituito dal "pubblico della moda", analogamente a quanto si diceva negli anni settanta riguardo al "pubblico della poesia", scoprendo che gran parte dei lettori dei libri di poesia altro non erano che poeti. Così i pantaloni da ciclista, i reggicalze da uomo, le giarrettiere, i muscoli scoperti, i top e i *bustiers* per culturisti, se li contenderanno solo commesse e sartine e checchine, camerieri e baristi di Ibiza e Riccione, certo non i ragazzi bene che frequentano i circoli del tennis.

Ma questa edizione di Pitti Trend ha prodotto anche un video, *Flags*, per la regia di Luciano De Gioia, assai interessante perché ci riporta ad alcune considerazioni milanesi avanzate all'indomani di *Défilé*, lo spettacolo-sfilata che Règine Chopinot ha allestito su costumi di Jean-Paul Gaultier, l'unico, grande, folle ispiratore di ogni *trend*.

Flags è un video molto azzeccato, veloce, ben montato, ricco di soluzioni a effetto, pieno di arguzie, come quella di distinguere un gruppo di alieni che sbarcano a Firenze solo dalle bandierine colorate che portano sul viso e che riproducono i colori nazionali dei vari stati. Sembra in sostanza che l'argomento "moda" (e tutto il denaro che comporta) sia ancora troppo forte e troppo sacro per permettere libertà di movimento e di invenzione e di ironia, sempre troppo frenetici gli applausi e le grida di consenso. Troppi gli assensi e gli stupori. Troppo convinti pubblico e operatori. E a ragione, visto che il settore continua a crescere, produce utili, trasforma, nel volgere di una stagione, un anonimo sarto in arbitro del gusto e dell'arte.

Manifestazioni collaterali:

– Un concerto al teatro Tenda degli Psychedelic Furs, concerto tiratissimo e ad altissimo volume, con un sacco di sbarbi dentro e fuori, e a noi che s'arrivava un po' tardi qualcuno, sfrontato, chiese: "Ohi, ma c'è un concerto?", come se tutta quella musica straripante in strada e quella voce sabbiosissima di Richard Butler potessero essere confuse con la *Messa di requiem* di Verdi (e in questo caso, allora, avremmo risposto a tono: "No, è un funerale!").

– Una mostra di design curata da Maria Luisa Frisa e Mario Lupano: *Bestiario: oggetti di affezione*.

– Un tentativo di opera d'arte totale nel campo della moda: *Trend cuisine*, presentato dallo Studio Molto, con tartine e pasticcini ipercromatici e, difatti, anche il salmone e il caviale sembravano, a vedersi, tante cassatine.

– Un party *chez* Sandro Pestelli per la presentazione di una linea di camicie: ragazzotti in vetrina, spumante, salatini, tantissima fauna che straripava in strada con i bicchieri e i cotillon, dando al party una bella immagine East Village, con flash di polaroid sparati in faccia e i ragazzi della *Voce del Boper*, una fanzine demenziale e divertentissima, capitanati da un Neri Torrigiani e da un Ruben Modigliani *glamorous* e leggero, come solo certi ragazzi, a Firenze, nella capitale, sanno essere.

[1986]

ATELIER GIOVANI

Milano sembra stia rinverdendo i fasti della capitale italiana delle arti figurative. Nel giro di una stagione si sono aperti ben dieci spazi espositivi fra gallerie multimediali, come Décalage, e caffè che, ogni mese rinnovano i quadri alle pareti, tutti rigorosamente di giovani artisti non ancora scoperti dal mercato. Dal Centro Europa arrivano gruppi di giovani artisti che girano la città alla ricerca di soffitte, scantinati, depositi, saloni, fabbriche, garage da ristrutturare e adibire ad atelier di pittura o loft. È sufficiente frequentare la girandola dei *vernissages*, che in certi giorni si accavallano con il ritmo delle sfilate di moda, per trovarsi immersi in questo nuovo pubblico dell'arte, in maggioranza sui trent'anni, che magari, fino a qualche anno fa si occupava soltanto di concerti pop e che oggi segue, con interesse e perizia, le nuove vicende dell'arte italiana, assurta agli onori del succcsso internazionale grazie al fenomeno Transavanguardia.

Nel caleidoscopico esterno milanese, in cui si rifrangono le mille sfaccettature dei percorsi artistici di questi ultimi anni, è però ancora possibile rintracciare qualche proposta che appassiona, che allontana il turbinio delle mostre, dei party, dei cocktail, delle sfilate, per ridare centralità all'opera, al testo pittorico, al quadro, e riproporre così il fascino di un'esperienza che cerca nello spazio della tela la propria verità.

Lungo il Naviglio Pavese, in una rientranza di Via Ascanio Sforza, luogo milanesissimo che subito appare come il set di una pagina di Giorgio Scerbanenco, una leggera bruma vaporosa che certo non è quella di Georges Simenon – lo scorrere dell'acqua metallica sotto un'infilata di ponti, le fabbrichette, la tabaccheria-vineria, il vecchio con il cappello calato sulla fronte e la Nazionale in bocca, la donna sulla porta, gli operai con le tute, i muratori, gli artigiani che attraversano la strada, poi, rapidissimo, il bagliore rosso di una Ferrari – qui, lungo il Naviglio, alcuni giovani artisti hanno installato i loro studi, ristrutturando i locali di un ex laboratorio artigiano: grandi finestre e tutto un saliscendi di stanze che si sviluppano, su tre piani, per oltre duemila metri quadrati.

Mentre si attende l'arrivo nel loft all'ultimo piano dello svizzero Martin Disler, uno dei maggiori protagonisti internazionali dell'arte di questi anni, hanno trovato il proprio luogo di lavoro quattro giovani artisti: Angelo Barone, Lorenzo Gatti, Marcello Lo Giudice e Marco Nereo Rotelli. Quattro differenti modi di vivere la pittura e l'arte, avendo in comune soltanto l'età.

Tutto comincia nel luglio del 1986, quando Marcello Lo Giudice, siciliano di Taormina, milanese da qualche anno dopo un soggiorno universitario a Bologna per laurearsi in geologia, scova, tramite amici, questo fabbricato all'ombra del Naviglio. Lo spazio è ottimo per ospitare una serie di atelier, per dare vita anche a Milano a una situazione analoga a quella del rione San Lorenzo nella capitale, dove la "nuova scuola romana" (Nunzio, Pizzi Cannella, Ceccobelli, Gallo, ecc.) lavora gomito a gomito in un unico stabile; o come quella dei giovani napoletani di Idra Duarte, riuniti nelle ariose stanze di un ex convento, a Posillipo. Voglia di lavorare in gruppo, di confronto giorno dopo giorno tra artisti, di proposizione di una scuola, di un indirizzo comune? Niente di tutto questo, per i quattro milanesi.

"Il rapporto con gli altri artisti," afferma Lo Giudice, "è un rapporto di amicizia. Insieme si fanno discussioni sulla pittura. Confronti interessanti, ma, dal punto di vista artistico, forse ininfluenti. D'altra parte, è anche vero che da quando lavoro qui, ricevo più stimoli, sono meno isolato, trovo anche più piacere a venire in studio."

Per Marco Nereo Rotelli, trentunenne di Venezia, una laurea in architettura lasciata da parte, è invece importante "partire dalla disillusione di non poter fare più gruppi, dalla certezza spietata della fine della *bohème*." Rotelli spiega tutto ciò seduto su una poltroncina nella zona soggiorno del suo studio, arredata come *Nove settimane e mezzo*: veneziane argentee, mobili e arredi *high tech*, un tocco romantico di Alchimia. Usa un linguaggio che vorrei dire strutturalista, colto. Dice: "Il lavoro deve nascere da una scelta precisa, etica, di fare i conti con i mezzi interni al linguaggio che si usa. La tela diventa un corpo luminoso." Ecco grandi opere in cui la sovrapposizione delle luci e dei colori dovrebbe produrre evaporazioni, condensazioni, venti e soffi di energia. Le zone fredde si riciclano, senza evolversi in quelle calde. Non c'è fusione sulla tela, c'è forse un io mistico, mi sembra, che separa e lavora quel magma e ne plasma i riflessi.

Se l'idea di Rotelli del lavoro dell'artista, oggi, può riportare anche certe valenze del "corpo glorioso" di Antonin Artaud, le tele di Lorenzo Gatti, possono gettare subito in campo un altro genio della ricerca teatrale contemporanea: Adolphe Appia. Nei lavori di questo compostissimo, quasi distaccato, trentenne, che ha vissuto a Bruxelles e che ora è definitivamente a Milano, ecco costruzioni praticabili: fortini, rocce, prosceni e quinte, come in una scenografia di luci e volumi consistenti.

Nei suoi bellissimi sviluppi di una linea Maginot (ora assolutamente futuribile, ora arcaica e primordiale, ora ironica nel fare il verso a certe costruzioni balneari degli anni trenta, ora imponente nel sovrapporsi degli spazi come in una piramide azteca), c'è infatti una consapevolezza architettonica e scenografica che ambiguamente gioca, nello sguardo, tra immagini ludiche di castelli di sabbia e inquietanti spiragli di un "ultimo domicilio conosciuto".

In Lo Giudice, invece, siamo di fronte, secondo le sue esatte parole, "a una pittura informale che diviene rappresentazione". E difatti, di fronte alle immagini trabordanti di colate laviche, mareggiate, scogli, boschi, trasformati da un estro coloristico e gestuale che, secondo il critico Giorgio Verzotti, ha quasi del *fauve*, vien da pensare che quel suo amore per la geologia, per gli eventi naturali, per gli scontri di acque e di terre e di lave, non sia stato coltivato invano. Una vitalità e una capacità di guardare la natura per successive osservazioni che vorremmo chiamare, magari scherzosamente, "postimpressione".

Del fiorentino Angelo Barone si ricordavano cartoni di svariati formati e dai colori pastello tenui e quasi infantili. Da quelle opere che già tendevano al tridimensionale, oggi Barone è approdato a una scultura vera e propria, che gioca sempre, però, con la carta, le superfici leggere e scrostate.

Niente dunque che possa accomunare il vitalismo mediterraneo di Lo Giudice al "costruttivismo" scuro di Gatti, i clamori vaporosi e densi di Rotelli alle superfici tridimensionali di Barone. Niente se non questo rinnovato interesse per una città, Milano, che permette, ora più che mai, il confronto tra le varie idee e i vari progetti artistici, guardando da vicino il soggetto più importante dell'arte di questi anni: l'Europa.

[1987]

CARLO MARIA MARIANI

Carlo Maria Mariani è nato a Roma nel 1931. Ha frequentato l'Accademia di Belle Arti. La sua pittura si ispira alla forma ideale della bellezza neoclassica. La imita, la ripropone, la ricalca; in qualche caso, rifacendola, la corregge. Per questo, fin dagli inizi, i critici hanno parlato di "pittura colta", di "anacronismo", di "citazionismo", anche se, probabilmente, la definizione più appropriata è quella data dallo stesso Mariani: "Pittore come storico dell'arte." In questo atteggiamento risiede la natura concettuale dell'opera di Mariani, la sua idea dell'arte e del lavoro dell'artista.

(*Conversazione con Carlo Maria Mariani nel suo appartamento romano, a due passi da Piazza Navona. Tardo pomeriggio di novembre. La casa è al buio. In una grande stanza adibita a studio si scorgono, nella penombra, addossate alle pareti, alcune grandi tele. Sono coperte da drappi, lenzuola, o mostrano il retro. Si tratta degli ultimi lavori che Mariani, scaramanticamente, non intende, per nessuna ragione, mostrare. L'intervista avviene in un angolo della stanza, sotto la finestra, davanti a un piccolo tavolo ingombro di carte, appunti, lettere, fogli, agende. L'unica fonte di luce è data da una lampada da tavolo. Mariani risponde alle domande molto lentamente, con diffidenza. Fa lunghe pause. Parla con una voce profonda, nitida, da attore. Superato il disagio iniziale si lascerà andare a qualche sorriso e a qualche ironia, continuando tuttavia a dare l'impressione di un discorrere controllato e sorvegliatissimo.*)

"Prima di venire a questo appuntamento, mi sono trovato a passare davanti a San Luigi dei Francesi. Sono entrato per rivedermi Caravaggio. Forse si è trattato di un modo inconscio di prepararmi a questo incontro."

"Ah sì?... Ogni tanto, se la chiesa è aperta, entro. Mi piace molto riguardare... Caravaggio è stato un mio grande amore."

"E cosa pensa quando è lì?"

"Mah, c'è sempre gente... Sono giunto a uno stato di idiosincrasia... (*Ride.*) per la folla. Più vado avanti, più mi isolo. Beata solitudo, vera beatitudo... La mia compagnia me la faccio qui... È una compagnia mentale. Non è molto divertente, alle volte."

"Come si è trovato a identificare nel periodo neoclassico la fonte della sua ispirazione?"

"Vorrei chiarire... Ho sempre voluto chiarire che il mio lavoro, e l'interesse per quel periodo, sono nati nelle biblioteche e negli archivi. Non nelle pinacoteche. Questo è molto interessante, perlomeno credo."

"Sì, certo. Si tratterebbe di un'ispirazione letteraria."

"Mentale, appunto."

"In questo senso, anche concettuale."

"Indubbiamente concettuale... Nel senso che, attraverso la lettura, non so per quali... misteri, per cui uno, a un certo momento, venga proiettato e vada, così, a interessarsi di leggere testi di Winckelmann, Karl Philipp Moritz e dello stesso Mengs. La cosa mi interessò molto... Sentii... Non so. Mi si aprì un mondo, un universo, un qualcosa che mi faceva appunto riabbracciare il mito della bellezza, dell'armonia."

"Quando successe?"

"Be', fine '74, primi '75. Quando eravamo in piena... in attività di happening, performance e... (*Ride.*) Ed era naturalmente peccato mortale dipingere. Non solo, ma poi figuriamoci guardare a..."

"Lei dipingeva già da molto tempo?"

"Molti anni fa, da giovanissimo, ho fatto... ho svolto un po' di attività per vivere: lavori commissionati, qualche affresco nelle chiese..."

"Dove?"

"Questo fa parte di un lato misterioso che si conoscerà *post mortem*.... (*Ride.*) Le Accademie di Belle Arti non mi hanno mai voluto... Per me, era il pane... Mi sono fatto le ossa. Svariate migliaia di metri quadri di pareti! Ho affrontato vaste dimensioni. Absidi, catini... Ho dipinto ovunque."

"Perché non mi dice dove sono?"

"Non si può ancora dire."

"Veramente?"

"Ancora no. Lo lascerò scritto nelle mie memorie."

"Forse ha ragione. Bisognerà pur lasciare agli studenti..."

"Vent'anni fa, insomma... Sono cose dignitose, ma..."

"... lasciargli un po' di materiale su cui fare la tesi di laurea."

"Ero giovane. Ero interessato a Caravaggio, al Correggio... Ancora prima ai Veneziani. Tintoretto fu, per esempio, il mio primo grande amore. Parliamo, però, di un periodo in cui ero ancora alla ricerca di... La folgorazione è stata, in quegli anni, per un periodo che ho sentito molto vicino al nostro."

"In che senso?"

"Nel senso che i signori di quel tempo erano... Mi pare soffrissero di molta nostalgia, di senso di impotenza, addirittura, di fronte ai capolavori dei maestri del passato. Sì, c'era in loro questa grande sofferenza nel volersi misurare con l'arte antica, con la bellezza dei classici, essendo però consapevoli di non poter mai raggiungere quella perfezione e quella sublimità. E mi pare, appunto, di accomunare forse anche ai tempi nostri qualcosa che ci rode nell'animo... Non so..."

"Un senso di impotenza?"

"Impotenza, sì, di giungere a questa alta idealità."

"Mi sembra di capire che per lei l'idea di bellezza sia stata formalizzata una volta per tutte. Si può solo ripetere."

"Direi di sì... O perlomeno io... credo di aver percepito questo."

"Come lavora?"

"In genere, eseguo prima un cartone, appunto perché quando vado sulla tela... Insomma, la mia non è una pittura di getto, non affronta la tela così direttamente. C'è tutta una preparazione riguardo al tema, alla composizione..."

"Si tratta di un procedimento classico..."

"Ma sì. E poi è la pittura che va a stesure. Prima abbozzo, poi aspetto che si asciughi un po', poi torno ancora sopra, poi di nuovo la terza volta, la quarta, fino a che considero... così, che vada bene."

"Per gli incarnati usa una base di colore?"

"No. Vado immediatamente con una tonalità che, più o meno, può essere quella dell'incarnato. Poi, piano piano, accentuo sempre più la luminosità. È un lavoro di gradazioni di luce... Piano piano, fino a intensificare tutto. È un lavoro lungo."

"I ritmi della contemporaneità le sono estranei... Le sollecitazioni dall'esterno, anche del mercato dell'arte?"

"Be' so di certi artisti... Chia, per esempio, non mi sembra velocissimo. Anche lui impiega tempo. Forse sono i 'Selvaggi' tedeschi a essere velocissimi..." (*Ride.*)

" 'Io non sono un pittore, io non sono l'artista, io sono l'opera.' Questa è, probabilmente, la sua affermazione più famosa..."

"Sì... Io sono il quadro stesso. Ci riportiamo qui agli inizi, quando mi sostituivo a un artista del passato per completarne un'opera che era rimasta incompiuta oppure non era, addirittura, mai stata eseguita. È il caso della mia testa dell'*Arcangelo San Michele* di Guido Reni. Nasce tutto da una considerazione di Winckelmann, certamente irriguardosa verso Guido Reni. Winckelmann, insomma, afferma che, se la testa di questo arcangelo fosse stata dipinta da Mengs, il risultato sarebbe stato molto, molto più sublime. In questo caso, diciamo che voglio fare un favore a Winckelmann. Mi sostituisco a Mengs e provo, appunto, a rifare questa testa sublimandola... E, visto il risultato, penso che ora anche Winckelmann sia contento. Ho fatto l'impossibile. In questo caso, sono il quadro stesso. Mariani non esisteva."

"Eseguirebbe dei falsi?"

"Non lo so... È difficile dire... Mi prenderebbe troppo tempo, e io non ne ho. (*Ride.*) A meno che non si trattasse di una commissione... ben pagata! Mettiamoci pure un tantino di vanità! L'ha fatto anche il Mengs con *Giove e Ganimede.*"

"Ma in quegli anni un po' difficili, all'inizio della carriera... Sul serio, non ha mai pensato di eseguire falsi?"

"No. Era già nel mio lavoro questo fatto di sostituirmi a un altro artista. In un certo senso... c'è qualcosa di falso, no?"

"Cosa stiamo ascoltando?"

"Ah, il giradischi?... È Händel... Un acquisto fatto pochi giorni fa. Sono concerti per organo. L'organista è Karl Richter... È la mia droga. Ascolto musica in continuazione."

"Quando lavora?"

"Sì, sì... sempre. È veramente importante, per me."

"Solo musica classica?"

"Questo fa parte anche un po' di uno strano fenomeno che mi ha sempre accompagnato fin da quando ero bambino: una misteriosa, fortissima attrazione per il passato... Qualcuno l'ha spiegato in termini esoterici, ha parlato di reincarnazione... Una materia alla quale mi sono sempre interessato. Anche il mio lavoro attorno agli artisti della fine del XVIII secolo non è una cosa che ho affrontato freddamente, ma veramente l'ho vissuta... C'è sempre stata in me questa curiosità di rivivere, di penetrare più che fosse possibile la vita di questi personaggi, per esempio ricercare, nella città, le tracce del loro passaggio o dei loro soggiorni."

"Qui a Roma?"

"Ho scoperto cose che neppure gli storici sanno!"

"Cosa ha scoperto? Dove abitava Mengs?"

"So dov'è sepolto Mengs... Non lo sa nessuno. Ed ecco qui che si verificano fenomeni stranissimi, perché in alcuni vecchi documenti d'archivio... Io frequentavo l'archivio dell'Accademia di San Luca..."

"Vicino a Fontana di Trevi?"

"Sì, quello. Da quei documenti risultava che Mengs fu sepolto in una tal chiesa 'in Sassia', qui a Roma. Ma non si specificava dove. Allora mi sono messo alla ricerca. Mi ricordavo che c'era una chiesa, vicino a San Pietro, che si chiamava Santo Spirito in Sassia. Purtroppo non era quella. Cominciai a girare lì intorno, nei negozi anche. Andai nei bar. La gente mi guardava come uno strano animale. (*Ride.*) Io chiedevo: 'Sto cercando una chiesa al cui interno dovrebbe trovarsi... eccetera.' E loro: 'Ma è morto? Da quanto tempo? Dieci anni? Due anni?' 'No, no,' dico, 'molto tempo fa...' (*Ride.*) Insomma, alla fine... io sono stato... A un certo momento... ho sentito proprio il bisogno di fare un giro intorno al colonnato di San Pietro. C'è una scala di un grande edificio, una scala molto ripida che porta in cima, dove adesso c'è una scuola privata, ma che io a suo tempo... Frequentai lì le elementari! E davanti a questa scuola, c'è un cortile, e lì una chiesa piccolissima, minuscola, che era la chiesa della scuola che io frequentavo. Lì è sepolto Mengs."

"Ricorda come si chiama?"

"Aspetti... No, non ricordo precisamente... È così, insomma. Ho avuto molte altre cose stranissime, direi sul piano magico. Si è stabilito con taluni artisti del passato... veramente un rapporto."

"Cosa ha scoperto ancora?"

"So dove ha abitato Angelika Kauffmann. Oggi è l'hotel Hassler, in Via Sistina. C'è ancora un po', penso, del suo giardino. Si entra da un'altra strada... I Gesuiti... Ho dovuto chiedere un permesso."

"E com'è arrivato a questa indicazione?"

"Scartoffie... Andando a scoprire, studiando, rovistando. Tendevo anche a rivivere, avere certi ricordi, calpestare la stessa strada..."

"Capisco come la definizione di 'storico' le vada un po' stretta. Si tratta più di un lavoro medianico."

"Tanto per dire... Vede questa brutta stampa inglese? Riproduce un'opera di Angelika Kauffmann: *Cupido e Frosina*... Il primo giorno, tanto per restare a fatti strani, la mattina, ero riuscito a sapere dove abitava la Kauffmann. Andai a vedere. Rimasi turbato da questa scoperta... Il giardino... Nel tornare, feci Trinità dei Monti e scesi per la scalinata in Piazza di Spagna. C'era lì, casualmente... 'Casualmente', no... è uno sbaglio. Come diceva Goethe: 'Il caso è una zuppa fatta dai furbi che mangiano solo gli stolti.' (*Ride.*) Il caso non esiste. C'era uno di quei vecchietti che vanno in giro con tricicli pieni di roba vecchia: vecchi candelabri, vecchi ferri... E così ci vado a finire contro e vedo questa stampa. L'ho riconosciuta subito. Era lì... Ho sceso la scalinata e l'opera era lì."

[1987]

IGNORABIMUS

Come ricostruire una sequenza di interni berlinesi, datata (disgraziatamente) 13 maggio 1912, in un padiglione di una vecchia fabbrica pratese, un ex laboratorio di tessuti che sorge nell'immediata periferia, fra bellissime ciminiere in mattoni alte trenta metri e capannoni e padiglioni e officine tutt'ora funzionanti, ma destinate a manufatti ben meno gloriosi di quelle merci che fecero la fortuna di questo comune alle porte di Firenze?

Luca Ronconi, insieme alla sua giovane scenografa Margherita Palli, ha scelto la strada della sontuosità cantieristica per la messinscena del dramma di Arno Holz *Ignorabimus*, portando all'interno dello spazio teatrale tutta quella manualità, quella concretezza, quella estrema fisicità del lavoro materiale che, camminando all'esterno, salta subito agli occhi: cumuli di sabbia, container di ghiaia, macchinari industriali, sacchi di cemento...

All'interno dello spazio teatrale vero e proprio, gli stessi muratori e garzoni che trovereste in un cantiere edile. Mentre le attrici si preparano alle prove, il silenzio del capannone è incrinato dal raschiare di una cazzuola contro una parete, dal ronzio di una betoniera, dagli schiaffi di intonaco grezzo che un calcinaio, energicamente, sbatte contro le pareti di laterizio appena innalzate. Più che i soliti falegnami e attrezzisti e elettricisti che girano per i palchi nei giorni dell'allestimento di uno spettacolo, qui a Prato, per *Ignorabimus*, la nota inedita è data appunto dai muratori e dai capomastri.

Con il suo consueto titanismo spettacolare, le sue macchinerie testuali e scenografiche, il suo strutturare gli spazi attraverso costruzioni praticabili e torri, anche questa volta Ronconi cerca uno spazio particolare, uno spazio pesantissimo, non trasportabile, un luogo su misura, che possa esistere solo nel "qui e ora", praticamente un set cinematografico, effimero e storico nello stesso tempo.

Il soffitto del teatro è stato livellato, una gettata di resina antracite ha innalzato il parterre di qualche centimetro per poter accogliere una pavimentazione sintetica che riprodurrà l'effetto del marmo. A lato dello spazio destinato al pubblico e riformulato in gradinate da aula universitaria, i muratori hanno innalzato pareti alte fino al soffitto, una delle quali con una vasta finestra che permette di scorgere, al di là, una scala in ghisa. Ai lati, immense colonne che si sposteranno, su binari, per scandire gli ambienti previsti dal copione: la sala rosa, la sala da musica, la camera da letto. In questo modo, tutta la sala diventa il palazzo, e la sensazione, per lo spettatore, è quella di entrare in un ambiente totale e coinvolgente, una assolutizzazione dello spazio teatrale che già altre volte, in diversi modi, Ronconi ha operato: dalla piazza dell'*Orlando Furioso* alla serra spoletina degli *Spettri* di Ibsen.

L'impressione è quella di entrare in una reggia borghese in cui lo spazio è dilatato e, nello stesso tempo, massiccio, greve, cupo: una reggia di Tebe in calcestruzzo e marmo per una tragedia moderna di spiritismo e occultismo, di horror e colpevolezza.

Ignorabimus è un dramma di cinque atti per cinque personaggi scritto da Arno Holz (1863-1929) agli inizi del Novecento e rappresentato una sola volta, nel 1927, alla Schauspielhaus di Düsseldorf. L'azione vera e propria si svolge, in tempo reale, dal pomeriggio fino ai rintocchi della mezzanotte del 13 maggio 1912, ma fa riferimento a situazioni ed eventi accaduti anni e anni addietro, fino a quel momento fatale della colpa i cui effetti, per generazioni, ricadranno sui discendenti. *Ignorabimus* è, in questo, una tragedia della colpevolezza: un tradimento commesso da un'avola nel momento stesso della morte del marito, un coito adulterino, cui ebbe il destino di assistere l'allora tredicenne figlio legittimo Ludwig Adrian Brodersen, e che produrrà un figlio, Dufroy Regnier, che a sua volta metterà al mondo due gemelle, Marietta e Marianne, la prima delle quali destinata al suicidio, il 13 maggio 1909, dopo il matrimonio con il professor George Dorninger e una relazione con il barone Uexküll.

Il giorno in cui la tragedia si svolge sono presenti tutti i personaggi che abbiamo nominato più Marietta, il cui spirito parlerà tramite le doti paranormali della sorella gemella. Che cosa succederà nella casa-palazzo in quelle otto interminabili ore? Disquisizioni scientifiche e filosofiche, agnizioni, tradimenti, adulteri, sedute medianiche, omicidi, predizioni tragiche, superstizioni, terrore. Cinquecento pagine e quattromilasettecentottantadue didascalie che spezzettano il testo, indicano la voce, l'accento, lo stato d'animo dell'attore, prevedono rumori fuori scena come l'avviarsi del motore di un'automobile, il canto degli uccelli in giardino, l'abbaiare di un cane, il trotto dei cavalli, lo scalpiccio delle ruote di una carrozza sul selciato. Tutto maniacalmente fedele ai principi della messa in scena naturalista, tutto preso sul serio come solo un buon prussiano potrebbe fare, tutto paranoicamente previsto: il fruscio di un abito, il rintocco di una pendola cui si dovrà sovrapporre una certa battuta, solo a quel rintocco, solo in quel preciso momento, né un attimo prima, né uno dopo.

In questo senso, girando per i camerini e l'enorme spazio dell'azione, il compito delle cinque attrici, Edmonda Aldini, Anna Maria Gherardi, Marisa Fabbri, Franca Nuti e Delia Boccardo, unica a impersonare un personaggio femminile, appare titanico: uno sforzo non solo della memoria, ma anche di una mutazione fisica sadicamente imposta dal regista: le quattro attrici reciteranno nei panni dei protagonisti maschili. E non solo maschi, pure vecchi.

Marisa Fabbri, nel camerino, ripassa il testo, conscia della difficoltà dell'impresa, ma come le altre protagoniste eccitata, pungolata da uno sforzo ai limiti del possibile. Il problema di *Ignorabimus* è che, trattandosi di un testo naturalista e nello stesso tempo tremendamente antiletterario, qualsiasi aggressione caratteriale e delle psicologie e dei comportamenti stonerebbe. "L'unica soluzione," mi dice, "è costruirsi una maschera paragonabile a quella della tragedia greca, una maschera perfetta da cui uscirà, con un grande effetto spettacolare, una voce diversa." E anche qui, nella recitazione come nella scenografia e nel testo, ecco mescolarsi diversi piani drammaturgici: la tragedia greca, il dramma borghese nordeuropeo, il sacro, il mistero, il feuilleton, il naturalistico, l'horror.

L'impianto monumentale della scena e il titanismo del lavoro con gli attori, in questi momenti di prove, danno realmente l'impressione di trovarsi su un set cinematografico in cui tutto (macchinerie, luci, operai, attrezzisti, attori, staff tecnico) agisce nello stesso punto e nello stesso momento. Quello che è straordinario e a cui non avevo mai assistito, quello che appare di un'intensità estrema, già spettacolo, già rito, è il modo di lavorare di Ronconi e delle sue attrici. Mentre un équipe giovanissima siede alla consolle e controlla le piste sonore degli effetti fuori campo, ecco Ronconi alzarsi continuamente dalla sua posizione e raggiungere le attrici. Si sta provando un dialogo a tre del primo atto. In scena Delia Boccardo (Marianne), Franca Nuti (Dufroy Regnier), Edmonda Aldini (George Dorninger), mentre Anna Maria Gherardi, elegantissima e diafana, assiste in silenzio.

Il suggeritore è appostato alle spalle delle attrici. L'Aldini deve scendere da una scala e raggiungere padre e figlia nel salone. Ronconi si alza, interrompe la discesa di Dorninger. Struttura in modo diverso la battuta della Boccardo, facendola eseguire in tre parti: una accanto a un tavolo, la seconda cinque metri più a lato, il finale in corsa verso il proscenio secondo una scansione geometrica di linee e percorsi. In questo modo, per farsi udire, l'attrice deve modulare la voce in modo diverso, pensare alle pause, prendersi il fiato per la corsa verso gli spettatori: e Ronconi la segue, la bracca, la stringe, le sta al fianco, la incita, la lascia e continua da solo, a memoria, risedendosi al tavolino di regia. Poi si alza di nuovo, la battuta è formulata in modo ancora diverso: l'Aldini scende le scale, Ronconi si alza, corre, si siede accanto alle attrici, recita tutti i personaggi, si risiede, continua a recitare da solo. Scappa di nuovo verso il fondale. Il suggeritore corre con il copione aperto. Conto sul mio taccuino almeno trenta ciak per la seguente battuta dell'Aldini: "E non solo intellettualmente, ma sostanzialmente, in bene e in male, della nostra intera razza civilizzata, moderna, orgogliosa della sua cultura, dominatrice del mondo..." Ne conto trenta di quei "sostanzialmente" ripetuti in piedi, in ginocchio, con un accento, con un altro, dietro il tavolo, davanti, in diagonale verso gli spettatori, con le spalle voltate, di fronte, con il viso piegato, con cattiveria, con acrimonia, con comprensione, con orgoglio... Ronconi imbocca, la Aldini interpreta, il suggeritore legge con voce piana e uniforme. D'improvviso, lasciando perdere il conteggio, mi trovo assolutamente in preda a queste tre voci diversissime che si accavallano, si ripetono in moduli tonali differenti, si danno la caccia, si braccano, si sovrappongono come in un canto sacro. "Sostanzialmente!" "Sostanzialmente..." "Sostanzialmente." Un *décalage* di intensità e di riverberi per arrivare a un training della parola e dell'emissione che è il vero cuore, probabilmente, di questo testo bollato, un po' bruscamente, come "lungo e farraginoso dramma naturalistico", ma la cui verità risplende in un meccanismo testuale definito della parola a orologeria, "della scrupolosa imitazione della lingua parlata" (G.A. Borgese). Ronconi è, in questo momento, un ricostruttore verbale, un architetto della parola, uno strutturalista dell'emissione e della fonè. Quel suo modo di stare alle calcagna degli attori, di trascinarli, di interromperli, di andare avanti e indietro dal suo tavolo gettando ogni volta battute scherzose ai collaboratori, questo suo uscire ed entrare continuamente nella parte dell'attore e del drammaturgo, è veramente spettacolare, così come la concentrazione di tutte le attrici: il senso di assistere a un evento irripetibile con tutto il contorno che solo un palcoscenico durante l'allestimento può dare, dove, insomma, il gioco ripetitivo della finzione ancora non scatta e tutto viene vissuto intensamente.

Lo spettacolo vero e proprio, la messinscena completa e perfetta sarà, al pari della copia cinematografica, il frutto di un laborioso montaggio, il cui respiro, le cui pulsazioni altro non sono che quelle migliaia di ciak abbozzati e vissuti in questi mondi assoluti, durante la prova.

[1985]

LE TROIANE DI THIERRY SALMON

È uno degli spettacoli migliori degli ultimi anni, forse addirittura del decennio. Ma certo la compressione emotiva, il dolore tangibile, la pietà che avvolgono queste *Troiane* di Euripide, realizzate dal giovanissimo regista belga Thierry Salmon, sono un avvenimento unico che mette a nudo, spietatamente, le capacità di soffrire e di sentire dello spettatore.

Prodotto dalle Orestiadi di Gibellina, con il concorso di innumerevoli altri organismi pubblici (dai Teatri Uniti di Napoli al comune di Milano, al festival di Avignone), lo spettacolo, da oltre un anno, si muove per l'Europa cambiando continuamente assetto. E non è difficile incontrare alcuni spettatori che lo seguono nei diversi allestimenti: dagli spazi gessosi dei ruderi di Gibellina, a quelli di Villeneuve, alla sala del teatro dell'Arte di Milano completamente svuotata e denudata. E sempre un gruppo di attrici e un coro che, a seconda delle nazioni ospitanti, è formato da ragazze tedesche, spagnole, francesi, italiane. Una trentina di donne in scena, e già questo è un impatto emotivo notevole. Poi la lingua, il greco antico. Poi i cori musicati da Giovanna Marini e le scenografie, soprattutto tracce segniche, dell'artista Nunzio.

Appena si entra nel teatro, ci si trova immersi nel dramma: figure di donne che attendono sulle gradinate, sparse a gruppi, riunite a coppie o isolate come Elena. Il silenzio è irreale. Si prende posto, e già si scorge lo sforzo di concentrazione delle attrici che camminano nervosamente, che chinano la testa, che salgono e scendono dall'anfiteatro. Poi, improvvisamente, lo spettacolo scatta. L'impatto con la lingua greca è dapprima spiazzante. Ricordi liceali, qualche stasimo che si riconosce, qualche aggettivo o aoristo o participi medi. Ma non si capisce e allora si cerca di individuare i personaggi, di leggere qualcosa sul programma di sala e si sbaglia. Bisogna soprattutto guardare questo spettacolo, lasciare andare gli occhi e aprire bene i sensi, sentire i canti, fissare un corpo, un gesto, il movimento dei piedi nudi, il raggrupparsi o disfarsi delle donne, il loro abbracciarsi, il loro toccarsi.

Alcuni studenti, intorno a me, hanno delle traduzioni del testo di Euripide nel tentativo di rintracciare le battute di Ecuba o di Cassandra. La loro insegnante ha una piccola edizione tascabile, e ogni volta che mi giro un po', per seguire un personaggio che sta correndo verso il fondo della sala, la vedo china sul libro. E penso, per un attimo, che forse ha preparato molto bene i suoi allievi alla rappresentazione, ma che ha completamente sbagliato il bersaglio. Perché raccontando la trama (ma che storia c'è da sapere?), narrando gli antefatti, discutendo la metrica, li ha preparati a un evento letterario, non scenico. A qualcosa di scritto e non di parlato, vissuto, cantato, suonato, colorato, profumato, sudato. E quando i ragazzi allungano il braccio e indicano i personaggi: "Quella è Elena, no è Andromaca", dimostrano, con quel loro indice puntato, che seguono lo spettacolo come una pagina scritta di cui stanno seguendo le immaginarie righe testuali.

E così si perdono la grandezza dello spettacolo: bisognerebbe non staccare mai gli occhi e le orecchie dal lavoro di quelle attrici che si sforzano, con una performance psicofisica ai limiti del crollo nervoso, del punto di rottura emotivo, di comunicarci il loro dolore e il senso della catastrofe: Troia è distrutta, gli uomini sono morti, e loro, un tempo regine, sono destinate, come prede di guerra, ai letti dei greci vincitori. Stanno lasciando Troia che già brucia. Tutto morirà per sempre, anche la discendenza di Ettore. C'è bisogno di capire qualcos'altro? Quando, a pochi metri da te, vedi gli occhi di un'attrice riempirsi di lacrime e subito dopo la scorgi fuggire lontana per nascondere, in un estremo gesto di pudore regale, il pianto, hai forse bisogno di una traduzione simultanea?

Ciò che è assolutamente straordinario in queste *Troiane*, è il rapporto ancestrale, morboso, quasi patologico che si instaura fra le attrici: da un lato un rapporto fatto di ricerca ossessiva degli altri corpi, di contatti, di abbracci, di carezze astiose e dure, di baci, di possessività, il pretendere che l'amica, la sorella, la figlia siano sempre inchiodate alla propria sofferenza, proprio incollate al corpo in una simbiosi regressiva, come regressivo è ogni volta il dolore; e, dall'altro, il rapporto più specificamente teatrale fra loro e la parte più sensibile del pubblico. Loro ti mostrano, dissotterrandoli, gli abiti dei loro uomini uccisi in guerra: miseri stracci che diventano simboli enormi del lutto. E tu, fissandole negli occhi, vedendo quelle braccia tese, sentendo il loro canto, tu, che cosa vuoi capire?

Non ho mai visto una rappresentazione così bella e forte e virile della femminilità. Le attrici sono bellissime: piccole o alte o magre o muscolose o dolenti o disperate o fiere o umiliate, incarnano la forza della vita, comunicano lo strazio della maternità, l'aberrante destino di essere, proprio nella loro essenza, nel profondo dei loro visceri, la culla e la tomba di ogni possibile vita, e, nello stesso tempo, dimostrando la potenza epica del loro soffrire, la consapevolezza di essere carne a cui sempre sarà strappata altra carne, anche la forza del ciclo della vita: non la speranza e neppure la catarsi (tutto si ripeterà per ogni donna che perderà il figlio o il marito o il fratello o il padre), ma la coscienza della ferocia della legge naturale.

La femminilità come il valore più alto dell'umano. Sono loro che danno la vita e che seppelliscono i morti. E il fatto di esprimere tutto questo in una lingua che non capisci, in qualcosa di arcaico, di orientale, accresce lo straniamento e il pathos: "Si trattò di avvenimenti, immagini, suoni il cui senso si formò allora, ma che non furono percepiti né definiti per mezzo delle parole; stanno al di là delle parole, e sono più profondi e ambigui delle parole" (Canetti).

D'altra parte, la grandezza interpretativa di queste attrici ha a che fare pure con la declamazione e con la recitazione vera e propria. Il monologo di Elena e il successivo scontro a tre fra lei, Menelao e Ecuba, è forse il momento più alto dello spettacolo. E quando le troiane escono di scena, dirette alle navi dei conquistatori, puoi avvertire tutto lo strazio di quell'abbandono. Se ne vanno lasciando solamente le scarpe in terra. Il simbolo scenico è terribile.

È raro assistere, in uno spettacolo, a tanta pena e tanta sofferenza interiore. Eppure, quando si esce, frastornati e con gli occhi arrossati e gonfi, senza più parole, si riesce a guardare il mondo in un modo diverso. Le strade, il cielo freddo della notte, le automobili, sono diversi. Insieme all'amica che mi accompagnava abbiamo percorso a piedi certo più di qualche chilometro, senza riuscire a parlare. Poi, finalmente, davanti a una birra, abbiamo discusso, e nessuno è più riuscito a star zitto fino a notte tarda. C'era una grande voglia di buttar fuori, di espellere, come se la catastrofe a cui avevamo partecipato ci avesse incollati ancora di più, ci avesse fatto scoprire qualcosa di importante che ci teneva uniti, in quanto uomini, in quanto sofferenti degli stessi traumi. E questo, al di là del piacere estetico, è stato il dono più bello e più concreto dello spettacolo: farci risentire, in modo epico, la nostra precarietà e la nostra inestinguibile capacità di amare.

[1988]

UNA VISITA INOPPORTUNA

"Pronto? Pronto? Pronto? Qui Loretta Strong. Ho un topo nella vagina, ma è lungo a venire... Pronto? Pronto? La terra è esplosa! Sprofondiamo all'indietro! Allacciati la cintura! Torna nel frigorifero! Oddio partorisco!... Su questi satelliti non c'è neanche uno specchio... Vado a specchiarmi nell'acqua del water! Ah, un topo!..." L'anfetaminico Copi corre per il palcoscenico, reggendo il suo topo di peluche. Strilla, grida, piange, urla. "Pronto? Pronto?" Si nasconde nel frigorifero, entra, esce. I contatti con la base non rispondono. Interferenze. Equivoci. È su un'astronave che ruota intorno alla terra. O forse è solo il delirio e l'immaginario viaggio di una pazza, di una *loca* che ha preso troppe pasticche o che è troppo in là con il delirium tremens da vedere soltanto animali: pappagalli, coccodrilli, ragni e topi, come i Visitors.

Raoul Damonte, conosciuto con lo pseudonimo di Copi, disegnatore, umorista, attore, regista, commediografo, scrittore di romanzi surreali, lo ricordo così: leggero e isterico, sull'esiguo palcoscenico del teatro San Leonardo di Bologna per una delle prime recite in italiano di *Loretta Strong*. Si conoscevano le sue vignette della donna seduta, pubblicate in quegli anni su *Linus*, e anche alcuni testi teatrali come *Eva Peron* (1969) o *L'Omosexuel, ou la Difficulté de s'éxprimer* (1971). Ma quando lo si vide, piccolo, magrissimo, un folletto schizzato e imprendibile, fu una rivelazione. Poiché in Copi, nel suo teatro che solo gli accademici possono ancora definire semplicemente "surrealista", nei suoi fumetti incongrui, nei suoi romanzini deliziosi e folli, come *Le Bal des Folles* (1977), c'è non solo l'insegnamento di Alfred Jarry, ma la trasgressione, ben più profonda, di tutto ciò che il '68 ha rappresentato: la psichedelia, l'utopia, l'erranza, la rivolta contro ogni limitazione della fantasia, l'eccentricità dei riferimenti culturali, la follia come regno dell'immaginazione. Luca Coppola, che ne fu in parte il traduttore, annota: "Le creature immaginate da Copi, disegnate con un tratto ilare ed essenziale, e i suoi numerosi personaggi teatrali, hanno tutta l'arielesca anarchia della progenie degli Ubu, e anche quando parlano di merda o di cazzi, lo fanno con invidiabile leggerezza, come una tribù di angeli transitoriamente caduti in questo mondo."

In Italia, lo si era rivisto nell'allestimento di Mario Missiroli delle *Serve* di Jean Genet, con Adriana Asti e Manuela Kustermann. Anche qui correva da un guardaroba a un altro, faceva boccacce, si nascondeva sotto il letto, indossava gioielli e si avvolgeva nel tulle come in un bozzolo. Interpretava Madame, l'inarrivabile modello di eleganza e di potere delle due cameriere. Non si può dire che recitasse: solamente correva e saltava, emettendo "ooohhhh" e "uuhhhh". Ma anche durante le rappresentazioni delle sue *pièces*, chi può realmente dire che recitasse? Non era una parodia del gioco dell'attore, anzi, del travestimento? Dove avveniva la vera recita, cioè l'accadimento fasullo, dell'uomo Damonte-Copi? Sui boulevard parigini, sulle spiagge di Ibiza, nelle saune dell'Opera o sul palcoscenico? Quando, poco prima di morire, sconfitto "in piedi" dall'AIDS, andava ai ricevimenti scortato da un'autoambulanza, non era questo, ancora, un puro gesto teatrale, non solo esibizionista, ma proprio un metodo di rappresentazione del sé?

Copi recitava nella vita come sulla scena. Quindi non recitava affatto. E anche in questo, nell'abbattimento delle barriere fra arte e vita, possiamo scorgere quel fantasma sessantottino della rivoluzione (il teatro in piazza, la piazza nel teatro) che il piccolo, eccentrico argentino, naturalizzato francese, ha inseguito, come gran parte della sua generazione sul versante non dello scontro sociale, ma in quello dell'anarcoide ribellione interiore. Oggi, a un anno dalla scomparsa, debutta la versione italiana della sua ultima, bellissima, *pièce*, *Una visita inopportuna*, per la traduzione di Franco Quadri e la regia di Cherif.

Siamo nella stanza di un ospedale dove l'attore Cyrille (Giustino Durano), malato ormai terminale di AIDS, trascorre le ultime ore di vita, con grande efficienza, accudito da un'infermierona pasticciona e avida : "Non è il primo a promettermi l'Eldorado per la sua uscita d'ospedale. Farebbe meglio a trovarmi un posto nel testamento." E Cyrille: "Le mie perle non le sono bastate?"

C'è un professore ghiotto del foie-gras di Fauchon che poi si accontenta, proustianamente, di un gelato: "Un sorbetto alle fragoline di bosco! Mi evoca il profumo della mia balia a Deauville... Il mio primo triciclo... le passerelle del lungomare... crac crac... e la piccola vicina... Come si chiamava?... Era così carina con le sue treccine sul suo triciclino... Lilì, si chiamava Lilì!" E subito via, al reparto operatorio, per una lobotomia. "Una lobotomia per AIDS?" ci si chiede in scena. E il primario: "La lobotomia è il mio hobby, la pratico solo la domenica. Ma cosa vedo, una coscia di pollo?"

Al capezzale di Cyrille arriva Hubert (Umberto Raho), amante un po' snobbato, ma fedele. Al punto che distende sul letto del paziente rotoli di planimetrie: "Non volevo dirglielo, ma lei è già titolare di un mausoleo al Père Lachaise. Mi sono permesso questo regalo postumo, Maestro... Ho comprato un terreno proprio in faccia a Oscar Wilde, a due passi da Montherland." Cyrille urla. E Hubert, in tono perplesso: "Forse lei avrebbe preferito il cimitero di Montparnasse, che è più intimo."

Arriva un giovane giornalista per l'intervista di rito, e qui Cyrille, vedendolo bello e in forma, bamboleggia un po' con le sue tattiche di seduzione. Gli fa prendere appunti e rileggere le risposte. Gioca come il gatto con il topo. Poi si accende la pipa d'oppio e ha un attimo di generosità: "È il narghilè di Cocteau, me lo ha regalato quando ha smesso di fumare... Glielo lascerò in eredità, perché si ricordi di me in una notte di spleen."

Arriva finalmente lei, Regina Morti, cantante lirica, la visitatrice inopportuna del titolo della commedia, la Morte: "Appena ho saputo che lei era vicino al trapasso, ho deciso di abbandonare tutto e di restare al suo fianco fino al gran finale. Ho annullato tutti i miei contratti!" Cyrille tenta disperatamente di tenerla lontano, lei vuole congiungersi a lui, sul letto, subito. Gli dice che ha preparato un pantheon al cimitero di Genova e comporrà una cantata da eseguire subito dopo le esequie. Il povero Cyrille sta per soccombere. Lo salverà, per qualche tempo, una provvida coscia di pollo.

Le battute, le situazioni da pochade, le gag, i nonsense (qui meno che nei precedenti testi, come se l'ultimissimo Copi volesse dannatamente farsi capire parola per parola) procedono fino all'epilogo, quando Cyrille strappa il mantello a Regina Morti e si avvia a braccetto di Hubert, concedendogli finalmente il regalo di essergli sposa: "Non mi chiami più 'maestro', Hubert, mi chiami maîtresse." Sono *las cinco en punto de la tarde*. È l'ora. "Tenga il mantello, questa notte avrà freddo," suggerisce il tenero Hubert.

Copi è morto. È morto in teatro? È morto sulla scena? "O forse la vera morte ha qualcosa da invidiare alla morte ammantata di nero del palcoscenico?" si chiede filosofeggiando il professore. Dice bene Franco Quadri nel saggio sul programma di sala: "E dopo la morte finta che lascia sul terreno un Amleto mai creato, quella vera che colpisce il suo interprete, non può essere che una morte da teatro." Dice benissimo la sbadata infermiera, chiudendo lo spettacolo: "Dimenticare che è morto."

[1989]

7

FREQUENZE ROCK

MONDORADIO

Il Dream di Correggio è una piccola sala da ballo, un ingresso minuscolo, un solo bar, una pista larga come una scacchiera, divanetti scomodissimi sparsi un po' dovunque, luci pressoché inesistenti. Dall'esterno pare una qualsiasi bottega di paese, con la saracinesca avvolta nelle ore d'apertura. La domenica è frequentato dai ragazzini che vengono dalla campagna coi pullman: la solita fauna, s'intende, che potete incontrare al Marabù di Villa Cella (Reggio Emilia) o al Picchio Rosso di Formigine (Modena) o negli altri maxitempli dell'insensatezza giovanile, dove migliaia di sedicenni sembrano bramosamente inseguire più un abbrutimento collettivo che una reale esigenza di incontri, di scambio e di riciclaggio di storie; dove, in sostanza, il fare gruppo e spersonalizzarsi in mucchio sembrano l'unico modo per allacciare la propria individualità ad altre: inseguire, cioè, il mito sgradevolissimo e abbrutente di una pattumaglia giovanile come unica forma rappresentativa dell'immaginario collettivo under 20. E, infatti, le discoteche kolossal hanno letteralmente spazzato via tutta quell'altra razza dei topi di balera, dei giovanotti con macchine sportive e soldi in tasca che giravano fra i tavoli a rimorchiare commesse e cassiere e segretarie in minigonna o in jeans attillatissimi, quando appunto la musica non era così assordante e i propri virtuosismi e le proprie performance non si giocavano tanto sulla pista, ma proprio ai tavoli o sugli sgabelli degli american bar o nei precari séparé, ora appunto scomparsi non solo perché s'è perso il gusto del libertinaggio o del "far filo" (per arrivare dritti al sodo), ma proprio perché non si riesce materialmente a comunicare a parole. Come si fa con quel casino?

Nel suo piccolo, il Dream sembra rappresentare in un certo modo questa specie di evoluzione che le nostre discoteche hanno subito negli ultimi decenni. Sotto il nome Dream, infatti, è nascosto quello originario, il mitico night-club Corallo.

Nunzio Filogamo arrivò a inaugurarlo nel luglio del 1953 come locale di lusso, roba da provincia ricca lanciata verso il bim-bum-bam economico, quando sembrava che i soldi davvero girassero per le tasche degli italiani e che il nostro popolo fosse sul serio baciato dalla buona sorte e tutti si accendessero i sigarazzi coi dollaroni, dimenticandosi in sostanza, come prevedeva Luciano Bianciardi, che i "miracoli veri sono quando si moltiplicano pani e pesci e pile di vino, e la gente mangia gratis tutta insieme e beve e canta" e non quando i ricchi si accorgono di essere davvero ricchi e vanno in giro a spifferarlo a tutti.

Nella seconda metà degli anni cinquanta, il Corallo era un locale di lusso per i miracolati, con annessa pizzeria e orchestrine jazz e palloncini colorati al soffitto e spogliarelliste scandalose che davano il primissimo brrrrivido dell'integrale ai magliari carpigiani che, questi sì, che decollavano, alla faccia di tutti, decollavano e si sciacquavano le mani nel cognac, e appiccicavano il whisky al collo delle baiadere e versavano fiumi di champagne giù per le scollature delle ragazzotte e pagavano l'orchestra per suonare fino a mattina. Era il periodo dei veglioni, dei coriandoli, di una "dolce vita" provinciale cui accedevano non solamente i vari Solferino, Landini, Forti, ma anche gran parte del ben stagionato jet set parmigiano-reggiano e bolognese e, sembra ma non ci credo, persino milanese. Periodo poi brutalmente cessato. I correggesi sono stanchi dello scandalo e lo fanno scoppiare: insomma, quelle – chiamiamole *entraineuses* – non è mica possibile che girino il portico di giorno come brava gente e si mischino ai fanciulli; ah no, questo scempio ha da finire. Interviene la questura che revoca la licenza e chiude il locale troppo *osé*, e così fra il 1962 e il 1963 sembra già tutto finito.

Il locale poi vivacchia con tre gestioni che si succedono nello spazio di quattro anni, fino al 1967 praticamente, allorché viene rilevato dall'attuale proprietario e trasformato in Jockey. Via la pizzeria, nuovo l'ingresso, arredi cambiati, inserite luci psichedeliche, arrivano i dischi e i divanetti per i primi approcci sessuali del nuovo giovanissimo pubblico: del locale di lusso più nessuna traccia, il night-club è sepolto, la "dolce vita" sotterrata, dal dancing si passa alla balera di paese.

Il Dream porta poi un po' d'aria nuova nel 1976, altre modifiche strutturali, ormai è il tempo dei grandissimi locali e bisogna guerreggiarsi il pubblico. Ma il locale rimane emarginato dal giro delle balere buone, le prede s'involano verso altri lidi, la sala viene sempre più spesso affittata per veglioni di associazioni o circoli privati o club. Niente sembra fermare il percorso discendente di questo Sunset Boulevard paesano. Poi scoppia il fattaccio. Il 18 gennaio 1980 più di settecento giovani si danno appuntamento al Dream, la calca è spaventosa, non si respira ma c'è aria di grande divertimento, e buone vibrazioni si estendono a tutti: fuori, dietro il cancelletto restano in parecchi, venuti anche da lontano. Il bar è purtroppo sbancato, il Fernando ha le mani nei capelli: dopo mezzanotte si trova soltanto acqua minerale.

E allora? Non c'era nessun premio da vincere, l'ingresso non è dei più economici, non concerti o personaggi-*vogue* o strip di che so io. Niente di tutto questo. Un miracolo? Ma no, no. Soltanto un'idea geniale: una radio libera ci ha messo le mani, ha buttato tutto sul rock e, oplà, d'improvviso, torniamo in piena *renaissance*.

Si chiama Mondoradio Rock Station, è una cooperativa di venticinque soci, trasmette da nemmeno un anno dalla torre dell'orologio di Scandiano, Reggio Emilia, sulla frequenza di 94,300 MHz per ventiquattro ore al giorno. Trasmette solamente rock. Musicalmente è il punto di riferimento obbligatorio per tutte le altre radio libere. È la stazione più ascoltata dai giovani di Cavriago, Montecchio, Novellara, Reggio, Fabbrico, Boretto, Guastalla, Correggio. Tutta la bassa emiliana la riceve; la ricevono anche, per una strana interferenza, a Endine, in provincia di Bergamo, dove è nato il primo Mondoradio fan club; la ricevono persino a Madonna di Campiglio. Molte altre radio ne hanno imitato non solo l'impostazione, ma anche i vezzi, i tic che qualificano l'esuberanza di proposte e la facilità di iniziative. Tutti i collaboratori e i programmisti hanno una comune condotta di trasmissione in modo che in qualsiasi momento della giornata l'ascoltatore riconosca non tanto il disc-jockey, ma l'etichetta di Mondoradio. Parlano pochissimo in diretta, rispettano la musica che va in onda, fanno traduzioni, e in questo li aiuta Mary Conroy, ventiquattro anni, americana di origine irlandese, espulsa dall'Università della Virginia per motivi politici e approdata, chissà come, qui in prateria. Anna Zappacosta, sedicenne, è la stakanovista della redazione; Fausto Sassi, trentenne, magro e secco, il capo carismatico; Luciano Franzoni, stessa età, sindacalista, il commentatore politico; Roberto Barchi il presidente; Nello Zanni, biondino ventiquattrenne, sempre sorridente, uno dei disc-jockey, insieme ad Anna Nacci, universitaria, a Lello Pantani, grandi baffi scuri, e Lorenzo Manelli, studente a economia e commercio, ventidue anni, aria molto dolce, che per tutta la durata della nostra chiacchierata se ne è stato in disparte, ma non ha perso una parola. E poi tutti gli altri, che arrivano in questa nottata un po' ubriaca su alla torre per scegliere dischi, per bere, anche semplicemente per stare in compagnia e vedere facce nuove.

La sede è stata ricavata, con una paziente opera di restauro durata sei mesi, dalla rocca cinquecentesca messa a disposizione dall'amministrazione comunale di Scandiano, un paesotto di ventimila e poco più anime, adagiato sulla collina sventrata ogni giorno di più dalle fabbriche di ceramiche. Vedere le foto di come erano queste stanze nell'agosto dello scorso anno e poi alzare gli occhi ai pannelli acustici, struscicare i piedi sulla moquette, sentire lo squillo dei telefoni e il dling-dlong del citofono, toccare i muri imbiancati, ti senti dentro una grande ammirazione e ti senti anche pervaso da una ferrea volontà di agire e prendere la parola e dotarsi di strumenti con volontà, costanza e esuberanza, senza vittimismi e senza piagnistei e senza la logica in fin dei conti paralizzante e paranoica dello "star male" giovanile.

Ma una radio libera, per quanto importante, per quanto di successo, non basta a spiegare questi otto venerdì affollatissimi al Dream di Correggio, con gente che non si vedeva in circolazione da anni e l'avresti pensata minimo in Kenia e invece è risbucata fuori insieme ai freakkettini delle piazze, ai punk duri e scazzati della periferia, ai fighetti intellettuali, ai fumettari, ai pubblicitari, alle belle ragazze cui ronzano attorno alcuni sopravvissuti, sempre i soliti, sempre quelli, anche qui... Qual è stata la mossa vincente, allora? "Non solo essere venuti in discoteca," dice Fausto Sassi. "Non è la prima volta che una radio cerca un contatto diretto col suo pubblico, ma queste esperienze si sono dimostrate, il più delle volte, perdenti. Abbiamo cercato infatti non tanto di portare in discoteca la gente che già ci va, ma proprio coloro che amano troppo la musica per abbrutirsi con la disco music. Abbiamo detto: 'Portiamo il rock in discoteca, proponiamo la musica rock come un nuovo modo di stare insieme.'" L'intenzione, dunque, si è dimostrata vincente e ha reso palese, in sostanza, che il rock è ballabile, in tutte le sue forme, per cui ora al venerdì sera, per una volta alla settimana, si sta insieme sentendo non solo Bob Marley o Peter Tosh che, come si sa, sciolgono anche le più ostinate resistenze del corpo, ma i Rolling Stones, Bob Dylan, il country, la new wave, il rock durissimo e sincopato e quello morbido, i Creedence, James Brown, Jerry Jeff Walker, Frank Zappa ecc.

"Dietro al rock," aggiunge Sassi, "ci sono le grandi battaglie ideali dei giovani americani: la campagna antinucleare, quella ecologica o naturistica; dietro al rock, c'è un modo di vedere la vita, ma quello che è importante è che la musica oggi torni a rappresentare una forte tensione ideale di cambiamento della società, se vuoi più generalizzata di quelle precedenti, più sfumata, ma terribilmente coinvolgente." È probabilmente vero. Dietro al cosiddetto "revival del rock", c'è tutto questo, forse anche però il senso di una risposta a quanti hanno da tempo decretato, proprio nel luogo deputato del disimpegno, la morte civile di un'intera generazione. Invece, in discoteca scorre qualcosa di nuovo.

[1980]

NOTA. Mondoradio trasmette oggi, con la consueta professionalità e fedeltà agli ideali della musica rock, sugli 88 e sui 105 MHz, sempre da Scandiano, ma non più dalla sede storica situata nella torre civica di cui si racconta nel testo. Anche molti dei soci fondatori non fanno più parte della cooperativa che, come molte altre iniziative nate sul finire degli anni settanta, ha attraversato tra lacerazioni e scontri l'asprezza professionistica degli anni ottanta. Il Dream non esiste più come tale. Poco tempo dopo l'uscita di questo articolo, iniziarono le irruzioni della forza pubblica, le schedature e le perquisizioni personali. Il successo delle serate rock aveva richiamato anche piccoli spacciatori e quella fauna ai limiti della legalità con cui, in quegli anni, si era abituati a convivere. Il paese insorse, come era prevedibile, contro quel centinaio di ragazzi che portavano droga e depravazione. Ancora una volta, il piccolo locale si trovò al centro delle chiacchiere di paese analogamente a quanto era successo vent'anni prima. La protesta dei cittadini onesti trovò riscontro in una seduta del consiglio comunale alla quale partecipai come spettatore e di cui ricordo ancora oggi la pochezza delle motivazioni e l'iniquità. Gli organizzatori preferirono abbandonare il Dream al suo destino e dirottarono le serate rock sulla piazza di Rubiera, dove peraltro ricordo la notte in cui un ragazzo fu trovato nei bagni, fulminato da un'overdose. Il Dream cambiò ancora una volta nome, arredo e pubblico, diventando Topazio. L'ultima volta che ho cercato di curiosarvi, mi sono trovato in una specie di alcova in stile Aiazzone. Dicono che sia un club *privé*. Ma anche da quell'ultima volta sono passati almeno cinque anni. Ora non so né il nome del locale, né se esiste ancora. Tantomeno vorrei sapere il destino di tutti quei ragazzi con cui ci si trovò, per qualche mese, ogni venerdì notte, dieci anni fa.

[1990]

ROCK DEMENZIALE

Sto cercando la strada giusta per chiacchierarvi di un fantascientifico libro visivo, ideato e redatto da Roberto Antoni, senza però dover ricorrere a puttanate ideologiche ("Da Bologna la Dotta, un Movimento in rotta") o sociologiche ("Quel Movimento è ancora un tormento!?!") o pseudoletterarie ("Se nella vena c'è tanta rockmenia ") e quindi riferirvi di una storia che una volta c'era e ora non c'è più, oppure vivacchia e torna sotterranea perché le sta bene stare lì, in attesa e al coperto e fuori dalle palle di tutti.

Il testo si chiama *Stagioni del rock demenziale* e, insomma, la cosa è questa: c'è una metropoli o megalopoli in cui si diffonde rapidamente e ossessivamente un contagio, e questo contagio è il rock; ma forse, più precisamente, questa contaminazione è il modo di tirarsi fuori e riciclare un po' di storia fra una popolazione giovane e ardente e naturalmente demente. Il suono quindi si diffonde dalle cantine agli studios, ai capannoni, arriva a invadere i confini della megalopoli, ritorna al centro fra un continuo rimestamento di atteggiamenti e pose e modelli e comportamenti e varie riconoscibilità. C'è un inizio che è l'INVERNO, in cui dentro un'auto, in una notte di pioggia, alcuni giovani s'inventano la storia del rock demenziale; c'è una PRIMAVERA che diffonde l'epidemia; c'è un'ESTATE di esplosione e di suono pesante; e c'è un AUTUNNO molto esaurito, in cui qualcuno scompare per noia o per "troppo" e qualcun altro resiste, naturalmente gli *inossidables* e gli *intramontables*; e poi ci sono due "Manifesti del rock demenziale" e alcune appendici fra cui una sorta di avvertenza: "State leggeri e non crediate che le cose vadano meglio se andate sul pesante."

Per raccontare tutto questo, Roberto Antoni fa una mossa di testa molto fine, lascia cioè che nelle *Stagioni* appaia e scompaia il suo doppio Freak Antoni (che sarebbe – per i nostri lettori ritardati – quel signorino che si esibiva negli Skiantos e a cui piacevano i gelati e le donnine e le chitarre con le corde invisibili), tenendosi così fuori dalla mischia semplicemente ordinando e ricapitolando lo svolgimento del testo che appare, quindi, di una frammentarietà molto ghiotta, di una lapidarietà scioccante in certi riuscitissimi nonsense e giochi di parole, di una visionarietà detritica e molto rivistina underground e molto androide, con tutti questi pezzi di strumenti musicali che vanno per i fatti loro, e i visi di una popolazione metropolitana che va altrettanto per i fatti suoi. Così, accostando fotografie e probabilissimi elenchi immaginari di gruppi rock, ricapitolando gli "eventi demenziali salienti" a ogni fine stagione, il nostro inviato speciale in quella terra di nessuno che è la "coscienza demenziale" (e che si sottrae a qualsiasi teorizzazione e a qualsiasi indagine) altro non fa che spedirci pezzi e brandelli di quella che era una civiltà fantascientifica e remota di cui Roberto Antoni non è, in questo caso, che il cinedo di turno (abile mossa quindi, per lui che è stato il vero protagonista della *contaminatio,* riservarsi questo a parte narrativo, gettando a mare tutto di un colpo, narcisismi e compiacimenti e autocitazioni ecc.).

Per tutto ciò, credo che il sottotitolo molto illuminante di questa memoria spezzettata che ci proviene da una "galassia altra", sia *Archeologia fantastica di modelli rock*, naturalmente molto più fantascientifica che fantastica. Insomma, il fatto è che se un signor lettore prende in mano questo messale, dicendosi: "Orbene, io voglio sapere cos'è il rock demenziale", cava fuori niente di niente, perché Antoni dribbla in partenza, da un lato, qualsiasi tentativo narrativo in senso mimetico di un "evento-movimento-atteggiamento" e, dall'altro, qualsiasi tentazione sociologica di trarre un bilancio o una morale da un' "esperienza-evenienza-esistenza". Il tutto diventa quindi estremamente godibile e divertente proprio a livello minimal, negli aforismi, nelle strofe, nella proposta di un irresistibile elenco di rocker. Così, se non esiste una narrazione convenzionale, non esistono nemmeno personaggi che non siano o fotografie o segni collettivi lasciati a se stessi nell'universo contagioso dell'esperienza demenziale, che ha molto a che vedere, in termini di antagonismo non comunicante o laterale, coi fenomeni "consumo di musica", "industria discografica", "modelli di rivolta giovanile": "Se vuoi sciogliersi devi dibatterti con violenza, e l'unica violenza non precisamente controllabile né ingaggiabile né dirigibile, è la violenza della demenza."

Per cui le *Stagioni* rivelano, alla fine, una sotterranea, corrosiva e sulfurea vena di spregiudicatezza nel guardare a ciò che è stato e a ciò che sta accadendo in questa megalopoli disastrata, inebetita e ritardata che è la nostra bella e amata patria.

[1981]

GANGWAY CERCASI

Ho avuto un incidente con un libro, non potevo senz'altro evitarlo visto il titolo, *Province del rock'n roll: geografie dell'arcipelago giovanile,* a cura di Robert Clark & Co., postfazione di Bifo, pubblicato da Il lavoro editoriale di Ancona. Per chi come me vive in provincia, titolo di questo genere non può suonare migliore; in più quel tanto di espressività "detritica" ha fatto suonare molti campanelli, uno in particolare, che vi dirò.

Tutto parte da una constatazione: "C'è una geografia locale e meno estesa di quella planetaria americana o anglosassone, o anche solo italiana, che passa per le province o le città marginali di uno spazio relativamente modesto quanto può essere quello di una regione." Qualcosa insomma che "si muove un po' ovunque con la forza di un rock'n roll marginale e 'minore' in cui ancora riposano la rabbia cattiva dei primi passi gloriosi riattivata, e l'attitudine incessante ad una rivolta della quale abbiamo già conosciuto gli inizi." È, in sostanza, il fenomeno delle migliaia di gruppi punk-rock e new wave che, dagli scantinati delle "province più oscure", innescano una catena di intensità che si propaga da paese a paese con la velocità e l'ineluttabilità di un grido di rivolta, quella stessa utopia fatta di demenzialità, atteggiamenti non classificati, spinte non previste, salti non cronometrati che, per esempio, Roberto 'Freak' Antoni (il Beppe Starnazza di *Mister Fantasy*) ha assemblato nel suo bellissimo e corrosivo *Stagioni del rock demenziale*, proponendo nel nuovo rock italiano l'immagine esemplare di un catalogo fantascientifico di band: non descrizioni di intenti o programmi o "Cos'è la vostra musica pargoli della provincia?", ma solamente l'anagrafe sublime dei mille possibili nomi di rockettari.

Questo testo invece si presenta più ideologico, ma forse è anche più "caldo" di quello di Antoni, poiché sembra voler recuperare alla scrittura giovanile quel tanto di "tono alto" che l'ironia demenziale le aveva fortunatamente tolto. Si tratta, in sostanza, di tutto il discorso introduttivo che gli autori avviano sul rock'n roll inteso come "una circostanza dai molti dialetti che tiene discorsi differenti"; rock'n roll come "qualcosa che si muove lungo il corso del tempo, seguendo una corrente che esso stesso crea, sottoposta a una deriva di cui non riferiamo, altri attori che non siano questa deriva." Eppure la corrente esiste e la provincia soccombe: Bologna, Pordenone e, ora, Macerata... Macerata, ragazzi, non so se avete idea, questa città da tombola geografica, con tutti i suoi gruppi e sottogruppi, frazioni e dividendi: i Paper's Gang, Punkreas, Exxess, SWBZ, Doctor Sax: ragazzini e adolescenti e giovinastri che suonano e schiattano in un'ondata punk che farà senz'altro saltare le Marche. Macerata... Dopo Bologna e Pordenone (in cui addirittura la giunta comunale fornisce agli ottanta gruppi locali studios e gabinetti sonori per concerti e performance), ecco Macerata. Ed è a questo punto che è scattato nel mio cervello il segnale, perché un giorno, nemmeno tanto lontano, ho ricevuto (da Macerata) una lettera di un gaglioffo e allora ho rivoltato i cassetti e perquisito il guardaroba e ispezionato la cucina e poi, oggi finalmente, ho trovato quello scritto. E lo leggo qui: "Dalla mia, cosa ho da dirti? Che finalmente è scoppiata la primavera, che mi hanno fatto il rituale prelievo del sangue (sani ci hanno presi alla mamma e sani, i colonnelli, ci restituiscono) e che per quando torno a casa c'è il progetto di tirar su un gruppo di sabotatori terroristi punk, che quanto prima avrà il suo debutto in piazza con lo slogan PUNK AGAINST NOIA!!! Il gruppo è pronto: un sax, un batterista quindicenne, un basso, una chitarra e IO alla voce! Sentirai parlare di noi! Ah, il nome del gruppo: GANGWAY, una cosina alla Clash prima maniera, tutto qui."

E allora avete capito. Ho comprato questo libro perché parla della sublime Macerata, e ho sperato che parlasse pure di Renzu e del suo amico quindicenne e dei Gangway e mi desse notizie visto che non ne ho più. Ma questo non è successo. I Gangway forse non esistono più. E questo va bene. È preferibile pensarli nell'anonimato della provincia più oscura, tanto io so che ci sono e che stanno esplodendo.

[1981]

BIRRERIE

Poco al di fuori dal centro abitato di Reggio Emilia, appena superato il cavalcavia dell'Autosole, il viaggiatore attento può scorgere due timide lampadine montate in cima a pali sottili che delimitano l'entrata di un cortile pieno di automobili. Poco più in là, una grande cascina emerge dalla nebbia persistente dell'autunno emiliano; di fronte, un fienile diroccato. Poi l'improvvisa e surreale apparizione di un ragazzotto con barbetta bionda da nano della Terra di Mezzo, costume da joker o da *fool* elisabettiano, bacchetta da folletto, cappuccio da buffone di corte. E proprio così si chiama l'ultima nata delle birrerie reggiane, il Buffone di Corte, ultima di una gloriosa e ormai innumerevole serie di locali pubblici, gestiti da consorterie giovanili, con tanta passione e senza fini di lucro, solo "per stare un poco insieme".

La cascina, sperduta in mezzo alla campagna e affittata da un gruppo di ragazzi, poi imbiancata, ristrutturata, spazzata, spolverata, restaurata, illuminata e pavimentata, è divenuta in brevissimo tempo un luogo di ritrovo frequentatissimo dai giovinotti reggiani. L'interno è confortevole e strizza l'occhio, nell'arredamento rustico e caldo, a un'osteria di paese: tantissima gente che fino alle ore piccole si trattiene a consumare birre rarissime e costose, dolci raffinati e tagliatelle emiliane. Ma non è tutto qui. Sempre proseguendo per le strade provinciali, quel solito assetato viaggiatore può giungere a Bagnolo, dove si trova forse il locale capostipite di questi nuovi centri di aggregazione. Proprio in piazza, sotto l'orologio, da un paio d'anni sorge una birreria autogestita (e anche qui l'autogestione significa: prima era una bicocca che cadeva a pezzi, uno scantinato marcio e ammuffito, ora invece tre stanzette al pianterreno, la cucina e un salottino disopra, tutto imbiancato e verniciato e rinfrescato). Panini, birre, vino, musica, tanta folla, servizio volontario dei soci del circolo. Più avanti, seguendo altre strade basse a corsia unica, ecco il viaggiatore approdare a Correggio, e anche qui lo accolgono una birreria dal nome Andy Capp e un'altra che si chiama Fra i Quali, frequentatissime fino a tarda ora e nate negli ultimissimi mesi con il rivoluzionario criterio dell'associazione e della responsabilità assunta in prima persona.

Ma non è ancora finita. Nel capoluogo, Reggio Emilia, ecco apparire pochi giorni fa la birreria di Corso Garibaldi e, a Scandiano, proprio di fianco alla vecchia torre in cui ha sede Mondoradio Rock Station, ecco una nuova birreria, un po' diversa dalle precedenti, più raffinata e più costosa, tavoli liberty e bancone con finiture d'ottone lustrato, diversa, imprenditoriale e non amatoriale, potremmo dire, ma sempre segno di un nuovo fenomeno: il sorgere di locali autogestiti per un pubblico giovane, ardente e assetato.

Può sembrare allora che l'estendersi di queste birrerie sia la conseguenza naturale dell'eclissarsi delle vecchie osterie di campagna o di città, così frequentate negli anni addietro. Non più, quindi, quelle locande fumose e quelle bettole stagnanti in cui per pochi soldi non solo potevi mangiare trippe e tortellini, ma soprattutto suonare e accordare intensità con i vecchi contadini o i vecchi ubriaconi che lì stazionavano coi loro immancabili toscani, sempre pronti a riciclare esperienze o a solfeggiare barzellette di vita o di guerra, avendo, in questo caso, ottime colonne sonore folk, con polche e mazurche e valzerini e marcette in quattro quattro, l'ostessa che ballava col freakkettone e il vecchio cirrotico con la femminista in vestaglione ecologico: tutto un tripudio di natura e cultura, tradizioni riscoperte, dialetti rivisitati, marginalità ritrovate, atteggiamenti popolari nobilitati. Per dirla tutta, era il clima degli anni settanta, con Guccini e il suo lambrusco da un lato, e dall'altro la Nuova Compagnia di Canto Popolare e festività liberate e corpi sciolti da faticosissime sedute e stage sulle sottoculture... Ora, invece, ecco birrerie continentali e mitteleuropee, di stampo anglosassone o prevalentemente nordico, per un pubblico dai comportamenti uniformati e senza più sbavature d'età: niente vecchietti col tabarro e niente puttane da cento lire, niente labruschini e niente tortellini, niente schitarrate country e niente valzer, ma piuttosto una colonna sonora ormai irrimediabilmente e violentemente rock (o pop se proprio la serata è di nostalgia-ia-ia-ooo!), e allora rockettari e punkettari e giubbotti di cuoio e motorini e motorette (al posto delle biciclette fiorate delle Splash, aaahhh!!!) e catene e spilloni e ciuffetti technicolor e birre a volontà, insomma il paesaggio delle birrerie romane di Piazza Santi Apostoli, né più né meno.

Il successo di questi locali che stanno modificando antropologicamente l'ebbro e ricco paesaggio emiliano (e in questo caso la provincia di Reggio non è diversa da quella di Modena, per esempio, dove le birrerie impazzano da anni al posto delle vecchie osterie, ma con la specificità del rinnovamento e dell'ammodernamento per cui la cantina diviene prima salottino underground, poi osteria, quindi birreria, infine circolo privato ed esclusivo con filodiffusione e luci basse, come le classiche birrerie turistiche di Amsterdam, in cui paghi più una birra che una bottiglia di whisky); il successo di questi locali, si diceva, appare dunque legato alla nuova ondata rock che sconvolge soprattutto le province più oscure e che quindi abbisogna di locali per sperimentare e chiacchierare e riciclare: locali che non possono più essere le osterie (ormai tutte di lusso, con trine e merletti e bicchieri di cristallo), ma appunto birrerie con hot-dog e mescite libere al bancone; luoghi culturalmente più affini ai locali anglosassoni in cui il rock è nato; luoghi in cui è sempre presente una pedana per le esibizioni musicali o un pianoforte per strimpellare quello che si ha in testa. Le "nuove birrerie", infatti, non solo offrono bicchieroni di Chimay o di Guinness, ma producono – come, per esempio, il circolo Fra i Quali di Correggio – anche interventi musicali, performance e varie spontaneità estetiche. Si vengono quindi a costituire più come veri e propri "circoli culturali" che solo o esclusivamente come locali del tempo libero. La novità può anche stare tutta in questo spazio, in una lattina di birra che sa tanto di rock.

[1981]

PUNK, FALCE E MARTELLO

Si respira aria di Russia. Molteplici e svariatissimi segnali del panorama culturale occidentale ci informano sul diffuso bisogno di un confronto con l'impero sovietico, senza però gli atteggiamenti caricaturali e le deformazioni del passato. Un romanzo come *Gorky Park* di Martin Cruz Smith, per esempio, ha per la prima volta proposto l'immagine positiva di uno sbirro sovietico, Arcady Renko; il film che un regista colto e sensibile come Michael Apted ne ha tratto può essere addirittura considerato il caposcuola di un sottogenere cinematografico che potremmo anche chiamare della "distensione": opere, cioè, in cui alle vicende intime dei personaggi fanno da sfondo i più generali rapporti fra Est e Ovest. Un altro esempio è il film *Mosca a New York* di Paul Mazursky al cui centro sono poste le struggenti e patetiche vicende di un sassofonista sovietico (Robin Williams) che sceglie, durante una tournée a New York, l'America. Interessanti, all'inizio del film, le scene di vita moscovita, le file nei negozi, la corruzione di piccolo cabotaggio, la mancanza di una casa per fare l'amore, la ricerca di beni di prima necessità. Una sequenza di scenette un po' struggenti, un po' ironiche, un po' becere che, alla fine, riescono però a darci il tono della vita quotidiana in una metropoli di oltre cortina.

"La raffigurazione dell'URSS nel cinema diventa sempre più plausibile,". afferma Taylor Hackford, regista delle *Notti bianche*, film basato sul confronto drammatico tra un ballerino russo che ha scelto l'America e un danzatore americano che ha scelto la Russia. Pur con intenzioni diverse e un'ambientazione storica ben precisa, la Cambridge degli anni trenta, anche il film *Another Country* di Marek Kanievska ci parla di un "mal di Russia", quello che avvinse gli aristocratici inglesi McLean, Philby, Antony Blunt e Guy Burgess e li debellò, spingendoli al tradimento; quello che affascinò, con esiti meno patologici, scrittori come Christopher Isherwood, W.H. Auden e Stephen Spender. Segnali diversissimi dunque, ma diffusi, di un interesse più vasto verso l'URSS e l'Est europeo che alcuni chiamano "filosovietismo", altri "vento dell'Est". Soprattutto la cultura, o la "sottocultura" giovanile sembra essersene accorta. E da segnali, alcune proposte stanno diventando avvenimenti.

La rivista francese *Metal Hurlant*, per esempio, esce nella primavera del 1984 con un numero monografico dedicato alla Russia, dal titolo *Les Russes arrivent*. In copertina, un'astronave americana punta dritta verso il pianeta Terra marchiato da una falce e martello. All'interno, abbiamo invece articoli sui tessuti sovietici, sulle spille e altri gadget rivoluzionari; abbiamo il primo fumetto del dissenso, quattro tavole originali che Jeanne Folly racconta d'aver portato da Mosca nascoste sul fondo della valigia fra due dischi d'opera. L'italiano Igort (*nom de plume* di Igor Tuveri, ventisei anni, punta del filosovietismo nel fumetto) presenta qui *Balalaike amorose*, storia di un agente occidentale alla ricerca di tre balalaike tartare il cui suono plagia il popolo, avventura scritta da Daniele Brolli e già pubblicata in italiano su *Frigidaire*. Nelle otto tavole del fumetto vengono citati Batman e Valery Borzov, Fantomas e Vovoide Masqué, Picasso e Alessandro il Grande, *Gioventù bruciata* e la sua versione sovietica *Ghiaccio socialista,* Montmartre e gli eroi del lavoro, fotoreporter e plotoni di esecuzione. Il tutto disegnato seminando i simboli e le bandiere delle repubbliche socialiste sovietiche fra deliri coloratissimi in odor di costruttivismo e statuari personaggi da realismo totalitario.

Il recupero dell'iconografia sovietica, passata e recente, sta avvenendo in modo massiccio anche nel campo della musica. L'esempio più eclatante è costituito dalla copertina di *Two Tribes* dei Frankie Goes to Hollywood, il gruppo inglese autore di *Relax*: su campo nero, ecco stagliarsi la riproduzione di una grandiosa pittura murale divisa in due parti; da un lato il volto di Lenin, dall'altro la rappresentazione simbolica di tutto il popolo sovietico che idealmente lo segue, e quindi operai, contadini, cosmonauti, casalinga con bambino, scienziati, tecnici... Come se non bastasse, ecco i maledetti Frankie... fotografati in una splendida, monumentale, plastica posa look Armata Rossa. Poiché ormai anche di look filosovietico si deve parlare.

Da tempo, il punk mitteleuropeo più spinto adotta come accessori spille, spilloni e gadget che riproducono lettere dell'alfabeto cirillico, falci e martelli, spighe di grano e ciminiere, corazzate, soli nascenti, stelle rosse. E nella Germania Occidentale da qualche anno esistono gruppi rock che hanno formato una vera e propria corrente di "rock industriale", con matrice ideologica filoleninista: musica da catena di montaggio con sonorità metalliche e ripercussioni da fonderia, tutto un corollario di mistica del lavoro pesante, di celebrazione di quell'eroe ruvido e sporco e sudato che sarebbe poi, in sostanza, l'operaio.

Di questi gruppi poco conosciuti in Italia, ma celebrati a Berlino come, per esempio, i Fehlfarben ("Senza colore"), conosciamo però i rimandi attraverso i Cabaret Voltaire e i Depeche Mode. C'è quindi indubbiamente in questa aria di Russia che stiamo respirando, prima ancora che una improbabile scelta politica, una motivazione di carattere estetico, un profumo di immagini, colori e forme combinati arditamente.

"Così come era successo con gli ideogrammi giapponesi, i caratteri cirillici hanno per me un tale fascino di impenetrabilità da diventare fenomeno estetico," dice Igort, mostrando le pagine della sua ultima fatica, *Il letargo dei sentimenti*, pubblicata su *Alter*. "Quello che mi interessa è l'emotività, il lirismo delle culture dell'Est. Il mio tentativo è quello di coniugare l'estetica socialista, intesa come arte e retorica della dittatura, con il sentimentalismo del popolo sovietico. Zone e ambienti freddi per sentimenti caldi." Il consenso ideologico appare quindi, nel filosovietismo anni ottanta, quasi del tutto assente. "È interessante rilevare," spiega infatti Stefano Bonaga, giovane filosofo dell'Università di Bologna, "come spesso una forma che non funziona più a livello etico-politico (in questo caso la figura 'socialista' del rigore del consumo e della povertà comunicativa) viene recuperata e stilizzata in senso estetico, come se fosse nell'ordine di una bellezza archeologica." Ma perché proprio ora torna a soffiare il vento dell'Est?

"Ai tanti che hanno scoperto l'America con cinquecento anni di ritardo, le nostre felicitazioni. Ognuno ha l'immaginario che si merita", scrivono i CCCP (trasposizione in caratteri cirillici di URSS), il gruppo italiano creatore del punk filosovietico. E aggiungono: "Non ne possiamo più della disco, del funky, del rap, delle luci colorate; non ne possiamo più delle onde non onde; non ne possiamo più del jazz, del reggae, del blues, perché non abbiamo nessuna negritudine da rivalutare: siamo bianchi europei colti."

Rifiuto dell'impero americano in funzione di una ritrovata identità europea? "L'URSS è una parte dell'inconscio europeo che va riscoperto," afferma Lorenzo Miglioli, ventisei anni, collaboratore del CILS di Urbino (Centro Internazionale Linguistica e Semiotica), studi alla Columbia University, attento osservatore del filosovietismo anni ottanta. "C'è innanzitutto il fascino di un percorso di pensiero inverso rispetto a quello di questi ultimi anni dominati dalla cultura frammentaria e dell'effimero. Qui, invece, si tratta di partire dal centro per arrivare ai frammenti. E questo monolite centrale, questo blocco d'acciaio è l'URSS. Di questo centro però sappiamo in realtà pochissimo, e qui scatta l'aspetto che sta contagiando maggiormente tutti: l'aspetto misterico."

Pare allora di trovarsi di fronte al forte bisogno di un'unità immaginaria che diventi tutt'uno con una sorta di *revanche* europeista nei confronti dell'impero americano; e tutto questo, paradossalmente, per un bisogno di stabilità. Cantano i CCCP in *Live in Pankow:* "Voglio rifugiarmi sotto il Patto di Varsavia. Voglio un piano quinquennale, la stabilità." E Miglioli spara: "Teniamo sempre presente che, nel calderonc dell'effimero, anche solo la parola 'realismo' ha un peso enorme."

Il filosovietismo anni ottanta, così come si sta configurando nel panorama delle voglie e dei discorsi giovanili, appare soprattutto come un problema di identità culturale, un voler fare i conti con duemila anni di cultura europea che pochi decenni di divisione non basteranno certo a cancellare; è un bisogno di avventura e di scoperta di qualcosa che, pur essendo molto vicino, è meno abbordabile di un qualsiasi viaggio intercontinentale. È un modo di reagire alle bordate insopportabili delle mode americane che ogni volta diventano, infallibilmente, fenomeni di massa. È anche un bisogno di sicurezze, di sentirsi in un'Europa più forte e più unita.

Forse è anche la necessità di avere di fronte un muro per sapere dove sbattere la testa, almeno provarci. Ma forse, più di tutto, è un problema di ricerca di un nuovo immaginario "che solo banalmente," dice Bonaga, "potremmo spiegare in termini di una dialettica semplice dell'alternanza delle forme." E allora? Solo pochi anni fa, come molti altri, ci siamo immaginati la pianura padana come una prateria, la Via Emilia come un Sunset Boulevard e la costa adriatica come una luminosa, viva, frizzante Nashville. Ora, se la prateria diventa taiga, o tundra, o steppa, cambia effettivamente qualcosa oppure no?

[1984]

NOTA. Il gruppo punk CCCP-Fedeli alla linea si costituisce a Berlino nel 1982 ed è formato da Giovanni Ferretti, Massimo Zamboni e Umberto Negri. Si è esibito prevalentemente nell'Europa del Nord: Amburgo, Stoccarda, Friburgo, Amsterdam (Paradiso, Der Vergulde Koevet) e naturalmente Berlino (Kukuk, Spectrum, KOB, Punkehallen). A Reggio Emilia, dove i componenti del gruppo ora risiedono, hanno proposto la prima parata di moda filosovietica, al Tarantola Club. Chiamano le loro esibizioni musicali "concerti-comizi". Il loro quarantacinque giri (Attack Punk Record) si intitola *Ortodossia* e contiene tre brani assai differenti tra loro: *Live in Pankow*, *Spara Jurij* e *Punk Islam*. Abbiamo conversato con loro a Reggio Emilia.

"Siete stati i primi a lanciare in Italia la linea del filosovietismo. Quando più di un anno fa, amici del Mittel Club, qui a Reggio, mi parlarono di tutto ciò non credevo di essere di fronte a un fenomeno già in piena espansione."

"Noi abbiamo fatto solo l'inizio. Il resto l'ha fatto l'URSS."

"Vorrei conoscere questo inizio."

"Eravamo stanchi di tutto questo vivere all'americana, di mode americane e cose del genere. Credi di vivere in America, ma è ovvio che non è vero. Noi ci sentiamo europei dall'intelligenza più piena all'ignoranza più bestiale."

"Europei d'accordo, ma perché lo schieramento dell'Est? Non basterebbe europei e basta?"

"Scegliamo l'Est non tanto per ragioni politiche, quanto etiche ed estetiche. All'effimero occidentale, preferiamo il duraturo; alla plastica, l'acciaio. Alle discoteche preferiamo i mausolei, alla break dance, il cambio della guardia. Che futuro per un'Europa che non può ammettere che Pankow, Varsavia, Praga, sono città europee a tutti gli effetti? E allora *Live in Pankow, live in Mosca...*"

"*Live in Ost Berlin...*"

"A Berlino, la dolcezza del vivere esce a un livello puro: la violenza più grande, la dolcezza più estrema. I punk e i turchi. Kreuzberg, quartiere abitato prevalentemente da turchi, è il cuore della nuova Europa."

"Vuoi dire che questa vostra idea dell'Europa passa attraverso l'Islam?"

"Dovresti essere a Berlino per capire. A Berlino, sei un turco a tutti gli effetti: mangi turco, puzzi turco, sei circondato da turchi, abiti in mezzo a loro. Le culture arabe e asiatiche sono quelle a noi più vicine, e la cultura europea si scontra, e si incontra, con queste due civiltà, da sempre. Questo è il nostro retroterra culturale e fisico. Noi facciamo quindi del punk filosovietico."

"E cosa c'entra la Russia?"

"Siamo filosovietici e non filorussi. Amiamo le repubbliche asiatiche, amiamo l'Islam... Non esiste un punto centrale del filosovietismo che ci affascina: i fascini sono molteplici."

"Vivreste in URSS?"

"Se i CCCP non esistessero, chiederemmo asilo politico in qualsiasi stato dell'URSS."

"Dove volete arrivare?"

"In Cina. Attraverso la Siberia."

[1984]

THE SMITHS

Ho davanti i testi dei tre LP, *The Smiths* (1984), *Hatful of Hollow* (1984) e *Meat Is Murder* (1985) (contenuti in una carpetta a colori, presumo "pirata", edita da Sconcerto di Roma e smistata da Stampa Alternativa di Vignola, Modena) per parlare di quello che indubbiamente è il gruppo più snob della scena musicale anglosassone e di cui è appena uscito il quarto album, *The Queen Is Dead*, ancora purtroppo non approdato in questa mia stanza. Ho davanti questi testi e sullo stereo un paio di cassette per scrivere di Morrissey, della sua musica, delle sue ballate. Scelgo i raffinati amanti dei fiori sulla scena perché, da un punto di vista letterario, mi sembrano essere quelli più intriganti; li scelgo per i loro antipatici vezzi (l'auricolare di Morrissey, i gladioli sul sedere, lo snobismo della finta semplicità...), per i loro concerti italiani annunciati e rinviati, i video non girati, le apparizioni televisive concesse ma non autorizzate e rimaste nel limbo dell'etere. Li scelgo, infine, per tifo sportivo. Perché dopo il mediocre *Meat Is Murder*, ritrovino la genialità e il "bel tenebroso" continui a consolarci con la sua voce sensuale, strascicata e maledetta: l'unica un po' perversa che questi primi anni ottanta – obsoleti, invece, di falsetti e mezzeseghe – ci abbiano dato.

A parte la piacevole arditezza delle proposte acustiche degli esordi (e delle riproposte deliziosamente *camp*, come l'aver tratto dall'ibernazione il personaggio di Sandie Shaw, affidandole l'interpretazione di un pezzo difficilissimo come *Jeane*) il lato letterario è quello che avvince maggiormente negli Smiths. Un lato letterario che potrebbe lasciare anche perplessi (quel Morrissey fotografato sempre accanto alle stesse edizioni di Oscar Wilde: avrà letto solo quello?), ma che poi emerge dai testi prepotente e ben indirizzato. Così l'universo mitico del gruppo appare incluso in quella stagione dell'adolescenza, e della prima giovinezza, avara di piacevolezze e ricca invece di difficoltà, di domande non risolte, di angosce, di struggimenti, di conflitti, di passioni, di intensità autodistruttive, di star male...

Ecco da un lato le istituzioni repressive, violente e, in definitiva, fasciste come il college: "*He kicks me in the showers*" (*The Headmaster Ritual*). Che in quegli antichi castelli si pratichino soprusi, si infliggano umiliazioni, si viva in promiscuità carcerarie, si pratichi una sodomia virilistica e fallocrate, già lo sapevamo e lo si era visto recentemente: in *Yankees* di John Schlesinger, dove il figlioletto di Vanessa Redgrave proprio non vuole tornare a scuola; in *Merry Christmas Mr. Lawrence* dove il fratellino "anormale" di David Bowie viene passato al setaccio da imbecillotti incravattati; e in *Another Country* di Marek Kanievska, dove il bel sederino di Rupert Everett viene sacrilegamente battuto in pubblico. Mancava forse una contestazione pop, scevra di compiacimenti, che invece caratterizza le uscite nel sociale degli Smiths.

Da un lato, dunque, le istituzioni repressive, siano esse la Thatcher, la scuola, la chiesa; dall'altro, una sensibilità speciale, acuta, tremante, timidissima, orgogliosa della propria diversità, con quel po' di maledetto che distingue gli animi più nobili. La consapevolezza letteraria di Morrissey ha dunque dato vita a una "trilogia dell'artista da giovane", una sequenza poetica in tre fasi che viene ad accostarsi idealmente ai tanti giovani Werther e giovani Ortis e giovani Holden di ogni letteratura: a *Dedalus* di James Joyce (anche in Morrissey non si riesce tanto bene nel salto alla cavallina: "*Please excuse me from gym*"), a *Ritratto dell'autore da cucciolo* di Dylan Thomas, a *Infanzia di un capo* di Jean-Paul Sartre e, in particolar modo, a *Il giovane Törless* di Musil. L'anima nobile reagisce allora non tanto costruendosi visioni idilliache e paradisi artificiali, ma colpevolizzandosi e precipitando in inferni di sofferenza e di delirio, dove una vena masochista (un buon vizio inglese, si dice) trova sfogo in confronti con muscolosi ragazzacci che menano e picchiano. Sedotto forse anche un po' dal Jean Genet di *Querelle di Brest,* l'aguzzino di Morrissey è un tatuatissimo angelo del male: "*It took a tattooed boy from Birkenhead to really open her eyes*" (*What She Said*); oppure un assassino: "*A tough kid who sometimes swallows nails. Raised on Prisoner's Aid. He killed a policeman when he was thirteen...*" (*I Want The One I Can't Have*). Il "segno di Caino" ritorna come simbolo di sofferenza e amore insieme: "*Scratch my name on your arm with a fountain pen... (This means you really love me)*" (*Rusholme Ruffians*). Il *côté* sadomaso arriva di questo passo a desideri hard core: "*I just want to be tied to the back of your car*" (*You've Got Everything Now*); oppure a sequenze sullo stile di Tinto Brass: "*I'd like to seize your underwear*" (*Miserable Lie*).

In questo immaginario ambiguo in cui piacere e dolore sono inestricabilmente avvinti, in cui la pena della sconfitta diviene il piacere della sensibilità, ecco una sequenza di temi culturali molto Old England, addirittura elfici, elementi di saghe nordiche, di poesie e filastrocche infantili che magicamente sprizzano come spiritelli in alcune composizioni. È il caso di alcune ballate come *Reel Around The Fountain* e la bellissima *Suffer Little Children*, molto *Spoon River* di Edgar Lee Masters. Ma anche qui, come sempre, il verme sottile e nauseabondo della morte, della decomposizione fisica, serpeggia invincibile: "*But fresh lilaced moorland fields, cannot hide the stolid stench of death.*"

Il lato più chiacchierato degli Smiths è però indubbiamente quello legato a un particolare modo di parlare d'amore e di amicizia. Lontano dalle scheccate di Freddy Mercury, dalla zuccherosità dei Bronski Beat, dalle baracconate Bowie-Iggy Pop, dalla tenebrosità dannata di Lou Reed, dagli inni gay-pride di Tom Robinson, Morrissey inventa una chiave personale e intima per raccontare di certi momenti, certi approcci, certe maledette delusioni. Tutto parte, forse, da una sensibilità diversa vissuta come beffa: "*I could have been wild and I could have been free, but Nature played this trick on me...*" *(Pretty Girls Make Graves)*. "*Heaven knows I'm miserable now*"; miserable, certo, e malato: "*Under the iron bridge we kissed... Am I still ill?*" (*Still Ill*). Nonostante questo, gli incontri d'amore esistono anche se l'altro, normalmente, poi se ne andrà, si sposerà e si vergognerà per quel momento in cui ha ceduto con il vino o la persuasione come succede in *William It Was Really Nothing.* Ma ecco, infine il momento del trionfo, Morrissey che si rotola per terra, con i jeans ormai quasi giù, e canta: "*Hand in glove, the sun shines out of our behind. No, it's not like any other love, this one is different because it's us...*" ("Armoniosamente uniti, camminiamo da amanti in controluce: no, questo non è un amore diverso, è diverso perché riguarda noi...") In questa voce, in questo grido, posso cogliere le speranze del ragazzo che sono stato e dei ragazzi che tutti siamo stati. Morrissey ha buon gioco: "*I am human, and I need to be loved.*"

[1986]

MORTE PER OVERDOSE

Perché quando il sangue prende a scorrere,
davvero non m'importa più.
Oh, quando l'eroina è nel mio sangue,
e il sangue nella mia testa,
e allora "grazie Dio" di star bene come nella morte,
"grazie Dio" di non saper proprio!

Così dice *Heroin* per bocca di Lou Reed che però all'eroina è sopravvissuto insieme a Mick Jagger, a Keith Richard, a David Bowie e a tanti altri che hanno trafficato per anni in polverine, stelline e alcolici. L'elenco dei morti è invece lungo e assolutamente mitico: si va da Billie Holiday a Charlie Parker, a Brian Jones (Rolling Stones), a Jim Morrison, a Janis Joplin, Jimi Hendrix, a Sid Vicious (Sex Pistols), a Tim Buckley, ad Al Wilson (ex Canned Heat)... Dalla semplice canna di marijuana della San Francisco jazz prima della seconda guerra mondiale, agli allucinogeni e ai lisergici dei figli dei fiori degli anni sessanta, fino alla polvere bianca, alla neve, all'eroina degli anni settanta. In mezzo, alcune fra le più belle ballate che la storia del rock abbia mai conosciuto, da *Heroin*, appunto, a *Waiting for My Man* dei Velvet Underground. In mezzo, le aspirazioni, la rabbia, le delusioni, le tragedie non solo di un gruppo di artisti diversissimi tra loro, ma anche di una o due generazioni che in quei miti si è specchiata, ha creduto, e per far parte di quei miti si è ammazzata. Togliere la droga dal rock è togliergli vent'anni di storia e di rabbia giovanili, vent'anni di grandissime interpretazioni musicali e grandissimi testi poetici. L'equivalente, in letteratura, dello spazzar via Baudelaire e De Quincey, Edgar Allan Poe e Scott Fitzgerald e Allen Ginsberg. Agli inizi degli anni settanta, la morte per overdose è stata, come ha scritto Roberto Polce in *Morire di musica*, effettivamente "il momento dell'estrema purificazione che spazza via ogni macchia e colpa passate. La morte per overdose innalza la vittima, la trascende, la santifica quasi". In nome di questa nuova religione molti sono morti, e l'empireo dei tossici, di giorno in giorno, per anni, ha edificato i suoi cieli, innalzato i suoi arcangeli.

La cultura della droga è finita con quelle morti in piscina, su una roulotte, in una vasca da bagno, nel cesso di un aereo privato. È finita, e con essa è finito, non solo, indubbiamente, il rock, ma pure un'epoca di sogni e di speranze. Spariti i maledetti, le ubriacone, i poeti e i demoni, è rimasta una musica che non pensa più ai contenuti, alle rivolte, alle proposte. Una musica che, per continuare a esserci e vendere, ha bisogno di prendere dall'esterno i grandi temi, siano essi la tragedia del Sahel o la catastrofe ecologica del pianeta. "Quando fallisce tutto il resto, non ci resta che frustare gli occhi dei cavalli e portarli a dormire e piangere." Così Jim Morrison in *Soft Parade*. A un'arte che pretenda di insegnarci gli orrori e le nefandezze del bon ton, continuiamo a preferire un'arte che ci riveli il buio e le nostre zone di paura e, in sostanza, le libertà mai scontate del vivere e del morire.

[1986]

ACID MUSIC

Come sempre succede quando una nuova moda musicale si afferma, anche l'acid music porta con sé una particolare ritualità costituita da atteggiamenti e abitudini che vorrebbero porsi come originali. Per restare negli ultimi dieci anni, questo è successo in maniera clamorosa con il punk e con il dark che, da fenomeni esclusivamente musicali, si sono trasformati in stili di vita, in modi di intendere la realtà, di riorganizzarla secondo un particolare sentire: quello anarchico e duro del punk, quello estetizzante, a volte funereo, del dark.

Ma l'acid music può veramente diventare la nuova musica degli anni novanta? O è solamente un fenomeno di puro consumo, destinato a svanire in pochi anni così come è successo, per esempio, a quell'overdose di rap, di scratch e di breaking che abbiamo sopportato solo cinque anni fa e che ora, fan di Jovanotti permettendo, pare solamente la colonna sonora di un party di collegiali?

È presto per dirlo. Quello che invece è interessante, è che l'acid music ha portato un cambiamento se non nel modo di vedere il mondo, certamente in quello di vivere quell'esiguo spazio separato che è la discoteca. L'acid non si può ascoltare all'ora del tè. È un frastuono notturno, da ore piccole, preferibilmente da cinque del mattino. Se si va a una nottata acida, è bene sapere che ci si troverà immersi in un bagno collettivo in cui la folla ti urterà, ti sporcherà, ti schizzerà di birra e di alcolici, in cui tutti ti chiederanno qualcosa o quantomeno ti pesteranno i piedi. E che prima dell'alba, se ti farai prendere dai ritmi anfetaminici, non sarai a letto. A Ibiza, luogo storico dell'incontro fra eros, polverine e psichedelia, tutto ciò è la regola. Mettersi in fila davanti ai cancelli del Glory's alle sette del mattino per aspettare che apra, non è una bizzarria. E nessuno, una volta entrato, si aspetterebbe di ascoltare Vivaldi: solo la musica assordante, furiosa dell'acid. Ora la *movida* sta affermandosi anche in Italia, nei locali della riviera adriatica come a Milano e a Roma. E viene da pensare che il fenomeno sia parte più generale di una riesumazione a opera dei ventenni di oggi degli anni settanta, delle droghe leggere dagli effetti più socializzanti, delle feste e degli eccessi. Così anche gli abbigliamenti riscoprono un'immagine psichedelica, fra l'optical e il lisergico, pur senza alcun connotato ideologico di diversità. Forse allora, più propriamente, il fenomeno dell'acid music appare come l'estremo – e in quanto tale, eccessivo – segno degli anni ottanta, della tendenza a mescolare e rivivere gli stili del passato sotto il segno di una trasgressione, non sostanziale, ma d'immagine. Per questo forse, più che aprire al nuovo, l'acid music chiude con il vecchio.

[1989]

POESIA E ROCK

Il bisogno di poesia, bisogno assoluto e struggente negli anni della prima giovinezza, è stato soddisfatto da intere generazioni mandando a memoria parole e strofe di canzoni: ballate pop, testi psichedelici, neofuturisti, intimisti, sentimentali, onirici, politici, ironici, demenziali... Mentre la poesia colta rimaneva territorio di interpretazioni, esegesi, svolgimenti noiosi sui banchi di scuola; mentre la poesia della neoavanguardia si studiava, con identici modi, nelle aule universitarie; mentre i poeti degli anni settanta tentavano di imitare i cantautori, salendo su improvvisati palcoscenici, nelle piazze e nelle pinete, cercando come Allen Ginsberg di accompagnare i versi con la musica di un organetto, di una fisarmonica o di una pianola, i giovani riesumavano la figura classica del poeta, colui che unisce le parole alla musica. Così i grandi poeti degli anni sessanta furono (anche) Bob Dylan e Joan Baez, i Beatles e Jim Morrison, Leonard Cohen e Patti Smith, autori, questi ultimi, anche di romanzi e raccolte di poesie.

Di Jim Morrison, Tito Schipa jr. traduce *Deserto*, raccolta di poesie inedite, appunti, visioni lisergiche, illuminazioni interiori fra la paura, la paranoia e il *satori*. I temi del Morrison scrittore sono gli stessi che lo hanno consacrato, alla guida dei Doors, come interprete della psichedelia autodistruttiva, della liberazione interiore che si risolve, alla fine, in un salto nel vuoto. Ecco il sesso, le donne, gli accoppiamenti indisciplinati, la ricerca della propria individualità in contrasto con il mondo esterno. Ecco riemergere la diversità del poeta, la sua estrema sensibilità che cerca di spezzare

ATTACK

FALSO MONUME
DESIDERI
PR
PER
COD

Gao

le catene del sentire comune. Ecco una poesia per i ragazzini dell'acid music, però registrata al Village il 7 dicembre del 1970: "La politica dell'estasi è una realtà./ Non la sentite che vi lavora attraverso,/ Cambiando la notte in giorno,/ Mescolando il sole con il mare." Strade, autostrade, aeroporti, autostoppisti, viaggi con o senza droghe. L'inquietudine. La solitudine. "Perché bevo? Per scrivere poesie." Visioni e religioni. Il Messico, l'Europa, Parigi.

Un'*Ode a Los Angeles col pensiero a Brian Jones, deceduto*. Un attacco che potrebbe essere la versione lisergica del *Cielo in una stanza* di Gino Paoli: "Mi è apparso un muro azteco/ di visioni/ & ho dissolto la mia stanza in dolci irrisioni..." La paura, quella tipica dell'LSD: "Coscienza senza fine/ nel Vuoto/ (al confronto processi & galera paiono quasi cordiali)." E quella, già conosciuta in Peter Handke, dei propri simili: "Ora non posso camminare per le strade/ di una città senza occhieggiare ogni/ singolo pedone. Sento/ le loro vibrazioni attraverso la /pelle, il pelo sul mio collo/ Si rizza."

Scrive Jim Morrison: "Ecco perché la poesia mi alletta così tanto, perché è eterna. Fin quando ci sarà gente, la gente potrà ricordarsi parole e combinazioni di parole. Nient'altro come la poesia e le canzoni ha la possibilità di sopravvivere all'olocausto."

Poesia e canzoni, dunque. Un aspetto non sufficientemente preso in considerazione dai critici ufficiali e dai letterati di professione: la consapevolezza, insomma, che il contesto rock ha prodotto i più grandi poeti degli ultimi decenni. Quello che è ancora più curioso è notare come l'immagine del poeta romantico – di colui che tragicamente vive fino in fondo, fino alla morte e alla dissoluzione, il conflitto fra arte e vita, fra ragioni dell'immaginazione e ragioni della quotidianità – sopravviva, incandescente, ormai solo nell'universo rock. I poeti ufficiali si nascondono dietro le loro scrivanie e i loro libri. Mescolano e affinano parole e rime. Si applaudono fra loro e si complimentano, premiandosi a vicenda per le venti copie vendute. Hai la sensazione che oltre la capacità combinatoria, oltre la perfezione formale, non esista un'anima. Nei poeti rock, più o meno maledetti che siano, questa anima è eccentricamente viva e pulsante. E non solo nei grandi artisti dei decenni scorsi. Ma anche nell'oggi. È il caso di Nick Cave e del suo *Re Inchiostro*, raccolta di testi vari, poesie e scritti teatrali e autobiografici, tradotti e commentati da Alberto Campo.

Di Nick Cave, stella dell'underground anni ottanta, già capofila della formazione australiana dei Birthday Party e, dal 1982, musicista in proprio, si ricordano le apparizioni cinematografiche nel *Cielo sopra Berlino* di Wim Wenders e una delirante, ma bellissima, esecuzione di *Avalanche* di Leonard Cohen. Ma gli scritti di *Re Inchiostro* lo rivelano anche artista maledetto e colto, con una propensione per il punk berlinese, per William Faulkner e Flannery O'Connor. Molta spazzatura, in senso letterale, nei suoi testi: bidoni, immondizia, latrine, scorie, detriti, sudiciume, sozzume, in ossequio alle predilezioni del postpunk: "Spazzatura in dolcezza / Re dell'Immondezzaio / Re dell'Immondezzaio, Re, Re, Re..." (*Junkyard*). "Gran Gesù amici del cuore/ Bidone d'immondizia/ mi ha riempito d'immondizia" (*Big-Jesus-Trash-Can*). Raccontini che iniziano in un latino non proprio classico: "*Nocbi eternus in faece cloaca, in exsilium cum catarax optico. Corpus leperum, oh, corpus leperum, similis albino papyrus vexillum. Ego surrendus. Deus non capit captivum. Eus non capit captivum. Ego exceptum*" (*The Black Pearl*). Descrizioni di sepolcri, tombe, loculi, devastazioni batteriche, decomposizioni come nei film di Peter Greenaway: "E se stanotte muoio gettatemi/ in qualche squallida fossa teutonica,/ due metri sottoterra con l'anima spezzata dal gelo" (*Dumb Europe*). E una miriade di animali, scelti con cura nel repertorio dei più repellenti e tetri, che infestano i sogni, i deliri e i furori: non solo ragni, come in *Disintegration* di Robert Smith dei Cure, ma scarafaggi, vermi, pipistrelli, cornacchie, corvacci e "topi in Paradiso, topi in Paradiso! C'è un ammutinamento in Paradiso!"...

Colpisce comunque nel dark esemplare e neoscapigliato di Nick Cave (religiosità, spiritualismo, culto della morte e dell'orrido ecc.) la vena comica, non semplicemente grottesca o surreale, in analogia con le linee di poetica, ma addirittura ironica e, a tratti, impastata – lo so, lo so è blasfemo quanto sto per dire – di buonumore.

Nei fulminei atti unici di *Re Inchiostro*, tutto ciò è evidente sia che Cave affronti il *côté* porno delle situazioni, come in *Crema di turbo lubrificato*, un rapido dialogo in un'autorimessa fra una fighetta in calore e un carrozziere in pressione, sia che scelga quello più satirico come nei *Cinque sciocchi*, monologo di un prete cinquantenne sulle proprie dita-perversioni tagliate, sia che si lasci andare al demenziale puro, molto neodada, come in *Pronto soccorso, ore 23,45*: "Pronto soccorso dell'ospedale Stella di Betlemme, sabato notte... Diciamo quindici addetti circa per una mezza dozzina di pazienti. Il protagonista. La testa fasciata con un bendaggio da cui il sangue filtra copiosamente. Bianche luci sterili illuminano la scena per circa quattro minuti e mezzo. Il nostro eroe cade in avanti. Infermiere sfrecciano in ogni direzione, scarpe scricchiolanti, chiappe strette, indaffarate. Molto indaffarate. Sipario."

Il pezzo forte restano comunque i cinque quadri di cui si compone *Salomè*. Un Erode vecchio, "ma ancora ben dotato", che spasima per la bella ragazza, un Battista coperto di peli di cammello che sbraita come un invasato: "O megera infernale! O satanica genia!", una luna che entra in scena, strizza l'occhio, s'illumina o si spegne, una vergine vestale che annuncia ogni atto, una Salomè sporcacciona e infoiata che conserva la lingua del Battista "per insegnare alla sua figa a parlare come si deve". Potremmo dire: una piccola *pièce* fra avanguardia e avanspettacolo. Di Nick Cave, aspettiamo ora il primo romanzo dal titolo *And the Ass Saw the Angel*. Il tema sembrerebbe, così a prima vista, non cambiare di molto.

Anche per quello che riguarda la scena musicale italiana, si può avanzare un discorso analogo? I poeti più seguiti degli anni settanta furono indubbiamente i cantautori, il cui successo fu preparato dal capofila della cosiddetta "scuola genovese": Fabrizio de Andrè. Sulle sue canzoni aleggiava il senso del proibito. Si ascoltavano quasi in segreto, sottraendo i dischi ai fratelli maggiori. Eravamo piccini ma già capivamo che sotto quel nome, "Bocca di Rosa", doveva nascondersi qualcosa di losco. E come la mettevamo con *Via del Campo*? Pronunciava o no, il cantautore, la parola "puttana?" Era la prima volta nella storia della canzone d'autore italiana? Bisognerebbe chiederlo a Gianni Borgna.

Le canzoni di Fabrizio De Andrè si potevano suonare con la chitarra e intonare davanti ai falò, nelle serate dei campeggi estivi, calcando la voce soprattutto sulle parolacce per suscitare la reazione dei don, che invece, molto indulgenti, molto mondani, non battevano ciglio e lasciavano fare. Anno dopo anno veniva a consolidarsi poi il repertorio di Lucio Battisti, che si poteva anche ballare, timidamente, in *cheek to cheek* estenuanti e sudatissimi. Naturalmente si cantavano le ballate di Luigi Tenco, qualche pezzo ispirato di Bruno Lauzi o di Gino Paoli (ma li si considerava un po' troppo festivalieri e commerciali), e le storie aspre di certi personaggi dei New Trolls, che oggi potremmo addirittura definire springsteeniane (*La miniera*).

Quando arrivarono Francesco De Gregori, Antonello Venditti, Francesco Guccini, Lucio Dalla, Claudio Lolli, Pierangelo Bertoli e tanti altri, il tirocinio esegetico sui testi delle canzoni era già a buon punto. Con loro raggiunse il culmine. Le strofe venivano analizzate, smontate, studiate, paragonate, destrutturate, con entusiasmo e piacere. I significati, le tematiche, le argomentazioni, le idee, venivano vagliati, esattamente come si faceva, la mattina, a scuola, con Giacomo Leopardi: cosa ha voluto dire qui il poeta? E come lo ha detto? Usando quale metro?... Si arrivava così a tesi di laurea del tipo: "Uso dei metaplasmi e delle metatassi nei versi di Francesco De Gregori", oppure: "Forme e archetipi della tradizione popolare nella musica di Angelo Branduardi"... Si prendevano molto sul serio le canzoni e, anche se anni dopo, lo stesso Guccini avrebbe accennato alle "piccole storie mie/ che non si son mai messe addosso/ il nome di poesie", il rapporto che si aveva con le canzoni era esattamente identico a quello con la letteratura e la poesia colta: bisogno di capire, di interpretare, di memorizzare. E in più il piacere estetizzante di ritrovare le situazioni della propria vita espresse con dolcezza, garbo, ironia, alle volte anche con rabbia o carica polemica. Caratteristica, questa, di certi prodotti rari e minori che resteranno per sempre nella memoria, e nel nostro immaginario di quegli anni, come le poesie più belle che qualcuno ci abbia mai dedicato: il Claudio Rocchi di *Viaggio*: "Questa è la tua prima luna che vedi fuori di casa,/ sapendo di non ritornare./ Oggi sei uscito e ti sei domandato:/ 'Ma dove sto andando e che cosa farò?'..." O il duo Loy-Altomare di *Portobello*: "Vedi lassù, a destra della luna,/ dietro quel monte cresce la fortuna. E io ci andai..."

Per anni e anni, tutto questo ce l'hanno dato i cantautori. Così, quando quegli stessi autori, hanno iniziato a pubblicare racconti, novelle, romanzi, si è continuato a seguirli con attenzione, avendo uno strumento testuale in più per discutere di quella relazione sostanziale, e non solo retorica, fra letteratura e musica, narratività e contesto rock, poesia e suono. Con *L'inseguitore Peter H.*, (ristampato, nel 1989, nella raccolta *Giochi crudeli*), Claudio Lolli, autore di indimenticabili ballate come *Aspettando Godot, Quando la morte avrà, Quello che mi resta, Ho visto anche degli zingari felici* – dischi che giravano sul piatto per giorni e giorni, interminabilmente e che si ascoltavano a ogni ora, trasmettendoli anche per telefono – Lolli, dicevo, con tutta quella nebbiosa disperazione della vita in provincia, dei rituali piccolo-borghesi, pretenziosi e formali, e la nullità dei rapporti, delle amicizie, degli amori, indaga le ragioni profonde e misteriose di quella malattia chiamata "letteratura": "Lo sfinimento mentale... il vuoto stato di febbricitanza proprio del processo letterario erano indizi indiscutibili di predisposizione al crimine, in quanto contrari a quelle occupazioni positive (laboriosità, fatica fisica, sudore, ernia del disco) che sono le uniche in grado di distogliere l'animo umano da pensieri criminaloidi." Letteratura come pratica criminale, dunque. Come espressione della devianza. E il racconto diviene un vero processo letterario colmo di indizi, relazioni, testimonianze tribunalesche.

Diverso il caso di Gianfranco Manfredi, conosciuto ai più, fino alla primavera del 1983, come pensoso e ironico cantautore del Movimento, come critico musicale e come sceneggiatore cinematografico. In quella primavera, esordì nel romanzo con *Magia rossa*: un thriller fantastico che citava, secondo il caratteristico gusto *cinéphile* degli ex militanti della Nuova Sinistra, *La notte dei morti viventi, Zombie, L'abominevole dottor Phibes, Suspiria, Profondo rosso, I predatori dell'arca perduta*, il *Dorian Gray* di Oscar Wilde, la massoneria, la cabala, gli scapigliati, gli anarchici e i luddisti. Il giallo funzionava. E appariva una provocante novità il fatto che, dietro il ferreo ordito narrativo del genere, comparissero i fantasmi del nostro passato più recente: la centralità della fabbrica, la rivolta operaia, i sabotaggi alle macchine industriali. *Magia rossa*, in sostanza, proletarizzava, e quindi dava una coscienza di classe, nientemeno che agli zombi, seguendo, anche sulla pagina, quelle rappresentazioni della marginalità giovanile o proletaria che già Manfredi aveva individuato nell'eccellente LP *Zombi di tutto il mondo, unitevi*.

Dopo *Cromantica* (1985), Manfredi rivolge il proprio interesse al mondo delle creature della notte, pubblicando i sette racconti horror degli *Ultimi vampiri*. Dalla Moravia del XVI secolo alla New

York contemporanea, transitando per la Spagna dell'Inquisizione, la Francia di Luigi XIV e poi quella bonapartista della disfatta di Waterloo, Manfredi sembra più che altro avvinto dalle possibilità di raccontare non tanto le inedite avventure dei non morti, dei pipistrelli della notte, dei figli della stirpe di Dracula, quanto piuttosto i rapporti magici fra l'umano e l'inumano, fra la fantasia e le proprie ossessioni, fra la cultura dominante e il diverso.

Nella nota alla fine del volume, l'autore arriva, in sostanza, a far suo il punto di vista di un tal Ludovicus Maria Sinistrari, teologo a Pavia nella seconda metà del XVII secolo, per il quale i vampiri non sono emanazioni del Maligno, ma solo "altre" creature modellate non nel fango primordiale con cui fu impastato Adamo, bensì in elementi assai più nobili quali il fuoco, l'aria o l'acqua. E invita a osservarle non con l'orrore che si nutre per le creature di un altro mondo, ma con l'attenzione che si concede ai nostri simili.

Il piacere di raccontare, pur compresso nei ristretti margini di quella narrazione minore che è il racconto, mescola così i temi cari al Manfredi cantautore e scrittore: commistione fra magia e realtà, fra occulto e quotidianità, ma soprattutto combinazioni fra immaginario cinematografico e fantasia romanzesca. In *Ultimi vampiri* appaiono le tracce di Lon Chaney, di Bela Lugosi, di uomini lupo, di mutanti gelatinosi, in sostanza di freak, come se un Manuel Puig, perverso e cattivo, scegliesse per i suoi romanzi dialogici il filone cinematografico opposto alla commedia hollywoodiana degli anni trenta e quaranta. Alla fine, più che ricordare il Roman Polanski di *Per favore non mordermi sul collo*, i sette cabalistici racconti riportano ai fumetti delle raccolte *Le incredibili notti di Zio Tibia* e *Zio Tibia colpisce ancora* (testi tratti da E.A. Poe, H.P. Lovecraft & Co.), e quindi a quel giocoso piacere che hanno i ragazzini di ficcare il naso anche sotto i mantelli, anche dentro le bare cigolanti di quelle creature della notte che spaventano i loro sogni di bambini.

Ancora differente l'esordio letterario di Francesco Guccini, con *Cròniche epafániche* (1989), la cui fruizione non sarà molto agevole, né massimamente comprensibile, a chi non ha esperienza del dialetto emiliano o, per essere più precisi, delle parlate tosco-modenesi che costituiscono la lingua di queste sue nuove narrazioni. Ma sarà una lettura anche divertente e interessante per chi coglierà, fin dalle prime righe, la voce profonda e arrotondata del nostro sommo cantastorie, vedrà la sua immagine, coglierà la sua ironia, le battute, la sentimentalità vera di tutto un percorso e un lavoro artistico. Leggendo ripenso a *Radici*, a certi concerti in cui Guccini raccontava di Pavana e dell'appennino, e già imbastiva, davanti al pubblico, i ricordi e gli aneddoti di un modo di vita, di un'infanzia che nel romanzo, oggi, sembra un po' quella selvaggia di Tom Sawyer. La campagna, il fiume, il mulino, la descrizione degli ambienti della casa, le piccole leggende di paese, gli animali, gli oggetti di uso quotidiano, la bottiglia per macinare il sale, la marmellata nelle "tinozzine di legno chiaro", l'uccisione del maiale, l'emigrazione, le cassette di mele e di pere che profumavano i solai e le cantine per tutto l'inverno, le uova conservate nella calce... Tutto questo non viene riportato alla ribalta del racconto con demagogia o perbenismo o la becera filosofia del "quando eravamo povera gente". La miseria è miseria. La fatica, la povertà, anche la promiscuità di intere famiglie costrette a vivere nelle stesse stanze non hanno niente di poetico, né di aulico, e nessuno le rimpiange. Guccini preferisce fare di tutti questi ricordi una materia linguistica viva e narrata. Riesce con la sua capacità di cantastorie e cantautore a dare musicalità ai ricordi, ai modi di dire, ai personaggi. E così agisce sulla nostra memoria. Perché queste *Cròniche* sono potentemente reinventate sulla pagina e, nonostante l'accuratezza filologica, la scrittura è condotta su modelli letterari ben rintracciabili: cronache popolari, certo, ma anche il parlato selvaggio di certi narratori americani, lo slang degli anni sessanta e, perché no, anche la lingua immaginaria e carnale di un Rabelais.

[1987-1989]

ZUCCHERO

"Andare a tutta birra", nel senso comunemente accettato di andare a velocità folle e dove la parola "birra", suggerisce il *Dizionario dell'Italiano Ragionato*, evoca forse un onomatopeico e infantile "brrrr-brrr". "Farci la birra", nel senso di giudicare inutile qualcosa. "Dare la birra a qualcuno", cioè superare un avversario. "Darci della birra", cioè mettere impegno in un'azione. "Lievito di birra." "Chi beve birra campa cent'anni." E poi altri modi di dire: slang giovanili, gerghi, espressioni dialettali, in cui "birra", "birrette", "birrozze", "spine", "palloncini", "pinte", esprimono un modo simpaticamente affettuoso di nominare una bevanda che evoca, per noi mediterranei, una convivialità nordica, un modo per passare le serate ascoltando musica. Se le osterie emiliane o toscane o romane prevedono una chitarra o una fisarmonica, con conseguenza di stornelli o cantastorie, le birrerie contemplano il suono duro e metallico del rock. In osteria, in quelle che sono rimaste, vanno i vecchi. Nelle birrerie, nei finti pub e nelle pseudo *kneipen* sparse in tutta Italia, dalla riviera adriatica al Salento, vanno i giovani.

Oro, incenso & birra è il programmatico titolo dell'ultimo album di Zucchero. Le ragioni di quello che si annuncia come il grande successo dell'estate 1989? La solidità, d'oro, del rhythm & blues; l'incenso delle atmosfere e degli arrangiamenti; e quel tocco in più, quella marcia superiore, quella "birra", che hanno fatto di Zucchero Fornaciari, in poco più di tre anni, un musicista di livello internazionale, in grado di mettere insieme, di volta in volta, Miles Davis e Clarence Clemmons, il sassofonista di Bruce Springsteen, i

Memphis Horns ed Eric Clapton, Ennio Morricone e Francesco De Gregori.

Come si sa, il successo di Zucchero è frutto di una gavetta lunga e testarda sulla quale, con senso della misura, il musicista non insiste troppo. Balere, concerti nella periferia, canzoni scritte per gli altri. E un amore assoluto per il R&B, come solo sentono, in Italia, gli emiliano-romagnoli o i napoletani. Prendete, per esempio, le straordinarie poesie, in dialetto romagnolo, di Raffaello Baldini: recitatele a voce alta, cantatele. Quello è l'andamento del blues: l'anima, il sentimento, l'emozione, i nomi propri, le situazioni quotidiane, le città, i quartieri, l'epos popolare, il rimpianto, i tic e la malinconia. Zucchero è nato a Reggio Emilia nel novembre del 1955. È curioso notare che in pochi chilometri quadrati, fra Reggio e l'appennino tosco-emiliano, si concentrano esperienze diversissime, ma tutte approdate al successo internazionale: Vasco Rossi, cantore dell'inestinguibile anima rockettara della regione; i CCCP-Fedeli alla linea, con il loro punk filosovietico; la pazzariella e geniale Lady, oh Lady Spagna, con la sua dance music, nata quasi per le megadiscoteche della bassa e finita, invece, a primeggiare nelle classifiche di mezzo mondo. Tutti lì, fra Reggio, Modena e Bologna: i Nomadi, l'Equipe 84, Francesco Guccini, Lucio Dalla, Claudio Lolli, gli Skiantos, i Ladri di biciclette (di Carpi), Ligabue (di Correggio)... Anime diverse di una terra, di un mito americano, ora inseguito, ora prepotentemente rifiutato, generazione dopo generazione: simboli di un modo di guardare e, soprattutto, di sentire il mondo, la vita, con una particolare pensosità, riflessività, entusiasmo, forse anche struggimento. E su tutto, una concretezza, una carnalità non solo dei corpi, ma proprio delle campagne, degli alberi: la carne del cielo, la carne del fiume...

A questo panorama di cantautori, musicisti, autori, star del palcoscenico e delle hit-parade (e lasciando perdere sia i cantanti di musica leggera, sia i grandi tenori e i soprano) mancava soltanto la zampata di un bluesman completo e sensibile come Zucchero. Nei suoi pezzi migliori – magari in quelli senza "birra" – ecco echi della musica reggae, sonorità dei Caraibi e delle Ande, gospel e lenti d'atmosfera. E su tutto, qualità importantissima e che piace moltissimo ai giovani, compresi i militanti di CL, un modo di parlare di sesso, un po' brutale, senza troppe mediazioni, a rischio della volgarità.

Libidini & arrapamenti: "Amore e sesso, sesso, sesso. Sono un affamato perché tu sei il pane del peccato!"

Anche i testi di questo album, peraltro impeccabile, sembrano uscire dalla ricerca di *songs* che possano cantare tutti, con una melodia accattivante, con un'anima molto precisa. Il linguaggio è veloce, un po' porno, o sanamente porcellone: "Voglio vederti vibrare, voglio vederti godere." Miscela, al solito, un po' di goliardia cattolica e non solo nel titolo: "Le strade delle signore sono infinite... Gloria nell'alto dei cieli, ma non c'è pace quaggiù", che più di una fantomatica anima gospel, ricordano i doppi sensi dei giovani dell'Azione Cattolica: "Ho bisogno di amore, perdio... C'è bisogno di amore, sai zio." E, per finire, un po' di svaccamento del parlato: "Chi se ne frega, uh... Che me ne frega, a me... Lo sai fratello, siamo nella merda..."

Un po' diavolo, per la sua carnalità potente, per la sensualità e la fisicità del suo blues, per la concretezza di credere nelle "mani e nei piedi"; e un po' santo, per il respiro quasi ecologico, religioso, delle immagini che sa suscitare. Zucchero annuncia una grande tournée in Italia, in Europa e negli Stati Uniti. A tutta birra. Dio bono!

[1989]

8

UNDER 25

GLI SCARTI

Come i giovani di tutti i tempi e di ogni paese anch'io, a mio tempo, ho racchiuso in un cassetto un "libro segreto" a cui confidavo dolori e illuminazioni dei miei anni dell'apprendistato. C'è chi conserva i propri diari adolescenziali, chi le proprie poesie, chi le lettere del primo amore. Ho conservato quel romanzo e, benché non lo ami come i successivi che mi è capitato di scrivere, lo considero una specie di Bibbia alla quale ricorrere nei momenti di difficoltà. Mi trovo, infatti, in grande difficoltà. Vorrei raccontare qualcosa sui giovani e non so da che parte iniziare. Chi sono i giovani d'oggi? Che cosa pensano? Saranno vere le categorie, così pubblicizzate dai mass media, che li vedono raggruppati in comportamenti e mode assolutamente non paragonabili tra di loro? Saranno tutti stupidi, reazionari, bambocci preoccupati soltanto del vestito e del "cosa mettere stasera"? È possibile che i problemi dei ragazzi di oggi, per esempio, siano del tipo: "Festa in casa: tenere le luci accese o spente durante i balli? Dentro o fuori i genitori?", quesiti posti proprio qualche ora fa da un programma televisivo nazionale? È mai possibile che un gruppo di ragazzine in technicolor dia in svenimenti e isterismi e follie per rockstar quanto meno sciatte come gli Spandau Ballet o i Duran Duran, quando ci sono in giro signorini a nome The Smiths o Everything, but The Girl? Sono in difficoltà. Mi accorgo di cadere nelle trappole di chi, per diletto o per artigianato, fa la professione di chi scrive e racconta: cioè, dimenticare la realtà per i simulacri e i feticci imposti dal sistema delle comunicazioni di massa.

Avevo già scritto un pezzo e ve lo risparmio. L'ho gettato perché era troppo falso. Sono riandato al mio "libro segreto", ne ho riletto alcune pagine, ricordandomi che allora niente mi imbestialiva di più dei discorsi sui giovani. Mai, come in quegli anni, avevo chiaro in testa la differenza enorme fra il discorso sociologico o di costume e la realtà, elusa sistematicamente da ogni teorizzazione. I tuttologi sono soliti prendere un fatterello della cronaca e ricamarci sopra fino a stabilire, per induzione, regole generali valide per tutti e, di conseguenza, formalizzare discorsi arroganti e definitivi, dimentichi della precarietà del punto di partenza. Esempio: un ragazzo si trova disgraziatamente a perdere i propri genitori. Per tirare avanti, essendo di famiglia contadina, si mette a coltivare la propria terra. Bene. Non aspettatevi di trovare nelle righe del tuttologo questa storia. Troverete invece un bellissimo articolo, con tanto di parere di esperti, sui giovani che riscoprono l'infinito piacere di coltivare i campi. Ecco, cose del genere mi mandavano in bestia (anche perché, non coltivando i campi, prerogativa dei giovani, non mi veniva nemmeno attribuito il diritto di essere quello che ero, cioè giovane). Amavo invece, e morbosamente, le lettere pubblicate su *Lotta continua*, su *Re nudo* e, agli inizi degli anni settanta, quelle pubblicate su *Linus*. Era la migliore letteratura giovanile che si potesse leggere: arguzia, intelligenza, creatività, sofferenze, angosce, deliri. Con il pregio della prima mano. Quello era il materiale bruto e quello si era contenti di leggere. Quella era l'ardente comunicazione "da cuore a cuore", come, scoprii più tardi, ebbe a scrivere il marchese De Sade a proposito dei romanzi epistolari. Vedo, insomma, tutti questi spettri davanti a me che scrivo. Non sarò diventato anch'io un tuttologo, con il suo bel discorsetto sui giovani? Sarebbe terribile. Allora butto via quelle pagine e preferisco far ricorso al "libro segreto". Cerco di tornare a quello che pensavo sui giovani. Torno a impararlo, poiché l'ho dimenticato.

Il mio parrucchiere ventenne, Richard, che di teste giovanili se ne intende, è abbastanza d'accordo con me quando affermo che i ragazzi di oggi mi sembrano molto conservatori, frivoli, tradizionalisti. Mi risponde con una frase molto intelligente: "Vengono qui ogni mese, per farsi la testa come questo o quel cantante. In realtà, è la faccia che vogliono." Per una certa fascia di ragazzi sembrerebbe allora importantissimo – direbbe il tuttologo che è in me – rifiutare la propria individualità per uniformarsi alla massa dal momento che la rockstar, come il divo o il campione di calcio, diventa un punto di riferimento valido per tutti. Il fatto è che ormai un divo vale l'altro. Di più, uno scalza l'altro a velocità vertiginosa. Ecco allora il frenetico passare da una moda all'altra. Ecco la futilità.

Altre volte, i giovani hanno tentato di distaccarsi dalla massa amorfa e dai valori della cultura dei padri, inventandosi una propria immagine e un proprio linguaggio. Pazienza se poi finivano per vestirsi tutti in uno stesso modo o per pensarla alla stessa maniera. Il punto di partenza era la ricerca della diversità: volersi diversi per amalgamarsi e riconoscersi in un atto di protesta. Non assomigliarsi tutti e poi rivendicare un'illusoria diversità, come mi sembra stia succedendo ora. (Bisognerebbe forse capire che, nella civiltà dell'immagine, l'immagine non conta più, e che la diversità può essere solo interiore. Conciatevi come volete. Vi ho già visti a Sanremo.) Parlo di queste cose con due sedicenni di Bologna che frequentano un istituto tecnico: Stefano e Marco. Fra le altre cose che fanno, stanno scrivendo un libro sui massimi sistemi, come spesso accade, e com'è giusto che accada, alla loro età. Stefano ha scritto una storia ironica della creazione, mi sembra. Marco, invece, è in un trip più filosofico.

Propongo: "Perché invece non raccontate quello che fate, che sentite: i vostri tormenti, i vostri rapporti a scuola, con le ragazze, con la famiglia. E perché di queste cose, poi – visto che ne avete così voglia – non provate a formulare un giudizio? Perché non scrivete pagine contro chi odiate? O per chi amate? C'è bisogno di sapere tutte queste cose. Siete gli unici a poterlo fare. Nessun giornalista, per quanto abile, potrà raccontarle al vostro posto. Nessuno scrittore. Sarà sempre qualcosa di diverso. Siete voi che dovete prendere la parola e dire quello che non vi va o che vi sta bene. Siete voi che dovete raccontare."

Ma, in fondo, i miei due amici appaiono come scarti generazionali. Elementi devianti dall'uniformità dei loro compagni, e per questo interessanti. Un discorso sincero sui giovani dovrebbe partire proprio dagli scartamenti individuali rispetto alla norma, dalle piccole o grandi trasgressioni, dalle deviazioni rispetto ai percorsi stabiliti. È quello che vorrei dire con questo articolo. (Dopo essermi riletto il "libro segreto".) Non è possibile tracciare un identikit del giovane d'oggi, se non dimenticando tutte le mode e tutti i discorsi già fatti. Per tracciare un tale tipo di ritratto "scaveremo nei weekend, nelle sottoccupazioni, nei doppi lavori. Andremo presso i ladri di polli, i giovani artisti incantati, scenderemo sulle strade provinciali e comunali, incontreremo finalmente una marea di giovani improduttivi e selvatici, incazzati e morbidi, ubriaconi e struggenti", ragazzi di cui i giornali non s'occupano, che le trasmissioni non fanno parlare, le firme non intervistano. Questi sono per me i giovani. Questi i ragazzi che danno speranza. Questi sono la novità: i ragazzi che pensano e cercano nell'oscurità la propria via individuale, le proprie risorse, al di là del baccano, degli strombazzamenti, dei riflettori puntati, dei capelli e dei vestitini. Ho appena terminato un romanzo di John Cheever, *Il prigioniero di Falconer*. Ho trovato un'immagine molto bella che cito a memoria: "Farragut sentì crescere nel deserto che era ormai il suo animo un fiore. Ma non lo trovò. Per questa sola ragione gli fu impossibile strapparlo." L'esperienza giovanile degli anni settanta, suicidatasi per gran parte in fenomeni di illegalità e di tossicomania, ha fatto il deserto. Ma in quell'ansia distruttiva, suo malgrado, non è riuscita a strappare quel fiore. Quel fiore è lì, adesso. Quel fiore siete voi.

[1985]

SCARTI ALLA RISCOSSA

Giuseppe Riccio di Napoli ("Le nostre voci non sono abbastanza forti"), Daniela di Milano ("Gridare ancora, scrivere come siamo"), Emanuela di Roma ("Esistono anche altri tipi di giovani... ci sono e credono in qualcosa"), hanno scritto su *Linus*, rivendicando alla propria generazione di ventenni uno spessore, una voglia di fare e di esserci che le inchieste giornalistiche, così beceramente rivolte alla superficie, non vogliono loro accordare. Ma anche Alberto Bongini di Castelfiorentino, insieme ad alcune amiche, e una ragazza di Massa (di cui non ricordo il nome), mi hanno avvicinato per raccontarmi l'identico malessere nei confronti di una nuova generazione che apparirebbe ai più conformista, livellata, tesa a riscoprire i valori della tradizione, e non già intenta a proporre novità. Questi amici si sono definiti ironicamente "scarti", riprendendo il titolo dell'intervento apparso, sempre su *Linus*, il giugno scorso. Visto che siamo tutti d'accordo, cercherò ora non tanto di ribadire inutilmente il precedente articolo, quanto piuttosto, di rispondere operativamente, proponendo, cioè, idee e stimoli sul piano del fare.

Le lettere di Giuseppe e Daniela dicono, in sostanza, una cosa tipica di ogni nuova generazione, cioè la voglia di raccontarsi, di comunicare e di esprimere le proprie idee e i propri discorsi, costretta però dalla consapevolezza di non avere voce, di non avere spazi, di non avere strumenti adatti per contestare, per esempio, affermazioni gratuite o denunciare ignobili accadimenti. In effetti, questa situazione appare come una delle più negative di questi ultimi anni. Se pensate che *Linus* è una delle poche riviste destinate a un pubblico giovane (se non l'unica) che non sia intrappolata nelle secche delle mode, del made in Italy, che non vi proponga parrucchieri di grido o sartine leziose, che non vi dice dove andare in vacanza o in quale locale il caffè non tanto è più buono quanto più chic, allora avete in pieno il senso della situazione. Il proliferare delle riviste giovani, delle riviste alternative o della cosiddetta "controcultura" una volta cessato (con tanti fallimenti) ha lasciato attorno il vuoto. In compenso ecco, dopo pochi anni, esplodere decine di testate che affidano ai capitali del made in Italy, alla pubblicità e alla promozione, ogni eventuale messaggio. L'inno di battaglia è *fashion*, è *glamour*. Non si parla qui di gloriose testate di settore, che svolgono un proprio particolare compito specialistico, quanto piuttosto di riviste giovanilmondane che se affrontano temi e tematiche di tutto rispetto e di grande importanza, come il misticismo, le nuove professioni, la rivisitazione dei miti culturali, lo fanno sempre con un'ottica *à la page*, come se ogni volta si trattasse sempre di una nuova moda e mai, per la miseria, di un problema serio, importante, sostanziale. Le uniche riviste per giovani che resistono sono quelle musicali: alcune ottime, come *Rockstar*, oppure un quotidiano, *Reporter*, che apre solitamente con ottimi servizi (come quelli del corrispondente da Londra). Per il resto, è il deserto. Per una popstar che non solo ha creato attorno a sé tonnellate di ricchezza, ma anche emozioni, modi nuovi di percepire la realtà, forse poesia; per una popstar che dice: "Ma è solo rock'n roll", non uno, uno solo, fra le centinaia di stilisti nostrani che abbia mai dichiarato, nel cancan del plauso generale e della beatificazione mondiale: "Suvvia, è solo un vestitino!" Così nelle arti figurative dove prevalgono, fatte le debite eccezioni, i fatui luccichii dei decori sulla sostanza e sullo spessore, e dove ormai tutti si considerano grandi artisti. Così nel cinema, che predilige la farsa dialettale alla ben più nobile commedia o addirittura al dramma. Così nella musica dove, per ogni gruppo come The Smiths o Pale Fountain, esistono centinaia di checchine smaniose dall'anca sguincia e facile.

La produzione culturale giovanile, per quanto – è chiaro – ci è dato vedere, sembra prediligere la leggerezza (che non è mai spaesamento) alla pensosità e alla riflessione (che non sono uggiosità). È come se il mondo dei sentimenti, delle passioni, della sofferenza, dell'apprendistato faticoso, dello studio, della scoperta delle affinità elettive, della vocazione e del talento, fosse stemperato in un gran mare di faciloneria e di improvvisazione. Come se tutto andasse per il meglio. Come se ognuno di noi fosse contento di questa carnevalata malinconica e disperata che sono gli anni ottanta. Se l'euforia giovanile degli anni settanta ha prodotto la tragedia, la tragedia degli anni ottanta (non c'è niente di nuovo, niente per cui valga la pena di vivere) produce soltanto la farsa dei travestimenti e degli equivoci.

Ora, non si vuole proprio credere che i ragazzi italiani di oggi non abbiano nulla da dire; che siano abissalmente separati dai loro coetanei di ogni altra generazione precedente; che produrranno soltanto graffitini e decorini, sculturine di capelli e musichette da *Tempo delle mele*. C'è in ballo anche la grande responsabilità degli organi di informazione e dell'establishment culturale, poiché se tutti noi offriamo ai più giovani soltanto schifezze, che cosa potremo mai chiedere in cambio? Al disorientamento di alcuni giovanissimi che chiedono cosa poter vedere, cosa poter leggere, quali artisti poter frequentare, si risponderà allora decisamente: i classici. I classici del romanzo (disponibili tutti a prezzi economici), i classici dell'arte (disponibili in ogni pinacoteca, per non parlare di quelli a cielo aperto), i classici del cinema comprese le neoavanguardie degli anni sessanta come la Nouvelle Vague o il Free Cinema (disponibili in ogni cineclub: e se non lo avete a portata di mano e siete, come noi, degli *small town boys*, prendete un gestore di una sala e programmate per una sera alla settimana un ciclo di film, lasciando al proprietario l'incasso e le spese di pubblicità, e vi garantisco che il nostro uomo sarà felicissimo di vedere i vostri amici affollare la sala). Per i classici del teatro esiste semmai il problema opposto, poiché fra tre *Re Lear* all'anno c sei *Tartufi* e dieci Goldoni è difficile avere idea di una drammaturgia contemporanea.

Più concretamente, ecco anche una proposta che mi viene fatta da una piccola casa editrice, Il lavoro editoriale di Ancona. Tutto sta nel produrre una rivista in forma di libro che raccolga i racconti dei giovinotti e delle ragazzine italiane. Per non creare la solita confusione fra giovani, esordienti, inediti e opere prime, proporrei, come si fa in qualsiasi campionato sportivo, un ferreo limite d'età: under 25. Quindi se siete nati dopo il 1960 e avete qualche racconto da far leggere, altro non dovete fare che inviarlo all'editore, specificando che fa parte del progetto Under 25.

Ecco alcune indicazioni, come per un tema in classe. Scrivete non di ogni cosa che volete, ma di quello che fate. Astenetevi dai giudizi sul mondo in generale (ci sono già i filosofi, i politologi, gli scienziati ecc.), piuttosto raccontate storie che si possano oralmente riassumere in cinque minuti. Raccontate i vostri viaggi, le persone che avete incontrato all'estero, descrivete di chi vi siete innamorati, immaginatevi un lieto fine o una conclusione tragica, non fate piagnistei sulla vostra condizione e la famiglia e la scuola e i professori, ma provatevi a farli diventare dei personaggi e, quindi, a farli esprimere con dialoghi, tic, modi di dire. Descrivete la vostra città, esercitatevi a fare degli schizzi descrittivi su quel che vedete dalla finestra, dall'autobus, dall'automobile. Raccontate le vostre angosce senza reticenze piccolo-borghesi, anzi "spandendo il sale sulla ferita". Dite quello che non va e quello che sognate attraverso la creazione di un "io narrante" che non deve, per forza di cose, essere in tutto e per tutto simile a voi. Iniziate a fingere, a dire bugie, a creare sulla carta qualcosa che parta dal vostro mondo, ma che diventi poi il mondo di tutti, nel senso che tutti noi che leggiamo possiamo comprenderlo. Fate racconti brevi, ricordando che il racconto è il miglior tempo della scrittura emotiva e parlata. Fate esercizi di questo genere: descrivere un fatto in una pagina senza l'uso della punteggiatura, poi lo stesso fatto in un'altra paginetta solo attraverso il dialogo, poi ancora la stessa cosa come se fosse successa cento anni fa e la raccontaste da un'astronave. Raccontate di voi, dei vostri amici, delle vostre stanze, degli zaini, dell'università, delle aule scolastiche. Ricordate che quando vi mettete a scrivere, state facendo i conti con un linguaggio fluido e magmatico che dovrete adattare alla vostra storia senza incorrere nello stile caramelloso della pubblicità o in quello patetico del fumettone. Il modo più semplice è scrivere come si parla (e questo è già in sé un fatto nuovo, poiché la lingua cambia continuamente), ma non è il più facile. Non abbiate paura di buttare via. Riscrivete ogni pagina, finché siete soddisfatti. Vi accorgerete che ogni parola può essere sostituita con un'altra. Allora, scegliendo, lavorando, riscrivendo, tagliando, sarete già in pieno romanzo.

[1985]

SCARTI PUBBLICATI

Il progetto Under 25 è nato da due articoli apparsi su *Linus* e intitolati *Gli scarti* e *Scarti alla riscossa*. È scaturito proprio da lì, dall'esigenza di offrire a quanti scrivono uno strumento per poter pubblicare e far leggere i propri lavori. Oggi, dopo aver ricevuto più di quattrocento dattiloscritti, esce una sorta di prima scrematura, composta di undici testi brevi. Se continueremo a ricevere altro materiale valido sarà la volta di un secondo volume, e così via, scalando, di anno in anno, le classi d'età dei partecipanti.

Al momento di uscire in libreria, posso dire che il progetto Under 25 è ben avviato. La qualità dei primi undici racconti è buona, in un paio di casi addirittura ottima. Si tratta, vorrei anticipare, di testi che hanno per tema una situazione giovanile contesa fra quotidianità e avventura: una condizione leggera e al massimo agrodolce, mai disperata o tragica; una condizione che, diversamente da quella degli anni settanta, sembra non conoscere le perversioni e gli abusi delle droghe e del sesso. Questo è un primo elemento su cui si è riflettuto, il fatto cioè che questi testi non si pongono come emergenze deliranti o desideranti all'interno di un contesto sociale da trasformare o di cui sbarazzarsi, ma sono racconti dai toni più tenui, dove la disperazione, se c'è, si stinge nelle sfumature della malinconia, o esplode nell'ironia e nel comico. L'unico elemento di contestazione è dato dall'istituzione familiare, istituzione su cui credevamo si fosse detto e fatto tutto il possibile. Ma evidentemente, per i ragazzi degli anni ottanta, essa è ancora il centro del mondo, anche solo per desiderarne – come fa Rory Cappelli – la distruzione.

In *Giovani blues* (questo è il titolo del volume), abbiamo privilegiato il momento del racconto quotidiano, dell'annotazione di viaggio, di un certo delirante umorismo giovanile che ci aveva già abbagliato nel 1977 e che ci è piaciuto ritrovare in una sorta di collezione di epigrammi e poesie di una under 25 di Genova, Paola Sansone. Abbiamo inoltre due "elogi": *Elogio della bicicletta* di Andrea Lassandari di Ancona, racconto di un viaggio in direzione della propria terra attraverso la Via Emilia, in sella alla vecchia bici di famiglia; e un *Elogio della motocicletta* di Giancarlo Viscovich, triestino, studente universitario, il cui testo sceglie non già la strada maestra del Pirsig dello *Zen e l'arte della manutenzione della motocicletta*, con i suoi toni epici e filosofici, quanto quelli tenui e poetici di un Salinger mitteleuropeo. Vittorio Cozzolino, di Napoli, ha inviato una decina di brevi racconti fra cui ne abbiamo scelti alcuni, racconti divertenti e ironici, ritratti di computer boy, di mandrilli del sesso, di artisti della spazzatura. Un'immagine della creatività dei giovani napoletani, molto più metropolitani che non sempre, e solamente, guappi e femminelli e rioni Magnanapoli e Toledo. Anche Giuliana Caso è di quelle zone, precisamente di Castellammare di Stabia, ma il suo racconto, *Bar spagnolo*, è la storia ordinaria e un po' folle di un gruppo di amiche, che vivacchiano nell'hinterland napoletano in cerca di nuove emozioni, sballi e avventure. Non si tratta del solito spaccato, della solita *tranche de vie*. Lo stile è un misto di fumettistico e di parlato, un ritmo veloce, ottenuto attraverso continui stacchi della narrazione. La ricerca di questi personaggi diventa, alla fine, quella ricerca che, in un modo quasi classico, Andrea Canobbio discute e mette in scena in *Diario del centro*. Qui un giovane "io narrante" si trova a Londra per imparare la lingua inglese. Lavoricchia e traffica in ristoranti italiani, conosce tutta una fauna di immigrati giovani e volonterosi, sfiora un traffico di vino adulterato, nei pomeriggi liberi va alla National Gallery o alla Tate Gallery. Perché? Cosa ci fa lì? Per chi lo fa? Per ricercare il proprio centro, il centro della città (per scoprire che non esiste), il centro della propria vita, il centro della terra e del mondo riflesso nella lettura di *Viaggio al centro della terra* di Jules Verne. Momenti quotidiani a Roma sono l'oggetto della scrittura céliniana di Claudio Camarca; momenti marchigiani fra sottoccupazione e festival teatrali, invece, per Alessandra Buschi. Roberto Pezzuto, come un Robinson Crusoe, si getta su navi, treni e automobili lungo le vie di un'Europa avventurosa, tralasciando i toni elegiaci di un Kerouac e preferendo le note del viaggiatore disincantato e solitario, consapevole che il proprio destino non è quello di scrivere, ma quello di sperimentare. E Gabriele Romagnoli sigla, con *Undici calciatori*, il senso sportivo della nostra impresa letteraria. Ecco in estrema e infedele sintesi i temi di *Giovani blues*. L'augurio è quello di trovare tanti altri giovani disposti a inviarci i loro testi, in modo che Under 25 sia veramente quel progetto collettivo di lavoro e di creatività come lo abbiamo formulato grazie anche alle numerose lettere e alle collaborazioni dei lettori di *Linus*.

[1986]

UNDER 25: PRESENTAZIONE

IL PROGETTO. Nella primavera del 1985, invitato dalle amiche di *Linus* a esprimere le mie opinioni riguardo ai giovani, mi trovai bloccato. Nonostante avessi, negli anni passati, più volte acconsentito a fornire descrizioni del mondo giovanile, non solo italiano, quella volta sentii che non sarebbero più bastati racconti di attitudini e di atteggiamenti, ricognizioni nei locali di intrattenimento che la fauna frequenta, excursus nei luoghi e nei territori canonici dei loro pomeriggi, ma fosse necessario un ripensamento, anche mio personale, proprio su quelle modalità di descrizione che avevo adottato nei cinque, sei anni precedenti. Per questo mi bloccai. La scadenza di consegna del pezzo ormai si avvicinava e forse era già scaduta da un po' quando consegnai al fattorino l'articolo. In sostanza, l'intervento, che fu pubblicato sul numero 243 del giugno 1985, non conteneva i luccicanti elementi che trasformano ogni articolo sui giovani in un contributo colorato, divertente e magari ironico. Il mio sforzo era, al contrario, teso alla definizione di una metodologia di approccio e di lavoro riguardante l'argomento "Giovani." E tutto, in poche parole, poteva riassumersi nel felicissimo titolo che la redazione inventò per il pezzo: *Gli scarti.*

Dopo aver raccontato quanto mi infastidisse, da giovane, leggere gli interventi degli specialisti sulla mia generazione, temendo io stesso il rischio di essere diventato un chiacchierone, addirittura sulle colonne della rivista preferita dei miei sedici anni, intrigavo il discorso fino a sostenere che non era possibile tracciare un identikit del giovane contemporaneo, se non rinunciando a tutti gli angoli di osservazione già adottati e alle prospettive consolidate. Un discorso onesto e sincero non poteva, a mio giudizio, che partire dall'osservazione degli scartamenti individuali rispetto alla norma. Quindi non più look generation, video generation o altre cialtronate simili, non più etichette e marche di abbigliamento, ma piuttosto osservazione degli scarti, del non firmato, del non etichettato, del non colorato.

Il pubblico della rivista reagì positivamente, proponendo, anzi, nuovi contenuti e nuovi atteggiamenti che sarebbero poi esplosi, esattamente nel novembre successivo, con le manifestazioni di massa dei "ragazzi dell'85". Alcune fra queste lettere furono pubblicate sul numero di agosto e io risposi, a ottobre, proponendo uno strumento di lavoro: il progetto Under 25. Nel corso di quell'estate, infatti, gli amici del Lavoro editoriale, con i quali avevo collaborato in precedenza, mi proposero l'idea di una rivista per giovani autori italiani, indicandomi una rosa di eventuali responsabili. Dissi chiaramente che mi sarei impegnato in un progetto del genere solo a tre condizioni: la prima che non si trattasse di una rivista vera e propria, ma di una serie di volumi antologici, in sé e per sé autosufficienti. Questo perché non era nelle mie intenzioni dimostrare niente di niente, né proporre una condotta ideologica o canoni estetici, ma mettere semplicemente insieme un libro di giovani, realmente giovani, autori. La seconda condizione fu dunque che il limite anagrafico per partecipare al progetto fosse rigidamente fissato sulla soglia dei venticinque anni. La terza che gli editori si impegnassero a rispondere a chiunque inviasse del materiale, in modo da instaurare un rapporto e coinvolgerlo nel progetto collettivo.

Gli editori, Massimo Canalini, Giorgio Mangani ed Ennio Montanari, presero un po' di tempo per riflettere. In effetti, mi accorgevo di chiedere loro un grande sforzo di fantasia e di fiducia verso la nuova generazione. Negli anni scorsi, abbiamo visto alcune riviste cedere le armi proprio su ipotesi di lavoro fondate sui giovani autori italiani. Ma, avendo fissato quel limite d'età, mi ritenevo tranquillo. Avremmo scartato in partenza tutti i memoriali, le confessioni degli ottuagenari, gli sfoghi dei grafomani ai quali la vita ha riservato soltanto amarezze e delusioni. Ero convinto dei venticinquenni; qualche giorno dopo si dimostrarono convinti e pronti a partire anche gli editori.

Così è nato questo progetto, alla cui divulgazione hanno contribuito alcune testate di informazione e alcuni giornalisti, che vorrei qui ringraziare: da Antonio Orlando di *Rockstar* a Beppe Ramina di *Reporter*, da Claudio Castellani di *Annabella* a Giancarlo Susanna di *Fare musica*, dalla Radio della Svizzera Italiana a Radio Capodistria, nelle persone di Franca Tiberto e Ruggero Po. Grazie a questa semplice campagna stampa, abbiamo ricevuto, al 31 dicembre 1985, oltre quattrocento dattiloscritti di cui il presente volume offre una prima scrematura. Il progetto Under 25 è varato, e il nostro augurio è che, di anno in anno, scalando l'età dei partecipanti, esso diventi un divertente e piacevole appuntamento con i modi di raccontare delle nuove generazioni, una sorta di gioco a cui, in qualità di lettori, non ci stancheremo di partecipare.[1]

CHI HA SCRITTO? CHE COSA? DA DOVE? PERCHÉ? Alla redazione di Ancona sono arrivati oltre quattrocento dattiloscritti nell'arco, praticamente, di tre mesi. A casa mia, divenuta contro la mia volontà, anch'essa una redazione, almeno una trentina, arrivati tramite amici, amici degli amici, posta e corrieri espresso. Un centro raccolta era stato costituito a Reggio Emilia presso la libreria del Teatro, grazie alla disponibilità del libraio-editore Nino Nasi. Una domenica pomeriggio è arrivato in questa stanza da cui scrivo un ragazzetto con un manoscritto avvolto nel contenitore, in cartone, dei vasetti di yogurt. Era in copia unica e temeva di bagnarlo, visto che fuori nevicava. Mi ha anche ordinato di fotocopiarlo e, quando gli ho detto che sarebbe stato impossibile dal momento che era domenica, ha accettato di lasciarlo a patto che mi impegnassi solennemente a non perderlo, non danneggiarlo e restituirlo in breve tempo.

Sono arrivati dattiloscritti composti nelle forme più strane: chi batte a macchina su fogli di quaderno, chi sulla carta intestata di papà, chi sui protocolli senza tralasciare una facciata, chi su biglietti da visita. Moltissimi ragazzi adottano la spaziatura uno, la più serrata, e le loro pagine sembrano informi macchie di inchiostro. C'è

[1] "In fondo, la letteratura è una forma di gioco, che piace agli uni, gli scrittori, e agli altri, i lettori: una forma di gioco a cui si può decidere di partecipare o meno." Peter Bichsel, *Il lettore, il narrare*, Aelia Laelia, Reggio Emilia, 1985, p. 3.

chi ha mandato un'intera, pressata risma di fogli accompagnati da una bella letterina del tipo: "Questo è solo un volume dei miei quarantasette diari"; c'è chi ha scritto a mano, chi a matita, chi con la penna stilografica. Chi ha usato una stampantina ad aghi fra le più preistoriche, rendendo la lettura difficilissima; chi ha usato il nastro rosso, chi ha preferito inviarci una poesia; chi ha chiesto consigli, lettere di incoraggiamento; chi il segreto per diventare scrittori. I più smaliziati hanno voluto sapere come si entra in contatto con una grande casa editrice. Le mamme ci hanno raccomandato le poesie delle figliolette e, di questo passo, siamo arrivati a ricevere le fotocopie dei temi in classe delle bimbotte prodigio. Sono arrivati i disegni, soprattutto a pastello. La redazione sembrava un doposcuola.[2]

Questo è forse dipeso da un primo errore, e cioè il fatto di aver pubblicizzato la nostra iniziativa su alcune riviste femminili. Ogni volta che arrivava un manoscritto la cui lettera di presentazione diceva: "Ho letto del vostro progetto sul numero di ottobre di...", sapevamo già che il materiale sarebbe stato inutilizzabile. In futuro, faremo più attenzione. Da ogni errore si impara qualcosa di importante.

Il secondo errore che abbiamo commesso è stato quello relativo a una condizione da me posta per varare il progetto, e cioè il contatto personale con ogni autore. Errore, poiché dopo un solo mese di arrivi, il giro di lettere e risposte aveva ingolfato il redattore addetto; e anch'io, dopo aver scelto una rosa di una ventina di testi, mi sono bloccato nello sbrigare la corrispondenza e l'*editing* fatto per posta. Ma di questo racconterò più avanti.

Le città. Se volessimo tracciare una mappa dettagliata delle città da cui sono arrivati i circa duecento testi interessanti e leggibili, un dato, in particolare, risulterebbe con grande evidenza. La maggior parte dei nostri Under 25 vive in città di provincia, di una provincia

[2] "Ogni anno, in Italia, diecimila persone danno alle stampe le loro opere, e se si tiene presente che un solo libro viene stampato su cento che arrivano manoscritti sul tavolo di un editore, ne risulterà che abbiamo, in Italia, un numero altissimo di scrittori, fra editi ed inediti; circa un milione, o anche più. Forse il numero degli scrittori è pari a quello degli analfabeti, e fors'anche il problema dell'analfabetismo si potrebbe risolvere imponendo a ciascun autore di insegnare a leggere a un analfabeta, servendosi del suo libro inedito come di un sillabario." Luciano Bianciardi, *Il lavoro culturale*, 3ª ed., Feltrinelli, Milano, 1974, pp. 67-68.

beninteso ricca e vivace, ma che oltrepassa di gran lunga la produttività giovanile delle metropoli. Non sono un esperto di scienze statistiche e la mia analisi si fonda soprattutto su dati intuitivi, anche se questi troveranno naturalmente riscontro nella realtà del materiale preso in esame. Immediatamente ci siamo accorti di come mancasse, in questa immaginaria mappa geografica, una città che fino a qualche anno fa è stata la capitale della creatività giovanile: Milano. Dalla sua provincia, da Varese, da Pavia, da Brescia, è arrivato qualcosa. Da Milano, no. Una città come Napoli ha portato un altissimo contributo di testi, così come l'hanno portato regioni come l'Emilia e le Marche. Da Firenze, città che da qualche tempo si è costituita come la nuova capitale giovanile italiana, con i suoi gruppi teatrali, la sua videoarte, le sue band rock, le sue fanzine, i suoi giovani stilisti del *trend*, sono arrivati testi interessanti, e così da Genova, da Torino, da Cagliari. Da Milano, niente. Parlano i ragazzi di Trieste e quelli di Macerata, le ragazze dell'hinterland napoletano e quelle dei rioni piccolo-borghesi di Roma, ma i milanesi tacciono. Abbiamo riflettuto su questo dato. Viste le percentuali, niente è più chiaro. Considerando allora che Milano è la sola metropoli italiana degna di questo nome, avrei voglia di scrivere che la cultura metropolitana, quella che ci ha allattato durante gli anni settanta, quella che si riverberava in provincia attraverso i concerti, i movimenti, le manifestazioni, le riviste, i raduni, è definitivamente morta.

È allora possibile cogliere un segno molto interessante degli anni ottanta. La scomparsa di una cultura metropolitana è avvenuta parallelamente all'emergere, sempre più vigoroso, di una cultura che nasce e cresce nelle città di provincia e, da qui, molte volte affluisce alla metropoli. In effetti, Milano è una città di grandi attività culturali e di grandi fervori, ma è presumibile il fatto che gli Under 25 non ne facciano granché parte, differentemente dal passato. Se non esiste più una capitale, sembrano esistere tanti piccoli centri che hanno una vita culturale stimolante e aggressiva. Questi ragazzi che scrivono, che ci hanno scritto, non desiderano più perdersi e vivere e sentirsi eccitantemente *speed* – come si diceva dieci anni fa – all'interno di una città brulicante di vita a ogni ora del giorno e della notte. Non cercano l'anonimato e l'alienazione della vita nella metropoli per far saltare le proprie intensità, per credersi così uniti ai coetanei di Londra o di New York. Il ghetto è saltato. Il lisergico e la psichedelia, attitudini che stanno tornando massicciamente nelle abitudini delle nuove generazioni, sono vissuti più come fenomeni estetici e onirici che non di trasgressione. E quindi non hanno necessità di una città violenta per esplodere. Vengono gustati meglio nella tranquillità della campagna veneta e nella mitezza delle colline toscane o, ancora, nel paesaggio degradato, ma umanamente dolce, del Sud.

Tutto ciò mi porta a una seconda considerazione. Scomparendo la cultura metropolitana scompaiono anche alcuni temi a essa legati come, per esempio, quello della sessualità indiscriminata e della droga.[3] Non voglio discutere se sia bene o sia male. Le categorie morali non pertengono a un'introduzione. Sono felicemente sorpreso del fatto che le tossicomanie non costituiscano più un materiale di racconto. Questo può solo significare che stanno estirpandosi dall'immaginario dei giovani. Nello stesso tempo, mi chiedo: è mai possibile che questa nuova generazione o meglio, questi racconti non abbiano alcunché di perverso? E mai possibile che a questi ragazzi tutto vada bene, che siano così soddisfatti? No, certamente. Diciamo che l'oggetto delle loro perversioni fantastiche – come leggerete in uno dei racconti di *Giovani blues* – non è più il proprio corpo, né sono le istituzioni o lo stato. È qualcosa, molto spesso, su cui credevamo si fosse già detto o distrutto tutto il possibile: la famiglia. E questo può significare una sola cosa. Essendo oggetto d'odio, la nostra sacra e venerata istituzione familiare è contemporaneamente oggetto di un feroce, vastissimo, struggente amore.

Quattro classificazioni. Sarà già apparso evidente che il nostro progetto è un ibrido non soltanto come forma, così sospeso com'è fra rivista e opera narrativa, ma anche dal punto di vista degli intendimenti. Se il nostro scopo è, e rimane, quello di far raccontare i

[3] Un ventenne emiliano, Marco Fantini, ha presentato un lungo racconto, *La stanza,* di ottanta cartelle. Si tratta di un angoscioso gioco psicologico fra alcuni personaggi racchiusi in una stanza e mutanti sotto l'effetto di polverine misteriose. È uno dei pochi testi sul tema della droga, anche se qui è più forte una tendenza fantastico-onirica tipica della fantascienza che non del reportage realistico: più ultimo Burroughs delirante che non Selby jr., Kerouac o anche lo stesso Burroughs di *Junkie.*

giovani, l'esito che sta avendo il progetto si situa a metà strada fra un'inchiesta di sociologia culturale e un discorso specificamente letterario. Questo perché, come si diceva, il dato caratterizzante della proposta è proprio la sua dimensione collettiva. Under 25 è un progetto collettivo, al quale partecipano indistintamente tutti coloro i quali ci inviano i loro testi. La sua forza risiede non tanto nella forza di un singolo testo, quanto nel fatto che il testo in questione è una singola intensità di una lunghezza d'onda collettiva. Nello stesso tempo, questa filosofia situa il progetto a metà strada fra sociologia o esame dei comportamenti giovanili (in particolar modo di quelli che scrivono) e universo letterario vero e proprio. Più che un'ipotesi letteraria (insita, per esempio, nell'idea stessa di rivista), Under 25 è un'ipotesi di lavoro letterario. La differenza è proprio tutta in quel lavoro. Forse, allora, Under 25 altro non è che un'inchiesta letteraria, non giornalistica, sul lavoro culturale e sulla creatività scritta dei ragazzi italiani di oggi.

Detto questo, che cosa hanno scritto i nostri Under 25? Lasciando da parte i duecento testi improponibili alla lettura, di cui abbiamo già detto, potremmo suddividere la restante parte in questo sommario modo: testi intimisti, testi generazionali, testi di genere (giallo, fantasy, horror, mistero, romanzi storici, romanzi rosa, resoconti di viaggio, fantascienza ecc.), testi sperimentali e poesie.[4]

a) Testi intimisti. Fanno parte di questa categoria i testi redatti in forma di confessioni, appunti diaristici, epistolari a una sola voce.[5] Hanno per tema solitamente angosce e disgrazie. Il fatto di essere giovani, con tutti i problemi affettivi e caratteriali che comporta l'ingresso nella società, la scoperta di essere macchine desideranti che hanno necessità di baci, abbracci, carezze, per poter andare avanti, amori delusi, grandi passioni di testa, interrogativi su sé, Dio, il destino del mondo. Raramente questi testi contengono pagine degne di attenzione. Interessano più da un punto di vista personale, nel senso che se fossi il compagno di banco di Annalisa vor-

[4] Una tale, sommaria, classificazione serve unicamente ai fini del nostro discorso introduttivo e non potrebbe, in alcun modo, porsi come rigida catalogazione letteraria di tutti i testi arrivati. Invece di proporre e stabilire classi a priori, come solitamente fa la critica, si preferisce proporle deducendole dal materiale in esame.

[5] Cfr. Jean Rousset, "Una forma letteraria: il romanzo epistolare", in *Forma e significato*, Einaudi, Torino, 1976, p. 92. "La suite a una voce: una sola persona scrive, di solito a un solo destinatario."

rei, almeno per curiosità, sbirciare nel suo diario. Mancano soprattutto due fattori decisivi che, se considerati, ne permetterebbero l'uscita dal ghetto del pianto e dell'autocommiserazione. Questi fattori sono la consapevolezza dello strumento letterario usato, in questo caso, come "strumento epistolare" e l'ironia (o l'autoironia).

Scrivere un diario è una cosa magnifica. Veramente bellissima. Anch'io lo faccio, pure se in modo non troppo canonico. Scriversi lettere è altrettanto bello. Il fatto stesso che l'invio di una lettera comporti un precisissimo rituale inalterato da un paio di secoli – la stesura, l'eventuale copia, l'affrancatura, l'uscita di casa per la spedizione – mi sembra già un'abitudine gravida di senso. "Una lettera è qualcosa che palpita", dicevano i romanzieri francesi del XVIII secolo; è qualcosa che resta, che si può rileggere, che può essere tramutato in un feticcio, che si può distruggere con un bel rito di fuoco quando un amore finisce. I miei amici sono quelli che mi scrivono e a cui scrivo. Quelli di cui conservo, un po' disordinatamente, le tracce. Ma questo è un discorso personale. Se volete scrivere i diari o le lettere per farle leggere a tutti, dovreste immediatamente sapere che quell'"io" che scrive è già un personaggio. Come tale deve seguire tutta una serie di regole e comportamenti che niente hanno a che fare con la realtà, ma tutto invece con la letteratura, che è il regno, l'ambiente, in cui vivono i personaggi. Ecco cosa intendo per consapevolezza dello strumento. Intendo consapevolezza delle regole letterarie che sovrintendono il genere e che, nel bene o nel male, vanno conosciute per poterle poi rispettare o infrangere. Nel caso degli epistolari, i racconti costruiti da un insieme di lettere, le principali regole sono di ordine combinatorio e strutturale.[6] Un continuum di lettere deve essere organizzato attorno a un qualche fulcro narrativo. Può essere un avvenimento più

[6] "Della lettera è proprio un acuto senso dell'interlocutore, del destinatario, a cui essa è rivolta. La lettera, così come la replica del dialogo, è rivolta a una persona determinata, calcola le sue possibili reazioni, la sua eventuale risposta." Michail Bachtin, *Dostoevskij*, Einaudi, Torino, 1968, p. 267.
In *Littérature et signification*, saggio pubblicato nella collana "Langue et language", Larousse, Parigi, 1967, Tzvetan Todorov esamina la lettera proprio in quanto procedimento dell'intreccio. "Visione stereoscopica", "ritardo dell'azione", "contrasto", "intercettazione", "deformazioni temporali", "disposizioni premeditate", pertengono alla lettera come strumento di avanzamento dell'intreccio. Questo avanzamento avviene poi in molteplici modi, fra i quali Todorov studia la "gradazione" delle lettere, l'"antitesi" delle lettere, l'"alternanza", la "concatenazione", l'"incastro".

o meno importante che capita nella vita dei personaggi, una luna di miele come il training propedeutico a un'importante finale olimpica. Può essere la storia di un tradimento o di un amore. Può essere semplicemente il resoconto di un mese di vacanze, di un anno scolastico, di una stagione crudele. Il problema è sempre di impostazione. Occorre un salto di qualità. Nel momento in cui avrete la consapevolezza di adottare un personaggio,[7] sarete in grado di risolvere, virtualmente, il nocciolo del problema.

Esistono anche altri punti di vista dai quali è possibile abbordare il problema senza ricorrere all'ottica privilegiata, almeno per la nostra narrativa, del personaggio. Potete risolverlo fingendovi, per esempio, buoni giornalisti e quindi reporter inviati in quella terra di nessuno che è la condizione giovanile. Oppure risolverlo in un modo raffinatissimo, e cioè attraverso lo stile, attraverso un'ipotesi formale; per esempio: scriverò il mio diario come se fossi un musicista, oppure un entomologo o un botanico, e quindi adottando un lessico e uno stile appropriati.

Questi punti di vista sono già punti di vista professionali e da scrittori, nel senso che sono più pertinenti a chi vuole veramente costruire un'ipotesi letteraria o un dispositivo romanzesco originali. Per il resto basterebbe solamente il dono dell'ironia a far levitare le pagine. Non starò qui a spiegare di cosa si tratti. O l'avete o non l'avete. Se c'è, tiratela fuori spudoratamente; se no, potete sempre dedicarvi ad altri toni di racconto come fa Peter Handke nel suo diario, *Il peso del mondo*.

b) Testi generazionali. Chiamiamo così quei testi che hanno per tema l'adolescenza o la prima giovinezza e tutta la gamma delle loro "figure": rapporto con i genitori, le amicizie, il gruppo, la scuola... Si differenziano dalla classe precedente proprio per lo spostamento dell'ottica narrativa. Solitamente non è più un "io" che parla di sé, ma un "io" che parla di "sé con gli altri". Alcune volte si arriva all'uso di un "noi" narrativo.

[7] "Quando magari la si butta sul personaggio [...] allora uno sente il bisogno di sapere – prima cosa – chi sono, qual è il loro aspetto, il carattere, se sono creature di carne o di carta, come vivono, quanto guadagnano; perché mi possono 'interessare', devo saperli conoscere, distinguere, prevedere con una certa approssimazione [...] come si comporterebbero in ogni circostanza della loro vita; se non li conosco mi infastidiscono solo." Alberto Arbasino, *L'anonimo Lombardo*, Einaudi, Torino, 1973, p. 64.

Si tratta di prove molto interessanti anche se, evidentemente, non tutte sono ben riuscite e si situano più nel campo delle ipotesi o dei tentativi fini a se stessi. Cosa raccontano questi testi? Di tutto: da una gara sportiva ai primi approcci sessuali, da una gita scolastica fatta a Parigi da un gruppo di liceali napoletani alle esperienze di emarginazione e di angoscia. Sono in maggior parte racconti di studenti, ma non mancano i musicisti rock, i giovani bancari, i baby manager, ragazze alla pari o iscritti alla Bocconi. Racconti di vagabondi e di insoddisfatti, di giri di amici, di piccoli poeti dispersi in provincia. La maggior parte dei testi presenti in questo volume appartiene a questa classe.

c) Testi di genere. Si tratta di racconti fantascientifici, racconti gialli, poemetti horror, racconti di spionaggio, racconti rosa e sentimentali, racconti di fantasy. Ha stupito il massiccio impiego di questi generi letterari solitamente definiti "bassi" o "popolari" da parte di universitari, o più in generale di ragazzi con una buona formazione culturale alle spalle. Certo, i racconti dei nostri Under 25 devono più ai fumetti di Moebius che a Lovecraft, più alle saghe hollywoodiane di Spielberg che non a quelle di Tolkien, più ai commissari televisivi che non ai detective di Raymond Chandler o Dashiell Hammet, più alle varie Donne di Picche o Donne di Quadri che non a Chesterton o Graham Greene, più al Buzzati della *Boutique del mistero* che non al Borges di *Finzioni*, più ai telefilm di Hitchcock che non a Kafka, più ai giocatori di Piero Chiara che non a quelli di Tommaso Landolfi. Una certa fantascienza del quotidiano deve più agli incubi apocalittici dei Grünen che non a Orwell o ad Aldous Huxley. Le ragazze sono più Liale che Jackie Collins, molto più Delly che Jacqueline Susann: reticenti, zuccherose e da operetta. Due considerazioni, allora. La prima, che nel momento in cui si mettono a scrivere, questi ragazzi non hanno nessun tipo di inibizione letteraria o di genere. E, d'altra parte, perché dovrebbero averne? Vanno al cinema, guardano la televisione, hanno in tasca gli "abbonamenti studenti" per le *matinée* teatrali, leggono buone riviste di fumetti, cantano e studiano con il televisore sintonizzato sul programma non stop di videoclip. Leggono i tascabili in cui trovano, allo stesso prezzo e nel medesimo formato, di tutto. Quando tentano le proprie sintesi, è naturale che il background si faccia sentire indiscriminatamente. Il problema è piuttosto quello di chi potrebbe aiutarli a compiere delle scelte, a conoscere le differenze di qualità fra i vari autori, a storicizzare e contestualizzare le opere. La scuola, in questo senso, dovrebbe non tanto imporre dei valori di qualità e di uso, quanto insegnare una metodologia di approccio e di consumo delle opere letterarie.

D'altra parte, mi è capitato un paio di volte di accendermi discutendo con un amico su cosa consigliare ai ragazzi come lettura. Il mio interlocutore si era scandalizzato per il fatto che avessi consigliato *Il giovane Holden* di Salinger, *Maggie Cassidy* di Kerouac e *Di qua dal Paradiso* di Scott Fitzgerald. In sostanza, romanzi con protagonisti adolescenti o poco più. L'amico, consultato dai ragazzi, propose invece Marcel Proust e Dostoevskij. Disse che i romanzi da me suggeriti sarebbero dovuti venire solo in un secondo tempo, quando i ragazzi, cioè, avessero già succhiato il latte dei classici. La mia convinzione invece era, e rimane, quella di partire da libri facili, coinvolgenti anche come tematiche, e arrivare, certo arrivare, ai classici. Quello infatti che mi preme è che i miei giovani amici, che hanno voglia di leggere, leggano e si affezionino così a questa pratica. Una volta imparato che anche parlare d'amore, anche andare al cinema, anche girare per strada, sono attività che la lettura può nutrire e far crescere, le opere, i testi verranno da soli. Dico tutto questo perché non mi scandalizza il fatto che, mentre il giovane Foscolo avesse alle spalle come figure mitologiche quelle degli eroi classici, questi ragazzi abbiano Mazinga o Superman. Nello stesso tempo, se un ragazzo crescesse oggi infarcito di classici, senza televisione, senza cinema, senza fumetti e senza rock, un po' mi urterebbe, poiché non credo che potrebbe capire granché di quello che pensano e che fanno i suoi coetanei. Rimane comunque questa consapevolezza del gioco che è la scrittura: un gioco anche tragico o drammatico, un gioco di verità o di finzione che parte sempre, necessariamente, da modelli conosciuti, "alti" o "bassi" che siano.

La seconda considerazione, assolutamente imprevista, è che proprio all'interno di taluni generi "bassi" abbiamo trovato segnali di inquietudine e di angoscia, di insoddisfazione e anche di paure generazionali. Sapevamo insomma che la fantascienza può essere il genere dei nostri incubi, ma non prevedevamo assolutamente che i ragazzi la usassero soprattutto per questo e non come semplice evasione. A differenza dei testi intimisti, tutti così racchiusi e personali, questi testi onirici raccontano molte più cose di quanto gli autori non pensino sulla loro generazione. Gettano una luce nera su un'età e un destino. Pare quasi che qui non raccontino ragazzi di Belluno o di Montefiascone, ma ragazzi consapevolmente europei e occidentali. Le loro angosce non hanno latitudini né confini geografici. In questo senso, l'Italietta della commedia sembra finalmente essere fuori gioco. E di questo siamo contenti.

d) Testi sperimentali e poesie. Non ne sono arrivati tanti, in verità. Forse che gli Under 25 privilegiano l'uso degli strumenti letterari che non la riflessione su quegli stessi strumenti? È probabile. Forse i meccanismi di scrittura desunti dalle poetiche delle avanguardie storiche e delle neoavanguardie degli anni sessanta sono oggi fortunatamente lontani dallo scomparire, dirottati su altri linguaggi. I giovani, in sostanza, mi sembra che siano più propensi a sperimentare in campi come quello dell'immagine elettronica o dell'arte figurativa. La scrittura è un po' tagliata fuori da questa ricerca e, pensandoci, il processo appare anche legittimo e giustificabile, come se certe spinte distruttive della parola letteraria l'avessero, appunto, totalmente consumata e portata al limite estremo delle proprie possibilità. Oltre si può andare solo passando in altri campi. È sintomatico, voglio dire, che molta computer art di questi ultimi anni sia un po' poesia visiva, un po' sperimentalismo testuale, e ricordi nella propria formulazione, e soprattutto nei meccanismi del suo funzionamento, certe scomposizioni sintattiche tipiche delle avanguardie. Restando alla scrittura, comunque, anche i testi di questo volume, pur non essendo catalogabili come testi sperimentali, dimostrano una certa ricerca stilistica e modalità di narrazione abbastanza nuove, impegnate e usate con capacità.

Vorrei ugualmente fornire l'esempio più azzeccato fra i testi sperimentali che ci sono pervenuti, e dal momento che l'autore, Mauro Nardelli, ha ventitré anni, mi auguro che mandi ancora i propri lavori. Pubblicare per intero il suo testo sarebbe stonato con l'umore complessivo di *Giovani blues*, ma non è detto che in futuro Under 25 non esca come antologia di prose sperimentali e di ricerca stilistica.

Di che si tratta? Praticamente della medesima azione, un breve incontro a Venezia, scritta in tre modi diversi a distanza di anni l'uno dall'altro. Ecco uno stesso movimento parallelamente espresso e formato in tre differenti ritmi:

Dentro lo stomaco una lama che ancora affonda – sopra la strada e contro una macchina – sull'orlo della strada le palme del cielo – contro una macchina dal viaggio silenzioso. In corsa contro il cielo le alte ciminiere – una duna di roccia protesa verso la costa.

da *Ultima uscita*

Sulla laguna il suo sorriso era una dissezione di volo d'albatros – carena azzurra e rossa: rientranze sulle rughe dell'acqua – un velo di pioggia. E un ritorno menzognero lo so bene – sostenere la mia stessa pietà – una parete scrostata – lui è così infantile in questo senso: non capirà.

da *Marzo 1984*

Mi chiedevo il perché dei tuoi silenzi mentre passavi il palmo della mano sul vetro e scrutavi l'asfalto bagnato: guidavi veloce e l'auto aveva sobbalzi morbidi e bruschi – e schizzava acqua dalle pozzanghere. Avevo una lama dentro – una dimensione che provava ad espandersi – ma misconoscevo il tempo: il compreso nella sfera dell'eventuale, il margine.

da *Viaggio segreto*

Per quanto riguarda le poesie, già nella messa in circolo del nostro progetto ne avevamo sconsigliato l'invio. Nonostante questo, ne sono arrivate in grande quantità. Chi cura questa antologia non è un poeta e non conosce gli strumenti della poesia, se non per quello che ha studiato e ha visto proporre, da molti suoi coetanei, ai tempi delle performance. Gli è più facile leggere un testo in prosa poiché gli sembra di conoscerne, un po', le leggi. Non è comunque uno specialista né di un ramo né dell'altro. Non è un accademico, né un intellettuale, né tantomeno un letterato. Per questo, per incompetenza e per pigrizia, per ignoranza o per insensibilità, non ritiene di potersi occupare di poesia. Nonostante ciò, come forse avrete già visto scorrendo il volume, egli propone un breve florilegio di liriche. Ma le propone proprio per il loro antiaccademismo, la loro comicità, la loro carica polemica e, pure, la loro goliardia. Ha letto molte volte, sui muri delle città, cose del genere. E gli è piaciuto ritrovarne oggi lo humour e la follia. Ma in tutti i modi non ha nessuna intenzione di parlare di poesia. Se

Under 25, come si augura, procederà nel corso degli anni, ritiene giusto affidare a un poeta il compito di assemblare un volume di liriche, analogamente a quanto sta facendo nei confronti dei testi in prosa.

Nascita di un racconto. L'esercito dei nostri Under 25 (in termini militari quattrocento soldati sono già un battaglione, o almeno due belle compagnie) dimostra che, al di là dei risultati raggiunti, scrivere è ancora un'attività largamente praticata dai giovani perché non ha costi di produzione, perché si può fare ovunque, in qualsiasi luogo e con qualsiasi tempo, perché può sembrare un naturale prolungamento di quel che si fa già a scuola o all'università: esercitazioni, temi, appunti dalle lezioni... Per questo i ragazzi scrivono tanto, con buona pace di quanti invece decretano la morte di una tale pratica sopraffatta dall'uso domestico dei computer e dalla videomania. In fondo, progresso per progresso, è ancora molto più semplice, e più economico, raccontarsi una storia per lettera, e magari fotocopiarla per gli amici o moltiplicarla con la stampantina ad aghi del papà, che non spedirsi una cassetta in VHS o un SUPER 8 con la propria bella faccia che dice: "Io ti amo." La parola, in sostanza, è ancora il linguaggio che permette a tutti gli altri di parlarsi, e per questo, finché il nostro cervello resterà quello che noi conosciamo, non rischierà di essere spodestata.

D'altra parte, questi ragazzi scrivono perché leggono. Questo è un dato di fatto e anche la risposta più sincera che si possa dare alla domanda: "Perché scrivi?" Bene: "Scrivo perché ho letto."

Questa consapevolezza non è forse la forza di tutti i nostri Under 25. Esistono molte altre ragioni per cui i ragazzi scrivono e ci hanno scritto. Perché avevano bisogno di sfogarsi, perché avevano tempo, perché si annoiavano, perché erano tristi e abbattuti, perché erano incazzati, perché ce l'avevano con qualcuno, perché quella sera non avevano i soldi per andare al cinema. Molti scrivono per divertirsi. Ma parecchi scrivono anche perché sanno che scrivendo e riflettendo con parole e raccontando, potranno conoscersi meglio. È il caso, fra tanti, di Laura Benedetti, classe 1962. Chi parlerà fra poco è il personaggio di un suo breve racconto che ogni notte siede di fronte alla finestra e scruta il buio, ascoltandone le voci. Dice il vecchio:

"Io non so perché nasce un racconto, ma credo di aver capito perché non nasce. Non nasce perché le persone hanno paura di guardare dentro se stesse e dar corpo a quello che di oscuro vive in loro. Scrivere significa scoprirsi, scrivere significa tradirsi, e loro non lo tollerano. [...] So di certo che quando scrivo, o meglio, quando presto la mia penna a chiunque abbia una storia da raccontare, i confini tra il dentro e il fuori di me, di solito così netti, si fanno incerti e confusi."

da *Gioco di specchi.*

Queste potrebbero essere le ragioni principali per cui i ragazzi scrivono e affidano alla pagina le loro fantasie, i loro dubbi, i loro amori. Non sottovaluterei questa motivazione senza dubbio ingenua, primaria, in un certo senso *naïve*. Non lo farei proprio perché ha in sé una carica di vitalità e di presa diretta che la nostra letteratura adulta, per esempio, è ancora lontana, nella maggioranza dei casi, dal raggiungere.

IL LINGUAGGIO, LO STILE. C'è una situazione ricorrente nella gran parte dei testi arrivati. E questa situazione è che chi scrive è sempre dannatamente strafatto su un materasso a slumare il soffitto. Non ho avuto modo, finora, di proporre una percentuale, ma così, a occhio e croce, potrei affermare che un testo su cinque racconta di questo momento.

C'è un po' di pigrizia, una musica molto soft si diffonde dallo stereo, le persiane sono abbassate, filtra un po' di luce, poco importa se di sole o di luna. Il personaggio siede sul letto e pensa. La giornata non gli è andata molto bene. Non ha molti soldi da spendere, l'amica forse lo sta mollando, la scuola, uffa che noia! Sembra di vedere la locandina di *Another Country*, in cui Rupert Everett sta lì, nella stessa posizione del nostro eroe, a guardare fisso davanti a sé, annoiato e innamorato.

In effetti, questi ragazzi assomigliano a Everett. Appartengono a una generazione italiana più ricca delle precedenti, fanno più sport, e si vede. Vestono bene, hanno più soldi per le mani. Tentano di apparire belli a tutti i costi e detestano gli abbrutimenti. Viaggiano di più, se la cavano almeno con una lingua straniera, hanno rivendicazioni molto professionali da avanzare alla società. Ma, nel momento in cui scrivono e raccontano, la maggior parte si blocca. Come se non avesse mai fatto nulla. Stanno lì sul letto e slumano il soffitto. Eppure vitalità ce l'hanno. E la dimostrano. Anche se nei luoghi più impensati. Ecco un esempio:

Tanto per toccare subito il fondo arreco il dato biografico, visto che si pone l'opportunità di celebrare la mia giovinezza: ho ventun anni e studio per diventare un medico disoccupato. Dico questo non perché creda nella potenza economica alternativa della mia penna, ma per dare una parvenza di drammaticità a una vita che invece è molto felice. Non capisco proprio perché i giovani debbano avere tutti i drammi che si attribuiscono loro, o forse ciò che mi sfugge è la sottile interrelazione tra il dramma e la capacità di pensiero, quasi fosse che, per pensare, si debba forzatamente soffrire. Anzi io sostengo che a cuor contento si ragioni meglio, perciò non vedo perché una gioventù lieta – lungi dall'essere spensierata – non possa mettere in campo le ragioni della sua allegria.

È proprio per questo che vorrei mettermi a scrivere: ritengo che le nuove leve abbiano valori in cui credere, ma che, in virtù del fatto di essere catalogate "nuove leve", siano poco credibili. Purtroppo il nesso mi sfugge.

La lunga lettera di presentazione che Gian Piero Merati ci ha inviato, continua per altre pagine con arguzie, buon senso e una discreta dose di faccia tosta che rende il tutto simpatico, fresco, accattivante. Ma perché i racconti che poi Gian Piero acclude non appaiono all'altezza delle pagine prefatorie? La risposta è semplice e vale non solo per Gian Piero, ma per gran parte degli Under 25. Le loro lettere sono, insomma, così belle e piacevoli e chiare, proprio perché nelle lettere i ragazzi sentono di dover giocare qualcosa. È come se avessero solo in quei foglietti striminziti, vergati a mano, la consapevolezza di dire qualcosa. Certo, devono vendersi. Devono attirare l'attenzione del lettore. Devono giocare d'astuzia. Devono incuriosire, giostrare con i propri mezzi espressivi senza però strafare, devono immaginarsi l'interlocutore, saperne prevedere le mosse, tenerlo sott'occhio; devono essere originali affinché chi li legge abbia immediatamente la sensazione di trovarsi di fronte a qualcuno, importante e intelligente, il cui lavoro non può essere cestinato così di brutto.

Ecco allora che in questi testi prefatori, i nostri ragazzi diventano ironici testardi che sanno il fatto loro:

> Per evitarle sensi di colpa, le comunico da ultimo che, in ogni caso, continuerò a scrivere, non foss'altro per tutti quegli psicoanalisti che darebbero soldi per possedere la mia produzione letteraria.

Oppure teorizzano assai bene e disinvoltamente i loro tentativi letterari:

> Sono un seguace del raccontino: lo ritengo un genere veloce, spontaneo, senza artifici, insomma "giovane", per dirla con il termine più indicato. Inoltre credo che il racconto sia più adattabile alle infinite sfaccettature della realtà da raccontare, di per sé già non molto addomesticabile, e che di conseguenza eviti il problema di lavorare sempre la stessa pasta, problema che preferirei lasciare alla competenza dei geni e dei fornai.

O ancora, subdolamente, cercano di far breccia nello spirito di chi li leggerà:

> Se è arrivato a questo punto della lettera senza provare ansie di cestinamento, la ringrazio per la considerazione che mi ha gentilmente accordato, sicuro che le verrà un posto nella Tribuna Centrale del Paradiso.

Poi, improvvisamente, appena si hanno per le mani i testi veri e propri, viene quasi rabbia. Ci si chiede dove mai siano finite quella leggerezza e soavità e improntitudine e simpatia delle prefazioni. Il problema è allora che i ragazzi dovrebbero porsi nei confronti del racconto con quel salto di qualità e di consapevolezza che dimostrano nelle letterine di presentazione. In sintesi, sapere già che c'è un "io" che scrive nel momento stesso in cui si inizia la scrittura, un "io" da vendere e da far leggere, un "io" che ha una storia, quella stessa storia che poi emerge efficacemente dalla lettera introduttiva.

Il linguaggio letterario. Abbiamo già accennato come la generazione dei ventenni abbia alle spalle l'universo indiscriminato della società culturale, o, più semplicemente, dell'informazione di massa. Abbiamo detto di tutta una serie di archetipi e di eroi desunti dalle strip di avventura, dai serial televisivi, dal cinema, dalla letteratura di consumo. Inevitabilmente tutto ciò confluisce nello stile e nel linguaggio letterario dei ragazzi.

In alcuni casi, pochi in verità, il background generazionale viene assunto ironicamente come vero e proprio linguaggio. È il caso di un paio di racconti contenuti in questa antologia dove le espressioni gergali e basse del fumetto e del cinema di consumo sono assunte in funzione ritmica a favore della narrazione al punto da realizzarsi quasi come una punteggiatura di parole. Ma la maggioranza degli Under 25 non ha questa consapevolezza e questa capacità. I più riescono a svicolare, inventandosi e usando un linguaggio "neutro", se mai è possibile averne uno. Altri cercano di sorvegliare la propria scrittura per farla aderire ai propri spostamenti interiori e privatissimi, come nel caso di Andrea Canobbio. Ma la maggior parte cade sul campo di battaglia, vittima di un equivoco alquanto subdolo: la letterarietà.

Che cosa si intenda con questo termine è assai semplice, soprattutto in riferimento allo stile dei testi presi in esame. In essi emerge continuamente lo stridore fra le ambizioni e la precarietà dello stile, come se tutti questi ragazzi volessero dire cose altissime e importantissime e assolutamente uniche, con un linguaggio poi inadatto: un linguaggio da conversazione professorale, da seconda classe di treno rapido; un linguaggio farcito di buone e ormai insulse espressioni scolastiche. Ecco, gran parte dell'equivoco è tutto qui. Il parametro della letterarietà del testo è assunto in base ai valori del lessico scolastico piccolo-borghese. Il risultato è una presunta letterarietà che ci ricorda le maestre che ci segnavano in blu sui fogli di protocollo "più buono", "aspettare", "avere una gran fame", "ridere sgangheratamente", usati maldestramente e volgarmente in luogo di "migliore", "attendere", "avvertire un languore", "ridere a crepapelle".

Ecco allora che i ragazzi, nel momento della creazione, assomigliano a tanti giovin signori pariniani che usano espressioni del tipo "mi prese per gli omeri", "deglutire un primo boccone", "in men che non si dica", "bighellonare", "trastullarsi", "a più non posso". Ora, senza voler fare della facile ironia su espressioni decontestualizzate, si può certamente ammettere che molti testi, peraltro ben strutturati e con una certa loro apprezzabile coerenza interna, si rendono illeggibili proprio per l'uso e la scelta stilistica. Non pare di essere di fronte a una generazione postmoderna, il cui linguaggio si è arricchito o modificato con tutte le espressioni delle esperienze giovanili degli anni sessanta e settanta (cultura della droga, controcultura, misticismo, politicizzazione ecc.), né con il lessico ormai internazionale di derivazione anglosassone, né con l'avanzare dei cosiddetti "linguaggi funzionali", come può essere quello applicato ai computer. Sembra di avere di fronte ragazzini perbene, di un buon collegio di provincia, che sbucciano le arance con il coltello e, ogni tanto, fra di loro, si lasciano sfuggire un: "Cazzo!"

D'altra parte, questa presunta letterarietà ha a che fare, molte volte, con il kitsch delle canzonette di Sanremo (meno con certi bei testi dei nostri migliori cantautori della fine degli anni settanta). Un esempio:

Quel treno puzzava di fumo
e aveva odore di gente.

Chi canta? Orietta Berti, se volete. O Iva Zanicchi, che ha più dimestichezza con i treni dell'Est e le tradotte siberiane. Oppure Scialpi, che potrebbe così continuare:

Cresce col concime di città
la mia gioventù, oh, oh, oh.
Al di là dei muri cercherò
il mio sole, l'aria.

Si tratta invece dell'attacco di un racconto che ci è arrivato da Bergamo, e al cui giovane autore chiediamo di prendere con filosofia questo scherzetto. In effetti, l'attacco non è scandito come in una poesia. Si tratta di una frase, e non di due versi. Ma quello che vorrei dire, basandomi un po' malandrinamente su questo reperto, è che molto spesso la presunta letterarietà di un testo si fonda sulla presunta poeticità di fenomeni di consumo di massa, come appunto le canzonette. E questo perché, mancando una certa coscienza critica, qualsiasi metafora, anzi il fatto stesso dell'espressione metaforica, qualsiasi espressione metonimica in sé e per sé, qualsiasi rima baciata solo per il fatto che esiste la rima, vengono riconosciuti come valori poetici. E sembra, infatti, di sentire i nostri imbonitori televisivi che, con aria saputa e meravigliata, dicono: "Ma che poesia! Che poesia! Signora Maria, la sente? Non è straordinaria tutta questa poesia in una parolina?" E giù gli applausi. Tutto viene preso per buono, tutto diventa un valore perché "valore di massa". Abbiamo bisogno di cambiamenti, ora, nel nostro paese. Abbiamo bisogno di occupazione e di riforme scolastiche. Di treni più veloci e di ospedali funzionali. Ma avremmo anche bisogno, un grande bisogno, di qualcuno che insegnasse a questi giovani il dissenso. "Insegnasse" non è forse il termine più appropriato. Diciamo piuttosto di qualcuno che dimostrasse loro l'effettiva possibilità di "messa in discussione" della realtà. Di qualcuno che li difendesse o mostrasse loro gli strumenti per difendersi da questo imperante e aberrante kitsch nazionale degli anni ottanta che tutti, invece, parrebbero applaudire.

Il parlato. Una fra le tante scappatoie praticabili per difendersi da quel che abbiamo definito sbrigativamente, e in senso peggiorativo, "letterarietà", può essere senza dubbio quella del parlato. Altre strade possono essere quelle di una scrittura minimalista, o circostanziata. Altri percorsi quelli di uno stile intimo, da cronaca sentimentale, da resoconto di un'anima. O ancora, annotazioni brevi come appunti di viaggio. Esistono tantissime possibilità, molte linee di fuga per non rendere il proprio linguaggio banale e stordente. Propongo un esempio da un racconto di Gabriele Romagnoli. Il pezzo si intitola *Hector* e racconta di uno strano personaggio chiamato dal narratore "lo zio di Francia".

> In questo paese allo sbando, Hector ritornava ad ogni scadenza elettorale per rivedere i parenti e per votare comunista. Fu in queste occasioni che ebbi modo di conoscerlo. Seduto a tavola, una mano sul suo fido bastone, intesseva interminabili, lentissimi racconti in cui immetteva decine di "bòn!"...

Romagnoli è bravo, ma si potrebbero fare alcune obiezioni riguardo all'uso di espressioni quali: "ebbi modo di", "fido bastone", "intesseva racconti". In sostanza, anche in questo frammento la prosa, senza essere banalissima, è però stridente. Sentite invece come fila via spedita nel momento in cui viene riportata, in discorso diretto, una "tirata" di Hector:

"Noi di Maselli sembra che fossimo due gruppi all'inizio; uno andò verso la Romagna, verso il mare... bòn... e l'altro si stabilì a Castelguelfo. Io sono nato lì, la nostra famiglia non era ricca, no, ma aveva un podere... e si viveva bene. Già nel cinque avevamo due biciclette, bòn..."

Cosa funziona qui? Già uno stile, un parlato, un ritmo particolare. L'immissione nel testo di quei "bòn" e di quel "no" impone le pause e, nello stesso tempo, il tono del racconto, fa sentire la presenza degli interlocutori. Gabriele avrebbe potuto lavorare meglio questo racconto; noi non abbiamo avuto tempo per farlo e, d'altra parte, qualcosa di suo era già stato scelto.

Anche se nello spazio minimo di due campioni testuali, scelti un po' arbitrariamente, avete potuto avere un'idea di quello che intendo per "parlato", cioè un espediente stilistico per dare impulso e vivacità alla narrazione. Molti testi, molte confessioni, molti diari, se avessero adottato un tale stile, sarebbero apparsi migliori e li avremmo pubblicati. Sarebbero diventati più godibili, avremmo inciampato in un loro particolare gergo, in una loro dialettalità, forse, che ci avrebbe contagiati e che avremmo ammirato. Invece di scegliere la strada della letterarietà e dell'"altezza", per molti andrebbe meglio quella opposta del parlato e dello sfogo gergale. In questo modo non saremmo passati indenni, e senza accorgersi di nulla, fra il racconto "autobiografico" di una ragazza di Torino e quello di una coetanea siciliana. Avremmo sentito che la loro lingua è diversa. Che certi modi di dire sono veri là e inesistenti qua. Che non esiste una lingua nazionale valida per tutti, così come i buoni libri sono spesso intraducibili. Avremmo capito anche solo con uno sguardo alla composizione tipografica della pagina la diversità della loro esperienza. E invece siamo passati indenni da un racconto a un altro, a un altro ancora, senza avvertire stacchi. Come se leggessimo, appunto, le prove d'esame di un concorso ministeriale, tutte scritte con lo stesso italiano burocratico e insipido.

Credo che tutti dovremmo imparare bene la nostra lingua (ma di quale periodo? Di quali classi sociali? L'italiano accademico di Carducci o quello piccolo-borghese di Fogazzaro?), ma impararla per avere poi la possibilità di muoverci e di percorrerla secondo la nostra fantasia e il nostro estro. E visto che ormai sono salito in cattedra, farò il professore e parlerò in latino:

Ut silvae foliis pronos mutantur in annos,
prima cadunt, ita verborum vetus interit aetas,
et iuvenum ritu florent modo nata vigentque.
[...]
Multa renascentur quae iam cecidere, cadentque
quae nunc sunt in honore vocabula, si volet usus,
quem penes arbitrium est et ius et norma loquendi.

Come la foresta muta nel fluire degli anni le foglie
e le prime cadono, così passa e finisce il tempo delle parole;
e hanno la freschezza e il vigore della gioventù le ultime nate.
[...]
Parole cadute in gran numero rivivranno, parole vive periranno,
secondo che vorrà l'uso, signore assoluto del linguaggio,
fonte del suo diritto e sua legge.

Orazio, *Ars poetica*, 60-62, 70-72
(traduzione di Enzo Mandruzzato)

GIOVANI BLUES. Come è stato assemblato il primo volume di Under 25? Quali interventi sono stati compiuti dal momento dell'arrivo del manoscritto alla sua pubblicazione? Come si è stata effettuata la scelta?

Cercherò di rispondere a queste domande, legittime soprattutto da parte degli esclusi, i quali si chiederanno non solo il perché del loro oblio, ma anche che cosa noi, in realtà, cercassimo.

Innanzitutto vorrei riprendere il concetto di progetto collettivo. Fino a questo punto, avete avuto modo di leggere alcuni frammenti di composizioni, diciamo così, scartate. Ma non inutili. Infatti, gran parte delle argomentazioni fin qui esposte, è stata fatta sulla base di lavori e di testi messi da parte, ma letti, valutati, esaminati e, soprattutto, ascoltati. Per questo, nelle pagine finali di *Giovani blues*, sono pubblicati tanti nomi, quelli di chi ci ha inviato il proprio lavoro, fidandosi del nostro giudizio e, si spera, rispettandolo. Senza questa massa di "esclusi", Under 25 sarebbe il solito tentativo di "lanciare" un nuovo scrittore. Noi non stiamo cercando giovani autori ma, semplicemente, vogliamo vedere che cosa diavolo combinano i nostri giovani, poiché siamo curiosi e non ci dimentichiamo di essere stati, solo dieci anni fa, anche noi *small town boys*, pienamente immersi nell'alacrità della provincia.

La prima cosa che ho imparato nell'apprendistato eseguito sotto la guida di Aldo Tagliaferri, redattore editoriale e critico letterario, è stata quella di riscrivere. Quando mi presentai nel suo ufficio con un bel volumone, frutto di un anno di lavoro, mi aspettavo un'immediata pubblicazione. Giuro che non mi passava nemmeno per la testa il fatto che quelle quattrocento cartelle sarebbero state ridotte, strapazzate e, infine, dimenticate per far posto a quello che sarebbe diventato il mio libro d'esordio. Mi sembrava che dopo un bel po' di pensamenti e scrittura il risultato fosse buono. Invece imparai, a mie spese, che niente viene al primo colpo, soprattutto quando si hanno vent'anni e non si è certo geniacci. Bisogna riscrivere, analizzare, rifare, buttar via, per arrivare a qualche risultato, soprattutto se si vogliono raggiungere l'immediatezza e la freschezza, qualità faticosissime e per niente spontanee. Questo ho voluto fare con i testi dei ragazzi presentati in *Giovani blues*: riscrivere.

In realtà, ogni testo poneva un problema particolare. Per esempio, un racconto aveva la lunghezza originale di tre cartelle. Mi sembrava buono, così ho chiesto all'autore di estenderlo almeno a una quindicina di pagine, poiché l'idea era piacevole e la scrittura avrebbe sopportato tale dilatazione. Lo stesso procedimento, partire cioè da un soggetto per arrivare a un racconto, l'ho tentata anche con Giuseppe Riccio di Napoli, che però non mi ha seguito e mi ha scritto, simpaticamente, che non voleva fare lo scrittore, che si trattava di uno scherzo, e morta lì! In un altro caso, molto importante, ho suggerito all'autore il passaggio da un passato remoto a un indicativo presente, e non per mio sfizio particolare, ma perché questa narrazione era rivendicata proprio dalla scrittura stessa. In molti passaggi, infatti, l'autore era costretto all'indicativo presente per dar forza al racconto e respiro alla pagina. Ho semplicemente suggerito di avvalersi dell'indicazione che veniva dal testo e di estenderla a tutto il racconto, non perché una forma verbale fosse meglio dell'altra, ma perché il tempo di quella sua narrazione esigeva quel preciso tempo verbale. In un altro caso, l'*editing* è stato parziale, ho cioè invitato l'autore a riformulare alcune parti che mi parevano complicate e non risolte. In altri casi ancora non si è trattato di un vero *editing*, poiché i testi mi parevano già pronti per andare in stampa. Non ho però voluto rinunciare a una possibilità e allora ho chiesto agli autori di riscrivere completamente il pezzo, di ricopiarlo, facendo attenzione ai suggerimenti interni del testo. Ho, in altre parole, chiesto di ricopiare il racconto come se fossero altre persone, quindi correggerlo, eventualmente, in un modo *già* professionale. In altri casi, infine, ho usato le forbici del censore. Mi si dava carta bianca, e allora ho montato un testo un po' magmatico, cercando di mantenerne le parti più belle. Ma questo è avvenuto in un solo caso perché l'autore, quello del dattiloscritto nella confezione di yogurt, non è stato rintracciabile e credo, sinceramente, che si sia imbarcato per i mari del Sud... Quel che comunque ritengo importante è una disponibilità alla riscrittura e al ripensamento del lavoro. Ho trovato qualche difficoltà a spiegare ai ragazzi che cosa intendessi per "riscrittura". Sinceramente non lo so con precisione. So che il segreto della scrittura è quello di buttar via e di riprovarci senza paura e senza noia; la consapevolezza che lavorare con le parole e i racconti è un gioco estremamente divertente, ma anche faticoso, poiché a ogni capoverso devi fare una scelta e non sai mai, fino alla fine, dove questa ti potrà portare. Per questo, per scrivere un racconto non è importante pensare o avere tante idee. È importante buttar giù. L'ispirazione è lavorare. Le migliori idee vengono scrivendo.

[1986]

UNDER 25: DISCUSSIONI

PREMESSA. Il primo volume del progetto Under 25 uscì nel maggio del 1986 con il titolo *Giovani blues*. Raccoglieva tredici racconti inediti di undici autori compresi fra i ventidue e i venticinque anni. Nella prefazione al volume, tracciavo la storia del progetto, innescato dagli stimoli che lettori e redattori di *Linus* fornirono nel corso del 1985. Chiarivo che il progetto non si poneva tanto come esercizio ideologico, quanto come strumento di lavoro letterario. Avrebbe quindi dato spazio non alle teorizzazioni, ma alle narrazioni prodotte direttamente dai soggetti "esaminati", e cioè i giovani al disotto dei venticinque anni.

Il progetto fu annunciato su alcune riviste ed emittenti private non per scelta particolare, ma semplicemente per opportunità. Nell'estate-autunno del 1985, mi trovai infatti sotto pressione per l'uscita di un mio testo. Nelle chiacchierate con i giornalisti più disponibili, chiesi semplicemente di mettere in coda all'articolo che mi riguardava qualche notizia sul progetto Under 25. Questo fu l'unico modo in cui divulgammo la notizia. E nella prefazione a *Giovani blues*, ho raccontato anche di alcuni inconvenienti legati a questo fatto.

Il successo di quel primo volume ci spinge ora, con maggior determinazione, a proseguire nella ricerca e nella pubblicazione dei testi dei ragazzi italiani, rilanciando, a distanza di un anno, quelle stesse direttrici di lavoro che orientarono *Giovani blues*. È per questo motivo che in luogo di una prefazione, indubbiamente ripetitiva, qui preferisco dar conto di come il presente volume sia differente da quello che lo ha preceduto; di come il progetto si stia evolvendo, pur mantenendo il programma già enunciato; di come critiche, recensioni, incoraggiamenti ci abbiano suggerito una maggior messa a fuoco del lavoro. Queste note risponderanno dunque, innanzitutto, a quelle riserve metodologiche che sono state avanzate da alcuni recensori; in secondo luogo, affronteranno tematiche più generali riguardo a temi del tipo giovani/scrittura, giovani/letteratura, giovani/mass media, corsi di *creative writing*, esordienti, mercato editoriale ecc., temi sempre sollevati dai recensori; in terzo luogo, daranno conto dei cambiamenti del secondo volume dal titolo *Belli & perversi*.

QUESTIONI DI METODO. Qualcuno forse ricorderà che gran parte delle considerazioni introduttive a *Giovani blues* erano avanzate sulla base di circa quattrocento racconti esaminati nell'arco di qualche mese. E questo perché la volontà era di indagare la creatività scritta dei ragazzi italiani. Una volta scartati i testi del tutto improponibili (sul genere dei temi scolastici), si ritenne opportuno classificare la maggior parte dei racconti secondo parametri non solamente contenutisti, né esclusivamente formali: categorie elastiche che permettessero raggruppamenti sufficientemente praticabili. Così gran parte delle prove narrative presero posto in testi intimisti, testi generazionali, testi di genere, testi sperimentali e poesie. Questa sommaria classificazione, come d'altra parte rilevavo, era dettata solamente dall'opportunità di poter avviare inizialmente un discorso che non aveva l'ambizione di porsi come strumento critico, conscio dell'estrema elasticità selettiva dei propri margini. Quindi solo quattro categorie suggerite dal materiale preso in esame, quattro categorie per tentare di istituire i termini di una ricognizione.

Alcune obiezioni all'impostazione generale del progetto, e alle nostre classificazioni, sono state avanzate da Giuseppe Bonura,[1] Cesare De Michelis,[2] Luca Rastello,[3] Gianni Turchetta,[4] mentre

[1] Giuseppe Bonura, "Narratori Under 25 e molti in panchina", in *Avvenire*, 4 ottobre 1986.
[2] Cesare De Michelis, "Fiori di carta", in *Il Gazzettino*, 12 luglio 1986.
[3] Luca Rastello, "Giovani su misura", in *L'Indice*, n. 10, 1986.
[4] Gianni Turchetta, "Storie di esordi", in *Linea d'ombra*, n. 17, 1986.

Luca Torrealta[5] ha semplicemente notato la mancanza della categoria del "comico".

Che senso ha, scrive Giuseppe Bonura, varare un progetto come questo per esordienti o giovani quando "o si ha talento letterario o non lo si ha. Nel primo caso, si finisce per pubblicare comunque. Nel secondo caso, si finisce anche col pubblicare, ma lasciandoci le ossa e l'anima".

Per essere sincero, questa considerazione mi sembra assai discutibile. La realtà, sembra suggerire Bonura con la delusione o la stanchezza di chi, in tempi non lontani, si è occupato di autori esordienti, va bene com'è, e se non va bene, ci sarà sempre la divina provvidenza a mettere le cose a posto. Se questo fatalismo dovesse mostrarsi l'attitudine più in voga fra chi di cultura, bene o male, si occupa, è certo che dovremo aspettarci un miglioramento. Sia chiaro: non ritengo l'attivismo sfrenato una buona ricetta per migliorare la realtà poiché, in molti casi, più si fa e più si distrugge. Ma certo non vorrei mai abdicare a quelle che considero possibilità della fantasia e dell'intelligenza in favore dell'immobilità del buon senso.

Anche Cesare De Michelis avanza alcuni rilievi all'impostazione del progetto. Lamenta una classificazione "ambigua ed esteriore" e, soprattutto, una propaganda dell'iniziativa che ha escluso "coscientemente qualsiasi organo dell'attuale società letteraria". Su quel "coscientemente" non ho nulla da dire, poiché quel che sa De Michelis, certo non posso sapere io. Come ho detto, di Under 25 ho parlato in coda a una serie di interviste. Alcuni giornalisti hanno riportato i dati dell'iniziativa, l'indirizzo della casa editrice, i tempi di consegna dei testi; altri giornalisti, a cui dissi le stesse cose, non hanno creduto bene di riportare il nostro annuncio. Resta il fatto che tutto si è svolto a un livello un po' dilettantesco, lo riconosco, e soprattutto casuale. Se avessimo avuto denaro da investire in annunci e pubblicità, lo avremmo fatto. Forse sarebbe bastato un comunicato stampa inviato agli organi della società letteraria. Dopo di che avremmo atteso tre mesi per la pubblicazione, poiché non mi risulta che esistano tante riviste letterarie puntualmente in edicola ogni mese o ogni quindici giorni. Avremmo potuto interessare le

[5] Luca Torrealta, "Il mondo nel diario", in *Il Manifesto*, 30 luglio 1986.

università,[6] è vero. Ma con quale credibilità di partenza? Tutto si è svolto invece in pochi mesi, velocemente, alacremente, come, lo ammetto, è nel mio carattere. Comunque, l'osservazione di De Michelis ha fatto breccia. Come spiegherò in chiusura di queste note, abbiamo ora dato più attenzione agli aspetti letterari del progetto.

In un articolo sull'*Indice*, Luca Rastello, rileva "un primo errore di prospettiva" nella formulazione del progetto, consistente in una "facilità sociologica [...] che appiattisce in un solo schema tutte le età che vanno dal lecca-lecca all'elezione del senato repubblicano". Riporto questa considerazione poiché è assolutamente unica nel repertorio, non piccolissimo in verità, delle recensioni che abbiamo avuto. La maggior parte dei lettori si è dimostrata assai favorevole alla discriminante dell'età. Il limite dei venticinque anni ci si è imposto per le assonanze con il gergo calcistico di cui si conoscono, infatti, le rappresentative "Under 18", "Under 21", mentre nel basket è ancora in vigore la selezione, terminologicamente assai bella, in "Allievi", "Cadetti", "Juniores". Si è preferito il gergo calcistico, perché avvinceva l'idea di formare una squadra. E, difatti, abbiamo pubblicato undici autori e, guarda caso, il racconto finale di Gabriele Romagnoli si intitolava *Undici calciatori*. Insomma, mi divertiva il gioco di rimandi interni ed esterni che si poteva creare con la sigla Under 25. E devo dire che, risfogliando in questi giorni la rassegna stampa per redigere queste note, mi accorgo che non tutti i recensori sono stati così elastici dall'intendere proprio la dimensione ludica e competitiva, anche provocatoria, di tutto il lavoro: un lavoro impostato su precise linee culturali e condotto con grande divertimento e piacere, senza noia, senza uggia, senza boria e presunzione, come invece mi capita di trovare in parecchie riviste letterarie; un progetto che ha l'orgoglio di restare alla deriva della fatiscente società letteraria italiana, delle accademie di rintronati e delle istituzioni del sorbetto e della pizza.

Ma l'osservazione di Rastello regge: la differenza fra un sedicenne (cioè chi, si presume, inizia a scrivere) e un venticinquenne, magari laureato da tre anni, esiste. Solamente che è una differenza

[6] Abbiamo parlato anche con gruppi di studenti, per esempio, del dipartimento di italianistica dell'Università di Bologna, grazie all'interessamento del professor Fabrizio Fasnedi. Questi ragazzi hanno progettato una rivista analoga al progetto Under 25 e destinata, se così è possibile dire, a un target universitario.

che non riguarda Under 25. Questo progetto è rivolto e formulato per la categoria, diciamo, dei ventenni in cui, credo, si possono riconoscere ragazzi dai diciotto ai venticinque anni. E, cioè, ragazzi di un'età che rappresenta l'uscita dall'adolescenza e l'ingresso nella prima giovinezza, un'età che significa esami di maturità, servizio militare, università, laurea, esperienze sentimentali, sessuali, intellettuali, formative di personalità che si stanno stabilizzando. Sinceramente mi sembra abbastanza coerente.

La seconda annotazione degna di interesse del recensore dell'*Indice* è squisitamente letteraria. Qualcuno ricorderà che, nel corso della prefazione a *Giovani blues*, trattando di argomenti quali lo stile, il linguaggio, proponevo, fra le tante vie praticabili per fuggire dalla letterarietà, l'uso del parlato. Ma, ripeto, era solo un esempio fra altri che indicavo. Rastello critica proprio questo, come se si fosse imposto uno stile ai testi. Mi sembra di aver detto molto chiaramente che i testi selezionati in *Giovani blues*, lo sono stati in virtù della loro qualità, della loro compiutezza e della possibilità di essere inseriti in un più generale quadro tematico. Ammetto di aver privilegiato un certo tono rispetto ad altri, ma questo solo perché mi sembrava, appunto, stonante inserire un pezzo di fiction o di fantasy in un gruppo di testi invece assai omogenei. Omogenei, perché, nella quasi totalità, affrontavano simili e tipiche tematiche giovanili, che andavano dai problemi di identità (risolti da Andrea Canobbio in una garbatissima nevrosi letteraria, con un Jules Verne doppiato in una Londra senza centro) a quelli della fuga dal borgo (in Giuliana Caso) o del bisogno di avventura (rilanciato in un epos quotidiano dal viaggio in bicicletta di Andrea Lassandari); dal desiderio di evasione, tipico di ogni gioventù, di Roberto Pezzuto, che rifulgeva in quelle tracce su pezzi di carta, ricette rubate in cambusa, annotazioni dalla cucina di un ristorante, alla prosa di Gabriele Romagnoli che Geno Pampaloni ha definito "piena di silenzi, di chiaroscuri, di reticenze". E si potrebbe continuare con Paola Sansone (che, peraltro, scrive poesie), con la comicità surreale di Vittorio Cozzolino, con il diario di Alessandra Buschi, notato dai recensori poiché è l'unico in cui si riverberino i fatti della politica, e via via con tutti gli altri.

Omogeneità di temi, differenza di stili e narrazioni. Mi sono dilungato sulle obiezioni di Rastello poiché assomigliano, in modo assai curioso, a quelle avanzate da Gianni Turchetta su *Linea d'ombra*. Si tratta di un articolo, a tratti assai livido, in cui fra l'altro si riferisce di un curatore "nelle vesti usurpate di esperto del mondo giovanile" e le cui predilezioni "hanno contribuito a dar un volto ancor più desolante a questi primi campioni della letteratura di domani". Così, Under 25 diventa "un astratto progetto contenitore" e la sua metodologia appare viziata da una "doppia ambiguità: i testi vengono infatti a parole offerti per la loro rappresentatività sociologica, ma poi di fatto sono scelti in base alla loro presunta esemplarità artistica".

Che cosa rispondere? Sarei quasi tentato di farne una questione personale con *Linea d'ombra* e, magari, con il suo direttore che ha gastricamente liquidato i racconti che compaiono in *Giovani blues* con queste due righe: "Sono pressoché tutti generazionali nel senso peggiore, quasi soltanto compitini di sfogo autobiografico e diaristico." A ognuno le sue idee, ma certo non ci aspettavamo, dalla rivista che ha tentato di pubblicare racconti italiani di giovani scrittori una tale – è proprio il caso di dire – cattiva coscienza. Forse è come dice Ottavio Cecchi:[7] "Aveva cominciato *Linea d'ombra* [a riunire manoscritti] ma i redattori di quella rivista hanno preteso di giudicare (qual è il modello?) e hanno dovuto smettere."

La presunzione e "le vesti usurpate" niente hanno a che fare con Under 25. I travestimenti ideologici li indosserà qualcun altro, e sui risultati, come tutte le persone sensate, sospendiamo il giudizio, riservandoci di valutare, senza preconcetti, volta per volta. Certo è che, nella sua improvvisata progettualità, Under 25 ha offerto uno strumento praticabile agli esordienti, ai giovani autori, magari anche a qualcuno che non scriverà più, ma che ha creato qualcosa che non è "livido", che non è usurpato e che non è astratto. Poiché sarà anche da piccole iniziative come questa, iniziative gestite da tre persone, non da venti, non da dieci, usufruendo di un ridicolo budget paragonabile al costo di un abito di sartoria; sarà forse a partire da iniziative come questa che "l'atteggiamento chiuso delle case editrici" di cui, si sa, si lamentano sempre e solo le portinaie lasciate sul pianerottolo, potrà anche essere incrinato.

[7] Ottavio Cecchi, "Quel ragazzo ha la penna facile", in *Rinascita*, 26 luglio 1986.

In quanto all'ambiguità del progetto, se mai c'era, questa risultava del tutto dichiarata in apertura, nel momento in cui si affermava: "Se il nostro scopo è, e rimane, quello di far raccontare i giovani, l'esito che sta avendo il progetto si situa a metà strada fra una inchiesta di sociologia culturale e un discorso specificamente letterario." Dove, con un po' di intelligenza si poteva capire che il discorso sociologico era quello che avanzavo nella prefazione (avendo come materiale di osservazione i quattrocento testi), e il discorso più propriamente letterario era invece costituito dai racconti pubblicati. Non c'era ambiguità, credo. C'era il tentativo di un'intersezione critica.

CONSIDERAZIONI GENERALI. Una volta accettata, o quantomeno non criticata, l'impostazione della nostra ricerca, la discussione critica ha affrontato tematiche più generali e, forse, più interessanti. Dovrei segnalare alcuni infelici casi in cui si iniziava la recensione definendo il nostro lavoro "pregevole iniziativa", "lodevole progetto" e "ammirevole attività", salvo poi liquidare il tutto frettolosamente (ma anche nel caso che il tutto fosse poi stato salvato era per me uno strazio dover assistere a questo moralismo sugli intendimenti, a queste pacche sulle spalle di parroci in malafede, a quelli che dicono: "Bravo, bravo", e poi scappano via). Chi ha considerato "lodevole" il nostro lavoro, automaticamente mette la sua disponibilità in gioco, per criticare o per suggerire, poco importa. Ma si schiera per una possibilità di cambiamento. E poi non credo che esistano iniziative editoriali "pregevoli" o "lodevoli" e nemmeno libri "ammirevoli" o sforzi "degni di encomio" in campo letterario e culturale. Bisogna giudicare i risultati. Esistono operazioni opportune e altre meno e altre ancora niente affatto. Era opportuno progettare Under 25? Era utile? Forse sì, forse no. Siamo qui a parlarne e a lavorarci. Ma che stiano alla larga i moralisti che lodano e che premiano per salvarsi la coscienza. A parte costoro, dunque, diverse e interessanti considerazioni sono state avanzate riguardo alle problematiche, non unicamente letterarie, che Under 25 ha sfiorato: il rapporto dei giovani con la letteratura, con la lettura, con l'industria editoriale, più in generale con la società. In alcuni contributi anche il rapporto degli adulti, dei padri, con questi giovani.

E poi l'emarginazione giovanile, la scuola, i consumi culturali di massa...

Alberto Arbasino[8] ha dedicato un lungo e importante articolo a Under 25, intrecciando questioni e tematiche essenziali per un tipo di ricerca come la nostra:

1) Situazione precaria nell'oggi di riviste e periodici di letteratura, a confronto con un passato in cui "la produzione di nuova letteratura italiana aveva canali fitti, frequenti, qualitativamente ragguardevoli".

2) Confronto fra gli Under 25 del passato (che diedero già capolavori) e i ragazzi di oggi, "pacati, frugali, senza aspirazioni", dai comportamenti uniformi e omogeneizzati, al punto da potersi schierare sotto la bandiera del "Vogliamo niente".

3) Non minimalismo, non abbassamento del linguaggio e delle narrazioni, "ma forse proprio azzeramento dell'io".

4) Polemica sull'accettazione passiva, da parte dei lettori (e degli scrittori) di una letteratura contemporanea elementare e dimessa, a fronte di un gigantismo in tutti gli altri settori della cultura e dello spettacolo.

Per quanto riguarda la situazione attuale delle riviste letterarie e dei periodici di letteratura, dirò, molto semplicemente, che proprio il loro stato di crisi, l'impossibilità di dirottarvi manoscritti degni di attenzione, forse proprio la mancanza totale di "strumenti pop", ma anche di poetiche ed estetiche praticabili almeno a livello di "esercizi di stile" (alle lezioni di Luciano Anceschi andavamo addirittura in massa, ma poi? Quali strumenti? Quale pratica? Quale apprendistato? Forse l'unica colpa era quella di essere forzatamente, dannatamente, troppi?), ebbene questa situazione ha portato alla formulazione di Under 25, cui mancherà certo un chiaro supporto ideologico, una griglia estetica interpretativa ecc. ecc., ma almeno avrà dalla sua parte la "nozione" di fattibilità.

In quanto al confronto con il passato, paragone snobisticamente addotto da vari recensori, vorrei solo far notare che anche nella musica, di bambini o ragazzi prodigio, ben pochi ne abbiamo avuti da un paio di secoli a questa parte; ma per restare vicino a noi, dove sono addirittura gli Under 30 del cinema italiano, dove esordi inte-

[8] Alberto Arbasino, "Vogliamo niente", in *La Repubblica*, 22 agosto 1986.

ressanti e problematici e non velleitari, se non risalendo indietro di almeno due o tre decenni? Anche nei territori delle arti figurative, magari non avremo geni, ma certo esistono e, quel che è più importante, lavorano centinaia di giovani fra i venticinque e i trent'anni. Basterebbe, peraltro, guardare agli altri paesi europei per accorgersi che la situazione italiana, pur nelle sue croniche arretratezze istituzionali, non è fra le più marginali. Possiamo non essere d'accordo con gli intendimenti e le poetiche, possiamo criticare i risultati, mettere in discussione gli atteggiamenti, l'arrivismo e il carrierismo di tanti giovani artisti, ma certo non possiamo dire che nel nostro paese non stia accadendo nulla di interessante o di vitale.

"Vogliamo niente", titolava *La Repubblica* il contributo di Arbasino. "Secondo me, però," rispondeva Grazia Cherchi,[9] "il titolo giusto sarebbe stato: 'Vogliamo tutto, ma non sappiamo cosa farne.' Infatti se è ormai impossibile per noi adulti scegliere da che parte stare data l'indecorosità delle squadre in campo, figuriamoci per i giovani d'oggi, cresciuti aideologici-apolitici."

A proposito del terzo punto decontestualizzato da Arbasino ("azzeramento dell'io"), avremo modo di discuterne più avanti, citando altri interessanti contributi sui rapporti fra cultura di massa e masse giovanili. In quanto alla presunta direttrice minimal, che orienterebbe la letteratura contemporanea in contrasto con la spettacolarizzazione massiccia di altri eventi culturali, la replica sarebbe assai complessa e transiterebbe necessariamente dalla "teoria dei mezzi di produzione letteraria", con approcci differenti per la letteratura o per il cinema, per passare alla "teoria della ricezione", numericamente assai diversa, per esempio, tra televisione (dove un contatto di venticinque milioni di telespettatori è, quotidianamente, assai usuale) e industria letteraria (dove diecimila lettori sono già considerati un successo) e così via. Ma quello che è forse più importante è che oggi il frammento, e non la grande opera, sembra essere la struttura migliore per rappresentare la frantumazione del presente, il disorientamento di fronte al villaggio globale, l'impossibilità di una sistematica, o ancora, di una filosofia unitaria. Ma questi sono discorsi vecchi di quasi cento anni.

[9] Grazia Cherchi, in *Panorama*, 7 settembre 1986.

Giovani e società. Una fra le affermazioni più dibattute della prefazione a *Giovani blues* si è rivelata quella relativa al fatto che non individuassi nei testi esaminati alcuna inclinazione alla "perversione". Sostenevo, cioè, che nel leggere quei racconti, mi aveva spiazzato la quasi totale mancanza di esperienze devianti, di racconti di emarginazione, di droga. Non azzardavo molte conclusioni su questo fatto, conscio della campionatura ristretta su cui avanzavo le mie considerazioni. Però una cosa dicevo, e cioè che mi sembrava ormai sul viale del tramonto la cosiddetta "cultura metropolitana", con conseguente perdita di tematiche e problematiche, anche, naturalmente, letterarie.

Nel sensibilissimo intervento, colmo di attenzione e di disponibilità, che abbiamo già citato, Ottavio Cecchi afferma: "Noi siamo convinti che una perversione vi sia, una perversione che consiste nel rifiuto della perversione che ha condito tanta letteratura ispirata alla (e dalla) civiltà metropolitana. Non c'è parlato, non c'è nemmeno sfogo gergale, ci dice il curatore. E noi, perversi, insistiamo: quale perversione più grande di quella che rifiuta la letterarietà 'alta' che una piccola borghesia intellettuale ha nascosto negli sfoghi gergali e nel parlato." Quello che si augura Cecchi è "più consapevolezza" di una tale situazione. Avverte solo "un'eco degli orrori della civiltà metropolitana", non una beffarda e cosciente rappresentazione.

Sullo stesso tema insiste anche Alberto Stanzani,[10] confutando le mie teorizzazioni sulla normalità dei giovani d'oggi. "Purtroppo la cultura della droga è ancora al centro della realtà giovanile, ma chi può scriverne? [...] Le contraddizioni, cari miei, esistono ancora [...] ecco il senso di tutta questa decantata 'normalità' della generazione dell'85. Ci sono fasce di ragazzi che non scriveranno mai due righe proprio perché la loro vita è praticamente piena di contrasti quotidiani e lotta di/per la quotidiana sopravvivenza. Date loro una macchina da scrivere e scriveranno: 'Voglio i soldi per il pane, per l'ero, per il fumo.' Ecco la realtà che sta sotto. Povertà & emarginazione, schiavitù di differenti forme e origini. Chi può permettersi un viaggio a Londra? Noi, magari, ma il freak che vedi in fondo al viale e che sommato a quelli del parco fanno cento, lui disoccupato e senza lavoro, a Londra non ci andrà mai."

[10] Alberto Stanzani, in *Rockerilla,* novembre 1986.

Questa lunga citazione può aiutarci a sciogliere qualche equivoco. Dicevo: "Qui non c'è niente di perverso", perché appunto mi aspettavo che anche da quelle sacche di emarginazione giovanile, di cui parla Stanzani, arrivasse qualcosa o, questo è assai più importante, che qualche "laureatino" – come Stanzani chiama gli autori di *Giovani blues* – scrivesse di questo. Poiché è vero: se dò una penna al freak del giardinetto ho novantanove possibilità su cento che effettivamente mi scriva: "Voglio i soldi per mangiare, per sballare e per scopare." (La restante possibilità è che si tratti di un nipotino di Kerouac e allora avrò, magari, una pagina sublime.) Ma se dò la stessa penna, in mano a un laureatino che ha buono spirito di osservazione, capacità di descrizione e, magari, anche coscienza civile, mi darà dieci o venti pagine esemplari su quel freak (ora divenuto personaggio), pagine nelle quali il freak non solo si potrà addirittura riconoscere al punto da dirgli: "Era proprio quello che volevo dire io", ma probabilmente capirà anche ciò che finora non ha mai nemmeno immaginato. Non si tratta di togliere la parola a un soggetto, non si tratta di demagogia: si tratta di capacità, o meno, di gestire gli strumenti della comunicazione scritta.

Ma Stanzani ha grande ragione quando afferma che, sotto l'apparente normalità di questi anni, sono celate emarginazione e violenze, soprattutto verso i più deboli; ha ragione quando dice che la droga è ancora una piaga sociale: basterebbe, dico io, scorrere le cifre dei decessi, sempre in aumento. Ha ragione quando parla di disoccupazione. Ma è anche da considerazioni analoghe che Under 25 è nato. Per mostrare appunto il non etichettato, il non firmato, il non catalogato. E se c'è un fatto di cui sono contento è che dalla nostra indagine non sono emerse ulteriori etichette applicate ai giovani, secondo il consueto stupidario di questi anni che accetta solo i comportamenti emergenti, i più aggressivi, i più sfacciati. D'altra parte, ripensando al testo di Roberto Pezzuto, *Re dei vagabondi*, è indubbio che si tratti di un purissimo reperto freak in pieni anni ottanta, bellissimo e struggente con tutte quelle cucine di bastimenti e stazioni e pensioncine dove l'"io" lavora e suda per girare il mondo e scrivere i suoi appunti dalla cambusa (e guadagnarsi i soldi per Londra). L'unico rimprovero che anch'io potrei muovere ai testi della precedente raccolta è quello di essersi troppo attenuti a quello che Ottavio Cecchi ha chiamato "quel personaggio che ha per nome un pronome: 'io'", e quindi di non aver adattato la propria capacità di scrittura a soggetti differenti. Ma vorrei che ci rendessimo conto che i nostri autori erano alla prima esperienza di scrittura. Ora che questi undici ragazzi hanno ricevuto il battesimo, sono stati intervistati, alcuni anche rastrellati da importanti case editrici, qualcuno, il meglio dotato, oggi o fra qualche anno, scriverà qualcosa. E inizierà a porsi i problemi della scrittura, del proprio lavoro e, magari, del freak del giardinetto, e apprenderà, secondo il consiglio che ci ha inviato Edoardo Sanguineti[11] "come abbia a superarsi il narcisismo primario e le sue repliche da acne, e a strozzarsi nell'ironia, nell'autoironia e, insomma, nel regime del *je suis un autre.*"

Giovani e industria editoriale. Il progetto Under 25 ha portato in primo piano sulle pagine dei giornali le solite e annose questioni riguardanti gli esordienti. Chi accusa la nostra editoria di essere cieca e sorda e senza fantasia, chi invece gli autori italiani di scrivere troppo e male, chi ancora gli esordienti, specie se giovani, di curarsi solo del proprio ombelico. Sta di fatto che da parecchi anni – e nella mia limitata esperienza, con il solo confronto dell'editoria selvaggia della metà degli anni settanta – non si dibattevano tanto questi argomenti. E devo riconoscere, anche con poco livore o snobismo (a parte quello, assai grave, di chi ha proposto tasse sugli esordi letterari). Sta di fatto che negli ultimi tempi abbiamo assistito a una vera e propria ressa degli editori attorno ai giovani autori.

In alcuni casi, la caccia al trentenne autore italiano ha formalizzato un progetto editoriale, com'è avvenuto per la collana di Marsilio. In altri, come da Garzanti, l'inclusione dei trentenni è avvenuta secondo parametri più discreti. La critica, diciamo meglio i lettori abituali, si sono esercitati in un'affollatissima gara di tiro al piccione (beccandoli quasi tutti). Molte piume e carcasse sul campo. Anche un po' di sangue. Ma non voglio discutere di questo. È giusto essere severi e non incoraggiare nei diecimila metri chi non ha il fiato per correre il miglio. Però si è passati da una situazione favorevole agli esordienti e ai giovani, a una contraria. E tutto, è questo su cui vorrei riflettere, nel giro di qualche mese. Non è un grande indice di serietà. Non lo è stata la ressa iniziale in cui tutti volevano a ogni

[11] Edoardo Sanguineti, "Da Pascal ai Giovani blues", in *Il Lavoro*, 19 luglio 1986.

costo un giovane italiano da piazzare, sull'onda del successo dei giovani statunitensi. E non lo è stato il tiro al bersaglio. Nell'uno e nell'altro caso si è evitato di discutere sulle ragioni, le motivazioni, le prospettive di una scelta precisa. E quindi, tutto sta tornando com'era.

Chi invece ha seriamente riflettuto su questi temi, ben valutando i riflessi operativi del discorso, è stato il critico del *Giornale*, Geno Pampaloni,[12] in due articoli che abbiamo ammirato per il loro impegno civile e letterario: si deve condannare, annota Pampaloni, "l'indifferenza, che è sempre, poco o molto, colpa morale". Nel primo articolo, oltre a un resoconto critico del nostro progetto, si dà notizia di un'esperienza attuata dalle biblioteche del comune di Monza e promossa dalla rivista *Il bagordo* nell'autunno del 1986 e chiamata *Scritture giovani anni ottanta.* Alla fase finale della selezione dei testi, poi raccolti in un "volumetto del Comune", ha partecipato anche Pampaloni, rimanendo colpito "dallo scrupolo, dalla generosità e dalla finezza" dimostrata da professori e bibliotecari nel momento della scelta, al punto da ipotizzare un'iniziativa ulteriore. In un successivo articolo, Pampaloni spiega il suo progetto atto ad avvicinare "giovani meritevoli" alle case editrici più importanti. Si tratta, per sommi capi, di questo: scegliere un bacino territoriale (un ente, regione, per esempio, cui verrebbe peraltro accollato il costo vivo dell'operazione e quindi carta, stampa, rilegatura, stoccaggio, pubblicità), una commissione di selezione affidata a tre biblioteche, una casa editrice piccola, ma seriamente interessata al nuovo, per le pratiche di pubblicazione e di distribuzione. In questo modo si arriverebbe "nel giro di qualche anno a tenere sotto controllo le notevoli energie latenti e impossibilitate a esprimersi che si agitano nella provincia".

Il progetto formulato da Pampaloni mostra la chiara volontà di sopperire a quella mancanza di "organi dell'apprendistato" di cui abbiamo parlato poco fa: in mancanza di riviste e periodici letterari adeguati, sorge il problema di avvicinarsi alla marea dei giovani che scrivono e che dimostrano talento. Ma è proprio quell'espressione "tenere sotto controllo" che mi crea problemi. Un regesto degli

[12] Geno Pampaloni, "Gioco senza ironia", in *Il Giornale*, 21 settembre 1986; "Scrivete, scrivete, qualcuno leggerà", in *Il Giornale*, 19 ottobre 1986.

aspiranti scrittori – perlopiù burocratizzato e affidato a un organo amministrativo pubblico – non credo sia la prassi giusta, o quantomeno la più efficiente. Un regesto, poi, per che cosa? Per la carriera? Chi ci assicura che l'autore di un ottimo racconto riuscirà anche in un romanzo? O ripeterà la performance? Non è troppo sovietizzazione della creatività? Sarà probabilmente colpa del mio carattere anarcoide ma, caro Pampaloni, davvero ritiene sia opportuno coinvolgere gli uffici pubblici? Non correremmo il rischio di trovarci con tanti pataccari segnalati e raccomandati dalle sezioni democristiane, socialiste o comuniste? Perché non interessare e stimolare quell'istituzione fondamentale, nella formazione dei giovani, che è l'università? Perché non agire all'interno delle grandi case editrici, costringendole a varare programmi, progetti, ricerca, laboratori nelle scuole, usando come docenti i propri autori? Sono tante le cose che si potrebbero fare. E già sento gli interlocutori bene informati proporre la ricetta: i corsi di *creative writing*. Che dire? Mi piacerebbe partecipare a uno di questi laboratori in qualità di studente. Mi interesserebbe sapere come si svolgono le lezioni e come lo studente partecipa. Lezioni di stile? Di tecnica? Analisi delle strutture logico-formali? Analisi semiologica dei testi? Usando i formalisti russi? La morfologia della fiaba? Propp, Lévi-Strauss o Bachtin? Todorov o la Kristeva? Non so che cosa pensare. Mi piacerebbe vederci chiaro. Credo che parecchie persone siano in grado di scrivere, opportunamente consigliate e seguite, un buon libro. Ma nessuno, credo, è in grado di far nascere uno scrittore. E gli Ezra Pound che possono fungere da consiglieri sono individui tanto preziosi quanto rari. L'industria editoriale ha bisogno del *creative writing*. La letteratura, no.

Giovani e mass media. Un'altra considerazione interessante, rilevata a proposito della scrittura Under 25, è la sua dipendenza o meno dal mondo delle immagini, dei video musicali, della subcultura televisiva, del cinema. I pareri sono contrastanti. Andrea Aloi[13] sostiene che "Indiana Jones e i videogame non hanno fatto ancora l'*en plein* nell'immaginario giovanile". Mentre Luca Torrealta,[14]

[13] Andrea Aloi, "Confessioni degli Under 25", in *L'Illustrazione Italiana*, dicembre 1986.
[14] Luca Torrealta, "Il mondo nel diario", in *Il Manifesto*, 30 luglio 1986.

annotando la mancanza di trame forti nei nostri testi, rileva: "Il paradosso è proprio qui: una generazione imbevuta di cultura filmica non riesce a focalizzarsi sull'invenzione di storie e personaggi." Curiosamente termina poi con questa frase: "La sensazione che ho avuto da questi racconti è che ci sia troppa poca vita." Dove evidentemente si confonde "vita" con "genere", "immaginario" con "realtà", "fiction televisiva" con "quotidianità".

Più appropriatamente, Lisa Morpurgo[15] parla di una "egopatia visiva che fa passare il mondo esterno attraverso i propri occhi e lo trasforma in un filmato. Dopo un'infanzia cullata per anni dal piccolo schermo si diventa, più che scrittori, sceneggiatori o meglio fotografi di scena, poiché in Under 25 le vicende sono poche e le immagini sovrabbondanti".

Bisognerebbe far notare a questo punto che "la scuola dello sguardo", in letteratura risale a molti, molti anni fa. E anche senza andare troppo lontano, basterebbe risalire all'Isherwood di *I'm A Camera* degli anni trenta, o, appunto, all'*école du regard* degli anni sessanta. Ma io non credo che i testi di *Giovani blues* avessero molto a che fare con questo genere di problemi. Erano ancora al di qua, ritengo, del confrontarsi con tali argomentazioni. Che restano e sono attualissime. Quando però si presentano, come nel caso di *Meno di zero* di Bret Easton Ellis dove, effettivamente, un discorso critico sul testo non può tralasciare gli aspetti stilistici e linguistici desunti dai videoclip, dai serial televisivi, dalle sottoculture rockettare. Ma, ripeto, le mie erano considerazioni affrontate nell'introduzione generale riguardo alla massa dei testi esaminati. I racconti pubblicati, al di là della dimostrazione che in questi anni ottanta, dove si scrive e si continua a scrivere, e anche i ragazzi continuano a farlo, con nostro piccolo o grande stupore, i racconti – dicevo – si misuravano con altre esperienze, in primo luogo con lo stile di alcuni grandi autori del Novecento.

Abbiamo accennato al giovane Ellis. Non possiamo evitare un confronto fra i nostri giovani e i minimalisti americani, non tanto per stabilire chi sia il migliore (la diversità delle esperienze è troppo grande per un confronto, né i nostri hanno avuto la possibilità di

[15] Lisa Morpurgo, "Scrittori o meglio fotografi di scena", in *Uomo Harper's Bazaar*, dicembre 1986.

scrivere un romanzo: confronti potremmo invece farli fra Ellis, Leavitt, McInerney e certi romanzi "giovani" usciti in Italia agli inizi degli anni ottanta) quanto perché alcuni critici hanno sollevato la questione. In particolar modo, Angelo Guglielmi.[16]

I racconti di Under 25, sostiene il critico, "potrebbero appartenere al filone dei 'minimalisti' americani [...] in realtà di quel filone non condividono nemmeno gli aspetti più esteriori. Infatti i minimalisti americani non si caratterizzano, come invece capita ai nostri giovani autori, in quanto scelgono a tema di racconto gli aspetti minimi, non centrali, fin troppo privati, insignificanti, dell'esistenza, ma in quanto riducono a misura di sopportabilità quotidiana [...] la tragedia, l'orrore, la disperazione". Per Guglielmi, dunque, la differenza sarebbe tutta in una mancanza di tensione problematica da parte dei nostri autori. Può essere vero. Guglielmi non trascina in un suo giudizio critico tutti gli undici di Under 25. E in questo, credo che abbia ragione. Ero perfettamente conscio di pubblicare testi di differente caratura, ma ero altresì consapevole di pubblicare testi tutti, indistintamente, dotati di elementi di interesse, di vivacità, anche di carica polemica. In alcuni casi, probabilmente abbiamo dato spazio a situazioni un po' fine a se stesse, ma, ripeto, Under 25 non è nato come una rivista di letteratura. Abbiamo scelto i testi più rappresentativi. Non usando esclusivamente i parametri della qualità letteraria.

Bisognerebbe poi intendersi su chi far rientrare nel "filone dei minimalisti" americani. O, quantomeno, su chi salvare e su chi sbattere giù dalla torre. Se un italiano avesse pubblicato un racconto analogo a *In una vasca* di Amy Hempel (in cui la protagonista si scruta l'ombelico) come minimo sarebbe stato condannato al rogo eterno. E tutti si sarebbero vergognati di stringergli la mano in pubblico. Resta comunque interessante, o quantomeno curioso, che sia negli Stati Uniti sia in Italia, certamente all'insaputa reciproca, siano uscite antologie riservate a giovani scrittori. Fernanda Pivano[17] ha puntualmente presentato l'antologia di Debra Spark, originalmente titolata *20 under 30*, in cui però trovano po-

[16] Angelo Guglielmi, "Questi giovani d'oggi un po' piatti e avviliti", in *Paese Sera*, 18 settembre 1986.

[17] Fernanda Pivano, prefazione ad *Americana anni 80*, Guanda, Parma, 1987 (Titolo originale: *20 under 30*, prefazione di Debra Spark, Charles Scribner's, New York, 1986).

sto già stelle di prima grandezza della letteratura americana (mentre il nostro Under 25 rimane a livello, diciamo così, "sperimentale"). Inoltre, nella primavera del 1987, Gordon Lish ha fondato *The Quarterly*, che contiene una trentina di interventi narrativi e poetici (e illustrazioni) della new wave statunitense. Probabilmente, negli Stati Uniti d'America nulla sapranno della nostra iniziativa, a parte quello che, di noi, ha raccontato lo scrittore Alain Elkann in una serie di conferenze nei college statunitensi e quanto ha scritto Sergio Perosa,[18] per altro a cose già fatte. Si tratta quindi di una coincidenza o dell'identica necessità di un ricambio generazionale?

Giovani e lettura. Nessuno ha voluto sottovalutare l'importanza della lettura nella formazione culturale dei giovani. Con Under 25 non abbiamo voluto spingere selvaggiamente i giovani a scrivere, né fomentato, ritengo, manie di successo e di gloria. Resta comunque valida una civile obiezione di Ernesto Ferrero[19] a proposito di giovani scrittori, esordienti, opere prime. Si chiede Ferrero: "Ben vengano i portatori di esperienze, i maestri di concretezze, i falegnami della punteggiatura. [...] E tuttavia il nostro paese deve registrare un fenomeno abnorme: moltitudini bibliche sono gli scriventi, sparute schiere i lettori. E se allora il vero, drammatico problema fosse quello di trovare maestri capaci di insegnarci finalmente a leggere?" Se dietro questa obiezione, come dietro ad altre analoghe che sono portate a stroncare, con maggior frequenza, più le iniziative nuove che non la vecchiezza dell'esistente, si delinea il proposito di lavorare per una letteratura migliore, allora accetto la riserva, anzi, dopo aver scrupolosamente considerato le recensioni a Under 25, sospetto che il quesito finale posto da Ferrero serva, in realtà, soprattutto ai critici, come premessa a ogni futuro dibattito. D'altra parte, citando Luciano Bianciardi, già avevamo posto questo problema in *Giovani blues*. Ma credo che si debba continuare e avanzare nuove proposte, anche perché il compito di chi fa i libri è appunto quello di farli. Compito magari della scuola è quello di insegnare a leggerli.

[18] Sergio Perosa, "The Heirs of Calvino and the Eco's Effect", in *The New York Times Book Review*, 16 agosto 1987.
[19] Ernesto Ferrero, in *Tuttolibri*, 19 ottobre 1986.

Vorrei comunque raccontare una mia esperienza. Per qualche anno ho tenuto su *Rockstar*, periodico musicale di ampia audience giovanile, una rubrica mensile dal titolo *Culture Club*. In questa rubrica, raccontavo assai spesso di libri e, in particolare, di autori. Ogni mese, la redazione di Roma mi spediva la corrispondenza dei lettori. Sembrerà strano, ma il novanta per cento di tutti quelli che mi hanno scritto (età fra i sedici e i ventidue anni), ha chiesto consigli di lettura. E non si trattava solo di studenti. Di un paio di centinaia di lettere che mi sono arrivate in quegli anni, poche hanno affrontato i crucci esistenziali. La maggioranza ha ringraziato per aver scoperto un nuovo autore e ha chiesto di più.

Ora mi chiedo: chi dà informazioni di lettura a questi ragazzi? Chi propone scrittori che, parlando se è il caso di jazz e di blues (come James Baldwin), lasciano poi il germe del piacere della lettura? Chi consiglia loro romanzi che non raccontano solo delle beghe esistenziali delle contesse o delle marchese, ma descrivono, nella contemporaneità, passioni analoghe alle loro? O ambienti vicini ai loro interessi? Quando si ricevono lettere in cui si chiede: "Dove posso trovare il tal libro che lei ha consigliato, mi risulta infatti esaurito", non viene un po' di depressione per la totale disinformazione in cui questi ragazzi sono lasciati? Qualcuno ha mai parlato loro di biblioteche? Di cataloghi editoriali da consultare per obbligare il libraio a rifornirsi? Quanti sono i docenti di letteratura italiana che settimanalmente frequentano le librerie? Quanti quelli che leggono e quanti invece coloro che, dopo la laurea, non hanno mai più toccato un volume, come dimostrano le allarmanti statistiche su quel fenomeno propriamente detto dell'"analfabetismo di ritorno"? Quando incontro professoresse che, con il sorriso sulle labbra, mi chiedono, civettuole, per dimostrare il loro aggiornamento, se ho letto l'ultimo romanzo premiato allo Strega, non viene uno scoramento abissale? Cosa ne sanno queste insegnanti dei gusti dei loro studenti? Perché si scandalizzano se i ragazzi preferiscono la fantascienza a quelle operine edificanti consigliate, da decenni, come lettura per l'estate?

Gli intelligenti lettori di *Rockstar* saranno forse una minima parte del pubblico giovanile, eppure ho la certezza che, sapendosi loro avvicinare con strumenti adeguati, non potremo che cogliere frutti positivi. E non parlo ora di scrittura, parlo di lettura. I problemi restano, ma certo, e di questo ne sono convinto, non potremo unicamente risolverli dalle pagine dei nostri giornali.

Giovani e vecchi critici. A conclusione dell'esame di gran parte delle osservazioni critiche che abbiamo ricevuto vorrei fare una considerazione di ordine generale. Ho già detto di come mi abbia impressionato la quantità degli articoli che sono stati dedicati dalle testate più varie al nostro progetto. Ma ancor di più mi ha impressionato il fatto che a scendere in campo con generosità e facondia (anche per quanto concerne le critiche) sia stata la "vecchia guardia". Qualche nome? Ne abbiamo parlato: Arbasino, Bonura, Ottavio Cecchi, Guglielmi, Pampaloni, Sanguineti. E anche se non sono mancati interessanti contributi provenienti dai giovani critici dell'*Unità*,[20] del *Mattino*,[21] del *Piccolo*,[22] credo che il problema di una giovane critica che possa portare avanti, ad armi pari, un dibattito letterario analogamente a quanto fanno i critici istituzionalizzati, esiste. O forse i giovani critici ci sono, ma non hanno gli spazi? Bisognerà riflettere su questo. Poiché è vero: come scrittore sento la mancanza di interlocutori validi della mia generazione, per esempio, nel cinema e anche nella critica letteraria sull'oggi (mentre li trovo, senza fatica, nel teatro della "nuova spettacolarità" e nelle arti figurative). Harold Bloom afferma che ogni critico ha bisogno di un poeta della propria generazione da seguire e con cui confrontarsi. Ma anche un poeta, uno scrittore, un artista, ha bisogno di un critico della propria generazione con cui confrontarsi e discutere. E sinceramente, nel campo letterario, non si vede granché all'orizzonte.

UNDER 25 SECONDO. *Belli & perversi* presenta alcune sostanziali differenze rispetto all'edizione che lo ha preceduto. Ha mantenuto quel suo carattere di "laboratorio della scrittura" e della "scrittura come laboratorio" che Mirella Greco[23] ha intelligentemente rilevato, ponendone in luce insospettabili valenze di "relazioni edu-

[20] Antonio D'Orrico, "Under 25 ma scrittori", in *L'Unità*, 4 luglio 1986.
[21] Generoso Picone, "Under 25: azzurrini della letteratura", in *Il Mattino*, 9 settembre 1986.
[22] Pietro Spirito, "Noi? Siamo gente con l'anima in tasca", in *Il Piccolo*, 13 agosto 1986.
[23] Mirella Greco, in *Cooperazione educativa*, settembre 1986.

cative". Nonostante le procedure di selezione siano rimaste immutate, ci siamo più sbilanciati verso gli aspetti letterari della proposta. Meno autori, più pagine a loro disposizione, un commento introduttivo particolareggiato su ogni singolo testo. Si potranno avanzare alcune riserve sulla selezione. Il fatto che, per esempio, non siano rintracciabili testi di ragazze. Oppure che in parecchi racconti siano presenti problematiche simili legate all'identità sessuale. Ma credo che si tratti di rilievi capziosi. I racconti meritano di essere letti e valutati per le loro specificità letterarie. Questa volta sarò io, per primo, ad abbandonare i rilievi sociologici.

[1987]

9

VIAGGI

VIAGGIATORE SOLITARIO

Quando si viaggia soli ci si sente ridicoli e disarmati. La solitudine si fa sentire non tanto nel bisogno di qualcuno, ma nelle piccole manovre quotidiane che diventano difficoltose e stancanti, quasi impossibili. Essere in treno e dover abbandonare il bagaglio per raggiungere la toilette; aspettare in un aeroporto e lasciare il carrello con la valigia, lo zaino, la macchina fotografica, il walkman, le penne stilografiche, i quaderni del diario, per riuscire a telefonare, sedersi in un ristorante, entrare nel chiosco per comprare le sigarette... Solamente in questo, viaggiando, mi sento solo. Nient'altro.

Ho imparato ad accettare la goffaggine di pranzare da solo in un ristorante cinese; ho subito la maleducazione di quegli odiosi viaggiatori di coppia che pretendono il tuo tavolo, perché tu sei solo e loro in due, la sguaiatezza di una maîtresse cino-pakistana che, una sera, a Londra, per non perdere quattro nuovi clienti appena entrati nel ristorante, provocò un tale smistamento di tavoli, sedie e perplessi avventori solitari, riuscendo sì a liberare un tavolo, ma affidandomi un piccolo e imbarazzatissimo signore orientale che da un po' girava a vuoto per la sala con il piatto in mano e il tovagliolo al collo, in cerca disperata di una sedia; al che, arrabbiatissimo, invece di accogliere il mio nuovo compagno con gentilezza e buona educazione, imbestialito proprio dall'umiliazione che l'orientale subiva con un sorriso quasi di scusa, farfugliai a voce alta: "Non mi va per niente bene!" e riuscii a mantenere il mio tavolo, e il piccolo uomo fu assegnato a un gruppo di giovani turisti tedeschi che scherzavano con le bacchette e i boccali di birra cinese.

Voglio che la mia solitudine sia rispettata. Se sono solo, non per questo sono un uomo a metà. Non per questo ho bisogno di petulanti eserciti della salvezza che vengano a disturbarmi. Non sono sposato, non credo all'istituzione familiare, sono debole come tutti, e fragile ed emotivo. Ma so stare solo. Forse che quella coppia che sta cenando di fronte a me – non riescono nemmeno a guardarsi negli occhi – è meno sola? No, anzi, loro sono pure patetici...

Bisogno di silenzio, di solitudine, di dormire, di ricordare, di tacere, di sparire: "Quando si avvicina al suo trentesimo anno e sopraggiunge l'inverno, quando una parentesi di ghiaccio attanaglia novembre e dicembre e il suo cuore gela, si addormenta sulle sue pene. Si rifugia nel sonno, poi torna a rifugiarsi nel risveglio, vi si rifugia rimanendo e viaggiando, attraversa l'abbandono di piccole città e non riesce più a premere la maniglia di una porta, non può più rispondere a un saluto, perché non vuole essere visto, non vuole essere interpellato. Vorrebbe strisciare sotto terra, come una cipolla, come una radice, sotto la terra, dov'è ancora calda. Svernare insieme con i suoi pensieri e i suoi sentimenti. Tacere..." (Ingeborg Bachmann). Solo ora, rileggendo Roland Barthes alla voce "*fading*" ("svanimento") capisco perché mi è capitato di associare l'idea del viaggio autunnale all'idea di perdita di voce, quindi di silenzio: "Il *fading* dell'altro è racchiuso nella sua voce. La voce sostiene, rende leggibile e, per così dire, realizza l'evanescenza dell'essere amato, poiché è alla voce che tocca morire." Sono partito perché mi sentivo un essere che nascondeva dentro di sé una perdita, una scomparsa nella quale si rispecchiava il proprio, personale, annientamento. Volevo vivere, essere in mezzo agli altri, ma come attraverso un letargo invisibile. Comunque sono partito, di notte, in treno, verso il Nord.

Gli aerei mi piace molto guardarli quando, come enormi giocattoloni, si impennano sopra la mia testa in tutti gli aeroporti in cui ho atteso per ore coincidenze, in cui ho sbagliato cancello di imbarco, in cui ho chiesto informazioni in lingue che conosco appena, il più delle volte solo, costretto a uscire veloce dalle stazioni e dagli aeroporti in mezzo agli abbracci degli altri, sfiorando le sentimentalità estreme degli abbandoni e dei ritrovamenti, scansando quei vissuti troppo forti e troppo vicini proprio perché sconosciuti, fermandomi a volte a osservare, rapito dall'intensità di un abbraccio, due figure o la bellezza di un viso che torna a specchiarsi in quello del compagno, le mani che si intrecciano, la curva delle spalle che accoglie, protettiva, l'altro. Sempre solo, tranne quella magica volta a Berlin Tegel. Klaus ti aveva dato la sua scassatissima Opel, attraversammo le luci di Berlino con il tuo professore di filosofia che era venuto in aeroporto solo perché era triste e gli aerei gli mettevano un po' di calma dentro, e io non capivo, cosa ci facesse in mezzo a noi quel cinquantenne barbuto e grasso e probabilmente già ubriaco alle tre del pomeriggio. Ero salito dietro, e mi beccavo tutti gli spifferi e i colpi d'aria, e già me la stavo a menare con limousine che non avresti mai guidato, ma voi eravate in pieno trip Hegel e io incazzatissimo, come una moglie siciliana, nera e snobbata, di dietro, senza possibilità di intervenire, anche se poi nella tua casa, finalmente, il profumo resinoso del legno mi sciolse. Ci eravamo spogliati accanto al caminetto e dalla finestra vedevo il muro che sbarrava la nostra via, Köpenickerstrasse, e io pensavo che la vera guerra era quella che scoppiava fra le persone che si amano, era nel nostro incontrarci dopo mesi e faticare a ritrovare i gesti e le parole di un tempo, era la ferocia di un tentativo di sopprimerci reciprocamente per poter continuare ad amarci. Puoi ricordarlo, ora, ovunque tu sia?... Poi in Grecia, durante un agosto torrido, quando mi feci un'overdose di passaggi aerei tra un'isola e l'altra, sempre rigorosamente all'alba, tranne poi perdere l'aereo decisivo per Roma e impiegare quattro giorni a tornarmene, solo, in Italia. E un'altra volta, al Charles De Gaulle, dove tra *aérogare* 1 e 2, girai in tondo per quasi un'ora, senza capire quando dovessi scendere dalla navetta. O a Brindisi dove, di fianco alla pista, vidi schierati i giocattoli dei signori della guerra, uno stormo di caccia ordinati, lucidi, mimetizzati, e non riuscii a pensare ad altro che al fatto che erano bellissimi, epici addirittura. O a Milano dove, in un tardo pomeriggio estivo, la vita intera mi sembrò svolgersi lungo una pista di rullaggio: i ragazzi seminudi dei Vigili del fuoco seduti sul cemento nella pausa del dopocena, un cimitero, una bambina aggrappata in punta di piedi alla rete di recinzione nel tentativo di guardare al di là, due amanti abbracciati e appoggiati al cofano della loro auto.

Quando ero più giovane, non mi piaceva viaggiare. Quando avevo vent'anni, mi imponevo ogni tanto di andarmene via, ma ero solito dire agli amici: “I paesaggi e le città non mi interessano, perché non li posso far miei. Non li posso mangiare.” Lungo il mio viaggio solitario, una domenica, a Chantilly, mentre un amico rapito dal paesaggio autunnale, grigio, sfumato, eppure così vivo fra le acque degli stagni, le rive, i fusti degli alberi, le linee di un indefinibile orizzonte, diceva: “È un puro Corot. Lui ha dipinto esattamente questo luogo”, mi sono chiesto perché da qualche anno anch’io ami i paesaggi, le città e i luoghi. E ami viaggiare.

Allora mi sono dato una risposta. Quando ero ragazzo, ero un ignorantone, leggevo poco, scrivevo male. Se avessi visto quel paesaggio, avrei solamente ricevuto un’emozione turistica. Oggi, invece, che conosco Camille Corot, posso vedere e sentire quel paesaggio, quella città, quel luogo, in un modo diverso. Leggere libri, guardare opere d’arte, ascoltare musica, andare al cinema, sono tutte attività che nutrono il nostro sentire. Anche fare l’amore, essere innamorati, spedirsi biglietti fra una lezione e l’altra, correre e andare in bicicletta sono attività che l’interiorità – il leggere, il guardare – può nutrire. In questi anni votati così spudoratamente alla fatuità e al perbenismo, anche starsene un po’ zitti e cercare di crescere nell’interiorità può essere un gran bene. Questo ho pensato, fra le altre cose, durante il mio viaggio solitario. E ve lo dico con un po’ di rabbia, perché mi sembra di trarre una morale da un’esperienza che preferisco lasciare così, senza un senso definitivo. Perché forse la gioia è nel non avere bisogno di giustificazioni e di morali: accettare di sperperare tempo e denaro e affetti perché è così e non se ne può fare a meno. Il dolore è sterile. Ma è l’unica cosa che ho, questo dolore, per cercare di capire.

Altri viaggi solitari: ho imparato in seguito ad apprezzarli, dimenticando fatiche e stordimenti, concentrandomi invece soltanto sulle illuminazioni e sugli abbagli interiori. Così uno spostamento improvvisato da Roma a Bari, in pullman, nonostante la scomodità e la lunghezza del percorso e l’incazzatura per lo sciopero che aveva annullato il volo, diventò un attraversamento di luoghi, piccole città, montagne assolutamente sconosciute che mi parlavano della storia italiana degli ultimi cento anni più eloquentemente di un trattato accademico: il caos della periferia romana, le borgate, le autostrade deserte, lanciate dritte verso il nulla, interrotte di colpo dall'alveo di un torrente, i bufali della Ciociaria, i detriti del consumismo nell'entroterra vesuviano, un accatastamento di frigoriferi squarciati, il silenzio di un piccolo borgo irpino, un giovane punk di Avellino, una studentessa universitaria che torna a casa, la ressa di minute e chiassose reclute sul piazzale della stazione di Bari...

Attraversando il canale della Manica, un lunedì di novembre – io testardamente cocciuto a viaggiare in treno, lentamente, fuori stagione, per avere il tempo di guardare i compagni di viaggio, leggere, osservare le stazioni e gli scali marittimi – improvvisamente è scesa una nebbia fittissima. Mi trovavo sul ponte del traghetto, avevo affidato tutt'e tre i miei bagagli alle stive, mi sentivo finalmente più rilassato, dopo la sosta a Parigi, nel godermi quel pallidissimo sole, che certo non mi sarei mai aspettato a Calais. Grandissima voglia di tornare a Londra, di trascinarmi nei pub giocando alle slot-machine elettroniche, di bermi in pace pinte di annacquata e buonissima birra rossa, di serrare le labbra per il sapore di liquirizia amara di una Guinness, di scrivere qualcosa sul mio taccuino accanto al caminetto del Salisbury, di gironzolare per South Kensington e Cranley Gardens, di incontrare Bruno. (Mentre Aelred mi è venuto incontro a Bloomsbury, vestito con un pullover grigio, le gambe un po' curve, un ciuffo di capelli biondi sulla fronte spigolosa e un pungente sguardo verde-azzurro.)

La nebbia è calata nel volgere di una trentina di secondi, improvvisa e fredda. Tutto è diventato buio, non riuscivo a vedere nemmeno l'acqua disotto. Poi la visione. Annunciandosi con le sirene e il muggire delle segnalazioni marittime, ecco emergere dalla nebbia un enorme mercantile. Dapprima ne scorgevo solamente la chiglia scura e indefinita, poi, mentre si accostava al nostro traghetto, ho visto distintamente le grandi lettere nordiche, dipinte sul fianco, che componevano il nome dell'imbarcazione e che sfilavano davanti ai miei occhi come lettere di un alfabeto sconosciuto in un cartone animato. È bastato perché sentissi ritornare in me il desiderio per il Nord Europa.

Altri solitari viaggi sui traghetti... Patrasso-Brindisi è stata realmente un'avventura. Perso l'aereo ad Atene, due giorni in lista d'attesa, due notti in cui mi svegliavo alle tre del mattino, correvo nell'atrio partenze, scrivevo il mio nome nella lista d'attesa, sperando in un volo per Roma. Soldi agli sgoccioli. All'aeroporto, tutta una fauna caciarona di vacanzieri incazzatissimi, pieni di mazze da golf, fiocine, pagaie, canotti... Mamme e bambini che piangevano, ragionieri in libera uscita che starnazzavano, agitando biglietti aerei, prenotazioni e telex, la cui vacuità era talmente lampante che nemmeno i donnoni delle pulizie li degnavano di uno sguardo e gli ramazzavano fra i piedi e i bagagli, spingendoli di qua e di là. Improvvisamente, due posti liberi. L'aereo attende sulla pista coi motori accesi. Urlano le hostess, dicendo: "Presto, presto." I prescelti dalla sorte sono tre, una famigliola. Ma i posti sono due. Il babbo non vuol lasciare partire soli moglie e bimbo. Gli altri della lista d'attesa ghignano come iene e si avvicinano con fare premuroso: "Che bella famiglia, che bel piccino", "L'Olympic non separi ciò che Dio ha unito", "*No problem, no problem*", "Restate tutti e tre uniti e vicini ad Atene, così partiamo noi due".

Il bimbo piange strattonato dalla madre e dal padre. Le hostess gridano come Salomone nel giorno del giudizio. Sono esasperate, e non mi stupirei se afferrassero una scimitarra per fare a pezzi il pupo e imbarcarlo come bagaglio a mano. Il babbo dice: "Vai tu", la moglie idem; le iene al secondo posto nello *stand by* insistono melliflue con la loro tiritera della famiglia: "Tante persone un solo destino"; noi, scafatissimi recidivi della lista d'attesa (e agli ultimi posti) prendiamo a giocarci le poche dracme in scommesse. I bookmaker danno il padre dieci a uno. Infatti, partirà la mamma in tutta una tragedia greca, con pianti e strepiti della famiglia divisa. Io non ne posso più. Così prendo un autobus per il centro di Atene, compro un biglietto ponte per la traversata Patrasso-Brindisi, mi faccio cinque ore di pullman, raggiungo il porto, dove mi imbarcherò, finalmente, alle undici di quella stessa sera.

È stato in quell'occasione – erano quattro notti che non dormivo – che ho cominciato a odiare i viaggiatori del ponte. Odio che nutro tuttora. Sia chiaro, io non avevo equipaggiamento con me: ero vestito come chi si alza un mattino, lascia il suo hotel con piscina, prende un aereo e arriva due ore dopo a casuccia. Più o meno. Questi canadesi, austriaci, tedeschi, olandesi, norvegesi, francesi, milanesi e pupone americane, erano una cosa insopportabile. Appena saliti sulla nave, vai col picnic. Cose da non credere: formaggi, salumi, caciotte, vino, spumante, uva, mele, yogurt, pane, succhi di frutta a litri. Quel che non saltava fuori da quegli zaini! Anatre, polli arrostiti, creme, sughi, porchette, spiedini di pesce, cioccolate e biscotti. Le americane mangiavano ingozzandosi e ridendo; le tedesche, non parliamone nemmeno; le scandinave, ti veniva voglia di passargli subito il bicarbonato. Tutti a bere e a ingozzarsi. E i ragazzi! Non facevano che spalmare burri, marmellate, formaggi teneri e molli, paté, carni in scatola. Tu passavi di lì, e questi spalmavano. Tornavi, ed erano ancora intenti a spalmare. Salutavano e spalmavano. Mah. Io avevo niente. Credo un paio di mele, qualche biscotto. Ma non mi preoccupavo. L'esercito ha fatto di me un uomo! So resistere alle avversità della vita. Ma il bello doveva ancora arrivare.

Appena la nave prende il largo e il freddo si fa sentire, questi cominciano a sparecchiare. In due e due quattro non c'è più niente. Penso: si calmeranno, si fermeranno, ostia! Eh, cari voi. Cominciano a tirar fuori, da quegli zaini, materassi, cuscini, sacchi a pelo, trapunte, coperte, panni. In fila alla toilette si lavano, si docciano, si mettono la tutina stellina per la notte, i calzettoni e, via, a letto, succhiando una caramellina, tanto per mettere qualcosa nello stomaco anche lì. Ho cominciato a vacillare un po'. Capirete! Inchiodato su una panca, un freddo della madonna, niente per coprirmi, nemmeno i soldi per una birra. E intanto loro, via, che facevano i letti a castello, via che innalzavano baldacchini e gonfiavano tre, quattro, cinque materassi. Montagne di materassi, coperte, maglioni, bandiere... Tiravano fuori le peggiori cose da quegli zaini, come Mary Poppins. Così, visto che avevo uno zaino identico, anch'io, ci ho provato. Mi sono detto: "Va be', andiamo al college anche noi." E allora, senza cambiarmi, senza mangiare, senza lavarmi, mi sono steso accanto a loro e mi sono, stranamente, addormentato quasi all'istante, così, abbracciato al mio asciugamano bianco e giallo con le iniziali Gianni Versace sulle orecchie: un telo perso fra decine di sacchi a pelo, superimbottiti e fluorescenti, al chiarore di una luna che sorvegliava, muta e protettiva, il viaggio dei suoi giovani eroi.

[1987]

LONDRA

Ecco dunque la Londra postmoderna che la nostra immensa e alacre provincia giovanile continua a sognare, comprando a caro prezzo mode, atteggiamenti e vezzi, con conseguenti pericolosissimi squilibri sull'import-export nazionalpopolare: ecco finalmente quella Londra che si moltiplica a ogni ora nelle discoteche, nelle botteghe e nelle rivistine di casa nostra come un *topos* ormai mitico di qualsiasi gioventù, sia essa in auge nel momento attuale o lo sia stata un paio di decenni fa. Ecco, insomma, la Londra che chiama e che grida la sua musica, i suoi disordini razziali, il suo malessere, la sua facciata tradizionalista e conservatrice, le sue forsennate spinte in avanti, i suoi ardori, la sua follia metropolitana di ghetto interrazziale in cui si mescolano tutte le intensità del bianco, del giallo e del nero.

Ma questa *London calling* non sembra presentare alcuna nota scritta in chiave a indicare la complessiva tonalità della composizione, né alcun comportamento predominante, né alcun atteggiamento prevaricante: nessun simbolo così assoluto e definitivo da essere immediatamente assimilabile dal visitatore, come quel preciso segno che denota ambiente, momento particolare, attualità. Sembra piuttosto presentarsi come crocevia e corto circuito e svincolo di segni-comportamenti-discorsi del tutto indipendenti, e anche contrari tra di loro, con la prerogativa non già di sconfessarsi o di delegittimarsi reciprocamente, ma di mescolarsi, producendo una varietà di combinazioni continuamente fluttuanti e imprevedibili.

Insomma un orizzonte di atteggiamenti, soprattutto giovanili, che non si pongono come obiettivo un'interpretazione del mondo, ma unicamente la ricerca di una via di scampo all'ondeggiare dell'esperienza. Mode e comportamenti giocati come emergenze emotive al di fuori di qualsiasi normalità sociale e di qualsiasi procedimento critico. Atteggiamenti non comunicanti col mondo, se non per via di quegli abbaglianti flash di senso stravolto che, moltiplicati per le varie fonti di fuoco, costituiscono lo scenario di questa Londra nella sua, appunto, postmodernità.

C'è allora tutta una variegata fauna giovanile, il cui comportamento va dall'ossessione paranoica degli skinhead all'esuberanza estetizzante dei new romantic, passando attraverso tutte le irrequietezze dei mod e dei punk che invadono strade, piazze e autobus con gradazioni di abbigliamento e sfumature così sorprendenti, e personalizzate, da renderne assai ardua l'identificazione e l'appartenenza a una tribù.

Tutto appare irrimediabilmente mischiato, quasi il risultato finale della pressante insistenza con cui case discografiche, fanzine e mass media hanno gettato, negli ultimissimi anni, mode e musiche e revival sullo sterminato mercato giovanile.

Anche i territori, e non solo i gruppi, presentano labilissimi confini di identità. A Trafalgar Square, in queste tersissime domeniche preprimaverili, centinaia di skin hanno issato il loro quartier generale sul basamento della colonna di Nelson. Mentre un flusso ininterrotto di turisti esce dalla adiacente National Gallery per imboccare il Pall Mall e distendersi sulle panchine di St. James' Park; mentre la piazza è percorsa da plotoncini di sposi in luna di miele, da stormi di colombi addestrati e riveriti dai fotografi come a Piazza San Marco; mentre nell'acqua gelida delle due grandi vasche i ragazzi del movimento ecologista Keep Britain Tidy battono le pagaie e muovono le canoe sotto gli scrosci delle fontane, facendo piroette e immersioni più pericolose per dentiere, protesi e ponti gengivali che Pershing e Cruise e SS20 (e senza mamme disperate che agitano la maglietta di lana), loro, i rapati, guardano, con annoiata indifferenza, ciò che avviene dabbasso. Come un branco di ruminanti nell'ora della siesta, nella savana, stanno lì seduti nell'identica posizione, a gambe larghe e sedere in terra, lo stesso ghigno da carcerati, gli stessi scatti mascellari degli androidi, automi di una realtà ormai del tutto introiettata come paranoica. Indossano rigorosamente, sopra le t-shirt, giubbotti verde militare, imbottiti e gonfi, jeans lisi insaccati negli anfibi neri, né camicie, né maglioni. Le femmine, invece, minigonne in jeans, ridottissime, con culotte nera, calze a rete e scarpacce scure. Sulle spalle lo stesso *bomber* e in testa la medesima, orribile, rasatura, come scampate a un lager nazista.

Quello che lascia sconcertati è la taglia assolutamente identica del branco: statura medio-piccola, spalle larghe, culo basso e corporatura massiccia. Come se fossero del tutto programmati e computerizzati, plotoncini seriali in cui non c'è posto per l'identità personale, ma soltanto per l'inquietante immagine collettiva che azzera e annulla qualsiasi presenza individuale.

Alla presenza militaresca e guerrafondaia degli skin, che paiono rispondere solo con impulsi input/output agli stimoli esterni, senza apparenti sentimenti, né intensità, né desideri, del tutto perduti in una galeotta e maniacale metropoli come nelle tavole del coatto sintetico RanXerox, sembra in un certo senso contrapporsi la vitalità dei new romantic, l'effervescenza delle loro discoteche, l'inusualità dei loro ritrovi, l'azzardo dei loro paradigmi mitici che vanno da Arthur Rimbaud a Jorge Luis Borges, transitando naturalmente dai "garofani verdi" di Oscar Wilde.

Ragazzi che passeggiano nel West End con cappelli neri a larghe falde, doppiopetti cremisi o addirittura verde smeraldo, calzature da elfi, scaldamuscoli di lana colorata dalla caviglia al polpaccio, scialli, sciarpe, foulard a metà tra l'arabo e il gaucho. Ragazze invece assolutamente in minigonne svolazzanti e ampie come paralumi di abat-jour, calze e maglie nere e giubbetti, corsetti, pizzi e volant non già da figlie del Corsaro Nero, come s'usa da noi, ma piuttosto da gheisce occidentalizzate, un tocco in più di fascino orientale o di riservatezza islamica.

Le pettinature di questi, che vengono chiamati anche new dandy e che le nostre riviste danno ormai per tramontati, insieme alla musica e al fascino del loro gruppo leader, Adam and the Ants, non appaiono nei signorini così eccentriche come nelle ragazze. Mentre quelli si accontentano del capello corto con codino d'obbligo sulla nuca (a volte civettuolamente raccolto in anelli afroasiatici) e dell'immancabile orecchino al lobo sinistro, che si infilzano anche i bambini di otto, nove anni, le giovani si acconciano nei modi più bizzarri, con onde di *mèches*, cascate di code, zampilli di ciuffi e ciuffetti.

Ma dove i capelli imperversano, in questo look postmoderno che tutto confonde e tutto mischia, è sui crani dei risuscitati mod, dei punk che, ahinoi, non sono morti, dei gay che folleggiano nei loro pub esclusivi e nelle loro discoteche di Charing Cross senza conoscere quaresime.

Ecco allora il dispiegarsi di una miriade di s-pettinature che crepitano di fervidissima immaginazione e di bagliori di autentica genialità; ecco la fantasmagoria di una città che sembra solo qui, sulle teste di una fauna ardente e irrequieta, raggiungere il top delle eccentricità giovanili. È questo forse l'unico tono complessivo che attraversa, come la corda di un arco teso, la varietà del popolo londinese postmoderno, facendo vibrare un'identico atteggiamento o un'identica mania che risiede nel punk come nel beat o nello ska: la forma esteriore, l'involucro, l'aspetto, cioè, come uniche possibilità di comunicazione delle proprie intensità intime. Prospettiva decadente ed estrema che viene giocata con immaginazione e creatività e, anche, artisticità. (Prendete, per esempio, uno di quei punk un po' zombi che girano ricoperti di scritte e slogan che dicono che non sono morti e nemmeno la loro musica è morta. In alcuni esemplari, la sovrapposizione dei messaggi, l'intersecarsi dei disegni, la decorazione a base di spille, spilloni, chiodi e borchie, produce effetti assolutamente straordinari. E qui è il caso di dire che questi ragazzi non si abbigliano ma si disegnano, non si radono ma si scolpiscono, non si vestono ma si dipingono come tessere di un più generale affresco giovanile e metropolitano.)

Il tono complessivo dei crani diventa allora una sorta di "look gallinaceo", il colpo d'occhio nel serraglio, passeggiando alla stazione Zoo. Quindi, soprattutto creste: spioventi in avanti, rivoltate sulla nuca, allargate ai lati; creste coloratissime di cacatua sulle teste delle ragazze; creste biondissime, o addirittura al platino, rizzate come penne di pavone; creste da moicani al centro del cranio glabro; creste ispide da porcospino; creste nerissime e altissime e lucide di oli, unguenti e brillantine, a forma di pagode, *stupa*, obelischi e dolmen; creste indioamericane color del mosto d'uva; creste a spazzola coltivate solo sul cervelletto, come ciuffetti di cicoria; creste a mezzaluna, trasversali, longitudinali e parallele, che crescono dapprima in nero e poi in giallo c terminano nei rubini stopposi dei *crazy colours*. Creste spelacchiate da pulcino o da brutto anatroccolo sulle teste dei dementi metropolitani, che indossano larghi pantaloni alla Ridolini, alzati fin sul petto e lunghi al polpaccio, sandaletti anni trenta, camicie a quadri o a losanghe, strette sulle spalle da bretellone nere, espressioni impostate alla più bieca stupidità e imbecillità, ghigni, boccacce, lingue che penzolano, pupille che fissano il naso... (lanciato senza tanto successo qualche anno fa, lo stupid rock sembra solo ora avere una qualche audience stravolta, del tutto diversa, però, dalla demenzialità italiana, a volte ben più intelligente dell'intellighenzia).

Sulle teste dei ragazzi di colore riccioletti color dell'ambra, del turchese e del topazio, addirittura ondate di ciuffi sostenute da buffe permanenti e iperphonati come negli anni sessanta, trecce, treccine o addirittura disegni e geometrie ottenute sul cuoio capelluto come su un prato, soprattutto simboli musicali, nomi di band, ma anche crome, biscrome e chiavi di violino. Creste, inoltre, violentissime da gallo cedrone, creste stupidotte da Picchiatello, creste squisite da Mandarina Duck, creste algide di cigno, creste di anatre, oche, folaghe e strolaghe, creste da polli che fanno guerra, creste da sioux e da cheyenne, creste da tacchine e pollastrelle sulle teste delle svampitissime che girano di notte a Brixton come in un luna park. Insomma, dal cranio rasato, come quello del pulcino appena uscito dall'uovo, al superbo piumaggio di un pappagallo amazzonico, la fauna londinese si ritrova in uno scenario che sembra conoscere solamente i modi della regressione a una babele di pigolii, chicchirichì e coccodè. Come se altra via di scampo non fosse data alla morsa di questi tempi di latente follia collettiva. Come se loro, per primi, facessero scattare, nei modi di un gioco, ciò che nessuno di noi vorrebbe credere: che il futuro che ci attende sarà sempre più simile a un totale e progressivo imbarbarimento.

Anche in questi tempi postmoderni che non conoscono né imperi, né *grandeur*, né leadership, né primati, Londra continua a costituire per l'Occidente intero uno dei punti di vista privilegiati attraverso cui guardare i misteri dell'Estremo Oriente, una sorta di sguardo curioso e meticoloso, e anche pignolo, attraverso cui indagare il pensiero orientale, un occhio indiscreto gettato sui modi di vita e sulle culture di civiltà che rappresentano sempre di più, per i figli delle società industrializzate, una via di scampo all'irreparabile deterioramento delle forme di convivenza civili e allo sgretolamento dei discorsi e dei linguaggi. (Molto interessante sarebbe allora radiografare il "mal d'Oriente", così come si è venuto manifestando nell'epoca moderna, attraverso stimoli, sintomi, rigetti, trapianti e metastasi: dal misticismo di Hermann Hesse alle frenesie californiane della beat generation, dall'incanto sessantottino dei fiori d'arancio all'utopia maoista, dagli esilii a Poona alle fascinazioni dei percorsi Zen, dalle meditazioni trascendentali degli album di certi gruppi pop al sitar di Ravij Shankar... Avremmo allora, come risultato della spettroscopia, una gamma di valori rossi, verdi e blu, a seconda dell'intensità, con gangli cancerogeni e zone bianche addirittura celestiali: insomma, il senso complessivo di un disagio e di una ricerca di libertà e di affrancamento...)

A Londra, questo Oriente sempre più vicino, lo si può tradizionalmente abbordare nel quartiere cinese di Soho, in un formato tascabile e *prêt-à-porter*, per turisti dallo shopping frenetico che non distinguono ancora fra una bottega della Cina Popolare e un negozio di Formosa, fra un piatto indiano al curry e un'anatra alla cantonese. Ma lo si può soprattutto cogliere in un paio di avvenimenti culturali, dalle mostre al cinema.

Innanzitutto la mostra *The Great Japan Exhibition*, allestita alla Royal Academy, che presenta cimeli e manufatti artistici del periodo Edo (1600-1868), esposizione con un'appendice alla British Library per la produzione letteraria.

Ecco allora, in tutto il suo splendore e il suo fulgore, dispiegarsi sui pannelli mobili delle abitazioni nipponiche, la pittura del primo Edo, in un declinare di colline in fiore, ciliegi esuberanti, pini sinuosi, bambù flessuosi e crisantemi pomposi, ora stilizzati su sfondi dorati di soli levanti, ora gradatamente sfumati nei toni del succedersi delle stagioni: pini sotto la neve, fronde piegate dalla pioggia, salici frementi, fiori autunnali al chiaro di luna. E poi passeri, gatti, scimmie, ranocchi e pavoni e superbe tigri ora dipinte nello splendore dell'oro zecchino, ora schizzate a inchiostro di china nell'elegantissimo bianco e nero dell'Edo di mezzo. Scene di vita quotidiana nei porti, nei mercati, nei teatri, nelle abitazioni, nei labirintici interni immersi nella natura e nel paesaggio. Lacche grandi come bottoncini, porcellane, piatti, vasi, ventagli, suppellettili, scatole da tè decorate con motivi di gusto così contemporaneo da far invidia a designer, architetti e stilisti.

Il successo dell'esposizione, che continua a registrare code e assalti alla libreria che distribuisce cartoline e riproduzioni a grandezza naturale, sembra ripercuotersi in altri avvenimenti, primo tra tutti un certo look giovanile che ora adotta, come ultimissimo grido della moda, chimono, ventagli, acconciature e biacche. Molti spilloni di avorio, o pettinini di lacca, non solo fra i capelli, come usano tradizionalmente gheisce e cortigiane, ma addirittura infilati al lobo dell'orecchio in certi azzardatissimi dandy. Adozione pure delle scale musicali della tradizione giapponese, delle particolari sonorità, di ritmi, nei più recenti successi della disco music. Giovani in delirio per i Japan di David Sylvian e per il loro *Lives in Tokio.* Fans per il bellissimo Ryuichi Sakamoto e il suo rock del Sol Levante. Feste di gheisce e samurai nelle discoteche più alla moda, *opening* e *vernissages* a base di raffinatezze, uova di pesce, bocconcini di salmone crudo, involtini di alghe, *tempura* croccanti. E *tea parties* nei *sushi* bar.

Nei cineclub si svolgono rassegne dedicate al cinema giapponese, per cui non solo *Kagemusha*, la versione completa dei *Sette samurai* (centonovantasette minuti) e *Sanyuro*, dello stesso Kurosawa, ma anche *Doppio suicidio* di Masahiro Shinoda (un'ossessiva e fatale storia d'amore ambientata nel Giappone feudale), *La vendetta dell'attore* di Kon Ichikawa (che ha come sfondo il Kabuki) e *L'impero dei sensi* di Nagisa Oshima.

Identica cosa succede con la piccola ma stupenda mostra che finalmente il British Museum ordina nelle ristrutturate Oriental Galleries sotto il titolo *Heritage of Tibet.* Si tratta di una parte della ricca collezione del museo, iniziata nel XIX secolo, e arricchita dalle donazioni di Sir Charles Bell, amico del tredicesimo Dalai Lama. Innanzitutto una gigantografia di un monastero costruito a terrazze su uno sperone di roccia e circondato dalle vette nevose dell'Himalaia. Poi oggetti sacri, abiti dei monaci buddhisti, copricapo, oggetti rituali, bronzi millenari e microscopici che, riprodotti nelle cartoline, parrebbero alti dieci metri, tanto superbe si rivelano la maestria del cesello, l'abilità dell'intarsio, la precisione delle incastonature dei turchesi e dei coralli. Ecco Yamantaka, il demone che lotta contro il potere della morte, avvinghiato alla sua partner attraverso la bocca e raffigurato in un bronzo del XV secolo; ecco il rivale Yama, dal viso di bufalo, circondato da fiamme e incoronato da ghirlande di teschi umani, splendere fra fulgori dorati e lingue di fuoco in un ricamo su tela del XVIII secolo. Ecco una miniatura in legno di uno *stupa*, alcune maschere sacre, coloratissime e grottesche; ecco le armi e gli utensili domestici, le tazze di radica rivestite di argento sbalzato, gli oggetti sciamanici come il *vajra*, il piccolo scettro che simboleggia l'Assoluto e il principio maschile, o il *vajrakila*, il pugnale spirituale dalla lama a triplo taglio che sottomette i demoni; tamburi a clessidra, le cui casse sono ottenute da calotte craniche, e, finalmente, le meravigliose pitture sacre (*tanka*) che raffigurano diagrammi dell'universo e della conoscenza (*mandala*) o i Buddha storici, i *bodhisattva*, i demoni convertiti, i *siddha*, le divinità femminili, i guru e i lama. Dipinte su tela, riquadrate in broccato e arrotolate per i viaggi e gli spostamenti, le *tanke* rappresentano l'iconografia sacra del buddhismo tibetano. Ai loro piedi si accendono lumi e bracieri di incenso, si recitano i *mantra*, si fanno offerte votive. La loro esecuzione non è affidata all'estro dell'artista, ma a un complesso di regole ferree e canoniche. L'iconografia rituale non ammette variazioni. Ogni Buddha ha il suo colore, i suoi simboli, le sue espressioni. Persino i gesti delle mani (*mudra*) sono stabiliti con assoluta precisione, sia per la mano destra, sia per quella sinistra. A seconda della posizione delle dita, possono indicare incoraggiamento, esposizione della dottrina, minaccia, meditazione. Così è per la raffigurazione delle gambe, ora incrociate nella posizione del loto, ora divaricate, ora sbilanciate verso destra, ora raggruppate nella posizione dell'arco, che simboleggia il volo. I colori naturali sono smaglianti e l'impiego dell'oro zecchino impreziosisce le miniature.

Come in una rassegna collaterale alla mostra del British Museum, un cineclub decentrato, e molto attivo, il Ritzy Cinema Brixton, propone un film straordinario, *Tibet: A Buddhist Trilogy*: più di tre ore di rappresentazione con commenti ridotti all'osso e via libera a colori e suoni.

Risultato di quattro anni di lavoro, di ricerche e di documentazioni, i tre film di Graham Coleman, prodotti da una casa indipendente, costituiscono senza dubbio un avvenimento raro. La prima parte (*A Prophecy*) altro non è che un documentario sulla teocrazia del Dalai Lama, che vive in esilio in India dal 1959, anno dell'occupazione cinese (ma i bene informati lo danno addirittura qui a Londra e giurano di averlo visto recarsi, su una chilometrica limousine, in Eccleston Square, dove ha sede la Buddhist Society). Ecco comunque il maestro politico e spirituale del popolo tibetano che riceve le visite dei pellegrini, che ammaestra i monaci delle abbazie, che dal pulpito ammonisce: "Il futuro sarà guidato dalle masse, da una democrazia sociale. Da questo punto di vista, l'invasione del Tibet può anche contenere qualcosa di positivo per i tibetani, poiché ci obbligherà a seguire, per il nostro futuro, questo giusto obiettivo." (E qui scorrono immagini della Carpet's Cooperative, primo esempio realizzato di questa società del futuro.)

Al di là degli aspetti politici espressi dal Dalai Lama e dal suo magistero, questo primo film contiene una lunga sequenza inedita in cui il Lama prega e recita i *mantra*, offrendoci l'opportunità di ascoltare "il suono" della divinità, la musica della verità. Ed ecco, assolutamente prodigioso, un ininterrotto ronzio cavernoso che esce dal corpo del Maestro senza che questi apra bocca o muova un muscolo in superficie: un rotolio di vibrazioni sonore che s'accavallano, scivolano, si compenetrano l'una con l'altra; un suono straordinario e non umano, come di gocce calcaree che piovono su una stalattite; un'eco bronzea che il Maestro sembra cullare oscillandosi sulle cosce ripiegate nella posizione del loto.

Il momento della preghiera e della recita dei sacri nomi diventa poi il momento supremo del secondo film (*Radiating The Fruit of Truth*, centoventicinque minuti), che altro non è che la celebrazione di un antichissimo rituale conosciuto come *A Beautiful Ornament*. Qui una decina di monaci ripercorrono, sotto la guida dell'abate, le autogenerazioni della divinità, ne cantano le sillabe originarie e le trasmutazioni sonore, ne invocano protezione e benedizione. Per tutta la notte e il giorno seguente continuano a suonare i corni, i campanelli, i piatti, i tamburi, alternandoli alla preghiera. Ogni monaco offre poi al fuoco una sua cosmogonia, una specie di *stupa* costruito come rappresentazione delle pure forme del mondo, e quindi il quadrato sarà il simbolo della terra; il cerchio, dell'acqua; il triangolo, del tempo; il semicerchio, del vento;

e l'angolo acuto, dello spazio; e ogni colore avrà un suo rigorosissimo significato: il giallo, per esempio, per il sentimento e il blu per le facoltà mentali.

Infine la terza parte (*The Fields of The Senses*), senz'altro la più poetica, è il racconto di una giornata in un villaggio sperduto tra la maestà delle montagne tibetane. Scene di arcaiche azioni quotidiane: arare, pascolare, pregare, mangiare, offrire incensi, recitare le preghiere, morire. E qui, davanti alle spoglie del vecchio, la celebrazione del rito funebre, forse il documento poetico e religioso del buddhismo tibetano più conosciuto in Occidente: il *Bar-do Thos-grol*, ovvero "La grande liberazione nell'udire nel Bardo", più conosciuto come *Libro tibetano dei morti*. Si tratta di una complessa recita di formule che accompagnano l'anima del defunto nello spazio che si spalanca dopo la morte, uno spazio fatto di colori, suoni, voci, immagini, rappresentazioni di divinità pacifiche o infuriate. Il defunto fa esperienza di queste sensazioni, deve liberarsi del corpo, delle proprie sensazioni, delle esperienze negative dei sensi che ha avuto in vita, delle emozioni. Deve emanciparsi dalla sua costituzione materiale, abbandonare la terra di cui è fatto e dissolversi in acqua e, dall'acqua, purificarsi nel fuoco, poi dissolversi in aria e, dall'aria, diventare spazio e lasciare così ogni contatto con la vita terrena, raggiungere il profondo della propria coscienza, intravedere e confondersi con la luce della purezza. Ma, nell'attraversare tutti questi stadi, l'anima del defunto può perdersi, avere paura, arrestarsi in una fase intermedia senza avere il coraggio di raggiungere l'illuminazione del Buddha. Per questo il monaco, accanto alle spoglie mortali dell'uomo, nei giorni seguenti alla morte, gli recita le pagine del *Bar-do*, lo chiama, lo incita, gli insegna a non avere paura: "Figlio di nobile famiglia, ascolta attentamente senza distrarti. [...] Ora sperimenterai il Bardo del divenire: riconosci, senza distrarti, quello che ti mostrerò." Il rituale prosegue finché il monaco ripete: "Tutto non è che un sogno."

Infine la sequenza più terrificante dell'intera trilogia: la cerimonia della cremazione che avviene in un campo, al tramonto, su un paio di fascine e sterpi. La cinepresa compie orribili dettagli e primissimi piani di questa dissoluzione atroce mentre il commento sonoro è ancora affidato alla preghiera dei monaci. Per cui, quando la galattica e remota notte cala tra le montagne, e il silenzio pare ancora più immenso ed esteso e pauroso, e tutto dunque è compiuto, il monaco ripete: "Ora sei un loto puro, aperto nella luce splendente del tuo Signore, l'infinito Buddha Hamithabi." E la luce lunare sembra vibrare dello spirito di un altro beato.

[1982]

BERLINO

Forse in nessun'altra città dell'Occidente europeo è così difficile tastare il polso, scoprire gli atteggiamenti della fauna giovanile come qui a Berlino. Anni fa, durante un primo soggiorno berlinese, armati di taccuino e lapis, s'era andati a caccia di emozioni, ambienti, personaggi, mode, e già allora si fu costretti a tornare a mani vuote e con una grande confusione in testa; e a chi ci chiedeva che diavolo succedesse là, in Prussia, non si sapeva che cosa rispondere, se non raccontare banali emozioncine adolescenziali raccolte nel passeggiare sotto la neve, costeggiando il muro nella zona di Brandenburger Tor o nell'essere stati sorpresi da una tempesta di ghiaccio nel bel mezzo del Tiergarten, soli e, per di più, senza giacca a vento.

In effetti, l'atteggiamento più errato nell'entrare in questa città strana, orgogliosa, dolcissima, languida e, nello stesso tempo, violenta, guerrafondaia e burrascosa, è proprio quello di voler cercare, con i nostri parametri delle mode e dei look, un qualche riscontro nella fauna giovanile: atteggiamento sbagliato, in quanto a Berlino non ci si pone il problema di come abbigliarsi o decorarsi o truccarsi. È la città stessa che è un enorme mascherone incipriato, come l'ha benissimo descritta Patricia Highsmith nel *Ragazzo di Tom Ripley*: "La città di Berlino era abbastanza bizzarra, artificiale (se non altro per la situazione politica), e probabilmente i suoi abitanti cercavano di batterla in stranezza, almeno negli abiti e nel comportamento. Era anche il modo dei berlinesi di dire: 'Esistiamo anche noi!' "

Berlino, comunque, appare, anche nel rigido e scontroso clima invernale, una città dolce, facile da vivere, ordinata, piena di umanità. Tutto ciò dipende soprattutto dal fatto che, essendo nella stragrande maggioranza popolata da giovani in età di studi universitari, i punti di incontro sono moltiplicati per mille; la fascia oraria dedicata alla socievolezza è ampiamente spostata oltre la mezzanotte, con locali che aprono – come a Ibiza – alle quattro del mattino; i prezzi sono, generalmente, bassi e accessibili. La fluttuazione dei ragazzi che qui studiano e se ne vanno, una volta entrati nel ciclo della vita adulta, provoca tutta una serie di comportamenti e usi assai curiosi: un mercato dell'usato, per esempio, che va dall'elettrodomestico più semplice all'automobile più stramba, passando naturalmente per i vari mercatini dell'abbigliamento, dell'arredamento, dei libri. Esiste, inoltre, una "regolamentazione" dell'autostop, con agenzie di studenti che prenotano un passaggio in macchina per Monaco, Amburgo o Francoforte. C'è uno spirito di solidarietà che va dall'esperienza ormai famosa degli occupanti di case (*Hausbesetzer*) a quella dell'assistenza, chiamata in gergo "soccorso", a persone amiche o ad anziani, per le piccole spese domestiche, qualora, per esempio, influenze e malanni blocchino in casa persone che vivono sole.

La socievolezza di Berlino si esprime dunque nell'esistenza di migliaia di *Kneipen* (birrerie) in cui è possibile incontrare gente per tutta la notte, sentire musica, chiacchierare, sbronzarsi dolcemente con le bollicine del Sekt, un vinello spumante che ha sostituito in questo soggiorno la sempre amata birra berlinese, solo qui spillata lentamente con cura e pazienza. Succede allora di ritrovarsi assonnati e stravolti sui marciapiedi dell'U-Bahn, la metropolitana, diretti a casa con la prima corsa del mattino, verso le cinque: abitudine tutta berlinese, com'è possibile riscontrare nella sequenza finale del film *Taxi zum Cloo*. Quelle ore sonnolente, tirate e impastate di stanchezza, ma anche di ebbrezza, sfociano allora in momenti di sospesa allucinazione, di irrealtà, di sogno. Ci fanno sentire meno anni addosso, riecheggiano e riverberano altre albe e altre aurore, milanesi o romane, degli anni settanta, quando indubbiamente c'era più voglia di tirare mattino bevendo e suonando e chiacchierando. Emozioni mattutine nella città ancora inghiottita dalla notte e dai vapori della nebbia gelida che suggeriscono alla mente una prima verità di questa Berlino: sotto il punk berlinese batte, da sempre, un vecchio, caro, saggio cuore freak.

Di birrerie, dicevamo, e di caffè, ne esistono di tutti i tipi e per tutti i gusti. Si va dalle bettole di Kreuzberg, frequentate da turchi, alle birrerie chic di Charlottenburg; dai locali degli arancioni, come il Far Out in Leninplatz o il Tiago in Knesebeckstrasse, alle birrerie macho, come il Knolle (frequentato da Rainer Werner Fassbinder durante le riprese di *Querelle*) o il Tom's Bar; dai soffici ritrovi per omosessuali borghesi, come il Ranke 2, allo Swing dei punk più raffinati e alieni; dai disco bar, come il Jungle, new wave, ai caffè intellettuali ed élitari, come l'Einstein Café nella Kurfürstenstrasse: un intrigo di punti di ritrovo che, seppure possono offrire solo un pallido esempio di quella vita notturna e demoniaca che fece di questa città la Sodoma europea degli anni venti e trenta, come ce l'hanno descritta Christopher Isherwood, Kurt Tucholsky, Alfred Döblin – una Sodoma poi, fatalmente, rasa al suolo – dimostra, sostanzialmente la continuità di un modo di ritrovarsi e di stare insieme.

Uno di questi modi può essere quello di venir invitati a un party, per esempio, nella sontuosa e "travestitissima" casa di Rosa von Praunheim, nome d'arte di uno dei più famosi registi cinematografici di Berlino. Ecco allora tutta una fauna d'arte che comprende bei giovani dal cranio rasato, vestiti con calzoncini da jogging su pantaloni lunghi alla turca; un trio di ragazze albine e punk che suonano il pianoforte eseguendo, non già i Sex Pistols, ma Giuseppe Verdi, *'O sole mio*, polche da ruspante "bella fattoria"; apprezzate registe come Ulrike Ottinger, già nota per la sua versionc al femminile del *Ritratto di Dorian Gray*, che, con il suo sapiente francese, racconta del nuovo film "esotico" sulla Cina; inoltre molti artisti americani (come Colette) o canadesi (come Michael Morris), ospiti qui grazie a una borsa di studio annuale della DAAD (*Der Deutscher Akademischer Austauschdienst*), associazione culturale che invita scrittori, artisti, *film makers*, al fine di movimentare il panorama culturale di una città che, giocoforza, è tagliata fuori dal resto dell'Occidente, un'isola piantata nel cuore della DDR, circondata, dal 1961, dal famoso muro, ancora tragica barriera fra un mondo che si finge libero e un altro che si finge felice, fra un mondo che offre la ricchezza e un altro che offre la mancanza di povertà. Ma basta poi fare un salto dall'altra parte per rendersi conto che, molto difficilmente, potremmo vivere oltre cortina e, nonostante la pesantezza della città, del paesaggio, della stessa immagine fisica delle persone, ecco aprirsi, una notte a Dresda, uno spiraglio di buonumore e di felicità: è bastato girare per la grande strada deserta, a ora tarda, incontrare un'anziana signora, rivolgerle la parola, incuriositi dalla sua bellezza, ed eccoci immediatamente invitati da lei a tirar tardi, bevendo vino e chiacchierando di letteratura, di arte, della sua passata carriera di attrice. Una disponibilità agli incontri e all'incrociarsi dei destini che certo noi non conosciamo più, un modo di passare il tempo nel piacere della conversazione che, sopraffatti dall'ansia del fare, dai ritmi di vita, dalle paranoie metropolitane, non ci possiamo più permettere.

Ma Berlino è una città che ti mette, spietatamente, e nello stesso istante, di fronte a te stesso e di fronte alla follia degli uomini, della guerra, delle divisioni e degli schieramenti politici. Una città in cui puoi ritrovarti, se ti sei perso, o perderti completamente, se lo vuoi, nell'abbandono languido, venato di tristezza e malinconia che essa ti offre; è una città fatta di cose concrete, di rapporti umani "pesanti" e non frivoli, poiché anche la sua frivolezza nasconde quella particolare pensosità che noi chiamiamo "nordica". È una città culturalmente vivace, aperta, spericolata. È una città in cui puoi andare anche a fondo, soprattutto quando già alle due del pomeriggio il cielo è buio come la notte, la pioggia acida non ti lascia scampo, gli amici non rispondono più alle insistenze dei tuoi sentimenti. E, allora, in questo caso, il tuo cuore batterà con lo stesso impulso infelice di una città che è stata la capitale del mondo e che la storia sembra condannare allo svanimento; vedrai la gloria e la rovina, il successo e la disperazione, fino ad abbandonarti nelle acque untuose della Sprea e allora conoscerai, pienamente, tutto il languore e tutta la saggezza di questa città; accarezzerai i rami frondosi dei salici che l'acqua trascina e ti ritroverai magicamente un uomo nuovo.

[1985]

DRESDA

> Non troverò una città nella quale la distrazione sia così facile e gradevole come a Dresda. La pinacoteca, i calchi in gesso, la raccolta di antichità... son tutte cose che si godono senza ricorrere all'intelligenza poiché agiscono soltanto sul sentimento e sul cuore.
>
> Heinrich von Kleist, *Lettere*

Percorrendo i grandi hangar anneriti dalla polvere ferrugginosa della ferrovia, fra sbuffi di vapore e improvvise folate di nebbia, il treno entra nella stazione di Dresda. L'illuminazione notturna è opaca; non rinforzata da scritte pubblicitarie multicolori, non ravvivata dai suoni di altoparlanti, né riverberata dal brusio di fondo di un qualsiasi posto pubblico, rende l'ambiente estraneo, precario, fuggevole.

Nell'atrio, un gruppo di giovani soldati dell'Armata Rossa bivacca composto agli ordini di un ufficiale. Più avanti, svolgono il servizio di ronda, a due a due, gruppi di *vopos* dall'andatura marziale. Verso l'uscita, una coda ordinata e silenziosa di una trentina di persone aspetta il proprio turno per rifornirsi di bevande calde da una vetrinetta spoglia, attraverso la quale si scorge appena il braccio di un inserviente.

Questo viaggio sentimentale a Dresda inizia, come per tanti visitatori, dalla cupa stazione ferroviaria per sfociare immediatamente, accompagnato da una folla taciturna e spedita, sulla grande Pragerstrasse, la via di rappresentanza, la strada dei grandi alberghi statali, l'isola pedonale che costituisce il volto della ricostruzione socialista: strade ampie, pavimentazioni moderniste, a grandi mosaici policromi che, però, provocano uno spiazzamento angoscioso: la mancanza di traffico, di passeggio, di insegne di locali e di negozi, di scritte pubblicitarie (alla sommità di un palazzo un grande pannello luminoso recita: DIE SOZIALISMUS SIEGT, ovvero "Il socialismo vince") costituisce un segnale tangibile di un'altra realtà, di un altro modo di vivere, come mi dirà una ragazza al ristorante, lo stress della contemporaneità.

Un viaggio sentimentale, dunque, per visitare, in terra di Sassonia, una fra le più importanti pinacoteche del mondo, la Gemäldegalerie Alte Maister: seicentocinquanta opere, di cui duecentocinquanta di scuola italiana, comprese fra il primo Rinascimento e il tardo barocco; una collezione di capolavori, approdata sulle rive dell'Elba dopo vicissitudini e traversie e, miracolosamente, custodita pressoché intatta, nonostante guerre, traslochi, terrificanti bombardamenti, come quello del febbraio 1945, che rase al suolo l'intera città e i cui macabri effetti ancora oggi si possono osservare nei ruderi delle torri, nei palazzi di corte anneriti dagli incendi, nelle facciate pericolanti che, un tempo, davano lustro architettonico a una fra le più belle città d'Europa: Dresda, la Firenze sull'Elba.

Lo spiazzamento fra la Dresda di oggi e quella storica è impressionante. Solo da fotografie d'epoca e dalle vedute ottocentesche di Bernardo Bellotto (che qui operò come pittore di corte di Augusto III con il soprannome dello zio, Canaletto), possiamo avere un'idea dello sfarzo raggiunto dalla città nel periodo barocco. Ciò che resta oggi è ben poca cosa, nonostante gli sforzi per la ricostruzione dello Swinger, della galleria della Pinacoteca, dell'ottocentesco teatro dell'Opera.

Eppure, passeggiando per i saloni dove le opere sono esposte, sotto una luce diffusa e chiara, con grande meticolosità, prende il sopravvento un sentimento di soddisfazione e di felicità, e non solo per il valore delle opere in sé, ma proprio per quel senso più disteso, un'armonia, quasi, secondo la quale il tempo si annulla, le cicatrici nere della storia scompaiono e, improvvisamente, rivelano il senso del bello, del talento, del genio. La visita a Dresda si giocherà tutta su queste due contrapposte emozioni: la follia distruttrice dell'uomo, da una parte; il valore della sua arte, dall'altra. Le due anime, perennemente in lotta tra di loro, in un mattino luminoso e spazzato dal vento freddo del Nord, miracolosamente, prendono forma davanti ai nostri occhi. E sopra tutto questo, nitido come in un *mandala*, il placido scorrere attraverso l'illusione dei secoli delle acque grigie e metalliche dell'Elba, quella mattina associato, nel *satori*, come per incanto, a un grande e sacro fiume orientale.

La storia della galleria è emblematica di come l'opera d'arte abbia costituito, attraverso i secoli, ora motivo di prestigio politico, ora di godimento estetico, ora di supporto a insegnamenti religiosi, ora come cenacolo intellettuale e fulcro di comunità di artisti, ora di documentazione della realtà nei suoi aspetti urbanistici.

Già nel 1560 troviamo a Dresda una Kunstkammer, ma è nel corso del XVII secolo che si determina il carattere della galleria, grazie agli acquisti di Augusto il Forte. Più di lui, farà il figlio Augusto III che prediligerà l'arte del pieno Rinascimento e del barocco, corrispondente alle esigenze di rappresentanza dei sovrani assoluti. Ambasciatori e diplomatici, come il conte Bruhl e Francesco Algarotti furono coinvolti in questa politica di acquisti: nel 1746, fu coronato, dopo anni di trattative, l'acquisto della collezione della galleria estense di Modena per la somma di centomila zecchini. Nel 1754, fu comprata la *Madonna di San Sisto* di Raffaello, nota con il nome di *Sistina*, che contribuì a far crescere la fama internazionale della corte di Dresda. Parallelamente, l'attenzione si incentrò sulle opere di scuola fiamminga e olandese e su quella spagnola. La guerra dei Sette anni (1756-1763) pose bruscamente fine a questa politica di acquisti, e la galleria conserva, da allora, la fisionomia attuale.

Fra i capolavori di scuola italiana si va dall'*Annunciazione* di Francesco Del Cossa fino ai *Sacramenti* di Giuseppe Maria Crespi. Nei due secoli e mezzo che intercorrono ecco, di Giorgione, la *Venere dormiente*, dipinto del quale Tiziano avrebbe realizzato il volto assopito. Il *Tributo* di Tiziano, in cui il confronto fra Cristo e il fariseo si rivela di un'intensità drammatica e psicologica serratissima nel procedere sui due piani paralleli degli sguardi e delle mani. Di Sandro Botticelli, oltre a una scena del ciclo estremo di San Zenobio, ecco la *Madonna con Bambino e San Giovanni.* Di Ercole de' Roberti, le "predelle", in cui lo svolgimento del tema narrativo (la passione di Cristo) è attuato analogamente a un grande "carrello" cinematografico: i personaggi e le situazioni sfilano orizzontalmente davanti ai nostri occhi con esaltante dinamismo.

La *Madonna Sistina* di Raffaello è invece situata su una parete di fondo dell'ultimo salone, in modo che, attraverso un'infilata di porte e corridoi, è possibile ammirarla già fin dall'entrata della rotonda. Con molta cultura, si è qui conservata la sontuosità del dipinto che, seppur tolto dalla sua originaria collocazione ecclesiastica, viene a ottenere un effetto scenico predominante. "L'alta figura di pacata grandezza, di sublime serietà, di purità angelica" (Kleist) attende, sovrasta a ogni svincolo delle precedenti sale.

La straordinaria sequenza delle *Parabole evangeliche* di Domenico Fetti ci mostra un barocco quotidiano, realistico, quasi intimo nel gesto, per esempio, della donna che cerca la moneta scomparsa, o nel povero arredo della stanza, tagliata in due dal contrasto luce-ombra.

Il cuore di questo che abbiamo finora detto essere stato un viaggio sentimentale, si scopre però, finalmente, al cospetto delle quattro grandi pale del Correggio: la *Madonna di San Sebastiano*, la *Madonna di San Giorgio*, la *Madonna di San Francesco*, la *Notte Santa*. Le quattro tele, custodite ai quattro angoli di un unico salone, e inframmezzate da Tiziano, Giorgione ecc., sono di una dolcezza, di una morbidezza, di una sensualità assolutamente affascinanti: dalla volta solo apparentemente mantegnesca della *Madonna di San Giorgio* allo squarcio di angeli nella *Notte Santa*, che rivela la contemporaneità d'esecuzione con il grande affresco della cupola del duomo di Parma, proprio in quella leggerezza aerea dei corpi e nell'azzardatissimo taglio delle figure. E quel gioco di putti che escono dal marmo del trono su cui è assisa la Madonna di San Giorgio, per diventare rosei e giocosi fanciulli, attraverso un semplice girotondo, diventa quasi il simbolo di una felicità inventiva "terrena" e sinuosamente edonista.

Il pellegrinaggio del vostro cronista, che il caso ha voluto concittadino dell'Allegri, si conclude nel gabinetto di restauro della pinacoteca. Non trovando al suo posto la *Madonna di San Francesco*, ma solo una piccola fotografia in bianco e nero, si è corsi dal direttore della galleria, Bruno Walther, che ha acconsentito ugualmente a mostrarla. Appoggiata a una parete, senza cornice, con i colori offuscati dal tempo, la grande tela attendeva il suo turno di manutenzione. Come Charles de Brosses al cospetto della *Notte Santa*, anch'io, in quel momento, avrei voluto esclamare: "Perdonami divino Raffaello se nessuna delle tue opere mi ha causato l'emozione che ho avuto alla vista di questa."

[1985]

BARCELLONA

Vista dall'alto del parco del Guinardo, in un ventoso pomeriggio primaverile, Barcellona appare come una striscia di cemento uniformemente stesa tra le linee, prima azzurre e poi blu, del Mediterraneo e il verde tenero della collina: una collina su cui le nuvole, schermando la luce del sole, proiettano grandi ombre, estese come un isolato, che procedono lente da un quartiere all'altro. Le *avenidas* che la solcano in perfetti incroci ortogonali, danno la sensazione di trovarsi sempre nello stesso punto. Da un lato, vedi il mare o il chiarore del suo cielo; dall'altro, la montagna. Ogni *avenida*, ogni *paseo*, ogni *calle*, sembra essere l'unica, la più centrale, la più importante. In realtà, il centro di Barcellona è racchiuso attorno alle *ramblas*, il grande viale che da Plaza Cataluña porta al mare.

È lungo questa arteria che si incanala la massa lenta e chiacchierona dei turisti, dei vecchi fermi davanti alle grandi edicole, pittoresche e fornitissime di ogni genere di pubblicazioni, impilate direttamente in terra. È qui che si vendono fiori, piante, palme e tronchetti di ogni specie e varietà; qui che, nelle gabbie dalle forme eccentriche ed esotiche, trillano i canarini, gorgheggiano rauchi i pappagalli sudamericani, le gazze, i corvi neri e lucenti. È sotto le volte degli altissimi ippocastani che per tutta la notte, fino all'alba, continua il traffico e il passeggio di una fra le più nottambule città d'Europa. Ma è in quella che impropriamente chiameremo "periferia" (le grandi arterie regolari) che pulsa la vita della città, al di là degli aspetti turistici e folkloristici. È qui che decine e decine di taverne e discoteche e videobar aprono a notte fonda per distribuire alcolici e compagnia e musica fino al mattino successivo. È qui che incontri i punkettini più belli e seducenti che ti sia mai capitato di vedere in Europa. Qui è la metropoli e la sua *movida*; qui sono i fantasmi della sua notte, l'eleganza classica e pura delle sue ragazze.

Barcellona è una città in cui i sapidi odori della cucina spagnola si mischiano a quelli delle diverse razze degli uomini venuti dal mare, in particolare dal continente africano. Gli odori di Barcellona, i suoi profumi, gli aromi della sua cucina, delle spezie, dello zafferano, del pepe, dei fasci di cannella. Odori coloniali, come quando inaspettatamente trovi sulla strada uno spaccio di *pimientos*, intatto nell'arredo e nella struttura dal secolo scorso: interno scuro e buio, pavimento sterrato, grandi sacchi di iuta pieni di spezie di ogni colore: gialli purissimi, rossi, arancione, ocre... E su tutto, ecco aleggiare l'aria pruriginosa ed eccitante del peperoncino, che si insinua nelle narici o immediatamente ti spinge a cercare un ristorante sontuoso per celebrare le gioie di una cucina che l'eroe di Manuel Vasquez Montalbán, l'investigatore Pepe Carvalho così storicizza: "Se la guerra dei Trent'anni non avesse sancito in Europa l'egemonia della Francia, la cucina francese ora avrebbe subito l'egemonia della cucina spagnola" (*Un delitto per Pepe Carvalho*).

Si passeggia allora per un mercato spagnolo, a Barcellona come a Madrid, ci si perde tra i banchi ben ordinati, tra le tinozze colme di olive verdi, olive nere, olive piccole o grandi come prugne, farcite, ripiene, colore dell'uva fragola, della cipolla in agrodolce o del guscio di noce; si cammina tra i banchi del pesce, tra i filetti di merluzzo stesi come tante lenzuola; si ammira il color rosso intenso del tonno tagliato a tranci, delle aragoste, dci gamberoni, di ogni varietà di molluschi, delle ostriche vive che spruzzano ritmicamente il loro zampillo d'acqua. Si osservano i banchi delle carni appena macellate, le testine di vitello, il rosso del sangue, i cosciotti di agnello e di montone, il pallido colore avvolgente delle trippe spugnose e nodose, qui cucinate golosamente con funghi. Ci si perde fra la varietà degli ortaggi e della frutta. L'orecchio è sedotto dalle grida delle donne che, dall'alto dei loro banchi cantano, richiamano l'attenzione, scherzano, maneggiando coltellacci e lame con abilità e destrezza, come dirette da Brian De Palma o Dario Argento. Improvvisamente il mercato diventa il set di un grande thriller. Le mannaie si abbattono sulle carcasse dei polli, dei grandi pesci, delle vacche. I colori sono fortissimi. Mai come ora è possibile coglierne la violenza. E la seduzione. Anche questa è la Spagna. Un paese è quello che mangia e come lo mangia. La cucina è la sua civiltà. La sua storia. In fondo, anche la corrida altro non è che un volgare atto di macelleria, sul quale però si è sparso immenso stile e immenso "senso". A Saragozza, il giorno dopo la grande corrida del lunedì dell'Angelo, nelle cantine non si trovava che brasato di toro... Hanno ragione gli Smiths a cantare: "*Meat is murder.*"

Attorno alle *ramblas*, illuminate e gremite di folla che staziona ai tavolini dei caffè, bevendo sangria o generosi vini della penisola iberica, si disperdono i mille rivoli dei vicoli e delle stradine, affollati di prostitute, alcolizzati, teppisti, epicurei, transessuali, giocatori d'azzardo. È una fauna pittoresca che ti aggredisce per portarti a letto e spillarti quattrini senza troppi complimenti. Le ragazze ti saltano addosso, chiamandoti *chico* (se va bene). Non ci stai e ti becchi una sequela d'insulti in catalano, gridata come una canzonaccia. Pensi a Napoli e dai ragione a quanti sostengono l'affinità segreta fra catalani e italiani, affinità di carattere, di atteggiamenti, di musicalità che la lingua stessa, avvicinandosi più alla nostra che non il castigliano, sancisce vigorosamente.

Quello del gioco d'azzardo legalizzato è un aspetto della Spagna postfranchista assolutamente affascinante. Le slot-machine, qui chiamate molto sbrigativamente *maquinas*, sbucano da ogni locale pubblico, bar, albergo, bettola o grand hotel. Sono elettroniche e le combinazioni delle figurine colorate che hanno riempito d'incubi le nostre notti (campane, ciliegie, pere, arance, prugne, fragole e, da ultimo, le mele siglate CIRSA) si ottengono automaticamente introducendo una moneta da venticinque pesetas (circa trecento lire). Le macchinette, che hanno una musichetta bellissima e tintinnante in caso di vincita, sono quelle che le nostre mamme chiamavano sprezzantemente "mangiasoldi". È vero. Il guaio è che si vince, ma si finisce sempre per perdere troppo. Per una buona combinazione ottenuta (tre campane, quattro prugne, due pere), se ne vanno al diavolo almeno una ventina. Quando capita di beccare il *jackpot* sono gridi di gioia, si balla un flamenco e, via, si riempie il secchiello che il cameriere ha portato sorridendo (ma, accidenti, lui ci sta provando di nascosto, ogni notte prima di chiudere il bar e ogni mattina appena lo apre: e mai, mai!). I sorrisi sono tutti di circostanza.

Niente scatena di più l'odio dei giocatori quanto una vittoria. La fauna giocatrice è costituita in gran parte da anziani che giocano furtivamente, abbracciando le macchinette e facendo scongiuri meravigliosi sulle finestrelle di uscita delle combinazioni; moltissime donne oltre i sessanta, molti vecchi tabagisti e poi tutta un'indescrivibile fauna da roulette dei poveri: amiche in libera uscita, in attesa della canasta delle cinque, che starnazzano sgomitandosi con le borsette; mariti con basettoni e baffoni che tirano per il gomito le mogli accanite; donne incinte, con il pupo nel passeggino che strilla e quasi si strangola per la disperazione di essere stato parcheggiato dietro al banco degli alcolici, mentre la giovane mamma spende e spende, e non vincerà mai; fannulloni impoianati dietro le colonne che attendono solamente che ti distacchi un po', magari per un sorso di birra, per fregarti il posto e recuperare, con una sola giocata tutte le monete che hai disperatamente infilato; avvoltoi e iene che sbucano da ogni parte, pronti a soffiarti la probabile combinazione... È la stessa fauna che si trova poi nelle sterminate sale da bingo, in cui si mangia, si beve, si dorme e si può passare una giornata intera e anche la notte. Il bingo corrisponde alla nostra tombola. In una grande teca di cristallo si agitano palline da ping-pong con su stampati i numeri dall'1 al 90. Quando il gioco inizia, le palline prendono a entrare, a una a una, in un tubo. Una telecamera a circuito chiuso le riprende e trasmette il numero estratto ai vari video sparsi per la sala. Dalla tribuna della presidenza tra funzionari, giudici, vallette, lo speaker comunica velocemente la sequenza dei numeri. Un tabellone luminoso permette di controllare l'estrazione. Si vince con una cinquina (*linea*) e tombola. Una cartella costa all'incirca duemila lire, e il bingo è pagato a seconda delle cartelle vendute: al Grand Hotel di Saragozza, un mio bingo (quando senti nel microfono quel sublime: "*Drrrrrr. Han cantado bingo!*") è stato di poco più di cinquanta carte. A Barcellona, invece, di oltre il doppio, ma non crediate che siano tutte rose e fiori. È la solita storia delle macchinette. Puoi vincere, ma la vittoria è sempre una piccola goccia di consolazione nel gran mare delle perdite. Eppure le sale da bingo, con le signorine velocissime ogni due tornate a vendere le cartelle, i barman compitissimi a servire liquori, il gioco degli sguardi, le invidie, le ripicche fra tavolo e tavolo, i sospiri, le ansie, gli improperi, gli scongiuri, i numeri sussurrati ossessivamente come giaculatorie e avemarie affinché vengano estratti, tutto ciò si è rivelato un colpo d'occhio assolutamente unico. Nelle grandi sale affrescate, sulle moquette spesse un palmo, davanti agli stucchi e ai decori barocchi, su quelle poltroncine in stile, si consuma il rito del gioco, della fortuna e della disgrazia. Come in un casinò. Dei poveri.

[1985]

IBIZA

Improvvisamente, verso le quattro del mattino, mentre entri al Ku, la discoteca più cara e più grande dell'isola, ti puoi rendere conto di potercela fare, anche senza le polverine che qui vengono smistate a ogni angolo: l'*ecstasy*, un concentrato di anfetamine che dovrebbe farti sentire il partner e la notte come gocce di rugiada sulla pelle, e la *mesca*, niente a che vedere con la mescalina, non allucinogena, ma ancora un eccitante per reggere queste notti ibizenche che sembrano non finire più.

Così, mentre ritrovi Tracy Spencer e Sandy Marton e Claudio Cecchetto dietro le quinte del palcoscenico eretto sulla piscina per l'elezione di mister Ku '87, hai la certezza che anche tu, con un paio di birre in corpo, non polveri, non cocaina, non anfetamine, non canne (qui soavemente chiamate i *porro*), anche tu puoi finalmente andare al Glory's, la disco che apre i battenti alle sei del mattino per chiuderli soltanto a mezzogiorno. Ti fai forza, bevi un altro po' al bar del Coco Loco, dove i *camareros* vestono rigorosamente la folkloristica linea made in Spain dello stilista emergente Francis Montesinos. Ti lasci andare alla danza, senti il sudore come una dolce espiazione, le gambe ti reggono ancora, finalmente esci verso le sei quando anche il Ku, ingresso trentacinquemila lire senza consumazione, una piscina serpeggiante, boutique, panineria, caffetteria, una balconata in cui qualche sera prima si è seduto il giovane principe ereditario Filippo con tutta una corte di rampolli affascinanti e astemi, anche questa megadiscoteca altro non è diventata che il solito pattumaio pieno di rifiuti, di bicchieri rotti, di ubriachi che si gettano in piscina, di ragazze che si spogliano ai ritmi di un'improbabile danza gitana. Allora prendi la macchina che hai noleggiato, torni verso Ibiza e, poco prima di immetterti nello svincolo periferico della città, giri a destra, seguendo il flusso delle altre auto. Poco dopo sei davanti al Glory's, con altre centinaia di nottambuli impasticcati a dovere per festeggiare, oggi come qualsiasi altro giorno, la nascita di un altro sole.

È ancora notte. Le stelle brillano un po' offuscate nel cielo afoso. Noti due auto della polizia. I buttadentro sono implacabili. Molti che ormai non si reggono in piedi per il troppo alcool o le troppe canne non vengono ammessi. Tu passi. Paghi circa venti carte. Sei dentro. Sono le sei e trenta. All'orizzonte, i profili delle aride colline di terra rossa si illuminano. Aspetti l'alba.

Il Glory's è l'ultima novità di questa lunga estate 1987. Sull'esempio dei locali di Valencia e della *movida* madrilena, sceglie l'alba come orario d'apertura delle danze. L'effetto è grandioso. All'interno, ancora i ritmi della notte, il buio, il fumo delle sigarette, le danze ormai scomposte e sfrenate. Fuori, sul grande patio, profumo di caffè, odore di croissant freschi e la luce del nuovo giorno che inesorabile trascolora le pettinature, gli abbigliamenti, i visi ormai sofferenti per la maratona. La miscela di notte e di giorno produce sul corpo, sugli organi, negli occhi e nel cervello la sensazione di essere un fantasma. Le orecchie fischiano, assordate dai volumi altissimi che da almeno cinque ore ti martellano; la gola è secca; la lingua, impastata; ti senti uno straccio, ma, questo è importante, uno straccio che ancora riesce ad agitarsi sulla pista e a cambiare i soldi per il caffè. Verso le otto, molli. Raggiungi la tua abitazione sul mare, guardi le gocce di rugiada sull'agave enorme che sta davanti al cancelletto d'ingresso. Sai che solo due giorni prima una ragazza è stata assassinata proprio nella caletta sotto di te. Violentata e assassinata. La luce è straordinariamente bianca, tenue, nebbiosa. Ti sciacqui la bocca con l'acqua salata e imbevibile che esce dai rubinetti. Hai caldo. Raggiungi il letto e chiudi gli occhi. Una zanzara ti becca sul collo.

Solo cinque anni fa, Ibiza sentiva ancora la nostalgia per i suoi esordi turistici, quegli anni settanta ricchi di hippy e polverine che, con l'andar del tempo, ne hanno decretato il successo internazionale. Vedevi in giro, sulla piazza principale di Vara de Rey, o lungo le banchine dell'Estación Maritima ancora qualche freak sbiadito e ciondolante, con le sue catenine e i suoi amuleti. Potevi incontrare strane creature come Marianne, una ragazza tedesca abbondantemente sopra la trentina, alcolizzata e "completamente rincoglionita dagli acidi" (direbbe Copi nel suo capitolo su Ibiza del *Ballo delle checche*), che si trascinava da un bar all'altro, coperta di un'ampia e sudicia pelliccia di volpe, di catene e di foulard, con una sacca variopinta da cui estraeva monili, incensi, fazzoletti indiani, *sarong* indonesiani. Rapata a zero, eccezion fatta per una piccola coda di capelli dietro la nuca tinta di henné verde, truccatissima, con un viso come scolpito a metà, non finito, solo abbozzato, Marianne girava fra i tavoli dei bar e dei caffè all'aperto, bestemmiando e maledicendo. Altera, sontuosa nei suoi pastrani e nelle sue vesti sovrapposte, seguita perennemente da uno spelacchiato cane ibizenco, una particolare razza tipica dell'isola, Marianne era un po' l'immagine stessa di un'Ibiza che cercava di mescolare il turismo alternativo e freakkettone con quello di massa e consumistico: una Ibiza che risplendeva ancora della sua vecchia fauna, ormai folle, e la sacrificava con cattiva coscienza alle colate di cemento di Playa d'En Bossa, edificata come Copacabana.

Cinque anni fa, il sogno e l'utopia di una generazione che faceva della vacanza e del tempo libero e della droga una faccenda serissima, si riverberava ancora pateticamente su tutti quei parei indossati in spiaggia dai nudisti solo per salire al Chirin Gay per un'insalata e un frullato di verdura; si rifletteva nel culto delle camicie e degli straccetti indiani legati al collo, nei sandali di cuoio nero da portare la sera. Cinque anni dopo, durante questa mondanissima estate 1987, che qui continua a non finire, tutto è definitivamente cambiato. I culturisti di Playa d'En Bossa e del Coco Loco Bar sono ormai da anni diventati il simbolo fisico del tipo maschile che a Ibiza fa moda e che ha soppiantato l'ascetica e lisergica magrezza degli hippy. Il Chirin Gay non è più una baracchetta di legno e frasche di palme, ma un ristorante con quattro, cinque ragazzi che servono ai tavoli. Non ci sono più parei o sete indiane, ma soltanto gli ultimissimi costumi da spiaggia degli stilisti amati dai gay di mezzo mondo, come Nikos, Gianni Versace e l'idolo incontrastato Jean-Paul Gaultier. Sulla spiaggia bianca di Es Cavallet, a ridosso delle saline, non ci sono più le stuoie, ma lettini e ombrelloni, il cui costo di noleggio è, quotidianamente, di circa diecimila lire. E se si ha la ventura di fare un salto a San Eulalia, al famoso mercatino degli hippy, scoprirete non solo il ragazzotto romano che si vende due Lacoste per restare una notte in più, ma soprattutto pullman e autobus dell'Alitur. Ibiza ha trovato il suo nuovo assetto, il suo nuovo pubblico, tutti gli elementi di un successo che, anche quest'anno, l'ha decretata "isola più alla moda del Mediterraneo". Un aeroporto internazionale funzionale e anche assai bello, un'offerta di divertimento ventiquattro ore al giorno, tolleranza della popolazione locale e delle forze di polizia a ogni tipo di eccesso e di travestimento, ottima ricettività alberghiera, i prezzi scalari a seconda delle varie cittadine sparse nell'isola e poi, come optional di lusso, la bellezza aspra e tropicale della vicina isola di Formentera dove gli snob vanno a smaltire, nella solitudine e nel silenzio, in lunghi bagni e in lunghe gite in bicicletta, gli stravizi compiuti da quest'altra parte.

L'*isla blanca*, come Ibiza è soprannominata, di intrinsecamente suo mette poi la propria fondamentale vocazione all'eccentrico e all'eccessivo che plasma i comportamenti o quantomeno li riveste, anche solo per una notte, di una follia carnascialesca e girovaga, di un senso altamente disinibito della festa, di un'inquietudine desiderante che le ha valso un secondo soprannome: l'*isla loca*, cioè l'"isola pazza". A Ibiza, tutto è stravolto rispetto ai ritmi della quotidianità. Certo, potete ritirarvi nella quiete assorta di Portinax, prendere in affitto una masseria, recarvi in centro solo per l'aperitivo o per fare la spesa nei supermercati, comportarvi quindi come in un qualunque luogo di villeggiatura. Ma questo non è lo spirito di Ibiza, che confonde il giorno con la notte e le albe con i tramonti. Appena arrivate sentite subito il *jet leg* di un volo transcontinentale. Occorrono un paio di giorni per adattarsi al ritmo forsennato della vita a Elvissa: cena verso mezzanotte, un videobar per un bicchiere del liquore locale, lo Hierbas Ibicencas, una sorta di anisette che viene servita in ampi *ballons* ripieni di ghiaccio, poi il vorticoso giro delle discoteche, intercalato, per gli impenitenti, da una puntata al casinò. All'alba, quando la rocca di Ibiza appare un po' come Mont-Saint-Michel, un castello sulle brume e sull'acqua, uno spuntino e a dormire. Spiaggia verso le cinque del pomeriggio, drink serale al Montesol o al Mar y Sol, siesta in casa, poi di nuovo ristorante e notte. Il risultato è che dopo qualche giorno si alternano, alle ore più insolite, momenti di stanchezza estrema e momenti di vitalità inaspettata. E su tutto domina un vago senso di sfinimento, di afosa indolenza, di percezione indistinta della realtà, che abbatte le resistenze psicologiche e rende estremamente disponibili ai nuovi incontri e alle nuove amicizie.

La massa dei giovani turisti in cerca di avventure resta da un po' assai simile a se stessa, con la dominante del tipo selvaggio e della donna della jungla: nei ragazzi, capelli lunghissimi, straccetti di camoscio all'inguine, pettorali gonfi e turgidi, stivalacci di cuoio o di pelle sfrangiata, orecchini ai lobi; nelle ragazze, anche curiose commistioni fra le parti basse, pronte quasi per un safari, e quelle superiori, strette in bustini primo Novecento, pizzi e trine come in Madonna. Poi, naturalmente, la saga del jeans stracciato e sdrucito, come non si era mai visto, neppure nella Londra del 1976, quando i punk infilzavano giubbotti e calzoni con migliaia di spille e catene. Il jeans, dunque, ancora una volta come elemento portante del gioco della seduzione, adibito, in questa estate caldissima, più a scoprire che a nascondere. Cosa possa saltar fuori da questi "capi" è insieme divertimento e provocazione: un gluteo, un capezzolo, un polpaccio, una coscia, un bicipite, un tricipite, un ombelico. Come se questi gran pezzi di femmina e di maschio fossero passati attraverso le fruste borchiate dei torturatori di Sodoma e Gomorra, riportandone non solo indumenti a pezzi (e perlopiù stracciati nei punti più sexy del corpo), ma soprattutto quel sublime aspetto gigolo e marchettaro che rende più eccitante i contatti: la rivincita del vissuto, dell'esperto, del profanato, sull'ingenuità, la spontaneità, le prime armi. Gladiatori e Messaline segnati da innumerevoli scontri negli harem e nelle arene. Vichinghi e ciclopesse, barbari e baccanti. Cortigiane e califfi. La violenza delle diversità sessuali, del maschile e del femminile che, pur vestiti nello stesso modo, si attraggono con una forza spietata. A Ibiza, puoi sentire tutto questo semplicemente sedendoti allo Zoo Bar o in altri caffè nelle ore che precedono le uscite in discoteca. Il gioco barbaro, spietato e affascinante dell'accoppiamento.

Ma, in fondo, a tutto ciò puoi anche essere abituato. Non è molto diverso dallo struscio fra Rimini e Riccione. Certo, l'atmosfera è diversissima, meno casereccia, più aspra, più internazionale. Più lussuosa forse, più sfacciata. Ma i comportamenti sono abbastanza simili. Quello che invece ti coglie di sorpresa è la fauna *trend* di Ibiza, la fauna modaiola e completamente oltre negli abbigliamenti e, soprattutto, nelle abitudini.

La incontri verso mezzanotte al Lola's, il videobar che ha segnato il punto più in voga dell'estate. Ai tavoli, sparsi attorno alle palme di Calle Alfonso XII, poco prima della scalinata addossata alle mura che porta nei localini gay, ecco il variopinto popolo di Ibiza: tutti giovanissimi, al massimo sui ventitré anni. In gran parte sono spagnoli, di Madrid, di Valencia, ma anche molti baschi. Qualche parigino, pochi gli italiani, che non arriverebbero mai a questi eccessi. Il trionfo è della calza femminile e della giarrettiera. Soprattutto indossata sui polpacci villosi dei ragazzi. Calze, dunque, alla coscia, soprattutto nere. Guanti anch'essi neri. Stivali aderenti di pelle borchiata, molto S&M, sdrammatizzati da una giarrettiera in strass. Grande sfoggio di parrucche, ma soprattutto gli algidi e stopposi capelli alla Jean-Paul Gaultier. Chi non osa la calza, che comporta una culotte o un body, e quindi fisici scultorei, si rifà con i pantaloncini elasticizzati, tipo ciclista. Sempre neri, sempre aderentissimi, al massimo qualche fascia longitudinale color porpora. E sopra anche una giacchetta.

Il travestitismo androgino non investe granché le ragazze. Alcune sfoggiano addirittura abiti lunghi, tagli Dior e Chanel di venti anni fa, grandi cappelli e copricapo dalle fogge strane, ricercate, imprevedibili. L'effetto complessivo è straordinario e carnevalesco insieme: bello, ma anche comico, ironico, divertente. Tutti questi giovani, in realtà, non sono poi così agiati e snob. La maggior parte lavora nei negozi di abbigliamento e negli atelier dei grandi parrucchieri parigini. Li vedi la notte così affascinanti e il giorno dopo li scopri a sparecchiare i tavoli del ristorantino economico. È proprio questo, forse, il fascino di Ibiza: l'eccesso per tutti, il travestimento notturno, il tirar l'alba come stile di vita. E difatti, dal cameriere alla commessa, li trovi poi, ben fumati o impasticcati, nella girandola notturna che inizia dal Pacha, dove il ritmo della musica è così assordante, ripetitivo, monotono da farti muovere anche se non vuoi, prosegue all'Amnesia, disco assai chic, confluisce al Ku e termina, all'alba, nello sfasciume eccitato e intrepido del Glory's. Un intorpidito approccio sessuale, qualche ora di sonno e poi c'è il lavoro, o al ristorante o davanti allo specchio con ago e filo per un nuovo travestimento.

[1987]

TUNISIA

Alla fine del viaggio mi troverò a vedere Tunisi e i suoi sobborghi dalla terrazza di un albergo di Sidi Bou Said, il villaggio addossato a una collina a sedici chilometri dalla capitale. Solo qualche giorno prima avevo guardato questo promontorio dalla parte opposta, da una stanza dell'Africa Méridien, un grattacielo di venti piani che svetta, azzurro, nel centro di Tunisi come un qualsiasi Sheraton o Hilton, con la piscina al quinto piano, i ristoranti folkloristici, le sale da tè, il pub, il night-club, le comitive di turisti francesi, tedeschi e, soprattutto, italiani. Lo spazio mentale del viaggio mi sembrerà allora racchiuso, come un arco, fra questi due alberghi di standard internazionale, comodi, funzionali e che costano poco più di un due stelle italiano: da un lato, la Tunisia delle medine e dei suk, dei mercati di cammelli e degli incantatori di serpenti, del proletariato urbano e della miseria dei contadini e dei nomadi, dei caffè fumosi e cupi, affollati di uomini di ogni età, e dei pataccari che ti aspettano all'esterno degli hotel, dei musei e delle moschee, per venderti una collana, un frammento di mosaico, una lanterna punica o una moneta romana: un impatto emotivo che potrebbe anche creare qualche difficoltà al visitatore sprovveduto e occasionale; dall'altro, un paese di una bellezza estrema le cui qualità principali sembrerebbero essere la dolcezza e la mitezza, il rosa ambrato dei tramonti, l'ocra chiaro delle zone desertiche, il turchese del mare, il beige delle spiagge, il bianco-azzurro di Sidi Bou Said, questo villaggio che sovrasta Cartagine, residenza prediletta degli intellettuali e degli artisti, in cui si consuma la dolce vita tunisina, con i suoi night-club, il casinò, le discoteche, i caffè; un villaggio che ricorda, nei vicoli e nelle piazzette, ma soprattutto in un'atmosfera cosmopolita, *bohémienne*, vagamente freak, l'abitato di Mykonos, salvo poi donarti, sbucando su una piazzetta, panorami mediterranei a perdita d'occhio, fitti di cipressi, di pini, di fichi d'India e di agavi in fiore, di cascate di buganvillee, di palme da dattero.

La Tunisia sta scoprendo e rafforzando la sua vocazione turistica, dopo essere stata il paradiso di un'élite mondana che si rifugiava a Hammamet, a sessanta chilometri da Tunisi, e che vedeva fra i suoi protagonisti, artisti come Paul Klee, architetti come Frank Lloyd Wright, scrittori come Gide, Bernanos e Julien Green, e che servirà da scenario al romanzo *La spiaggia del dubbio* della giallista Patricia Highsmith. Nel volgere di un solo anno, le presenze turistiche sono quasi raddoppiate, raggiungendo i tre milioni e mezzo di unità. Il turismo giovanile e povero, che ha caratterizzato la scoperta di questo paese durante gli anni settanta, sta cedendo il passo a un turismo organizzato che può contare su una buona rete stradale e su quattro aeroporti internazionali: Tunisi, Monastir, Jerba e Tozeur.

Ogni giorno atterrano i charter provenienti dalla Francia, dall'Inghilterra, dalla Germania e dall'Italia. Le hostess e le accompagnatrici dell'Alitur stanno raggruppando, nella hall dell'Africa Méridien, un gruppo di un centinaio di turisti di mezz'età provenienti da Faenza, Forlì, Parma, Bologna. Ci sono problemi con il minibar delle camere. Alcune signore si lamentano, dicendo che non l'hanno nemmeno aperto, quel coso lì. Le ragazze discutono con il cassiere. Contemporaneamente, con la coda dell'occhio, sorvegliano che il gruppo non si disperda nell'atrio. Continuano a tenerlo racchiuso in uno spazio delimitato, come le mura di una fortezza, dai bagagli. Allargano le braccia, impedendo alla signora di andare a comprare l'ultima cartolina, al ragioniere in pensione di riaprire la valigia per un controllo, all'anziana vedova di prendersi un cachet, al bar, per prepararsi al volo di ritorno. Abilissime, cortesi, decise, abituate a dire di sì anche alle richieste più assurde, queste ragazze, tutte molto giovani, sono i veri angeli custodi del turismo di massa. Sono loro che si preoccupano dello sdoganamento dei bagagli, dell'organizzazione dei trasferimenti; sono loro che parlano le lingue e sanno cavarsela: i turisti – che fino a qualche anno fa non avrebbero mai lasciato né Rimini né Salsomaggiore per le loro vacanze – sembrano assolutamente incapaci di badare a se stessi. E anche questo è un mutamento del modo di viaggiare e di conoscere. Poi finalmente il gruppo ben abbronzato esce dall'albergo. Con una precisione cronometrica ne entra un altro, pallido, ma già in bermuda e short.

Lungo la bellissima costa – la sabbia è bianco avorio, i palmeti arrivano fin quasi sulla spiaggia, l'acqua trascolora dall'azzurro al celeste, al turchese, a una tonalità di verde cristallino – fra Hammamet, Sousse e Monastir si susseguono i campi da golf, i villaggi del Club Mediterranée, i complessi alberghieri eretti come cattedrali, le grandi scenografie di gusto hollywoodiano, le cupole moresche dei residence e degli hotel, simbolo di un esotismo facile e kitsch. L'impressione è quella di attraversare non solo un grande cantiere edile, ma una sorta di parco dei divertimenti, una Tunis World con i maneggi, le piste di equitazione, le piscine, i percorsi per le biciclette, i campi da tennis, da squash, e da *beach volley*, in cui i pallidi turisti del Nord Europa camminano, un po' flaccidi, in quel completo che gli albergatori, al pari dei sagrestani italiani, vivamente sconsigliano – in cinque lingue – per addentrarsi nelle medine e nei villaggi: canotta colorata, scarpe Adidas e mutandine bianche. Così che, all'osservazione, si rileva ancora maggiormente il distacco fra il popolo dei turisti e quello che, lungo la strada, viaggia lentamente su un carretto trainato da un asino, pascola le pecore sui prati ai bordi dell'aeroporto, dorme sotto un eucalipto gigantesco.

Confinata negli spazi rigogliosi e lussuosi dei grandi alberghi – ma sarebbe più appropriato definirli "complessi alberghieri", poiché alcuni inglobano addirittura un porticciolo – la vita dei turisti assomiglia a quella di reclusi in una gabbia dorata. Sport, sole, mare, cavalcate, una visita al mercato settimanale e alla casbah, un giro a dorso di cammello. In fondo, tutto quello che il turista vuole per la sua settimana tutto compreso è proprio questo. E i tunisini glielo offrono, allestendo gli alberghi come un set metaforico dell'intero paese.

Un esempio di tutto ciò è il Kuriat Palace di Monastir, a due passi dall'aeroporto, considerato uno dei due migliori hotel della Tunisia. Tutto è di marmo rosa o grigio rosato: i pavimenti, le pareti, le stanze da bagno. Nella hall – che ricorda il kitsch della Trump Tower di New York, con fontane, specchi d'acqua, enormi lampadari – due ascensori a vista si muovono continuamente. C'è una grande piscina coperta, sulle cui pareti si aprono gli oblò della sottostante discoteca Aquarius. C'è una medina, c'è un *hammam*, il bagno turco, c'è il suk, c'è il caffè Moro in cui il giovane cameriere, in assenza di clienti, guarda la partita della National Hockey League fra le squadre di Detroit e di Chicago. Nelle camere spaziose e dal soffitto a cupola, il televisore trasmette programmi in lingua inglese, tedesca, francese, araba, italiana. *Novantesimo minuto*, la domenica pomeriggio, è un appuntamento d'obbligo per gli appassionati di calcio. In questo albergo, che sembrerebbe riprodurre simbolicamente tutto il paese, le signorine della Comitour, in tailleur rosso fiamma, smistano fra le camere centinaia di turisti. Addirittura c'è un'enorme sala da pranzo riservata esclusivamente a loro. Ci sono anche molti giovani che gironzolano nell'atrio con le racchette da tennis sottobraccio e le mazze da golf.

Ma i ragazzi che arrivano da queste parti, con il sacco a pelo e pochi soldi, preferiscono i piccoli alberghi a due stelle, non viaggiano sugli autobus ma sui taxi d'affitto, che non partono prima di avere reclutato cinque passeggeri per la stessa destinazione. Il prezzo è fisso. Oppure prendono il treno per Tozeur, l'oasi al confine con l'Algeria, dove finalmente, di fronte al deserto, senti qualcosa di autentico, e anche di pauroso: una fascinazione sottile e inquietante che ti assale. Una sensazione anche di pericolo, guardando uno straziante tramonto sull'oasi, mentre il muezzin diffonde la sua preghiera fra lo stridore di migliaia di passeri cinguettanti. Qualcosa di feroce come l'immagine, vista lungo la strada, delle teste di cammello mozzate e appese a una corda per segnalare uno spaccio di carne. L'espressione dell'animale decapitato è ancora buffamente beata, sembra sorridere. E non è simbolica come le finte medine e i finti suk e le piscine coperte che, evidentemente, stanno per qualche altra cosa. La testa del cammello rappresenta unicamente se stessa, un corpo scuoiato e fatto a pezzi per la sopravvivenza. E questa è un'immagine, e un'emozione, raccolta ai bordi della strada, in viaggio verso il deserto, che nessun *inclusive tour* potrà darvi.

[1989]

BUDAPEST

Il valico di frontiera di Hegveshalom si trova sulla strada che unisce Vienna a Budapest. È solitamente abbastanza affollato: code di utilitarie, mezzi pesanti, motociclette, pullman di turisti. Anche viaggiatori solitari, forse profughi, forse semplicemente giovani con pochi soldi in tasca, con lo zaino, i capelli e la barba incolti, gli scarponi da montagna. Un valico di frontiera come tanti in Europa, le bandiere degli stati che sventolano sui pennoni, le garitte di ferro e di legno, gli sbarramenti di filo spinato, le recinzioni, i prefabbricati delle caserme. C'è il solito traffico dei frontalieri, gente che riempie l'automobile di detersivi o di calze di nailon o di indumenti introvabili oltre cortina. Perché da qui passa la linea di divisione fra un mondo che si finge libero e un altro che si finge giusto ed equo, fra un mondo che offre la ricchezza e un altro che offre la mancanza di emarginazione.

Ma con gli avvenimenti rivoluzionari del 1989, anche queste generalizzazioni lasciano il tempo che trovano: la cortina di ferro fra Austria e Ungheria è stata smantellata. Il muro di Berlino, dopo ventotto anni di storia, è crollato sotto la spinta delle proteste popolari. Il capo del governo polacco è un cattolico anticomunista. Per non parlare dell'Unione Sovietica. E allora, passando il confine, ci si potrebbe aspettare di entrare in un paese sull'orlo della rivoluzione, di precipitare in un disordine di massa e in un controllo poliziesco diffuso e opprimente. Ma i poliziotti di frontiera ungheresi, giovanissimi, mi salutano con un "arrivederci", non mi chiedono la carta verde, né l'entità della valuta che ho con me; differentemente da quanto è accaduto, con metodi sbrigativi e severi, a Tarvisio. E appena qualche chilometro più avanti, leggendo la pubblicità dell'emittente Radio Danubio, sintonizzandomi un po' eccitato sulla modulazione di frequenza, una voce conosciuta gorgheggia: "Se la notte sentirò nostalgia, il tuo numero farò, vita mia." Chi canta? Una scatenata Raffaella Carrà.

Il benvenuto musicale in terra d'Ungheria prosegue con un pezzo di Elvis Presley, uno di Rod Stewart, *Some Guys Have All The Luck*, seguito da uno di Joe Cocker, che a Budapest ha tenuto un concerto memorabile, con la città intera ancora tappezzata dei suoi ritratti. E allora dov'è questa rivoluzione? Per tutta la durata del viaggio, continuerò a dirmi: "Sono in un paese che sta vivendo un momento cruciale della propria storia, in cui tutto sta cambiando, e io non mi accorgo di nulla." Perché, pur non essendo mai stato un viaggiatore internazionale, né un inviato al fronte, ho potuto imbattermi in una Milano tetra e assediata dalla polizia, con l'odore dei lacrimogeni ancora nell'aria; e ho visto la zona universitaria di Bologna bloccata da minacciosi autoblindo che parevano carri armati; e ho passato più volte il confine della Repubblica Democratica Tedesca con la sensazione di precipitare in un film di guerra, con tutta quella polizia e i soldati dell'Armata Rossa e i continui controlli di permessi e visti e itinerari obbligati. Situazioni del passato, certo, ma che rimangono nella memoria come una placenta di ansietà.

Ma Budapest, oggi? Non mi sembra per niente una città assediata, né brulicante di polizia. Per giorni e notti, girerò la città prigioniero della mia ossessione. Finché, rileggendo gli appunti sul mio taccuino, non mi renderò conto che non ho fatto altro che schizzare impressioni di vita. E che forse il senso della rivoluzione, che come ogni turista non vedo, è proprio lo straripare, nell'esperienza quotidiana, delle ragioni stesse della vita: incontrarsi, amarsi, divertirsi, far compere, viaggiare, pregare, leggere, ascoltare musica.

Arrivo in città di sera, attraverso l'agevole autostrada che, in prossimità della periferia, confluisce nei grandi viali di accesso al centro storico. Improvvisamente mi trovo su un ponte, il Petőfi Hid, uno dei tanti punti di passaggio fra una riva e l'altra del Danubio. E già la scenografia dei monumenti illuminati a giorno è un colpo d'occhio straordinario: il palazzo reale, le guglie di Buda, i pinnacoli e la cupola del parlamento, il ponte delle catene. Al fascino della grande città fluviale, Budapest unisce quello di città imperiale adagiata sulle colline. Il traffico è sostenuto, nelle ore di punta anche caotico. E questo è già un particolare che distingue la capitale ungherese da molte altre città dell'Est. Un esercito di vetture Dacia, di Skoda, di Lada, attraversa i viali, scattando ai semafori come al via di una gara automobilistica. Nuvole di fumo, crepitii di marmitte e lamiere, odore di nafta. Arrivano da ogni parte. Ti sorpassano, si infilano fra un tram e un pullman, guadagnano la prima fila, impennano il motore e, non appena scatta il verde, partono come razzi. La condotta di guida dei cittadini di Budapest mi ha molto divertito, le notti seguenti. Stai per attraversare, a piedi, una strada e improvvisamente avverti un rombo avvicinarsi minaccioso: lanciata ai novanta all'ora, arriva una vettura dall'aspetto di una trottolina, fa stridere gli pneumatici, imbocca una via laterale con un'abile manovra di controsterzo. È come in un cartone animato. Schizzano via con una velocità impressionante. Sbucano dai ponti, dai sottopassaggi, dalle corsie preferenziali e, se non ti adegui a quella velocità, se indugi a controllare sulla piantina il nome di una via, subito partono i clacson e i lampeggi e anche – lo vedi nello specchietto retrovisore – i brontolii e le imprecazioni.

Nei locali del Turist Center statale (IBUSZ), aperto ventiquattro ore su ventiquattro, chiedo una sistemazione. I grandi alberghi che si affacciano sul Danubio sono completi. Congressi, uomini d'affari, visite organizzate, gruppi turistici, soprattutto austriaci, tedeschi e americani. Anche giapponesi che, più di altri, paiono interessati ai risvolti economici del nuovo corso politico ungherese. Già si vedono parecchi fuoristrada Toyota, e non solo in città, soprattutto nei villaggi e nelle campagne. La ressa davanti agli sportelli del Turist Center è la stessa in cui ci si imbatte non appena si sbarca da un traghetto sulla costa jugoslava: donne chiassose che offrono insistentemente una sistemazione nella propria casa, uomini di mezz'età che offrono e propongono di cambiare in nero, altri che mostrano la loro vettura, parcheggiata di fronte, e promettono un giro turistico della città, altri ancora che segnalano night-club.

I clienti dell'agenzia statale sono soprattutto ragazzi arrivati in treno o in autostop, sono stanchissimi e non hanno molto denaro da spendere. Per questo sono diffidenti. Una coppia di ragazzi spagnoli sta discutendo animatamente con l'impiegata e con un uomo che ha in mano una piantina, disegnata sommariamente, di alcune vie. Dicono che prima di pagare vogliono vedere la stanza. L'impiegata fa presente che deve segnare sul visto del passaporto il luogo in cui dormiranno e non può farlo se loro non pagano anticipatamente. Il proprietario, un po' triste, ripete che la sua casa è bella e centrale. Il ragazzo spagnolo ha un cedimento e si siede sullo zaino, incrociando le braccia sul capo. La sua compagna continua a contrattare e io cambio sportello finché, pagando anticipatamente in dollari, dopo numerose telefonate, timbri, *voucher* e foglietti e ricevute, non ottengo la mia prenotazione per una stanza nel favoloso hotel Gellért.

Budapest ha la consolidata e giusta fama di città notturna. Con le sue numerose birrerie aperte fin quasi a mattino, le discoteche, i night-club, i cabaret, le riviste di strip-tease, i concerti rock o di musica tradizionale, i casinò, offre un'immagine di sé luccicante e viva. Come una zona franca nel grigiore delle notti dell'Est. Tutto può essere pagato indifferentemente in valuta, in fiorini ungheresi, con ogni tipo di carte di credito. Per entrare al casinò dell'hotel Hilton, a Buda, dove i commessi all'uscita dell'ascensore controllano che tu abbia la cravatta, la giacca scura, le scarpe nere e assolutamente né pullover né jeans, paghi in marchi tedeschi. Gli alberghi in dollari. I ristoranti in valuta locale. È una specie di mercato comune, puoi cambiare ovunque e a qualsiasi ora, spuntando, per strada, qualche lira in più sul cambio ufficiale.

Uno dei templi della dolce vita di Budapest, nonostante il cliché assolutamente turistico, è il Maxim Variété, che offre tre spettacoli al giorno, con coreografie luccicanti, ballerine seminude, giochi di magia, intrattenimenti misuratamente erotici, esercizi di levitazione con un occhio ai grandi spettacoli di Las Vegas e un altro a quelli di Pigalle. Ci sono anche numeri comici, parodie di Marilyn Monroe, di Mirelle Mathieu, di Amanda Lear. Il pubblico consuma la cena ai tavoli e si gode lo spettacolo. Come il Maxim esistono il Moulin Rouge, situato in un vero e proprio teatrino con i palchi, il Pigalle, il Casanova e i night-club dei grandi alberghi fra cui il bellissimo Orfeum dell'hotel Béke. Uomini d'affari, pochi giovani, parecchie donne, affollano questi locali in cui il palcoscenico può variare da una piattaforma di pochi metri quadrati a una vera e propria ribalta teatrale.

E le attrazioni si equivalgono, senza molta emozione. Un erotismo abbastanza soft, tette e glutei, ancheggiamenti, sorrisi, ammiccamenti ai signori delle prime file, ma tutto assai composto. Diverte invece l'entrata in scena di un corpo di ballo di Ciccioline. Lunghe parrucche bionde, coroncina di fiori candidi sulla fronte, seno scoperto e pantaloni argentei come tante sirene. E orsacchiotti di peluche. Già, perché l'onorevole Ilona Staller, ungherese, è conosciutissima e famosa. Una diva. E anche se le sue imitatrici non si spingerebbero mai, in pubblico, ad abbracciare sensualmente dei pitoni o ad aspergere le prime file di "pioggia dorata", la sua immagine è un simbolo talmente riconoscibile da diventare una maschera, uno stereotipo teatrale.

E d'altra parte, una notte mi sono fermato all'angolo della centralissima Kossuth Rákóczi con la Petöfi Sándor, non lontano dal ponte di Elisabetta, per leggere innumerevoli manifestini scritti a mano o stampati in modo approssimativo di concerti rock, feste del sabato sera, party, centri sociali, mostre d'arte, disordinatamente affissi a una colonna. E mentre staccavo gli indirizzi, nell'ovvia impossibilità di trascriverli correttamente, ho notato, un po' nascosto, un tavolo colmo di libri. Mi sono avvicinato, una ragazza è sbucata dall'oscurità e mi ha chiesto se mi interessava qualcosa. Erano tutti libri di arte erotica. Edizioni di poco prezzo, qualche centinaio di lire. E fra i volumi primeggiava un piccolo tascabile con la copertina rosa, le pagine dal caratteristico color cenere della carta riciclata, qualche fotografia in bianco e nero di una bambina, poi di una ragazza e infine di una donna, sempre, comunque, nuda e sorridente. Il titolo? *Cicciolina. A Szexciklon.*

Questo aspetto dell'esibizione dell'erotismo nella dolce vita di Budapest non è solo colore locale e non è nemmeno unicamente un richiamo turistico. Le edicole sono piene di fotografie di ragazze pressoché nude. Abbastanza caste, se le paragoniamo alle copertine che troviamo in quelle italiane, lontanissime dalle specializzazioni dei pornocenter nordeuropei, ma certo nessuno, qui, finge di nasconderle. La ragazza che mi ha venduto la biografia del "ciclone sexy" probabilmente non ha una licenza e per questo si arrangia di notte. Ma non è la natura di quello che vende a causarle difficoltà.

È solo la modalità. Potrebbe vendere allo stesso modo atlanti geografici.

Se pensiamo che in certi paesi dell'Est, per ottenere un favore da una guardia basta allungare una rivista hard core; se penso a quello che mi capitò sulla metropolitana di Berlino Est, quando fui tampinato fino al Check Point Charlie da un signore di mezz'età che insisteva perché gli comprassi, dall'altra parte, alcune riviste sexy – e lo lasciai lì in mezzo alla strada, solo, terribilmente depresso, mentre mi avviavo ai controlli di polizia – allora, forse, possiamo anche dare un peso diverso a questa esibizione del sesso o a questo erotismo che pervade le notti di Budapest, siano pure turistiche o kitsch. E senza peraltro credere che le rivoluzioni si facciano per poter assistere a uno spogliarello, è altrettanto vero che la liberalizzazione sessuale, nonostante in Occidente la si consideri da più parti ormai solo una tragedia, è indice di civiltà e di tolleranza. Credo che Budapest sia l'unica città dell'ormai ex impero sovietico in cui i cambiamenti non avvengono esclusivamente nella sfera politica o economica, ma anche in quella quotidiana. Le ragioni della vita di cui parlavamo all'inizio.

Prendiamo l'interessante, vivace, anche difforme scenario rock della notte di Budapest. Ho già detto di come possa apparire casuale, underground, nel senso più vero del termine: locali di cui chiedo l'esistenza e che nessuno sa dirmi dove si trovino, club conosciuti solo ai frequentatori abituali, che si passano le informazioni a voce o usando quegli straordinari messaggi manuali affissi agli angoli delle strade. In un sabato sera qualunque c'è all'AGM Club un *In memoriam Friedrick Nietzsche party.* Non c'è indirizzo, ma solo l'indicazione dell'autobus numero 153-Bp XI. Al Kek, in cui si specifica che si tratta di una "non stop disco" c'è un *Bonanza-Banzai* festival; allo Studium un rock'n roll party con inizio alle ore diciannove, e al Club MM, senza altra indicazione, un concerto del gruppo dark Sexepile. E naturalmente molti altri annunci di gruppi folk-rock, "musica historica", jazz...

E poi c'è il Petöfi Csarnok, centro sociale e megadiscoteca immersi nel vastissimo e silenzioso parco del Városliget. Dall'esterno appare come un palazzetto dello sport. O come uno di quei parallelepipedi colorati, con strutture esterne e passerelle e camminamenti e tubature in stile Beaubourg che spuntano improvvisamente alle spalle della riviera adriatica e che sono i santuari del liscio e del folk. Dai viali del parco arrivano i ragazzi, a gruppi. Moltissimi a piedi, altri in autobus o in tram. Sono in maggioranza poco più che adolescenti, le ragazze si tengono per mano, alcune cantano: "Ciao Marina trallallà", e, dal buio, qualcuno risponde sullo stesso tono. Mi chiedo se non sia anche questo un motivetto della nostra Raffaella.

Alcune coppiette in tuta da ginnastica portano a spasso il cane. Altre passeggiano allacciate lungo le sponde del lago su cui si affaccia un castello da incubo, il Vajdahunyat, costruito riprendendo tutti i millenari stili nazionali, dalle torri della Transilvania alle guglie gotiche, alle cupole barocche, talmente Disneyland da mettere i brividi, cosicché immagini subito i vampiri e il gulash e l'orchestra zigana. Negli angoli più nascosti sono parcheggiate alcune vetture dai vetri appannati e dai cigolii rivelatori. È la vita notturna di ogni parco. Anche se qui tutto è assolutamente tranquillo e l'idea di un possibile pericolo non ti sfiora nemmeno; nel buio avverti dei rumori, grida, sospiri prolungati. Un sabba? Ti spingi a vedere. È un gruppo di ragazzi che gioca a calcio. Altri sono seduti sui muretti. Attorno al palazzetto ciondola una fauna dai modi un po' misteriosi: andare, venire, attese dietro un albero, improvvise corse, ritorni in gruppo, di nuovo allontanamenti individuali. È la fauna che si raduna attorno a ogni palazzetto o stadio le sere dei concerti. Ma qui non credo che si spacci droga e non riesco a capire di cosa si tratti perché, senza dubbio, qualche traffico strano fra questi ragazzi deve avvenire. Quando chiedo un'informazione casuale a uno di questi, un tipo altissimo, allampanato, con i capelli lunghi che continua a spostarsi da un angolo all'altro dell'edificio, noto una reazione di diffidenza.

All'ingresso, tutti i ragazzi vengono perquisiti in modo efficace e scrupoloso. Il servizio d'ordine è talmente capillare e mimetizzato che quando accendo una sigaretta, nella discoteca, immediatamente arriva un trucidone a impormi di spegnerla, poiché nel grande ventre del Petöfi Csarnok – in cui si agitano contemporaneamente migliaia di giovani davanti a un palco con ballerine seminude che fanno break dance, musica disco altissima, giochi di luce, spot intermittenti, grande punto di comando dei dee-jay – non si può fumare. E nemmeno bere birra o vino o alcolici. Attorno alla pista si vendono aranciate, Coca-Cola, sciroppi, hamburger. C'è una pizzeria, un banco con salsicce, würstel, crauti, polenta, spiedini, girrarosto, panini al prosciutto, pomodori, insalate, pop-corn. Ma niente alcolici. C'è un tiro a segno, una sequenza incredibile di flipper e calciobalilla, televisori che trasmettono film di Asterix, addirittura una seconda discoteca, di dimensioni abbastanza ridotte, dedicata ai dark, in cui primeggia la musica di Siouxie and the Banshees e di Nick Cave. I giovani che ballano, soprattutto ragazze, hanno l'abbigliamento e i modi dei loro coetanei londinesi – o padani – di qualche anno fa. Capelli lunghi, nerissimi, con *mèches* rosa pallido, cinturoni borchiati, pantaloni con sopra una minigonna, canotte scure.

Incontro altri punk vagabondando all'interno del centro sociale, ragazzini truccati, con occhi colmi di kajal. E un bellissimo e solitario punk bianco che mi fa molta tenerezza, con i suoi capelli stopposi e rizzati all'insù e le labbra ciclamino sbavate di rossetto come quelle di Robert Smith dei Cure e i pantaloni color pastello. Sembra un fantasma: l'anima triste ed errabonda di qualcun altro.

Ma la dolce vita danubiana regala anche altri tipi di nottate insonni, affollate di strani personaggi, sensazioni, odori, stanze e segrete di castelli. Notti da incubo e, segnatamente, i famosissimi incubi al gulash. Teste di aglio grandi come zucche appese ovunque, vampiri in frac, mazzi di peperoncino piccante, tappeti carminio di paprika, cumuli di peperoni gialli, rossi, verdi, polposi, che ti inseguono come in un videogame, cercando di sbranarti, e tu che fuggi per saloni affrescati pesantemente di tinte rossastre, e suonatori di violino che ti sbeffeggiano con tutte quelle polche e quei valzerini zigani e gitani. Ovunque il ronzio insinuante come quello di uno sciame di zanzare. Basta, basta! La cucina ungherese è per palati robusti. Il vino è ottimo, e i dessert, i dolci, le composte di frutta, i distillati di albicocche e ciliegie, sono assolutamente squisiti. Ma i piatti di carne – e anche il famoso luccio del Balaton – portano dritto dritto agli incubi transilvanici.

I ristoranti turistici hanno un ottimo servizio, solitamente un'orchestrina tradizionale che, a una certa ora, prende a girare pericolosamente fra i tavoli, e a quel punto non si può sfuggire. Ai tavoli dell'incredibile caffè Hungária, completamente restaurato, uno dei più famosi caffè letterari di Budapest, l'atmosfera della vecchia città imperiale è ancora viva e palpabile. L'arredamento è quello di una scenografia *fin de siècle*: le luci, i mobili, gli argenti, i camerieri eleganti e attenti. Ma ci sono ristoranti storici anche più popolari, dove il folklore non è solo una rappresentazione a beneficio dei turisti, ma una reale offerta culturale. Avverti, insomma, che quello che vedi non è finto, ma è l'esito di una tradizione che continua e alla quale gli ungheresi sono particolarmente attaccati.

Basterebbe, la domenica mattina, salire nella vecchia Buda, in collina, e prendere posto nelle navate della cattedrale, dedicata a Mattia Corvino, dove si celebra, in latino, una messa solenne accompagnata da musiche e cori emozionanti. La navata è addobbata ancora con le bandiere che servirono per l'incoronazione di Francesco Giuseppe e della sua sposa Elisabetta, conosciuta come Sissi. Al termine della funzione, tutti cantano l'*Inno di Maria* e finiscono con l'inno nazionale. È un momento commovente e solenne. Molte donne piangono, altre si portano il fazzoletto al viso. La musica è quasi assordante, maestosa. Hai la sensazione che quel rito celebri molto di più di un sentimento religioso, qualcosa che ha a che fare con l'identità di nazione e di popolo, perché chi canta, fra le navate gotiche della cattedrale, non è solamente una comunità di fedeli, ma un popolo. E quello che esprime il canto emozionante della gente è il senso di un'anima storica, di una nazione che oggi sta cercando una nuova indipendenza.

Ma Budapest è anche una città d'acqua. Non solo perché attraversata dal Danubio, ma soprattutto perché provvista di innumerevoli sorgenti termali e di acque calde ricche di calcio, magnesio, solfati, carbonati basici. I bagni sono una caratteristica della città. Si fanno cure e terapie, oppure ci si può semplicemente rilassare fra i vapori e le piscine di acqua a trentotto gradi. Così, alla Budapest mitteleuropea, con i suoi castelli e le sue cattedrali gotiche, si sovrappone una Budapest orientale, turca, con i riti dei bagni e dei vapori. Una città sotterranea fatta di cupole, piastrelle azzurre e turchesi, improvvisi giochi di luce. I bagni dell'hotel Gellért sono quelli scenograficamente più belli e più famosi. La grande piscina coperta è sia per gli uomini sia per le donne. Le saune e i bagni sono invece rigorosamente divisi. All'ingresso, ti danno solamente un grembiulino di tela grezza grande come un fazzoletto, forse meno. Ai lati superiori, ci sono due cordoncini per aggiustarselo sui fianchi. In questo modo, con le natiche scoperte, entri nei gironi dei vapori e dell'acqua. C'è un iniziale imbarazzo a girare con questa specie di perizoma penzoloni e il didietro *nature*, ma passa subito, perché è una condizione comune. Il popolo dei bagni è quasi esclusivamente anziano. I giovani sono pochissimi, c'è anche un bambino accompagnato dal padre, è vero, ma i ragazzi sono perlopiù turisti tedeschi. I vecchi sono la vera e straordinaria presenza dei bagni, con le loro carni secche e bianche e cadenti, i segni delle cicatrici, gli atteggiamenti lenti, i profili aguzzi e aristocratici. Si insaponano accuratamente per decine di minuti, si spazzolano le unghie, si frizionano i capelli con una cura meticolosa e quasi maniacale. Stanno in silenzio, non guardano da nessuna parte, si lavano e si sfregano. Poi ci sono i grandi corpi adiposi e obesi e gonfi, i visi ottomani, i grandi baffi neri, i tratti somatici asiatici e mediorientali. Glutei sontuosi, ventri pachidermici e spalle ispide di peli ancorché cadenti. È un trionfo non del corpo ideale – come capita nelle nostre palestre – ma di quello storico, modificato dagli anni, dalle avventure, dalla vita, dalle malattie, trasformato dal cibo. La vecchiezza delle carni appare come la modificazione massima delle membra. Nessuno assomiglia a nessun altro. Ogni culturista è simile a un altro. Qui accade invece il singolare trionfo dell'individualità corporale, pur nel segno della decadenza e della disgregazione. Tutti questi vecchi mi mettono di buonumore. È tutto molto democratico. Ne osservo uno che, sul ballatoio degli spogliatoi, comodamente allungato su una poltrona, sta usufruendo di un servizio di pedicure. L'infermiere gli sta aggiustando le unghie. Il vecchio, coperto da un lenzuolo attorcigliato in vita, fuma un avana e chiacchiera con agio, muovendo le mani secche e affusolate. Lo vedrò poi uscire, elegantissimo, in un completo grigio, cravatta e cappello. E mi sembrerà di cogliere nei suoi modi, nel suo salutare, nel suo sorridere agli inservienti, i gesti di un mondo ormai passato.

Nelle due grandi piscine in cui si riversano fontane e getti possenti di acqua calda, ci si può sedere, mettersi sotto un getto bollente e fare un idromassaggio. Nel bagno a vapore il calore è insopportabile. Deve esserci del fieno perché il profumo è pungente e aromatico. Forse fasci di camomilla. Ma non si resiste per più di qualche minuto. La pelle scottata si solleva e, strofinandosi con una spazzola, la si può rimuovere. All'esterno, c'è una vasca di acqua ghiacciata. Bisognerebbe entrarci. Lo fanno tutti, escono dalla stanza con la pelle che fuma e si immergono per un attimo. Lo faccio anch'io, stringendo i denti. La sensazione è quella, brevissima, di morire. Veramente una frazione di secondo, ma percepibile. Riemergendo, ti senti invece stranissimo, completamente asciutto e teso, compatto. È eccitante, ma non lo rifarei. Almeno per oggi non lo rifarei.

[1989]

AMSTERDAM

I treni che arrivano alla Centraal Station di Amsterdam, il grande proscenio davanti al quale si sviluppa ad anfiteatro il centro della città con i suoi quattro canali principali – il Prinsengracht, il Keizersgracht, l'Herengracht e il Singel – stupiscono ancora per i loro colori di un giallo e di un azzurro squillanti. Allo stesso modo, i veloci e silenziosissimi tram che solcano le vie del centro appaiono non solamente verniciati di arancione, di giallo e di colori accesi, ma addirittura disegnati con il *lettering* dell'ultima mostra dello Stedelijk Museum (e se si tratterà di Malevič, i caratteri saranno cirillici) o stampati come una cartina geografica con strade, autostrade, porti; o ancora decorati come una vera e propria opera d'arte, le linee e i riquadri di un Mondrian, il pop floreale di un graffitista ordinato e per niente selvaggio.

I colori dei treni di Amsterdam non ricordano né i vagoni della sotterranea di Manhattan decorati da anonimi ragazzi del Bronx fanatici di vernici spray, né tantomeno i colori dei treni e degli autobus delle nostre città, ma contribuiscono a dare al visitatore appena arrivato quel colpo d'occhio di colore e di giocosità – forse non proprio di eleganza, certo di modernità – tipiche di una città famosa per la sua tolleranza e per la civiltà dei suoi abitanti, la capitale europea di un turismo giovanile che, per decenni, è qui approdato, inseguendo il sogno di un paradiso terrestre in cui musica, rock, droghe leggere, rapporti sessuali, abitazioni, sussidi di disoccupazione, servizi sociali, fossero veramente alla portata di tutti: una città in cui il potere della fantasia e dell'immaginazione potesse realmente concretizzarsi, diventare quotidianità, essere la realtà.

Proprio come i colori fiammeggianti di Van Gogh magicamente posati sui muri, sui treni, sugli autobus di una città che si prepara a ricordare il grande pittore con una mostra colossale, divisa fra l'omonimo e luminosissimo museo e il Kröller Müller immerso nel verde del parco di Otterlo, a un centinaio di chilometri di distanza.

Quello che colpisce immediatamente di Amsterdam è la sua persistenza – nel corso dei decenni – come città giovane per eccellenza. Giovani bellissimi ti portano i bagagli, ti servono la birra, il tè, il pranzo, ti consigliano negli acquisti e nello shopping, parlando indifferentemente inglese, tedesco o francese. Professioni che in ogni altro paese solitamente vengono svolte da signori maturi ed esperti, qui sono completo appannaggio dei giovani. Non sai dove, in questa città, siano finiti i cinquantenni e i sessantenni, forse in campagna a coltivare tulipani, a dedicarsi alla pesca o al giardinaggio, a viaggiare. Entri in un caffè e trovi, tre donne in jeans e t-shirt gentilissime, che propongono tisane e dolci macrobiotici: una madre, una figlia, una nipote appena adolescente. E sembrano tre sorelle. I lunghi capelli biondi, le cosce affusolate, lo stesso sorriso.

E se una sera, seduto ai tavoli rigorosamente *high tech* di un ristorante alla moda, il Theeboom, i tempi di attesa fra una portata e l'altra ti sembrano quantomeno allentati – e pensi quasi con nostalgia a quei vecchi camerieri delle trattorie toscane o romane, dai movimenti vorticosi e bruschi, con quell'andatura strascicata che significa una vita intera passata fra i tavoli – sorvoli nel vedere una bellissima ragazza, esile e aggressiva, entrare, sedersi al bar, scambiare un bacio con il cameriere e chiedergli se la accompagnerà a una festa; sorvoli perché poter osservare la bellezza di questi giovani, il loro modo di fare, di salutarsi, di lasciarsi, la loro disinvoltura, meritano anche che il petto d'anatra si raffreddi nel piatto, giù in cucina.

Uscendo presto una mattina, a piedi, e camminando lungo una grande strada alle spalle dei musei, improvvisamente, quasi senza accorgertene, ti trovi immerso nel flusso dell'ora di punta: i ragazzi raggiungono il posto di lavoro, i bambini vengono accompagnati a scuola, gli studenti si dirigono verso l'università. Passano i tram colorati pieni di gente seduta che guarda dal finestrino o legge il giornale. L'ora di punta. Eppure tutto è silenzioso, come se scivolasse via. Perché tanto i giovani, quanto le donne o i bambini, tutti pedalano veloci in sella alle loro biciclette.

Un fiume ordinato di persone che solca le strade della città veloce e silenzioso, incurante del freddo, della pioggia, del sole o del caldo estivo. Le biciclette di Amsterdam. Di tutti i tipi, accessoriate con cestini, borse, zaini da viaggio. Leggere ed eleganti per i lunghi viaggi al Sud. Robuste, colorate di viola, rosa, celeste, giallo, arancione. Mai piccole. Anche i bambini ne guidano di gigantesche, non sedendosi sulla sella, ma spingendo in piedi sui pedali, con forza. Abituato a girare nelle città, con le orecchie ben attente a carpire il rumore di un'automobile o il crepitare di una marmitta, ti trovi completamente spiazzato. E non solo per il silenzio che avvolge le vie del centro, le piste ciclabili, i viali riservati ai pedoni, i settori per i mezzi pubblici – un silenzio che percepisci lentamente, giorno dopo giorno, a cui ti abitui e che contribuisce a darti la misura mentale della città – quanto perché, attraversando la strada senza voltarti, tanto sei automaticamente sicuro di essere solo, rischi continuamente di essere investito da un ciclista. Il silenzio di Amsterdam, dei suoi canali, delle strade dalla prospettiva gibbosa, a duna, a causa dei ponti, è qualcosa che ti dà fiducia e ti fa sentire, lentamente, sempre più in sintonia con le cose e gli uomini. Perché anche gli oggetti in un tale paesaggio hanno una rilevanza speciale. Quasi simbolica.

Il trillo di un campanello, sulla strada, blocca il flusso dei pedoni e delle biciclette. Due sbarre scendono a interrompere il percorso come a un passaggio a livello. In una cabina situata su una piattaforma, due uomini manovrano l'apertura del ponte. La strada si innalza, separandosi a metà. In pochi secondi si apre un varco. La grande chiatta in avvicinamento scivola sotto il ponte, le cui due piattaforme sono ora in posizione verticale, come due mura che interrompono la strada: l'idea è quella di un presentat-arm.

Una troupe televisiva giapponese corre sul bordo del ponte per filmare il passaggio della chiatta carica di sabbia e di cemento. I passeggeri del tram bloccato continuano a leggere il giornale. I ciclisti guardano fissi davanti a sé. Nessuno presta attenzione alle grida del regista e del fonico, allo scalpiccio rumoroso della loro corsa. Poi, di colpo, la sede stradale si riabbassa, il tram avverte con il trillo di un campanello della ripresa della marcia, i ciclisti rimontano in sella.

"Ogni nazione scrive la sua storia", annota Erik Hazelhoff, eroe della seconda guerra mondiale, in un capitolo delle sue memorie, *Soldato d'Orange*, da cui Paul Verhoeven trasse un film di successo interpretato da un giovanissimo Rutger Hauer. E così continua: "Allo scoppio della seconda guerra mondiale, l'Olanda era un paese ricco e ben pasciuto, e poteva vantare il livello di vita più alto d'Europa. Soffriva di un complesso di superiorità con cui era costretta a fare i conti. Noi tutti, pur essendo in genere troppo educati per dirlo in faccia agli stranieri, eravamo segretamente convinti che l'Olanda fosse, sotto ogni punto di vista, superiore a qualsiasi altro paese." Toccò poi all'invasione nazista mandare in fumo questo sogno. Eppure fino a quel momento, pur avendo perduto molti domini coloniali nelle Americhe, in Africa e in Asia, gli olandesi conservavano pur sempre un tesoro fra i più invidiabili: le Indie Orientali, una miniera di ricchezze coloniali paragonabile soltanto all'impero britannico. Ancora oggi, camminando per la città, avverti l'influsso di un esotismo che si deposita non soltanto nelle prestigiose collezioni di arte orientale del Rijksmuseum, ma addirittura sui tavoli dei ristoranti più tradizionali – come in quello del lussuoso e novecentesco Amstel Hotel – che decorano di frutti esotici e multicolori carni ammorbidite e frollate nei rum più preziosi.

Così quello che a noi italiani sembrerebbe l'esito bizzarro di una *nouvelle cuisine* fiamminga, per gli olandesi è tradizione consolidata. Allo stesso modo, nelle abitazioni attorno al Vondel Park, o sui davanzali delle case sui canali, vedi porcellane e ceramiche indonesiane o cinesi. E sempre papiri, tronchetti di yucca, fiori esotici, piante orientali e piccole palme di cocco che tappezzano i marciapiedi dei mercati floreali di Rembrandtsplein o di Frederiksplein.

Le insegne pubblicitarie, l'arredamento dei bar, le vetrine dei negozi, ripropongono, nei soliti colori accesi, palme, spiagge, sole, isole deserte, barriere coralline. Non è raro trovarsi a bere un tè in una sala la cui parete di fondo si apre su un panorama tropicale. È un *trompe-l'oeil*, naturalmente. Ma i Caraibi sono ovunque. E così l'Oriente.

Una mattina, nel centro di Leidseplein, la grande piazza che al tramonto si illumina di luci e lampadine come decorata per una festività natalizia, sono passati gli Hare Krishna. Avvolti nelle tuniche color pesca, rosa pallido o arancione stinto – colori che si vedono ormai solo ai concerti di Prince – suonando i loro cimbali e percuotendo i tamburi, si sono inseriti fra le biciclette e i tram. Hanno cantato i nomi sacri del Signore e ballato sulla piazza. Attorno a loro una folla di giovani in jeans attillati e *délavés* li guardava con curiosità e una certa aria di sufficienza. I piccoli spacciatori – africani, giamaicani – hanno continuato a girare per la piazza, sillabando nomi, per loro, non meno sacri, facendo la spola, come trottole, fra un gruppo e l'altro di giovani. I saltimbanchi, i cantautori, i prestigiatori, hanno per un momento interrotto il loro spettacolo. I punk, seduti in terra, non hanno alzato gli occhi. Alcuni freak, con i capelli lunghi e le collanine al collo, hanno sorriso. Per qualche minuto, i simboli di tutta la popolazione giovanile degli ultimi vent'anni – i figli dei fiori, gli skinhead, i dark, i capelloni, i creativi, i rocker ecc. – hanno guardato il corteo arancione. E il vostro cronista si è limitato ad annotare quella persistenza dei comportamenti delle tribù giovanili di cui si diceva, e che forse solo ad Amsterdam è possibile ancora osservare in modo così variegato, come se ci si ritrovasse in una voliera o nel mezzo di un bestiario galattico.

Che dire allora dei negozi che si aprono sui famosissimi canali a luce rossa fra il Neuw Markt e Dam Platz? Ecco in vetrina un fondale di t-shirt con immagini di popstar, da Jimi Hendrix e Jim Morrison fino agli Europe e agli AC-DC. Sul piano della vetrina uno strato di adesivi, spille, gadget, *badges* gettati alla rinfusa come coriandoli. Centinaia e centinaia, uno diverso dall'altro. In mezzo, tutta l'oggettistica, il sublime ciarpame e l'attrezzeria dei fumatori: assortimento prodigioso di cartine per rollare il tabacco e gli spinelli; scelta di chiloom, dal più piccolo al più grande; narghilè, calumet dalle fogge tradizionali. E poi incredibili pipe ad acqua, mai viste prima, dalla forma di lampadine o di alambicchi con il beccuccio che, mi dicono, servirebbero per aspirare il crack. Manuali per la coltivazione della canapa, semi di ogni provenienza – colombiani, nigeriani, marocchini, nepalesi, afghani, olandesi – attrezzi per il giardinaggio, videotape e audiovisivi per apprendere meglio. I ragazzi, francesi, italiani, tedeschi, si fermano davanti a queste vetrine in adorazione, strabiliati dalla varietà e dalla serie pressoché infinita delle proposte.

Così, sullo stesso canale, ecco un negozio dedicato esclusivamente ai profilattici. Di ogni colore, dimensione, materiale, foggia. Ma non solo. Anche gadget, magliette, biancheria intima, slip, reggiseni, maglioni, tutine, felpe con sopra stampata una versione fumettistica dell'accessorio indispensabile del playboy di questi ultimi anni.

La sera, le luci su questi canali si accendono di lampadine rosse. Teatrini, *sex shop*, *peep show*, *nude bar*, *topless café*, offrono una commercializzazione del sesso, soprattutto a vantaggio dei turisti, che non ha eguali in Europa. Non c'è sordidezza come nei cosiddetti quartieri del vizio di Londra, di Parigi o di Amburgo. Tutto è illuminato, e neppure discretamente, ma con quella compostezza e quell'ordine tipicamente olandesi. Alle luci di un teatro in cui a ogni ora scendono sulla ribalta coppie che illustrano le posizioni del *Kama-sutra*, si susseguono zone più in ombra. Lo stile degli edifici è quello solito, appartamenti che si sviluppano in verticale, dalle scale ripidissime, e in cui tutto entra dalla finestra: i mobili, gli arredi, gli armadi.

Se davanti a una finestra è accesa una lampadina rossa significa che la proprietaria è libera. Avvicinandosi puoi scorgere un salottino e la ragazza, semisvestita, seduta in poltrona che guarda la televisione, sfoglia distrattamente una rivista femminile, o si passa il phon fra i bigodini. Ti chiedi se questa sia l'ora di rifarsi la messa in piega. Poi, osservandone altre, una che scrive su una lavagna, un'altra che fa una lavatrice, capisci che si tratta di rappresentazioni organizzate come *tableaux vivants* di un immaginario erotico maschile. Poiché ogni donna è come specializzata in un ruolo. Se il cliente preferisce una casalinga, eccolo accontentato. Ma forse vuole una professoressa, o trovarsi, come magicamente, dentro un universo femminile a lui estraneo, un salone di bellezza o un negozio di biancheria femminile. Forse preferisce il tipo europeo, o nordafricano, o giamaicano, o mediterraneo. E in vetrina le "bambole" sono di ogni razza e provenienza. O forse nasconde desideri particolari. Ecco una donna, non più giovanissima, seduta davanti a una parete di fruste, frustini, lacci, catene, chiavistelli. Calza degli stivali a mezza coscia, come un pirata, di pelle nera e lucida. Ha un corsetto di cuoio da cui pendono piccole catene di acciaio. Fuma una sigaretta e guarda oltre la vetrata.

Queste "case di bambole" appaiono allora non soltanto una curiosità erotica del paesaggio tollerante di una città che, unica al mondo, ha addirittura un monumento, sulle acque del Keizersgracht, consacrato alle vittime di qualsiasi discriminazione sessuale, lesbiche e omosessuali, ma più in generale proprio una caratteristica fiamminga a organizzare gli spazi come miniature, a riempirli di piccoli oggetti, a classificare la realtà attraverso *wunderkammern*. Basterebbe osservare la ressa attorno alle "case di bambole" conservate nel Rijksmuseum dove un armadio di un paio di metri riproduce in miniatura tutte le stanze e gli arredi di una casa abitata da leziose e preziosissime Barbie del XVIII secolo.

Anche la casa in cui Anna Frank visse nascosta con la famiglia prima di essere scoperta dai nazisti – il luogo forse più angoscioso e commovente di Amsterdam, meta di un ininterrotto flusso di visitatori – è ricostruita con una precisione agghiacciante dei particolari iperrealisti: il tavolo, la tazza del piccolo bagno, la cucina, l'armadio-libreria che nascondeva l'accesso alle stanze dei rifugiati.

Ma al di là di tutti questi luoghi conosciuti e turistici, le ordinate case galleggianti sui canali, le vie con i piccoli negozi alla moda del quartiere attorno a Tuindwarsstraat ed Egelantiersstraat, il trovarobato e l'usato chic del mercato delle pulci di Noordermarkt, le gallerie d'arte contemporanea e di design sul Prinsengracht, i negozi di antiquariato sul Singel, fra i quali spicca un curioso negozio che vende esclusivamente spazzolini da denti (anche qui di ogni forma, colore, foggia, per bambini e per anziani); al di là dei grandi e modernissimi caffè ricavati da spazi industriali, come nell'East Village di Manhattan, con tutto il bel corredo *high tech* di vetri e pilastri in ferro, caffè in cui si ritrova la *jeunesse dorée* della città; al di là della via gay per eccellenza, Reguliersdwarsstraat, con la sua discoteca Exit e il caffè April, i locali in cui si dà appuntamento la fauna più *trend* di Amsterdam oscillante, nei gusti, fra i sarti parigini e i *coiffeurs* londinesi; al di là anche di una certa vena maledetta e perversa che scorre sotterranea a questa città, che avverti solo in certi momenti, o leggendo i romanzi del maggior scrittore olandese del dopoguerra, Gerard Reve, che mischia il cattolicesimo alla perversione più profana; al di là dei *bateaux mouches* che solcano i canali con passeggeri perlopiù anziani (eccoli, finalmente!) e degli approdi dei pedalò, che qui vengono chiamati *canal bikes*; al di là di tutto questo, c'è un luogo silenzioso e appartato in cui il cambiamento degli ultimi anni, stranamente, è più avvertibile che altrove. E questo luogo bellissimo, silenzioso, a tratti lussureggiante, percorso da capre, anatre, bufali, animali di ogni razza, è il Vondel Park.

Solo dieci anni fa, o poco più, qui si radunavano i giovani di tutta Europa per assistere ai grandi raduni rock: dormivano nei sacchi a pelo, suonavano le chitarre in circolo, rollavano spinelli e sigarette con il tabacco Samson, leggevano i ciclostilati della controcultura e dell'underground, sfogliavano Tolkien e Castaneda, immaginavano il mitico viaggio a Katmandu. Oggi il Vondel appare deserto. Anche in una giornata di sole, puoi incontrare solamente gruppi di bambini che, con il loro insegnante, giocano a baseball, donne in bicicletta, qualche turista che si abbronza. Non più quei giovani. Gli alberi sembrano più soli. In uno spiazzo, un gruppo di camerieri turchi gioca a calcio. Nessuno ti insegue per venderti un disco o una registrazione pirata del concerto dei King Crimson o dei Pink Floyd. Le generazioni cambiano. Anche in una città come Amsterdam, la città giovane per eccellenza, altri giovani sono arrivati. Fanno la fila davanti al museo di Van Gogh, pranzano nelle catene dei Wimpy's Bar, dormono nelle *guest houses* e nei piccoli alberghi sui canali. Non vogliono stordirsi con la marijuana, né viaggiare con le "stelline" o gli acidi. Sono diversi. Il Vondel Park è più tranquillo. Ma può sembrarti anche più solo.

[1989]

VIENNA

> Tu mio luogo natio, tu che non sei più un luogo, sopra le nubi, sotto la notte, sopra il giorno, mia città, mio fiume. Io che sono una tua onda, tu che sei la mia tomba.
> Ingeborg Bachmann, *Adolescenza in una città austriaca*

Un breve viaggio d'autunno in Austria si è rivelato, alla fine, come un continuo pellegrinaggio fra cripte, tombe, cimiteri, lapidi, effigi, sarcofaghi imperiali, bare, spoglie più o meno sacre, quasi a dar ragione a una vecchia pagina, da scapigliatura mitteleuropea, del Bernward Vesper del *Viaggio* (1977): "In quegli anni avevo 'sta mania delle tombe; non erano forse tutti sottoterra da un pezzo? Cercai la tomba di Hölderlin a Tübingen, la tomba di Heinrich von Kleist sul Wannsee, le tombe di Thomas Mann e Conrad Ferdinand Meyer a Kilchberg presso Zurigo, le tombe di Hegel e Brecht a Berlino, la tomba di Schopenauer a Francoforte, per tutto un bianco pomeriggio d'estate sedetti sulla lastra di marmo della tomba di Valéry al Cimitière Marin, lingue blu di cipressi punzonate nel mare celeste della tomba di Vincent van Gogh, sgretolata lungo un muro del cimitero del villaggio sopra l'Oise, le tombe di Händel e Pitt nella Westminster Abbey pettinata dai turisti, il sarcofago di Napoleone al Panthéon, la tomba di Shakespeare e il luogo in cui Cervantes fu visto l'ultima volta (C&S morirono lo stesso giorno; se ne è già accorto qualcuno?), le tombe di Börne e di Heine al Père Lachaise, la tomba di Henri Barbusse, Chopin e Molière, la tomba di El Greco e di Giulietta, la tomba di Isabella la Cattolica e di Ferdinando di Aragona, il luogo ove Garcia Lorca venne fucilato dai fascisti. Anche un paio di case natali, Napoleone, Goethe, Beethoven, Cervantes, Grazia Deledda (!?!). Ma perlopiù queste cripte, tombe, croci, lastre, statue e monumenti, le date e le iscrizioni in porfido, marmo, granito, vetro, legno, che cercavo di penetrare coi miei sguardi per cogliere qualcosa dell'irradiazione delle ossa, cervelli, cellule che vi si disfacevano sotto, del segreto della materia così mirabilmente organizzata che aveva prodotto tutti questi libri, rivolte, battaglie, sinfonie."

In realtà, l'idea del viaggio non era, nelle intenzioni, né sepolcrale, né mesta. Era, questo sì, letteraria: un viaggio sentimentale alla ricerca di luoghi e presenze letterarie, di paesaggi, di abitazioni, di ultime dimore; un viaggio immaginato sui libri e che ai libri, ai romanzi, alla poesia necessariamente riportava. Non tanto, allora, l'idea di viaggiare per poi inviare cartoline, quanto piuttosto il percorso inverso: avendo ricevuto, al pari di tanti milioni di lettori, splendide cartoline da laggiù, da Klagenfurt, da Kirchstetten, da Vienna, da Salisburgo, provare a dirigere l'automobile alle radici dell'ispirazione, fra quelle mura e quei monti, ben sapendo, d'altra parte, come perentoriamente afferma Peter Handke, che "un libro è un libro, un luogo è un luogo" ma almeno poter partecipare della scenografia, confrontarsi, con un taccuino in mano, con lo stesso tramonto, gli stessi colori, i profumi delle abetaie e dei boschi, l'odore di letame della campagna e cercare di capire fin dove lo sguardo dei poeti è potuto arrivare: quali analogie ha prodotto quel misero cespuglio; che cosa ha rilanciato nell'immaginario quel povero ponte, oppure quel pozzo o quel viottolo; che cosa è stato tralasciato; che cosa considerato; che cosa e come è stato rimato. Viaggio come esercizio letterario e come compito per le vacanze. Forse, anche, il senso di un vero e proprio pellegrinaggio: ritualità, cioè, di un cammino, alla ricerca di sensibilità che si reputano affini e maestre; compagni di viaggio a cui si è chiesto per anni, attraverso la voce del testo, protezione e illuminazione.

Klagenfurt è una città che le guide turistiche giustamente definiscono amena, ridente, tranquilla, ordinata, riposante, ricca di alberghi comodi in cui si possono fare cure termali e riabilitative. Situata sulla sponda orientale del Wörthersee, a pochi chilometri dal confine di Tarvisio, Klagenfurt è un luogo di villeggiatura conosciuto dal turismo mitteleuropeo come il mare d'Austria, immerso nel verde delle colline, fra castelli, laghi, stagni, sentieri solitari fra le pinete, campi di grano, orti, giardini e pascoli. Al visitatore occasionale appare un luogo delizioso, riposante. E anche l'immediata periferia è bellissima, con le villette seminascoste dalla vegetazione e i salici che affondano i rami nelle acque del canale.

Ingeborg Bachmann è nata qui, nel 1926, e qui è sepolta nel cimitero centrale, accanto all'aeroporto. Una semplice lastra di granito del campo XXV. Quella stessa signorina Bachmann che scrisse: "Si dovrebbe essere soltanto e unicamente uno straniero per riuscire a sopportare un luogo come Klagenfurt più a lungo di un'ora, o per vivere qui per sempre; soprattutto non sarebbe lecito essere cresciuti qui ed essere io, e poi ritornarci ancora."

Nella piazza principale c'è la fontana del drago, l'emblema di Klagenfurt. Molti negozi di scarpe, supermarket delle calzature che espongono ordinatamente centinaia di pezzi nelle vetrine dall'aspetto ambulatoriale, bianche, asettiche, senza una decorazione né un nastro, cosicché ogni calzatura infastidisce perché la si immagina troppo ortopedica e curativa. In giro, la sera, non incontro nessuno. Un gruppo di ragazzi che esce da un fast food, qualche poliziotto, un signore, all'apparenza distinto e poliglotta, al quale chiedo informazioni e che, sconsolato, allarga le braccia, dicendo che gli alberghi disponibili sono fuori città. Tutto pieno a Klagenfurt. Alta stagione. Turisti. Degenti. E dove saranno mai queste schiere di villeggianti ottobrini? Continuo a non incontrare nessuno. Ritento, testardamente, all'hotel Moser, "i cui balconi sono ornati con festose decorazioni floreali in ghisa e parzialmente deturpati da lampade al neon" (Uwe Johnson). Ma anche lì la solita risposta sconsolata: tutto pieno. E attorno all'isolato, il deserto.

Decido allora di uscire dalla città, troveremo qualche albergo sul lago. Lungo il tragitto, nessuno a cui chiedere indicazioni. Nemmeno auto o biciclette. Sono le otto di sera, il camping è chiuso, così gli stabilimenti di balneazione e le spiagge. Solitari lampioni dai fari gialli. Chiazze di luce. Aria di fuori stagione. Torno verso la collina, abbandonando la depressione del lago. Finalmente un'indicazione turistica. È il Wörthersee Hotel, una sorta di castello con le torrette, i balconi di legno, la veranda, il giardino. Parcheggiamo e bussiamo alla porta, come Hansel e Gretel. Ci accolgono, c'è pure il ristorante, candele accese, bei camerieri, specialità della Carinzia, pesce e filetto di bue, birra, creme ai frutti di bosco. E la stanza, all'ultimo piano, è un enorme sottotetto con cinque, sei letti, travi a vista, piumoni, poltroncine anni sessanta, un tavolino sbilenco su cui sono sparse mappe e itinerari della regione, qualche inquilino che volteggia attorno al lampadario, altri innocui insetti sul pavimento. Mi affaccio al balcone, ma lo scricchiolio delle assi mette in guardia. Gretel mi trattiene. Ottimo profumo di muffa e di resina. Sul lago, tenui lucine bianche e intermittenti. Comunque silenzio. Pare che anche le BMW, che lente prendono il largo dal parcheggio disotto, abbiano il silenziatore innestato sulla marmitta. Ora so dove si trovano gli acciaccati turisti fuori stagione di Klagenfurt. A nanna. Rinchiusi nelle loro stanze d'albergo con la tisana sul comodino, in attesa di prendere sonno e poi svegliarsi all'alba per le passeggiate disintossicanti, le cure, le inalazioni, i bagni, i massaggi. Si comincia a dar ragione a Frau Bachmann: "Si dovrebbe essere soltanto e unicamente uno straniero..."

Il giorno dopo, fin dalle primissime luci del mattino, la camera offre una vista suggestiva, uno sguardo sul lago, sulle montagne e sui castelli immersi nel verde della riva opposta, una cartolina panoramica ricca di dettagli, da osservare lentamente, sezione dopo sezione. Si rileggono alcune, appropriate pagine da *Tre sentieri per il lago*: "Anche questo lago non è più quello di una volta, non è più il nostro lago, l'acqua ha un altro sapore e ci si nuota in un altro modo. È stato nostro solo per quella mezz'ora, sotto la pioggia."

Bisogna partire e raggiungere il cimitero. Il tempo è bellissimo. Una giornata ancora estiva, in cui i raggi del sole scottano sulla pelle. Non una nuvola in cielo. E le montagne, attorno, nitidissime. Lungo la strada, la stessa dell'aeroporto, traffico ordinato e consistente. Soprattutto molte donne in bicicletta e ragazzine. Hanno tutte mazzi di fiori. Fra un paio di settimane cadrà la festività dei Morti. Bisogna preparare per tempo, lustrare, spazzare, spolverare. In prossimità del cimitero c'è animazione. Costeggiamo la linea ferroviaria finché non si è costretti a oltrepassarla. Il passaggio a livello è chiuso. Una lunga colonna di auto: un TIR, messo per traverso, blocca il traffico anche nel senso di marcia opposto. Puntuale, mi soccorre il mio breviario: "La via è nuovamente sbarrata dal passaggio a livello a est, e questo è comprensibile considerando un transito feriale di trentacinque treni per Vienna o Villach, senza contare il traffico merci, e il tutto, poi, su un unico binario."

Si tratta di *Un viaggio a Klagenfurt* di Uwe Johnson, diario di un soggiorno in città, dal 29 ottobre al 1 novembre 1973, nei giorni immediatamente seguenti la morte della Bachmann, avvenuta a Roma il 17 ottobre: "In una clinica romana, in seguito alle scottature e alle ustioni che deve essersi procurata, come hanno accertato le autorità, mentre era nella sua vasca da bagno, è morta la scrittrice più intelligente e più significativa che il nostro paese abbia prodotto in questo secolo" (Thomas Bernhard, *L'imitatore di voci*).

Il diario di Johnson è un racconto di poche pagine, metodico, ricco di osservazioni apparentemente casuali: quanti giornali si stampano a Klagenfurt, quanti volumi conserva la sua biblioteca, quali gli aerei per Francoforte e quanti treni per l'Italia. In realtà, è uno struggente breviario del dolore e del lutto per la perdita di un'amica, o, meglio, lutto per la perdita di un poeta. Johnson monta scritture differenti: quella burocratica, per esempio; quella intima, proveniente dalla corrispondenza privata; quella letteraria dei racconti. Assembla i vari materiali con un procedimento tipico della letteratura degli anni settanta, della prosa politica o concreta o semiologica: dove, insomma, non c'è differenza gerarchica, in ordine al senso, fra un annuncio pubblicitario e una cronaca, una poesia o una mappa. Come nel migliore Balestrini, o in certe opere di Lamberto Pignotti. Nel caso di Johnson, la tecnica funziona perfettamente. Accumulo di materiali minimi, di appunti, note, frasi, righe rubate alla cronaca nel tentativo di colmare il vuoto di una morte e di un fallimento. Ossessiva catalogazione di dettagli, ora dopo ora, come per fermare il tempo, per annullarlo nell'insignificanza delle sue scorie, perdersi fra i detriti scrittori di una giornata: ridurre tutto a frammento, anche il dolore e la catastrofe. Libro bellissimo e sacro, questo di Johnson.

Finalmente sono davanti al Zentralfriedhof. Devo seguire il viale principale sino a una grande croce centrale, poi deviare a destra e ancora a sinistra, salire alcuni gradini e lì, nel campo XXV di prima classe, terza fila, numero 16, arrivare finalmente alla tomba. Queste le indicazioni di Johnson, che è arrivato fin qui con un'auto pubblica e quindi è entrato dall'edificio principale. Il parcheggio, invece, sta sul lato destro del cimitero. C'è un secondo ingresso, piccolo, un po' trasandato, costituito da un cancelletto appena scostato dalla siepe. Si cammina lungo un sentiero fra le tombe, fino a incrociare un viale. Lo si percorre verso sinistra e, subito a destra, ecco i gradini e il campo XXV. Una lastra di granito, il nome, le date di nascita e di morte. Non ci sono fiori, tranne un arbusto di rose rosse, alto e sbilenco, che nessuno probabilmente ha curato, né potato. Mi metto alla ricerca di un fioraio.

Cammino per i viali del cimitero. Tombe anonime e monumenti grandiosi alle "vittime dell'Austria libera". Angioletti *jugendstil* e esedre costruttiviste. Colonnine spezzate, tralci di vite riversi a terra, agnelli innocenti deposti sull'ara del sacrificio, figure femminili ammantate, esilissimi efebi riccioluti e seminudi, però con gli occhi bendati; cancelletti in ferro battuto, muriccioli in marmo, ovunque fiori di campo dai colori accesi. Lumi e candele rosse. Nessuna lampada votiva a elettricità. In alto, le grandi chiome degli aceri, dei faggi, degli abeti, dei cedri: ancora il verde tenebroso e fresco dell'estate che si alterna ai gialli, all'ocra, al carminio, al violetto della caduta: "Vieni, bell'autunno. In questo ottobre delle ultime rose..."

Esco in strada. Accanto al passaggio a livello stanno alcuni fiorai. Le rose non sono belle, un po' sfiorite, bruciacchiate dal freddo. I vasi d'erica sono, al contrario, rigogliosi e splendono al sole come una macchia di mosto d'uva. Rientro nel cimitero dall'ingresso principale. Questa volta seguo il percorso descritto da Johnson, oltrepasso il grande crocifisso, devio a destra, risalgo gli stessi gradini. Appoggio il vaso d'erica sulla tomba, sotto l'arbusto di rose, e mi siedo, poco lontano, su una panchina. Alle mie spalle, una tenuta agricola di Terndorf e, verso l'orizzonte, le pendici del monte Maria Saaler. Intorno, nessuno. Il silenzio è incrinato dal canto degli uccelli. Il fruscio di uno scoiattolo fra i cumuli di foglie secche. Lontano, nel viale, un giardiniere raccoglie il fogliame con un rastrello. Non vedevo un oggetto simile da vent'anni e forse più. Un'immagine del passato. Tutto, qui, richiama alla memoria frammenti della propria vita. Niente a che vedere con la nostalgia. Piuttosto il senso discontinuo, calmo ma tetro, elegiaco in senso puro, della propria vicenda che interrompe la sua presunta linearità per trasformarsi, al cospetto della morte, in un'eterna e mesta curva parabolica. Dovrei, in silenzio, pregare. Nominare la grandezza del Signore e chiedere la sua benedizione sopra ogni creatura. In particolare per i luoghi, per queste montagne, per la mia invivibile campagna del Po: i luoghi in cui si è nati e nei quali ritorneremo per sempre, senza poter capire: "Soprattutto non sarebbe lecito essere cresciuti qui ed essere io, e poi ritornarci ancora...”

Klagenfurt, sia detto con il dovuto rispetto, è Correggio. Innanzi alla tomba del poeta, Klagenfurt è una qualsiasi città in cui ognuno di noi è nato e cresciuto con dolore, scoprendo l’inconciliabilità del proprio sentire, e dove ognuno ha imparato, scrive Bernhard a proposito della Bachmann, a essere “perennemente in fuga”, a vedere nelle persone “ciò che sono in realtà, quella massa ottusa, stupida e brutale con cui effettivamente non si può far altro che rompere i ponti”.

Si lascia la Carinzia, si attraversa il land della Stiria, con breve tappa, per colazione, a Graz, e si prosegue per Vienna. Si percorrono altipiani, vallate, colline e campagne che ricordano la val Pusteria, la piana di Bressanone e il Sud Tirolo in generale, però senza Alpi né Dolomiti. Dall’autoradio, sulla modulazione di frequenza, è tutto un cancan di *holeleidi*, valzerini, mazurchine. Ogni tanto anche quel rock transilvanico delle orchestrine mitteleuropee nel dì di festa: John Lennon arrangiato in quattro quarti, Frank Sinatra e Umberto Tozzi, in inglese. Ma soprattutto chitarrine elettriche che stimolano una gran voglia di cori e cantate, come nell’antifona all’offertorio delle nostre messe beat, quando finalmente ci si sedeva e si partiva poi con l’ugola, tenendosi per mano.

Nella periferia di Vienna grande traffico, incolonnamenti, doppia e tripla fila. Si fa un po’ di slalom, qualche semaforo rosso, un cento metri in senso vietato per non stare a tornare sul Ring un’altra volta. Si finisce a girare in tondo per tre quarti d’ora, senza infilare la via che potrebbe portarci al centro. Così si approfitta dell’improvvisato *sightseeing*: la Staatsoper, l’Hofburg, la Maria Theresien Platz con il Kunsthistorisches Museum, il parlamento, il Burgtheater... Piove e fa freddo. Soprattutto c’è un vento fastidioso e ghiacciato che ci flagella, lì, a due passi dall’università, in compagnia di studentesse che parlano e parlano, e giovanotti in bicicletta e t-shirt e pipa e libri sottobraccio, tutti dannatamente in fila davanti alla stessa cabina telefonica.

Anche a Vienna la solita storia. Gli alberghi abbordabili sembrano essere tutti al completo, anche in questo weekend ghiacciato e fuori stagione. Finalmente se ne trova uno disposto a ospitarci. Si punta con l'auto verso il centro e questa volta, infrazioni o no, si tagliano i viali del Ring senza esitazione. Nei pressi della Borsa, la mia *Well-bred, wordly wise Duenna / To show jeunes filles round Old Vienna* (Arbasino traduce i versi di Auden-Kallman dell'*Elegia per giovani amanti* con un "come una vecchia Duenna / che sa tutti i misteri di Vienna"), la mia ben nata e ben informata dama di compagnia, insomma, è attratta da un piccolo albergo: l'hotel Oriente. Luci rosse e arancioni, portale floreale, profumo intenso di incensi e spezie fin sulla strada.

"Andiamo a dare un'occhiata," propone, mentre io tento di parcheggiare. Ritorna ben presto, estasiata. "È il nostro albergo, non costa nemmeno tanto. Forza scendere."

"E la prenotazione al Cinderella di Gölsdorfgasse? Ho dato gli estremi della carta di credito," mi lagno. Non c'è niente da fare. Scarico i bagagli.

L'ingresso è ridottissimo, praticamente non ci si muove. Le scale che portano ai piani iniziano subito lì, cosicché il facchino, che non ha altro spazio, staziona come un pappagallo su un trespolo, sul secondo scalino, due metri più alto di noi. Subito a destra c'è una sorta di guardiola in cui si entra scendendo altri gradini. C'è un donnone che parla un inglese forbitissimo, chiede i documenti, strizza l'occhio vedendo che siamo italiani, lascia sul filtro della sua sigaretta uno stick intero di rossetto. Di fronte all'entrata c'è un ascensore *art nouveau*, bellissimo, in quercia e ferro battuto e ottone. Sul fondo ha uno specchio e l'immagine di un drago cinese. I numeri dei piani sono scritti in gotico. Durante il tragitto ci si può anche sedere su una panca, ricoperta di velluto bordeaux. Però scricchiola e procede lentissimo, oscillando lateralmente. Il profumo degli incensi è molto intenso, anche ai piani. Comincio a nutrire qualche dubbio. Poi, vedendo la stanza, tutto è chiaro.

La porta, innanzitutto, è imbottita di gommapiuma e ricoperta di cuoio verde bottiglia. Le pareti sono tappezzate di carta da parati verde pallido e rosa che riproduce grandi fiori di loto e canne di bambù. Sul tavolo c'è una collezione di *Penthouse* dall'aria manomessa e che mi guardo bene dallo sfogliare. La cameriera ha un ridottissimo grembiulino nero, disegnato probabilmente da Mary Quant o dagli amici fiorentini della griffe sadomaso chic. Ha una crestina bianca e guanti lunghi fino al gomito. Calze nere e tacchi. Mi butto sul letto, sconsolato. Mai messo piede in un bordello in vita mia. Facciamo anche questa.

Quando, verso mezzanotte, rientriamo, l'hotel Oriente si è completamente trasformato. Giù alla reception è sbucato un piccolo bar, sulla sinistra. Devono aver spostato una parete. C'è posto solo per un tavolino rotondo e qualche poltroncina Thonet. Specchi ovunque, anche sul soffitto. Tre soldati aspettano in piedi, fumando. Chiediamo un po' di birra, tanto per non dare l'impressione di aver messo il naso dentro solo per curiosità provinciale e bacchettona, che è poi la verità. La birra non c'è. Però, dal retro, arriva una signora con due bottigliette da stappare. Beviamo in piedi. Entrano altre due ragazze, una in compagnia di un diciottenne yuppie mitteleuropeo con ventiquattr'ore, cravatta inglese, abito fumo di Londra tagliato all'italiana. Parlotta. Che sia l'agente delle tasse? O farà parte della rappresentazione indossare gli abiti del papà? Arriva un turco, con una grande panza, che dà pacche sulle spalle a tutti. Noi, ben allenati, controlliamo la scena dando le spalle, ma fissando negli specchi e fingendo di chiacchierare, ma non dicendo nulla, aprendo solo le labbra come sul set di un fotoromanzo.

Rientriamo nella stanza. Già nel lungo tempo di ascensore, spiando dal cancelletto, ci si accorge di un gran viavai di cestelli del ghiaccio con champagne. Mi viene da canticchiare il Leonard Cohen di *Take This Waltz*: "*Now in Vienna there are ten pretty women. There's a shoulder where the Death comes to cry. There's a bar where the boys have stopped talking... Ay, ay, ay, ay.*"

Chiedo una camomilla, ma arriverà solo mezz'ora più tardi. E non Kamille, ma tè al gelsomino, portato da una donna (la decima?) gentilissima e mai vista prima, con una parrucca cosparsa di brillantini come quella del Mago Zurlì. Probabilmente passava di là e le avranno detto: "Provaci tu con quelle due anime pie del terzo piano." Il giorno dopo, sentendone la mancanza, subito una visita alla cripta dei Cappuccini, sacrario cupo e disordinato degli Asburgo. Si entra pagando un obolo al frate che stacca il biglietto e che non chiede bizzarramente, come in *Die Kapuzinergruft* di Joseph Roth: "Che cosa desidera?" Ci si mette in fila e si attende che il gruppo precedente risalga. La via d'accesso è impervia, scalette elicoidali come nei sotterranei del Vaticano. Si sbuca nella cappella.

Tutto è grigio, c'è poca luce e ci si potrebbe anche chiedere chi abbia trasportato fin qua, e per quali accessi, questi sarcofaghi enormi, ricchi di insegne guerresche e militari: bandiere, alabarde, cavalli, fusti di cannone, soldati, schiere ed eserciti, angeli, anche scheletri a grandezza naturale, con tanto di falce e attrezzeria catacombale.

I flash dei visitatori prediligono il catafalco di Francesco Giuseppe, doppiato, alla base, da quello dell'imperatrice Sissi. Ci sono mazzi di fiori freschi, tutti toccano, sfiorano, lisciano la pietra e il metallo. Soprattutto le vecchiette con ghette di plastica e cappucci di cellophane celesti e rosa sulla permanente azzurra. I loro compagni assumono invece pose militaresche, sempre sull'attenti. Scattano fotografie e istantanee anche i giapponesi che continuano a bisbigliare "Sissi, Sissi", ma forse capisco male io. Quel che è certo è che molti credono che sia qui sepolta la bellissima Romy Schneider, che a Sissy ha dato volto e sorriso in estenuanti feuilleton cinematografici. Difatti ci sono anche sue fotografie, in formato cartolina, come se fosse, al pari di Grace Kelly, già santa. Bisognerebbe riflettere meglio su come, nell'immaginario delle platee televisive di mezzo mondo, tutti questi volti si sovrappongano, si mischino, si confondano. Chi è la principessa? Chi fu l'imperatrice? Quale invece l'attrice?

Fiori freschi anche in un'altra sala, più dimessa, ma non meno affollata, direbbero le guide, di salme illustri. Sul sarcofago di Maria Luigia, discreto e democratico, non protetto da barriere o cancelletti o effigi di armigeri, insomma, alla portata di tutti, due mazzi di fiori, uno dei quali proviene, dice il nastrino biancorosso, da un club di ex sudditi di Parma. La bara dell'ultima imperatrice, Zita, è invece sistemata, quasi con casualità e noncuranza, in un angolino di un'altra ala della cripta, di fianco a un altare su cui ardono candele e ceri. Tantissimi fiori in terra e sul feretro. Tutti si segnano e si inginocchiano. La bara è di legno chiaro, sopra c'è una fotografia a colori, nemmeno incorniciata. È comunque di dimensioni ridottissime, sembrerebbe quella di una bambina o di un'imperatrice Ming. Lo stesso effetto di quando si entra in un museo del costume e ci si chiede chi mai sarà riuscito a entrare in quegli abiti del Cinquecento, del Seicento o del Settecento erano tutti minutissimi, o gli abiti invecchiano e mummificano e si restringono come i corpi dei legittimi proprietari?

Anche il padiglione della Secessione (Wiener Secession) ha l'aria di un sacrario. In occasione del centenario della nascita di Ludwig Wittgenstein, (il cui padre, fra l'altro, fu nel 1898 uno dei finanziatori del padiglione), è in corso una mostra sull'architetto filofoso, la cui immagine è ormai affissa in ogni angolo di Vienna, in ogni libreria, in ogni caffè, come quella di una popstar. Ed è una fotografia bellissima: il ragazzino Ludwig alle prese, in maniche di camicia, con un macchinario che la didascalia definisce "il suo tornio". Il bambino sta operando con quello che, dall'impugnatura, pare essere un cacciavite. In primo piano, adagiata sulla macchina, accanto ad altre, splende una lima. Il bambino indossa una bella cravatta, un grembiule da lavoro e ha i pantaloni sorretti da bretelle. I piedi sono appoggiati al pedale del tornio. Si può dire che la fotografia racconta già la vocazione filosofica del giovane Ludwig. Quella lima, quella meticolosità nel lavoro, anche la bellezza stessa del viso rotondo del fanciullo che guarda gli strumenti nel momento in cui funzionano, non sono già un racconto?

Al piano inferiore, comunque, accanto alla sala che ospita il *Fregio di Beethoven* di Gustav Klimt, una doppia fila di bacheche offre i taccuini del filosofo, pagine di diario scritte in tedesco e in inglese, alternate a fotografie di familiari, di amici, di paesaggi. E un sistema di computer permette ai visitatori di accedere ai manoscritti seguendo un apposito programma grafico. Al piano superiore, l'artista newyorkese Joseph Kosuth organizza una mostra basata sull'equazione "arte=filosofia" e riferita soprattutto, nelle intenzioni, ai concetti wittgensteiniani di "somiglianza familiare" e di "gioco". Il risultato non mi sembra così lineare come il suo supposto teorico. C'è un'opera di Duchamp e ci sono Jenny Holzcr, Giacomo Balla e il duo *à la page* Clegg & Guttmann con i loro megaritratti fotografici. Ci sono anche tre biglie raccolte in un nido, come tre uova, opera di Guillaume Bijl. Proverranno dal biliardo in cui ci si imbatte non appena si entra nell'elegantissimo loft di Kosuth, al Village?

A metà pomeriggio si visita il Sacher Café. Ritornano alla mente le parole di Thomas Bernhard: "Seduti sulla terrazza del Sacher, mettevamo in moto il nostro ben rodato meccanismo accusatorio 'dietro il culo dell'Opera', come diceva Paul, perché chi è seduto sulla terrazza davanti al Sacher e guarda dritto davanti a sé, vede il lato posteriore dell'Opera. [...] In effetti ancora oggi non conosco praticamente spasso più grande [a Vienna] che star seduto d'estate sulla terrazza del Sacher a osservare l'andirivieni della gente" (*Il nipote di Wittgenstein*).

Non appena si entra, ci si trova inseguiti da almeno tre camerieri e una guardarobiera. "Vogliono salire in terrazza? La terrazza è chiusa in questa stagione, perché non si accomodano qui?" "Vorremmo ammirare il culo dell'Opera", mi viene da dire, però anche dalla sala al pianterreno, spingendo lo sguardo oltre i tendaggi, si può osservare. È veramente femminile quel deretano, possente, largo e schiacciato. La paranoia di Bernhard ha visto giusto.

Al centro della sala c'è un bel mobile vetrinetta, circolare, su cui sono sistemate le famose *Sachertorten*. Si manda un saluto a Nanni Moretti e si procede con la degustazione. L'assaggio della *Sachertorte* del Sacher Café di Vienna mi ha dato, all'aspetto esterno: consistenza robusta, uniformità dei valori opachi della glassa di cioccolato, colore cuoio antico, rotondità accurata della superficie; all'aspetto interno: spugnosità caraibiche perfettamente simmetriche rispetto allo strato gocciolante di gelatina di frutta; all'olfatto: profumo caldo e discreto che tende a un bouquet screziato di nocciole, fiori di acacia, albicocchi della puszta, ciliegi del Burgenland; al palato: nessuna asperità di rilievo, tranne un sottile sentore di scorza di cannella o, forse, di chinotto. Nerbo insufficiente, trascurabile. Prezzo esagerato. La si accompagna con succhi di mele e caffè, però la delusione rimane. In più di una pasticceria a Ortisei e a Corvara, se la cavano meglio. E anche a Merano. Ma forse non è il caso di dirlo, qui, a Vienna.

La sera pranziamo nei ristoranti di Bäckerstrasse, dietro la cattedrale di Santo Stefano, dove pare si riuniscano i *branchés viennois* e dove, già alle sette, sono tutti bevuti. Davanti alle osterie e alle taverne tradizionali come Pfudl – grande cantina con il soffitto a volta, mobili verniciati di nero, specchiere déco alle spalle dei baristi, tavolate in cui si cerca, sgomitando, un posto – ecco la fauna artistoide e intellettuale che passa da un bar all'altro con "palloncini" di vino bianco, ombre e frizzantini. Belle ragazze dai capelli lunghi e lisci, giovanotti barbuti e tetri in eskimo, facce da Cristi macilenti, con tanto di croci al petto, come nelle *Totenmasken* di Arnulf Rainer, yuppie in doppiopetto, tantissimi in jeans e maglione di lana grezza, a torciglioni, oppure maglionacci a pelo lungo di lana peruviana, con i soliti motivi vagamente maya e aztechi. In una birreria affollatissima e satura di vapori e di fumo, sigarette, pipe, sigari, cotolette e pane fritto, invece molti giubbotti borchiati, chiodi, pantaloni di cuoio neri, canotte in pelle, pastori tedeschi, cani bastardi, trovatelli al guinzaglio che sonnecchiano sotto i tavoli e a cui, inavvertitamente, si pesta la coda, provocando quasi una sommossa fra i freak, gli ecologisti e i wwf lì annidati. In strada nessuna luce, tranne le lampadine appese sopra gli ingressi dei ristoranti alla moda come Oswald & Kalb. Non illuminate le vetrine dei negozi *high tech*, né le boutique Commes des Garçons o Yoij Yamamoto, né le botteghe di modernariato, tantomeno una galleria d'arte che espone lavori di Hermann Nitsch, probabilmente reperti delle vecchie performance sadomaso ospitate, in Italia, soprattutto a Bologna.

Eppure Bäckerstrasse ha un suo fascino particolare, soprattutto in prima serata. Di notte, al contrario, diventa nera, ancora più buia e minacciosa. La fauna svolazzante e un po' ebbra, con cui si è scherzato davanti alle mescite in attesa che si liberasse un tavolo, cede il posto a figure barcollanti, attaccabrighe e tetre, che intavolano un discorso, per leggerti le loro poesie sfigate. Bisogna scappare. Avverti che tutto potrebbe degenerare in qualche istante. E infatti eccola lì una rissa, bottiglie rotte, rigurgiti di stomaco, uno che scarica la vescica contro un muro, un altro che imbratta di vernice nera un manifesto. Sarà un caso che Vienna, fino a un secolo fa la capitale delle arti di conversazione, dei salotti, della leggerezza, della musica, delle trame floreali che serpeggiano in migliaia di pagine splendide per intelligenza e disincanto, abbia prodotto le manifestazioni artistiche più efferate dal secondo dopoguerra a oggi: gli scannatoi di Nitsch, le performance di Mühl, l'autolesionismo della body art più feroce, con organi genitali trinciati di netto (Schwarzkögler), e tele grondanti di sangue e viscere; e poi tutto quel nero paranoico dei giovani pittori: le croci, le maschere funerarie, l'espressionismo lacerante e torturatorio, i corpi urlanti e sezionati e ipercazzuti, e *Testa con mano in bocca* e *Testa con pipistrelli* di Siegfried Anzinger, esposti nel padiglione austriaco della Biennale veneziana del 1988.

... Desiderio di martirizzazione, di punizione, storico complesso di colpa, elogio della schiavitù e dei suoi oltraggi... A confronto con l'arte austriaca degli ultimi vent'anni, non solo i transavanguardisti più angosciosi come Sandro Chia, o più dark e feticisti come Mimmo Paladino, appaiono leggiadri e bene educati, ma anche i Neuen Wilden tedesco-occidentali sembrano esteti languidi e tranquilli: i danzatori neri, ed elettrici, di Rainer Fetting diventano così angeli coi quali si vorrebbe "librarsi per nuvole uranie" (Manganelli), le crocifissioni di Salomè si mutano in santini devozionali per monache di clausura.

Ma Vienna, anche agli occhi del turista frettoloso, appare un corto circuito di colpi di scena letterari, artistici, teatrali, da lasciare abbagliati. Si può passare molto tempo davanti alle architetture di Adolf Loos (1870-1933) meditando sull'"ornamento è delitto", oppure visitare la casa di Sigmund Freud, passeggiare al Prater pensando a Orson Welles, oppure perdersi nei saloni imperiali del castello di Schönbrunn o, ancora, salire allo Steinhof di Otto Wagner (1841-1918), oppure sedersi in un caffè storico e riflettere sulla caduta dell'impero asburgico e sullo spleen della letteratura mitteleuropea, magari leggendo, adagio, le battute di Hans Karl Bühl nell'*Uomo difficile* di Hugo von Hofmannsthal: "Io, un uomo che di un'unica cosa è convinto: che è impossibile aprire bocca senza suscitare le più disastrose confusioni! Ma piuttosto rinuncio al mio seggio ereditario e vita natural durante mi rintano come un gufo in un cantuccio fuori del mondo. [...] Ma tutto quel che si esprime è indecente. Il semplice fatto che si esprima qualcosa è indecente." Non è già la parabola, filosofica ed esistenziale, di Ludwig Wittgenstein?

Ma anche camminare per il Naschmarkt è un'esperienza ricca di suggestione. Mi piaccrebbe raccontare di tutti questi mercati europei, molti dei quali, come Les Halles a Parigi, o il Covent Garden a Londra, non esistono più, rimpiazzati da centri commerciali anonimi e festaioli, con saltimbanchi, mangiatori di fuoco, mimi, istrioni e caffè chic. Ma il *satori* avuto davanti a un banco di pesce nel mercato coperto sulle *ramblas* a Barcellona, con un donnone felicissimo di spiccare la testa a un tonno gigantesco, usando una mannaia degna di un film di Dario Argento, oppure qui, a Vienna, nel doppio viale a ridosso della zona universitaria, dove i frutti esotici, coloratissimi, si alternano a ogni specie di tuberi e verdure, e i profumi delle banane si mescolano a quelli dei würstel e del pane speziato e dei crauti affossati nei barili... Ritorna alla memoria l'ultimo piano del Kadewe, il grande supermarket di Berlino Ovest, dove in questi ultimi mesi i tedeschi orientali si aggirano stupiti e affascinati, quasi fossero davanti alle vetrine di Tiffany, poiché come gioielli, realmente di un altro mondo, rilucono i banchi colmi di papaye, manghi, avocado dalla buccia verde o marrone, noci di cocco, maracujà, guanabanà, frutti della passione, caschi di banane rosa... Frutti mai visti e mai immaginati. E anche così la Mitteleuropa si apre all'Oriente delle spezie e dei frutti esotici.

The old Greeks got it all wrong:
Narcissus is an oldie,
tamed by time, released at last
from lust for other bodies,
rational and reconciled.
For many years, you envied
the hirsute, the he-man type.
No longer: now you fondle
your almost feminine flesh
with mettled satisfaction,
imagining that you are
sinless and all-sufficient,
snug in the den of yourself,
Madonna and Bambino:
Sing, Big Baby, sing lullay.

Gli antichi greci hanno sbagliato tutto:
Narciso è un caro vecchio,
domato dal tempo, liberato alla fine
dal desiderio d'altri corpi,
razionale e riconciliato.
Per molti anni hai invidiato
l'irsuto, l'uomo maschio.
Non più: adesso tu vezzeggi
la tua carne quasi femminea
con ardente soddisfazione,
e ti immagini d'essere
senza peccato e autosufficiente,

caldo nella tana di te stesso,
Madonna e Bambino:
Canta, Grosso Bimbo, canta nanna.

Wystan Hugh Auden, da *Lullaby*, in *Thank You Fog!*, 1974
(traduzione di Aurora Ciliberti)

Difficile trovare, anche sulle carte stradali più dettagliate, la località di Kirchstetten dove Auden aveva acquistato, attorno al 1958, grazie ai trentamila dollari del premio internazionale Feltrinelli, una tenuta in cui trascorse quasi tutte le estati fino alla morte, avvenuta in una camera d'albergo a Vienna la notte del 28 settembre 1973. Quello che sappiamo dalla biografia romanzesca di Dorothy J. Farnan, *Auden in Love* (1984), e che si rivelerà peraltro, non del tutto affidabile, è che il villaggio è "alle estreme propaggini del Wienerwald". Altri commentatori, come Allan Rodway parlano di Kirchstetten come di un borgo nella "Lower Austria". La bravissima traduttrice italiana, Aurora Ciliberti, la situa, sempre "nella bassa Austria, a una trentina di chilometri da Vienna". Né la guida *Michelin*, né quella italiana del Touring parlano di Kirchstetten. Tantomeno le piccole e divertenti guide tascabili Clup, che si riveleranno acute e aggiornatissime nel caso, per esempio, di successivi viaggi a Budapest e Praga. Kirchstetten è menzionata solamente, per via di un castello di proprietà privata, ma visitabile in certi giorni e a certi orari, su una massiccia e anonima guida reperita in libreria. Ma non è chiaro come sia possibile arrivare fin là.

Davanti a una mappa larga un paio di metri, all'ingresso dell'ufficio turistico di Vienna, troviamo finalmente la nostra meta. E scopriamo che "bassa Austria" in realtà significa il land dell'Austria Inferiore. Raggiungerla si rivelerà poi semplicissimo. Basta puntare la bussola a est, uscire in direzione di Schönbrunn, accedere alla bretella autostradale A1 e in seguito immettersi nell'autostrada E5, in direzione di Linz. Percorsi una cinquantina di chilometri, uscire in località St. Pölten. Si troveranno le indicazioni stradali e qualche contadino con cui verificare.

Il villaggio è in aperta campagna. Ma già occorre della buona volontà per chiamare "villaggio" una piccola stazione ferroviaria, un piazzale di asfalto con la trattoria, l'ufficio postale e nient'altro. Cominciamo a cercare dall'ufficio postale. Una ragazza ci indirizza di fronte, in una stanza che costituisce il municipio. Qui, inaspettatamente, ci danno piantine, fotografie, cartine stradali e indicazioni per raggiungere sia la piccola chiesa con il cimitero, sia la casa di Auden, situata alla fine di un viottolo chiamato, per l'appunto, Audenstrasse.

Si torna in auto e si percorrono, lentamente, le carreggiate. Odore pungente di letame, di campagna concimata, di animali e di stalla. Incontriamo carri di fienagione che procedono sobbalzando, trainati da un trattore o da cavalli. Finalmente si incontra quello che ha l'aspetto di un villaggio: quattro case di pietra e di legno raccolte attorno al campanile. Si aggira la chiesa e ci si ferma a ridosso di un giardino. È il primo segno della presenza di Auden che incontriamo: un monumento in bronzo dall'aria macabra, che avevamo già visto in fotografia. Nient'altro che il volto di Auden, vecchio e scavato da rughe profonde, issato su una stele rettangolare di pietra bianca, alta poco più di un metro. Lo scultore avrebbe potuto spingere la rappresentazione almeno alle spalle, per non dire del collo, che manca quasi completamente. Così l'effetto è anche buffo: una testa di vecchio rotolata, chissà come, là sopra. A ben guardare, assomiglia a un grande birillo. Si potrebbe fare una partita con tanti di questi oggetti: il birillo Auden, certo, poi il birillo Eliot, poi il birillo Isherwood e quello Kallman e quello Spender, quello Stravinskij e quello H.W. Henze... E la biglia per abbatterli? Certo non basterà una pallottola Waugh.

Il giardinetto con il monumento appartiene, ci sembra, a una scuola. E questo è certamente un segno di civiltà. D'altra parte, quello che stupisce, in questo paesotto di contadini, è il culto per un poeta, un poeta contemporaneo, e per di più straniero. C'è il monumento di Auden, c'è la strada che porta il suo nome, davanti al cimitero vedremo una teca con la sua foto, come se fosse la Madonna. È un segno di intelligenza e di gratitudine da parte della municipalità. Chi altrimenti si spingerebbe fin qui?

Proseguendo si arriva al sottopassaggio dell'autostrada. Siamo sulla direzione giusta. Incontriamo una curiosa segnalazione stradale, un cartello decorato che segna l'Auden Haus. Lasciamo l'auto e proseguiamo a piedi. Poche decine di metri e la strada si interra nei campi, fra gli abeti e le pozzanghere. Stanno disboscando, forse costruendo una strada, e un lato del cottage è quasi sommerso dai cumuli di terra. Mi aspettavo una grande villa, non dico come quella di Frederic Prokosch, a Grasse, ma almeno qualcosa di particolare, un *genius loci*. E invece si tratta di una costruzione semplicissima, ben posizionata verso la valle, dalla forma a elle. Ha due piani. A quello superiore si accede anche dall'esterno, per mezzo di una ripida scala verniciata di verde. C'è una balconata abbastanza larga, ma molto bassa. Praticamente non riesco a stare dritto. Dalla finestra, scorgo delle assi di legno comune, come in una qualsiasi soffitta. Questa era la stanza preferita di Auden, la sua piccionaia spoglia, simile alle tante camere separate di "celibi involontari" (*unwilling celibates*). Le poesie di *Thanksgiving for a Habitat (1962-1964)* sono dedicate proprio a questa casa, a questa stanza da studente invecchiato, da vecchio bambino solitario:

> *... our rooms are seldom*
> *battlefields, we enjoy the pleasure of reading in bed*
> *(as we grow older, it's true, we may find it prudent*
> *to get nodding drunk first)...*
>
> *... le nostre stanze raramente*
> *sono campi di battaglia, abbiamo il piacere*
> *di leggere a letto*
> *(anche se invecchiando, è vero, riteniamo prudente*
> *prendere prima una sbronza)...*

The Cave of Nakedness, in *About the House*, 1965,
(traduzione di Aurora Ciliberti)

Così quando leggo *Ninnananna*, con l'immagine del vecchio Auden che si rannicchia nell'"accogliente microclima" del suo letto, nudo come un grosso gambero, non posso fare a meno di pensare a questa valle, alle cime degli abeti, ai contadini che tornano a casa, ai tramonti che custodiscono il sonno, morbido di piumini, dell'artista invecchiato e solo, grosso bimbo abbracciato a sé. Sul retro della costruzione ci sono quattro abbaini a torretta. La proprietà è circondata da una staccionata. C'è anche un cancelletto su cui sono i numeri civici 6 e 6a e due targhette di ottone, sovrapposte, su cui è scritto: W.H. Auden e Chester Kallman.

Nessuno nei paraggi. Suono il clacson, ma non ho risposta. Vorrei entrare in casa. Scavalco il cancello, che non si apre, raggiungo la porta d'ingresso, ma l'uscio è chiuso a chiave. C'è un mazzo di chiavi appeso accanto a una campanella. La suono. Niente. Provo con le chiavi, ma non entrano. Forse sono lì solo come scacciaspiriti. Così mi siedo sulla panca, nel giardinetto. Il mio *chaperon* mi raggiunge affannato. Ha girato attorno al cottage per cercare il lago. Un lago? Mi legge alcune frasi dalla biografia della Farnan. In effetti, si parla di un laghetto, attiguo alla proprietà. Ma per quanto giriamo fra i boschi, fin dove lo permettono i nostri abbigliamenti, poiché il sottobosco è intricatissimo, spinoso, e i rovi si attorcigliano alle caviglie, non lo troviamo. Alla fine, esausti, l'illuminazione. Non sarà per caso quella vasca, lì, accanto al cancelletto laterale?

La tomba, nel cimitero attorno alla chiesa cattolica, è addossata al muro di cinta e appare coperta, quasi nascosta, dalla vegetazione. C'è una semplice croce in ferro battuto sotto la quale è scritto:

W.H. AUDEN

21-2-1907 28-9-1973

POET AND MAN OF LETTERS

[1989-1990]

10
GEOGRAFIA LETTERARIA

SULLE STRADE DEI PROPRI MITI

Piccoli e grandi viaggi i giovani di ogni generazione hanno fatto, scegliendosi in modo fantasioso, e alle volte imprevedibile, le mete e gli itinerari: viaggi sentimentali, viaggi di formazione, viaggi di studio, viaggi di evasione, viaggi di divertimento, viaggi erotici alla ricerca di un particolare tipo fisico: le svedesi, le slave, le francesine, i macho latini, i caldi spagnoli, gli arabi... E ogni generazione ha contribuito a far diventare di moda un particolare itinerario: il viaggio nella Parigi dell'esistenzialismo, nella Londra degli anni sessanta, nell'Oriente psichedelico degli anni settanta, nell'America degli anni ottanta. In ogni viaggio confluiscono interessi diversi, e anche i contenuti cambiano a seconda che si scelga un'isola greca per abbronzarsi e nuotare, o una città come New York per imbucarsi nelle gallerie d'arte di Soho e dell'East Village. Eppure è possibile rintracciare, per i giovani, una struttura del viaggio e una sua mitologia che si costruisce, generazione dopo generazione, attraverso la visione di certi film, la lettura di certi romanzi, la diffusione di certe idee o, più semplicemente, l'emergere di nuove necessità. E quello che è curioso notare è che ogni viaggio o itinerario generazionale trova una propria musica, una vera e propria colonna sonora che contribuisce a dare al viaggio, per natura episodico, la dimensione più generale di un periodo della propria crescita.

I viaggi della beat generation, di Jack Kerouac o di Allen Ginsberg, non sarebbero stati raccontati, né scritti, senza il jazz di Charlie Parker. Quando, nel suo bellissimo *Lunario del paradiso*, Gianni

Celati racconta il viaggio di un giovane personaggio padano nell'Europa del Nord e nella *swinging London*, ecco l'eco della musica dei Beatles. Il vagabondare dei personaggi di Wim Wenders attraverso una Germania americanizzata non è concepibile senza la cultura del rock. Il viaggiare dei piccoli eroi quotidiani del cinema indipendente americano degli anni settanta, da *Easy Rider* a *Alice's Restaurant*, è espresso, e non solo tematicamente, dalla musica folk e dal country: come se quello che spingesse i giovani a viaggiare non fosse solamente il desiderio di evasione dalla realtà di ogni giorno, la necessità di sognare e di fantasticare, ma proprio l'effetto di una seduzione profonda, in cui musica, arte, cinema, letteratura, storia, si mescolano in modi sempre nuovi, producendo ogni volta itinerari di fascinazione differenti.

Per ogni giovane generazione sembrano però resistere, nella struttura del viaggio, il mito della fuga e il mito della strada, quali vengono delineandosi dalla letteratura e dal cinema americano degli ultimi quarant'anni. Ecco allora l'epopea della strada: folle di giovani in autostop e sacco a pelo che percorrono incessantemente il continente alla ricerca di qualcosa di autentico, un luogo mitico e irraggiungibile in cui fermarsi e costruire un nuovo mondo. Ma questo punto di arrivo non esiste. Anche il viaggio del protagonista di *Zabriskie Point* diventa un delirio e si conclude con la morte: le regole della società, buone o malvagie che siano, vincono. Il viaggio diventa allora un bisogno di avventura che sfocia non tanto nell'approfondimento di una conoscenza, ma in una fuga senza fine. Se pensiamo a quello che, in termini culturali, significa il mito della droga, non possiamo trascurare questo aspetto: anche la droga è un viaggiare, è un desiderio di avventura e un cedere al fascino della vita per strada, per quanto misera possa essere. La droga è quindi la faccia perversa – poiché sommamente autodistruttiva – dello stesso, identico, mito.

A questo punto, il viaggio diventa sempre più un viaggio interiore. In tutto l'underground, la valenza introspettiva del viaggiare prende il sopravvento sul movimento fisico. È importante andare verso l'Oriente per ritrovare un'identità occidentale perduta. È importante muoversi per andare dentro se stessi, conoscere il mondo per scoprire la legge universale che ci lega al tutto, alla vita, all'universo.

Ma i giovani hanno solitamente poco denaro e non godono della piena libertà che hanno gli adulti. Così il viaggio può diventare anche solo un'aspirazione esclusivamente mentale, evocativa. Lo scrittore Frederic Prokosch, recentemente scomparso, scrisse nei primi anni trenta *Gli asiatici*, un viaggio sulla via della seta, da Beirut a Hong Kong, senza muoversi dalla biblioteca della propria università. Pochi giorni fa, visitando la sua casa a Plan de Grasse, nell'entroterra di Cannes, ho visto, da una finestra, quello che è rimasto sul tavolo del suo studio: una copia dell'opera autobiografica *Voices. A Memoir*, una guida *Michelin* della Francia e una dei Pirenei. E ho pensato che, pur senza muoversi, continuasse a viaggiare. Certo: sui libri, sui propri ricordi e sulle carte geografiche.

Generazione dopo generazione, i giovani continuano a mettersi in marcia, obbedendo al richiamo vitale di una migrazione di massa, di un impulso quasi biologico a spostarsi e a conoscersi al di là dei confini e degli stati. E oggi lo fanno forse con più consapevolezza culturale e meno desiderio di rivolta: viaggiare non è solo una fuga, ma un modo di conoscere le città, i paesaggi minacciati dallo sviluppo e dalle scorie della tecnologia. A Londra, a Madrid, a Barcellona, ad Amsterdam, a Berlino, come in ogni città in cui i giovani sembrano contare qualcosa, avere i loro luoghi di ritrovo, esprimere la loro fantasia e la loro immaginazione, la migrazione si addensa, producendo uno scambio di esperienze, di stimoli che, attraverso gli anni, sedimenteranno nella formazione della personalità.

"Naturalmente, viaggiare per il mondo non è così bello come sembra, solo dopo che sei tornato da tutto quel caldo e quell'orrore, ti dimentichi dei guai passati e ti ricordi le magiche scene che hai visto", scrive Jack Kerouac nel 1960. Oggi forse è meno pericoloso viaggiare, e certo più economico e più facile. Ma l'osservazione resta valida. Viaggiare è un modo per ricordarsi di un tempo della propria vita, di come si era o si pensava quando si attraversava l'oceano su un mercantile o ci si imbarcava su un charter notturno fra il continente e le isole britanniche. È proprio attraverso il viaggio – mentale o reale che sia, interiore o avventuroso – che ogni generazione costruisce la propria memoria e, a ben guardare, anche la propria leggenda.

[1989]

AGUIRRE

"Lope de Aguirre aveva circa cinquant'anni, era molto basso, di aspetto mediocre, con un brutto viso, piccolo ed emaciato; gli occhi, quando guardava fissamente, gli lampeggiavano nel viso, soprattutto se era in collera. Era per natura nemico dei buoni e dei virtuosi, vedeva di mal occhio qualsiasi espressione di santità e di virtù; era amico e complice di tutti gli uomini malvagi, vili ed infami. Era vizioso, lussurioso ed avido; si ubriacava spesso. Per abitudine aveva il vizio di raccomandare l'anima al demonio; a lui affidava anche tutto il corpo e la persona per intero: gambe, braccia e persino gli organi genitali." Così scrive Francisco Vásquez nella sua *Relazione veridica di tutto ciò che accadde ne la spedizione dell'Omagna e dell'Eldorado* che viene per la prima volta edita in italiano con il titolo *Aguirre alla ricerca dell'Eldorado. Relazione sul viaggio del conquistatore folle nella giungla amazzonica. (1560-1561)*, relazione stesa per conto della magistratura del re di Spagna, al quale Aguirre si era ribellato, e quindi un po' tribunalesca, didascalica e ideologica, ma pur sempre l'unica fonte di prima mano esistente sull'impresa del folle hidalgo.

Il Vásquez, infatti, fu uno dei tre uomini che non parteciparono al tradimento sanguinoso di Aguirre e ciò nonostante visse l'incredibile impresa del tiranno seguendone, fianco a fianco, gli spostamenti nel cuore dell'Amazzonia, fino al Venezuela e al tragico epilogo nei pressi della laguna di Maracaibo, dove "il piccolo basco" venne assassinato, il suo corpo smembrato e sparso per le Indie Occidentali, "quasi fosse la reliquia di un santo".

In effetti, è proprio questo carattere di santità all'incontrario, di devozione cieca e assoluta non alle ragioni del Bene, ma a quelle del Male, di invasamento supremo non del dio, ma del demonio, di viaggio catartico non verso le vette del paradiso, ma giù giù negli abissi neri dell'inferno, che dà alla figura di Aguirre una rilevanza tragica da dramma shakespeariano.

Aguirre ("Un nome sentendo il quale si bestemmia e si sputa, perché sulla terra non si vide un uomo peggiore e più perverso") percorre il suo folle imperativo satanico di "andare in Perù e distruggere il mondo" con una coerenza malefica senza precedenti. Usando continuamente tradimento e sedizioni, promettendo onori e ricompense folli, arriva a liquidare in pochi mesi tutto il gruppo che ha ordito la sommossa contro il rappresentante del re di Spagna nelle Indie, il governatore Pedro de Orsua, e ha insediato al suo posto il ribelle Don Fernando da Guzman, nominandolo "principe di Terra Ferma e del Perù e governatore del Cile". A quest'ultimo, e a tutta la cricca dei dodici apostoli del demonio (sono infatti tredici i cospiratori, compreso Aguirre), il Folle era legato da un solenne giuramento, concluso praticamente sulle spoglie dell'autorità destituita. Ma è solo il primo di tanti giuramenti traditi, promesse non mantenute, alleanze non rispettate. Presto è la testa di Guzman a cadere, e poi tante altre, finché Lope de Aguirre resterà l'unico condottiero, il Solo, il Folle, il "ribelle fino alla morte" (come si firmerà in una lettera a re Filippo II). Ed è proprio così (solo in mezzo alla natura incontaminata e feroce dell'Amazzonia) che lo ritrae superbamente il cineasta tedesco Werner Herzog in *Aguirre furore di Dio* (1972), simbolo della follia umana di conquista che va alla deriva di se stessa: Klaus Kinski, allucinato sulla zattera, esce a fatica dai gorghi del fiume amazzonico, circondato e assalito da decine e decine di scimmie, immagine impotente e disperata di un'insensatezza che gira a vuoto, fino a sparire nel gorgo della follia.

Eppure Lope de Aguirre, in questa forsennata marcia verso il nulla, perseguita con maniacale e sanguinaria devozione ("Non sopportava che nessuno esprimesse il desiderio di fermarsi e voleva che tutti lo seguissero, fosse pure carponi"), semina atrocità incredibili con la stessa noncuranza con cui i santi distribuiscono miracoli e al pari loro, in ogni regione o isola in cui approda, riesce con l'inganno e le promesse a farsi dei seguaci, salvo ammazzarli alla prima occasione: "Quel giorno stesso, Aguirre fece uccidere un portoghese di nome Farias per il solo motivo che aveva domandato se la terra sulla quale erano sbarcati era un'isola o la terraferma." Al pari di quegli insensati dei nostri giorni che attentano alla vita di presidenti o cantanti di successo per guadagnarsi un posto unico e assoluto nella storia, così Aguirre infila atrocità su atrocità affinché sempre "rimanga nel ricordo degli uomini la fama di tutti gli orrori da lui commessi", cosa che innegabilmente è riuscita. Ma c'è di più. Nella sua follia di andare, sempre andare e correre verso la distruzione del mondo, Aguirre diventa il doppio putrescente di quella stessa follia conquistatrice che ha spinto i Cortez, i Pizarro, gli spagnoli, i tedeschi, i portoghesi sulla via delle Indie, alla ricerca dell'Eldorado. Fanatismo religioso (che nel suo segno opposto contraddistingue Aguirre), cupidigia, brama di potere e conquista sono gli unici vettori dell'occupazione e dello sterminio praticato nel continente latino-americano nel XVI secolo, e in questo senso Aguirre indossa le spoglie del Maledetto che salva la cattiva coscienza delle monarchie europee.

Aguirre, il traditore, il ribelle, il pazzo: sul suo tradimento e sulla sua vicenda (da altri vista come il primo esempio di indipendenza nelle colonie) sembra gettarsi tutto il senso di colpa dei conquistatori, l'orrore e la ripugnanza per ogni atto di sterminio. Le strade della salvezza e della redenzione si ergono sulle reliquie dei martiri e sulle ossa dei santi; anche le vie della perdizione e dell'abominio (come la via delle Indie) s'inerpicano sugli *exempla* dei propri demoni. Aguirre, in questo senso, è il peggior martire di quella brama di possesso, l'unico Satana maledetto fino alla fine dei tempi. Le sue imprese infernali altro non ci appaiono allora che l'esempio, sublimato ed elevato all'ennesima potenza, del Male che veniva sparso da tutti gli europei, senza distinzione, in ogni occasione e in ogni ora, sulle strade del mitico e inafferrabile Eldorado.

[1981]

ROBERT M. PIRSIG

La storia di un grande viaggio dalle pianure del Minnesota fino alle città della regione del vino sulla costa del Pacifico, attraverso i pascoli, le montagne, le foreste, le abetaie e i canyon del Nord-Ovest degli Stati Uniti. Un viaggio avventuroso, in sella a una motocicletta, attraverso percorsi secondari e strade provinciali, rifuggendo dalle arterie del grande traffico e seguendo solamente la voglia di viaggiare ("Abbiamo più voglia di viaggiare che non di arrivare in un punto prestabilito") e la voglia di "andare completamente dentro alle cose" possibile soltanto sulla motocicletta ("In moto non sei più uno spettatore, sei nella scena, e la sensazione di presenza è travolgente"). Anche la storia di un viaggio, altrettanto grande e altrettanto avventuroso, di un uomo dentro la propria testa, o meglio, dentro la testa bacata della razionalità occidentale. Un viaggio che è l'occasione per l'esposizione di un maniacale *chautauqua*, di un racconto, cioè, errante da un capo all'altro dell'America, per Robert M. Pirsig, cinquantenne flippato e geniale, e il cui *chautauqua* si chiama *Lo Zen e l'arte della manutenzione della motocicletta*, proposto al lettore italiano a quasi sette anni dalla sua prima uscita negli Stati Uniti.

Il testo si presenta strutturato in forma di romanzo-saggio, un testo, cioè, in cui gli artifici della fabulazione e del romanzesco procedono parallelamente, o interagiscono con quelli espositivi al limite del manuale teorico. Se una delle direttrici del testo è rappresentata dalla cronaca avventurosa di un viaggio in motocicletta, con tutti i corollari del caso: incidente, cambio di rotta, imprevisto, ascesa al monte, incontro con altri vagabondi, scontro con la natura e il paesaggio, è altrettanto vero che una seconda linea di sviluppo del testo può essere rappresentata, più o meno, da questo asserto iniziale: cari signori, io, uomo del XX secolo, ho l'impressione di trovarmi terribilmente a disagio con il mio tempo e i suoi prodotti, e quindi voglio sapere, e voglio spiegarvi, che cosa in questi duemila anni non ha funzionato, perché qualcosa senz'altro non è andato per il verso giusto. Il *chautauqua* altro non fa, nella sua statutaria forma di conversazione continuamente interrotta e itinerante, che ripercorrere la filosofia e il pensiero occidentale da Aristotele e Platone e su fino a Hegel e Kant, passando per le geometrie non euclidee e Cristoforo Colombo e Galileo. In verità il percorso del *chautauqua* è inverso, e cioè giù giù dalla relatività fino ai presocratici.

Come un isotopo radioattivo iniettato nel cervello, Pirsig va alla deriva nei meandri del pensiero occidentale, ogni tanto si arresta, ogni tanto s'illumina di un'intuizione radiosa, ma qui, ahimè, incontra il suo doppio, Fedro, cioè quello che egli ritiene d'essere stato prima di conoscere la follia. È questo uno degli aspetti più interessanti del libro. Procedendo nella lettura, si avverte di come il testo avanzi, seguendo un doppio percorso di scontro frontale. In sostanza – possiamo esemplificare – mentre il racconto del viaggio in moto va in una direzione *in progress*, quello del pensiero del protagonista va nel senso opposto e contrario. Ma, correndo all'indietro, il protagonista tende a coincidere con il massimo punto di arrivo del suo doppio Fedro: tende, cioè, a ritornare a quel pauroso momento in cui il vecchio Fedro impazzisce e scompare per lasciare il posto a un soggetto nuovo e completamente perduto. È solo a questo punto, nel momento in cui il protagonista si scontra con il suo doppio, che l'esperienza culmina nel *satori*, cioè nell'Illuminazione, punto di arrivo della pratica del buddhismo Zen: solo ora tutto il percorso all'indietro diventa "sensato", e tutto il viaggio diventa il viaggio in avanti di un soggetto che miracolosamente riesce a saldare le basi della propria schizofrenia.

Questo discorso costituisce solo una parte del libro di Pirsig, anche se, per molti lettori, quella più accattivante proprio per la suggestione che esercita un "percorso detritico" fra i cervelli sparsi dell'Occidente. Le altre due grandi suggestioni dell'opera sono comprese nel titolo: da un lato, la mitologia della motocicletta; dall'altro, quella del buddhismo Zen, per come è entrato nel mondo occidentale, soprattutto nella controcultura californiana, da Aldous Huxley a Christopher Isherwood.

Quanto alla "motocicletta", è molto probabile che questo sia stato l'aspetto determinante che ha fatto di un romanzo discontinuo, a tratti logorroico e paranoico, un libro *cult*. Ed è abbastanza semplice spiegarne il perché. Se guardiamo al cinema americano degli ultimi trent'anni vediamo almeno tre differenti incarnazioni del mito della motocicletta.

La prima immagine è quella sorniona e accattivante di Marlon Brando in sella a una potente moto nel film *Il selvaggio* (1953) di Laslo Benidek, immagine ormai mitica e venduta formato cartolina da ogni parte, con connotazione di "bello", "giovane", "ribelle", "valoroso", "coraggioso", "libero", immagine a cui potremmo allegare una foto di scena di *Angeli selvaggi* di Roger Corman (*Wild Angels*, 1966), che può aggiungere, ai precedenti significati, la connotazione di "disadattamento giovanile". La seconda immagine appartiene al duo Peter Fonda-Dennis Hopper, in sella ai loro *choppers* nel film *Easy Rider* dello stesso Hopper (1969), con connotazioni di "viaggio", "rifiuto dell'establishment", "autenticità", "disponibilità", "disinibizione", "avventura", "natura", "fuga". La terza appartiene a un fotogramma del film underground *Scorpio Rising* di Kenneth Anger (1963), in cui un giovanotto molto *leather* riveste la sua motocicletta, sotto gli occhi della sua ghenga ubriaca, e lo fa come probabilmente un paladino di re Artù avrebbe bardato il cavallo prima del torneo. Questo ultimo film offre un campionario disinibito e demistificatorio dell'"ideologia della motocicletta" che si può brevemente riassumere da un lato nel senso di appartenenza a una comunità sacrale, a una confraternita selvaggia e, dall'altro, nell'esasperazione della propria individualità, fino ad arrivare alla simbiosi con la macchina e al feticcio. In questo senso, possiamo ricordare l'antieroe di *Electra Glide in Blue* (1973) di James W. Guercio, in cui il piccolo poliziotto protagonista è messo a confronto con la potenza della propria motocicletta che viene dunque a rivestire una funzione analoga a quella che gli psicoanalisti chiamano "sublimatrice" (ma anche Alberto Sordi, su una cinquecento FIAT si sente come Manuel Fangio).

Nelle immagini di Kenneth Anger si mostra pure il nesso sadomasochista che lega il centauro al proprio feticcio, scoprendo una serie di implicazioni erotiche e sessuali del mito della motocicletta seguendo le quali si arriva al repertorio macho e hard core del Falcon Studio, dove statuari giovanotti posano bardati di orpelli nazisti, in sella a motociclette superaccessoriate, in un trionfo del funereo, dello stivalaccio di cuoio, dell'accessorio cromato, dell'S&M...

Per tornare all'immagine motociclistica è inevitabile che il romanzo di Pirsig incida, su tutta una serie di riferimenti precedenti abbastanza rintracciabili e individuabili. Eppure, nella sua motocicletta, non c'è eros e non c'è, nemmeno, il rifiuto della tecnologia che abbiamo visto essere presente nei protagonisti di *Easy Rider*. La motocicletta di Pirsig è soprattutto il più alto inno alla tecnologia che una mente occidentale abbia mai partorito, dopo le funamboliche prese di posizione dei futuristi. Ma c'è di più: Pirsig riesce, nel corso del suo *chautauqua*, ad avverare il desiderio inconfessato di ogni motociclista e di ogni tecnologia. Riesce, cioè, a trasformare un manufatto in una persona, a personalizzare un oggetto, a dargli respiro e carattere, fino ad arrivare al punto più alto: "La vera motocicletta a cui state lavorando è una moto che si chiama 'voi stessi'. La macchina che sembra 'là fuori' e la persona che sembra 'qui dentro' non sono separate. Crescono insieme verso la Qualità e insieme se ne allontanano."

In altre parole, il problema della manutenzione della motocicletta, diventa il problema di cancellare le differenze fra soggetto e oggetto e annullarne le distanze nella ricerca di un accordo totale con il mondo. Tutto questo è reso possibile da quella che abbiamo detto essere un'altra suggestione del libro, e cioè dal buddhismo Zen.

"Il Buddha, il Divino, dimora nel circuito di un calcolatore o negli ingranaggi del cambio di una moto con lo stesso agio che in cima a una montagna o nei petali di un fiore", scrive Pirsig. Non esiste più divaricazione fra soggetto e oggetto, ma è tutto intimamente connesso, anzi tutto è riconducibile, attraverso la meditazione, a uno stato profondamente unitario come già ben sapeva, nel XIII secolo, il domenicano Meister Eckhart: "Tutti i fili d'erba, il legno e la pietra, tutte le cose sono Uno. Questa è la suprema profondità, e di questa mi sono pazzamente innamorato."

Ma per raggiungere la profonda conoscenza non esiste dialettica, se non nella relatività del tutto e nell'irrealtà del tutto, bisogna raggiungere e passare l'inferno dell'azzeramento e della perdita di senso totale e completa. Pirsig ci parla di questi orribili momenti, della vera paura ("La paura di quando sai che non c'è luogo dove fuggire") della "deriva della coscienza", dei suoi blocchi, delle risposte "*mu*", parola giapponese che sta a indicare l'impossibilità stessa di qualsiasi risposta, l'ambiguità dei termini del problema, la riformulazione del contesto. Solo pochissime parole per il *satori*: "Poi persino 'lui' scompare, e rimane solo il sogno di lui stesso con lui dentro. E la Qualità, l'*aretè* per la quale ha lottato così duramente e che non ha mai tradito, ma che in tutto quel tempo mai una volta ha capito, ora gli si rivela. Finalmente la sua anima può riposare."

Opera singolarissima, *Lo Zen e l'arte della manutenzione della motocicletta* ha il grande pregio di essere un formidabile romanzo di idee, un diario intimo e, nello stesso tempo, un taccuino del disorientamento dell'uomo contemporaneo di fronte a una tecnologia di cui ha sempre più bisogno e che sempre meno è in grado di gestire. Attraverso il classico mito del viaggio e della fuga, presente in tutta la letteratura americana, da Mark Twain alla beat generation, Pirsig riesce a proporre in modo nuovo una morale consolante, il senso di un ritrovamento e di un ritorno a casa di un cervello schizzato via. Così conclude: "Ora ho come una sensazione, una sensazione che prima non c'era, e che non si ferma alla superficie delle cose, ma mi pervade fino al profondo del cuore: ce l'abbiamo fatta. Ora tutto andrà meglio. Queste cose si sentono."

[1981]

CAR-WEEK

Dobbiamo dunque rassegnarci, l'automobilista selvaggio che è dentro ognuno di noi scalpita e soffre. Prezzo della benzina sempre più alto, pozzi petroliferi che arriveranno presto all'estinzione: l'automobilista che è dentro ognuno di noi si dispera e guaisce in vista della sua prossima morte. In un futuro che è già in mezzo a noi, l'automobile costituirà solo il feticcio di un tempo e di una civiltà tramontati, ci si scannerà per un'automobile, ci si sparerà per un pieno di benzina, come è avvenuto durante la stretta petrolifera che investì gli Stati Uniti qualche tempo fa; andremo forse a piedi o in bicicletta o sugli schettini, come in Europa e in Italia nell'inverno fra il 1973 e il 1974. Presto, prestissimo ci sarà soltanto un mese all'anno per poter liberamente usare le automobili e dopo, poco dopo, solo una settimana nell'arco dei dodici mesi: una *car-week* insomma, dove si sfogheranno i nostri istinti repressi, quelli che, per capirci, liberiamo senza accorgersi, suonando il clacson a un semaforo o "sgasando" in una colonna autostradale. E allora, durante quel mese o quella settimana o quel giorno fatale in cui ci sarà consentito di consumare benzina e gasolio, ci scanneremo per la nostra sopravvivenza.

Provate dunque a immaginare una società con una tale ferrea legge: solo una settimana all'anno in automobile, il resto a piedi o a cavallo. Provate a immaginare il bordello che ne succederebbe; provate a pensare quale circo automobilistico e funerario si metterebbe in moto. Se non avete troppa fantasia vi può degnamente aiutare questa insolita e divertente opera prima che il giovane Tullio Masoni ha imbastito come un romanzo fantastico e quotidiano, delirante e postmoderno *Car-week*.

Ecco allora un ragazzotto a nome Giorgio camminare in un'alba spettrale fra le strade vuote e deserte di una megalopoli. Ogni tanto, scansa i resti di qualche cadavere, si sposta per far transitare le autolettighe, guarda assente un gruppo di marmocchi depredare i morti che penzolano da cataste immani di automobili, da grovigli di lamiere roventi e ovunque, oltre al sangue e alle autoradio, che gracchiano e agli pneumatici che fumano, braccia, gambe, teste, corpi messi un po' qua e un po' là, come fece Liliana Cavani nella Milano sessantottina dei *Cannibali*.

Parrebbe dunque uno scenario Living Theatre questa megalopoli che brucia i suoi morti sui cigli delle *free ways*, come cataste e pire dell'*Orestiade*, e invece poco dopo entriamo in un bar e ci troviamo immediatamente in *Arancia meccanica*, con giovanotti "cocktaildipendenti" che affollano il grande garage e salutano il loro eroe, Zeld, vincitore di tre *car-week show*, e quindi l'idolo, il superuomo, il feticcio, l'invidiabile e l'intramontabile. Zeld viene dunque nel suo club a raccogliere gli allori poiché è appena terminata l'annuale *car-week*, quando "tutta la gente esce scatenata dai garage con le ruote e invade tutta la città, con una prorompente frenesia! Rumore, rumore! In quella confusione di automobili inizia il *car-week show*. La difficoltà sta nell'andare alla massima velocità, cercando di non essere urtati da nessuno! Soprattutto dagli automobilisti che, dalla città, cercano di uscire attraversando gli incroci con la circonvallazione. In questa corsa, l'unico vincitore è colui che ha schiacciato tutti gli altri!". Comprendiamo bene, allora, il fanatismo che circonda il "divino Zeld", già da tre *car-week* l'unico dominatore incontrastato. Ma la grande saga annuale è terminata, si torna alla noia della vita quotidiana senza automobili e senza motocicli, ci si prepara alla prossima festa, fra un anno, dodici mesi. Ecco allora che possiamo seguire questi androidi nella loro vita normale, vedere in che tuguri elettronici abitano, che localacci frequentano, che pensano dell'amore e dello stato, che soffrono e che godono quando "purtroppo il caro e vitale petrolio sta finendo come finisce il liquido seminale di un vecchio".

Il nostro Giorgio è dunque arrivato nella megalopoli al culmine della grande depressione feriale del lunedì, e in effetti tutta la prima parte del romanzo di Masoni vive di quest'atmosfera un po' annoiata e febbricitante allo stesso tempo, poiché i ricordi sono vivi e anche se il *down* viene sempre più su sbattendoti giù, l'eccitazione non smette di circolare nel cervello. Ma i giorni non passano, Zeld e la sua ghenga di giovanotti un po' spostati (Zoltan, Cornelius, Kirky, Aldus, Luno ecc. ecc., tutti androgini un po' nietzschiani, borchiati e bardati come sadomaso) attendono il ritorno della prossima *car-week*, quando si potranno finalmente sfogare. Qualcuno, nei lunghi mesi di mezzo, si uccide in modo tragicomico; qualcun altro progetta un assassinio; intanto la metropoli è assediata da ferocissime walkirie su cavalli colorati che seminano violenza e attaccano i nostri signorini; qualcun altro cade nella paranoia di una forte ideologia militaresca; qualcun altro si innamora; Zeld, il campione, continua a rispondere alla posta delle ammiratrici e a provarne gli effetti...

Ed ecco finalmente la *car-week* un anno dopo: sette giorni di libertà, sette giorni di assassini e di omicidi, sette giorni di inconscio liberato e assatanato, sette giorni di roghi, incidenti, pire, cataste, lamiere, trasmessi in diretta da mille canali TV... Come va a finire non sta bene dire. Ma dire bene possiamo di questa opera prima che mischia Orwell e Aldous Huxley, Anthony Burgess e il Boorman di *Zardoz*, fumetto fantascientifico e divertita parodia dell'esistente e del reale, linguaggio cosmopolita e slang giovanile, corrosive strizzate d'occhio ai nostri tic di uomini postmoderni e ardite perifrasi sui comportamenti dell'automobilista che vive in ognuno di noi. In sostanza, nell'adozione di un genere letterario quasi mai praticato dalle italiche penne ed esclusivo territorio della finezza anglosassone, Tullio Masoni propone anche una visione nient'affatto conciliante della società e dello stato nostro, e quindi pratica una satira sociale decisamente affossando il timore che le sorti della letteratura giovanile siano ormai perse in sterili intimismi e regressioni private. Che, appunto, non è cosa vera.

[1981]

J.R.R. TOLKIEN

Nel settembre del 1976 iniziò, grazie a un amico che lo regalò per il mio compleanno, il lungo viaggio nel mondo del *Signore degli anelli* di John Ronald Reuel Tolkien. Da allora, ho incontrato tanti altri viaggiatori rapiti nell'identico fascino di questa avventura che riprende ogni volta in cui il figlio di Tolkien, Christopher, dà alle stampe racconti inediti o recuperati. Durante tutti questi anni, le mie letture tolkieniane si sono dilatate, comprendendo quasi tutto ciò che è uscito in lingua italiana dalla fiaba *Lo Hobbit*, racconto iniziale e propedeutico alla grande saga, fino ai saggi e racconti di *Albero e foglia*; dal *Silmarillion*, letto in branda durante il servizio militare, fino al mastodontico *Racconti incompiuti – Di Númenor e della Terra di Mezzo*.

Perché questa costanza verso l'opera di un autore quando, per altri miti letterari dei miei vent'anni, nutro ora freddezza e, a volte, un fastidioso distacco? Forse perché nessuno come Tolkien è riuscito, in modo così completo e appassionante, a costruire un mondo parallelo, un "mondo secondario dentro il quale il sole verde risulti credibile". Tolkien non ha solamente edificato, pagina su pagina, un superbo romanzo fantastico, lavorandovi praticamente tutta la vita, ma è riuscito a dotare quello stesso nuovo universo fantastico di una propria storia, di una sua evoluzione, di una sua lingua, dei suoi territori e delle sue città, di credenze, leggende, miti, ere. Ha disegnato delle mappe e delle carte geografiche. Oltre al presente dell'azione, la Terza Era, si è immaginato altre epoche, per cui non è raro, nelle sue pagine, imbattersi in rovine di regni perduti che poi, in altre parti della sua opera, vengono minuziosamente raccontati attraverso le genealogie e le stirpi. Ha popolato il suo mondo di creature ora buffe e simpatiche come gli hobbit, "dolci come il miele e resistenti come i Cavalieri Neri"; oppure disgustose come gli orchetti, che tutto lordano e insozzano; o celestiali come gli elfi, creature leggendarie e luminose. E fra le varie specie, ha inserito anche gli uomini mortali, quelli in cui il ciclo della vita e della morte si accanisce con più ferocia.

Partendo dalla fiaba, Tolkien è riuscito a creare un'altissima opera letteraria che da anni avvince e attanaglia lettori di mezzo mondo. È quasi impossibile fornire un resoconto della sua sterminata opera. Stabiliamo subito la centralità del *Signore degli anelli*, attorno al quale ruota tutta la sua produzione. Si tratta in realtà di tre romanzi: *La compagnia dell'anello*, *Le due torri* e *Il ritorno del re*. Prendete in mano la grande mappa della Terra di Mezzo dove si svolge il racconto. Vedrete immediatamente villaggi, boschi, baie, montagne, torri. Leggerete nomi che vi diverranno familiari come Colle Vento, Antico Guado, Granburrone, Isengard, Fangorn, Minas Tirith, Minas Morgul, Tol Falas e la terribile Terra di Mordor, regno di Sauron, il servitore del Male Assoluto, dell'Ombra, di Morgoth. Bene, in questo scenario potrete seguire il cammino avventuroso di un piccolo eroe, Frodo Baggins, uno hobbit che, assistito da Gandalf, una sorta di Mago Merlino, sfida il regno dell'Ombra che sta per inabissare il mondo nelle sue tenebre. Con sé, il piccolo hobbit ha solamente un anello dai poteri magici: l'Anello del Potere, forgiato nel fuoco degli abissi, e che nelle fiamme deve tornare per scomparire. Se l'anello cadrà nelle mani di Sauron, allora non ci sarà più scampo per nessuno, nei secoli a venire. D'altra parte, Frodo non può usare la potenza dell'anello poiché esso dà al suo possessore una continua sete di potere. In questo paradosso sta tutta la difficile avventura di Frodo, assistito lungo il suo viaggio dai simpaticissimi Merry e Pipino, da Sam, dal malinconico Boromir, della stirpe di Beör il Vecchio, capostipite degli uomini. La Compagnia dell'Anello parte quindi dalla contea mentre il mondo circostante è sempre più preda degli artigli dell'Ombra. C'è pochissimo tempo, dice Gandalf. E già, non appena usciti da Hobbitopoli, ecco i malvagi inseguitori...

Come in ogni buon libro che si rispetti, anche nel *Signore degli anelli* le possibilità di lettura sono molteplici. Potete leggerlo come un romanzo di fantasy, così come si vanno a vedere *Legend* o *Labyrinth* o *La storia infinita*, pur sapendo che cento di questi film non valgono una pagina del libro. Potete leggerlo come poema cavalleresco o come una saga nordica, legittimati dal fatto che Tolkien sia stato uno fra i più grandi studiosi della letteratura medievale anglosassone. Potete lasciarvi andare alle allegorie, e quindi l'Ombra starà per il Male, Gandalf per il Bene, l'anello per la cupidigia e la brama di potere, Frodo per la semplicità e il coraggio degli umili. Potete lasciarvi andare ai contenuti poetici delle descrizioni e delle ballate. Fermatevi a riposare presso la quieta Lothlòrien.

Per quanto mi riguarda, l'invito è a intraprendere questo viaggio liberi da quelle ridicole e stolte strumentalizzazioni che, negli anni settanta, volevano Tolkien autore disimpegnato e reazionario, oppure ultimo baluardo della tradizione contro il pericolo rosso. Tolkien è un grandissimo narratore che può liberare la vostra fantasia verso il viaggio immaginario. È per questo, credo, che quando esce anche una sola pagina inedita del suo lavoro, corriamo in libreria. Per poi riprendere in mano quei libri. Per toccarli e sfogliarli. Per rileggere le vecchie annotazioni, per confrontarci con chi eravamo anni fa. Perché, in fondo, vorremmo saper rileggere quel libro come se fosse la prima volta. Continuare il viaggio, finalmente soli con la nostra fantasia.

[1986]

CARLO COCCIOLI

Pochi giorni fa mi è arrivata, per via indiretta, una cartolina da San Antonio, Texas. Raffigura le gambe accavallate di un cow-boy appoggiate alla staccionata di un ranch. Dell'uomo si possono scorgere solo gli stivali di pelle di serpente e una mano che sta scacciando uno scorpione posato proprio sulla caviglia. Le dita di questa mano stringono un sigaro acceso; all'anulare c'è un grosso anello dorato con la scritta LET'S RODEO.

La cartolina riporta un messaggio scritto con una calligrafia precisa, quasi un corsivo d'altri tempi. È firmata, con mia sorpresa, da uno scrittore italiano da decenni residente in Messico: Carlo Coccioli. Nella parte centrale dice: "Non so se queste parole le giungeranno; inviarle è quasi una sfida. Fiorino è morto e, più" – romanticamente – "solo che mai, giro in una jeep dai deserti all'oceano. Confronto le mie inquietudini vane con l'imperturbabilità del mondo."

Non conosco personalmente Carlo Coccioli. Per questo, l'arrivo del suo messaggio mi ha sorpreso. Non si tratta che di qualche, preziosa riga in risposta a una recensione di *Piccolo karma*, il diario texano che, dopo l'edizione spagnola e francese, è stato finalmente pubblicato in italiano nel 1987. Ho infilato la cartolina in un libro di Coccioli, che avevo già messo nello zaino delle vacanze, e sono partito.

Nato a Livorno nel 1920, trasferitosi a Parigi nel 1949, "perché non potevo sopportare il predominio di Moravia sulle lettere italiane, e non ero disposto a rendere omaggio né a lui, né a Piovene", dal 1953 residente a Città del Messico, Carlo Coccioli è autore di una quarantina di volumi, alcuni dei quali scritti direttamente in francese e in spagnolo e mai tradotti in Italia, dove è uno scrittore di non vastissimo pubblico come meriterebbe. Le cause di questo reciproco disamore saranno probabilmente complesse e molteplici. La tematica esistenziale e religiosa di Coccioli certo non poteva essere accettata dall'establishment culturale di sinistra degli anni cinquanta. I suoi personaggi, sempre così combattuti fra le ragioni del Bene e del Male, fra i tormenti metafisici e quelli erotici, fra il peccato e l'idea di purezza, (soprattutto gli sconfitti eroi omosessuali come Fabrizio Lupo, protagonista dell'omonimo romanzo (1952), o come il giovane suicida del *Cielo e la terra* (1950), forse erano paradossalmente fuori gioco in un periodo storico dominato prima dall'estetica neorealista, poi dallo sperimentalismo linguistico e formale. Resta il fatto che, in nessun autore italiano contemporaneo, è presente una così grande tensione interiore, un'irrequietezza spirituale che poi si traduce in un nomadismo culturale e metafisico assolutamente originale, per non dire eccentrico.

Nel 1978, la rivelazione di *Fabrizio Lupo*, pubblicato in italiano a quasi vent'anni dalla prima edizione francese, provocò un corto circuito assorto e meditabondo fra sensualità, eros, religione, fede, suicidio, autodistruzione alcolica, elegie contadine, miti metropolitani. Ancora una volta il dualismo assoluto e non comunicante, se non attraverso il gesto tragico, fra spiritualità e carnalità, fra le ragioni della fede e quelle dei sensi, fra misticismo e mondanità. E si era troppo giovani, e inesperti, nonostante tutto quel cristianesimo impegnato e sociale, nonostante Jean Danielou e Karl Barth, Dietrich Bonhoeffer e addirittura Teilhard de Chardin, nonostante il catechismo olandese e la teologia della liberazione di monsignor Helder Cámara e di padre Camillo Torres, nonostante i discorsi del cardinale Michele Pellegrino, di don Primo Mazzolari e del pedagogo don Milani; si era davvero troppo ingenui per non chiedersi come mai si facessero battaglie per liberare tutto e tutti, gli analfabeti e i disperati delle *favelas*, il popolo cileno e quello delle borgate romane, e non ci fosse una parola, nemmeno una giaculatoria, per liberare da quell'insopportabile e devastante peso un ragazzino di sedici anni travolto interiormente dalla propria diversità: potevano liberarsi i popoli e gli stati, si poteva proclamare la rivoluzione permanente, ma sempre purché fosse al di là dell'oceano. Quanto a noi, nessuna liberazione interiore, nessuna rivoluzione in nome della felicità. E il Medioevo trionfava, sotto la cintura.

Così si cominciò ad avere la sgradevole sensazione, come il don Ardito del *Cielo e la terra*, "che nella Chiesa per uno come me non ci sia posto". Tutti parlavano di amore, ma non era permesso innamorarsi. Eravamo tutti fratelli, però giù le mani, ognuno a casa propria. Parole come queste, di Coccioli, avrebbero infiammato gli animi e provocato l'estasi mistica di quelle donnacce, tradite, che ci affliggevano fra la canonica e la sagrestia: "Amare Dio, negli uomini: in ogni uomo. Dio non è solo nell'alto del cielo, sparso fra le stelle; è qui in terra, fra gli uomini. È gli uomini. Amare la terra, gli uomini; anche se sono peccatori, e amare il loro peccato. Ho scoperto, Dio, che la tua soglia non si varca se tu non discendi qui da noi. E abbiamo una maniera per costringerti a discendere: l'amore." Ma, in quanto alle nostre strategie, non sarebbero servite a nulla.

Eppure, a riguardarli anche oggi, con tutt'altra consapevolezza e compassione, come furono importanti e formativi quegli anni giovanili, dove le energie e l'attivismo, e anche la fantasia e l'intelligenza, erano inserite in un progetto collettivo, all'interno del quale si lavorava, si sbagliava, si riprendeva, si cercava in ogni modo di costruire, giorno dopo giorno, quella situazione di salvezza conosciuta come "regno di Dio". Avevamo una speranza e tutto aveva un senso, anche il dolore, anche la sofferenza e la prova. Ma qualcuno avrebbe dovuto, semplicemente, ricordarci Meister Eckhart: "Un'anima non può salvarsi se non nel corpo che le è stato assegnato."

L'abbandono fu inevitabile. Certo, avremmo potuto far finta di niente, e il sabato pomeriggio correre a confessarci. Ma era questo compromesso ignobile la conseguenza dello "splendente gioiello" della fede? Anni dopo, parlando di tutto ciò con un amico rimasto nel giro, mi sentii rispondere seccamente, con un'alzata di spalle: "Ah, ma tu prendevi tutto troppo alla lettera!" È vero, come i personaggi di Carlo Coccioli, come don Ardito, come Fabrizio, anch'io prendevo tutto troppo alla lettera. Ma sulla parola di Dio, pensavo, si può forse contrattare come sulla scala mobile, o fare rivendicazioni sindacali? Evidentemente il mio destino non era quello di rimanere nelle sagrestie a lucidare mobili, menare turiboli e portare la Madonna in processione, sotto gli sguardi malevoli dei compaesani, la sera del Venerdì Santo.

Ritrovare nell'opera di un autore italiano quei tormenti e quegli entusiasmi per una religiosità pura e incorrotta, per una fede da vivere nella pienezza del proprio corpo e nell'univocità della propria storia, ("La purezza è una condotta: una condotta di rigore. È non accettare di essere lo schiavo dei sensi. Ma ho spesso avuto l'impressione che si diventa schiavi dei sensi quando non si dà ai sensi la possibilità di concederci la pienezza che si ottiene dal servirsi dei sensi per la quiete dell'anima", *Piccolo karma*), fu un'illuminazione e, indubbiamente, contribuì a riformulare giudizi, a guardare a quelle inquietudini con una lucidità nuova; soprattutto aiutò a capire che smettere con qualcosa non significa liberarsene, né risolvere. E che il mio *karma* mi avrebbe spinto a continuare a cercare.

Quello che si ama nell'opera di Carlo Coccioli non è solo, a ben guardare, l'incessante tormento teologico che lo ha spinto ora verso il cristianesimo ultraortodosso, poi verso l'ebraismo, quindi, fra gli Stati Uniti e il Messico, verso gli Hare Krishna della *Casa di Tacubaya* (1982), i riti indigeni, lo spiritismo, la psichedelia e gli Alcolisti Anonimi di *Uomini in fuga* (1973) e, finalmente, verso le filosofie e le religioni orientali, l'induismo e il buddhismo Zen: "Quanto ho dovuto camminare per ritrovarmi dove un indù analfabeta si trova quando viene al mondo! Che noi dell'Occidente si debba spendere la vita per capire finalmente che dare da mangiare a un animale affamato è praticare Dio?" (*Piccolo karma*).

Non solo il "tormento esistenziale di natura teologica" dunque, ma anche lo stile di vita appartato, l'amore per gli umili e i reietti, l'assoluta fedeltà alle ragioni della propria ispirazione e della propria scrittura che altro non sono, poi, che la ricerca ossessiva di una risposta, mai definitiva, alle ragioni del Bene e, più ancora, del Male. E poi, finalmente, la sensualità di molte sue pagine, l'erotismo, la predilezione omosessuale: "Avevo diciassette anni. [...] Alzai gli occhi dai miei appunti, chiusi il libro. [...] Notai che un grosso volume di una delle più importanti enciclopedie europee era stato abbandonato sulla tavola. Automaticamente lo trassi a me e, sempre in piedi, lo aprii a caso e mi chinai per leggere. I miei occhi caddero su quella parola. E in quell'istante la vita cambiò. [...] Nudi ed ebbri, i ragazzi dell'isola s'impolverano il viso di farina per vincere le cinquanta lire messe in palio. I ragazzi di Singapore e di Vera Cruz si gettano nell'acqua oleosa del porto, dall'alto delle navi, per raccattare sul fondo di rena la moneta lanciata, per distrarsi, dai turisti. I ragazzi di Jean Cocteau hanno, corrucciati, fronte e labbra prominenti: fanno il bagno insieme nella vasca rococò. I ragazzi di Coblenza portano un berrettino con la visiera. I ragazzi di Aldo Palazzeschi si consacrano agli esercizi ginnici sorvegliati da una squallida imitazione di Charlie Chaplin. I ragazzi di Livorno hanno gli occhi verdi e (1949) ripuliscono i cadaveri degli americani morti; con gli americani vivi sono gentili. I ragazzi di Cassino, più riccioluti dei ragazzi di Luca della Robbia, suonano la cornamusa nelle macabre città del Nord. I ragazzi di Firenze si appoggiano ai parapetti dell'Arno in attesa che un turista svizzero li inviti a passeggiare sui colli. I ragazzi di Losanna escono a frotte dalle scuole. I ragazzi di Parigi hanno un libro sotto il braccio nei dorati vialetti del Lussemburgo. I ragazzi di Siviglia figli degli anarchici fucilati dai franchisti giuocano al calcio nei villaggi della Sologna. I ragazzi di Boston, lentigginosi e pensosi, corrono il rischio di farsi chiamare con un nome di ragazza quando non amano gli sport violenti. I ragazzi romani si lasciano avvicinare: siccome non credono a nulla sono intangibili. I ragazzi toscani si lasciano vivere, l'estate, sulla riva di un fiume avaro; si toccano il sesso pigramente; sorridono, vociano; sono perfidi, sono innocenti. I ragazzi di..." (*Fabrizio Lupo*).

La scrittura di Coccioli ha bisogno di lettori forti, disposti a sorvolare le idiosincrasie dell'autore, l'enfasi stilistica che, nel caso di *Davide* (1976), riscrittura di alcune parti della Bibbia, approda a una prosa poematica davvero ardua, oppure le ripetizioni e le puntualizzazioni, quel fissarsi su un particolare, su un dettaglio che ci appare trascurabile e battere pagine e pagine quando sarebbe più semplice lasciar perdere. Ma Coccioli, nonostante il suo puntiglio, nonostante la sua ossessività, piace ugualmente. E conforta. E la sua predilezione per le forme diaristiche ed epistolari, per una scrittura continua che diventa, ora dopo ora, il tentativo di svolgere l'arte in preghiera, in riflessione compassionevole sul sé e sul mondo, tutto ciò continua a incantare. E non è un caso allora se si considera *Pic-*

colo karma uno dei vertici di tutta la sua produzione. Abbandonato il verseggiare e la speculazione filosofica, qui Coccioli approda alla leggerezza del frammento e all'ambigua pienezza dell'appunto interiore. Il "diario in Texas" evidenzia così, pagina dopo pagina, la grazia smaltata e incantata di un *livre d'heures* medievale, il fascino di un breviario intimo in cui si rivelano, quasi con la scansione delle *horae canonicae*, l'Uno e il Tutto. Ma, da vecchi lettori, non si dimentica quella dichiarazione di poetica, e di sensualità, di amore per la letteratura e dannazione, contenuta in *Fabrizio Lupo*, una pagina che, in quegli anni, fu facile accostare al pathos linguistico della trilogia teatrale di Giovanni Testori: *Ambleto, Macbetto, Edipus*: "Agosto. Ti sdrai dopo desinare sul letto di una casa di campagna. Più che il vino, t'inebria l'afa. Hai un libro accanto, ma le variopinte travicelle del soffitto ti attraggono. Una mano sul ventre, le osservi, le conti. Nella vallata era la piccola signora Carmela che dipingeva i tetti della sua immensa casa. Divideva le travicelle in sezione, dava a ognuna un colore diverso. Nudo sul letto duro, una mano sul ventre, beatamente turgido, e correndo il sublime rischio di aprirmi in un fiore, giuoco. Conto e riconto, per non fiorire, le travicelle del soffitto, e sbaglio il conto, e mi accende il sapore del mio imminente fiorire. Un'ombra rovesciata passa sull'alto della finestra. Anche la Toscana fiorisce: in siccità e in odori. Spogliarsi nudo per meglio espandere il felice torpore. Ronza un moscone collerico. Sul marmo del comodino, oltre a una chiave, i *Sonetti* di Shakespeare e *Luce d'agosto* di Faulkner. Ma per la mia mano sul mio ventre, a questo rischio fragile, delizioso, sono incatenato, a questo mio rischio di fiorire. La folla di Faulkner mi circonda (invano). Amo il sangue di Faulkner (non ti muovere, non ti muovere, non ti muovere se non vuoi fiorire). L'opera d'arte che non odori di sangue (di sperma) non è degna dell'uomo. Ronza il moscone collerico. Collerica l'estate giace sulla Toscana, *domina aestas*, in un ronzare nella stanza in penombra. Oh, il prudente fremere, un fremere appena, della mia mano sul mio ventre. Se si raccoglie una manciata di terra, in estate, si sente odore di sangue. O di sperma: non è lo stesso? La mia mano sul mio ventre odora di sangue. Ma la folla è linfatica. Scalpita un cavallo: dove?, ed è possibile? È possibile tutto. E la signora Carmela... Fiorisco, sto fiorendo, sono fiorito."

Il libro di Coccioli che ho portato con me in viaggio, e che ho letto, la sera, di fronte a certi tramonti dolcemente rosa della costa dalmata, si intitola *Uno e altri amori* (1984) ed è una raccolta di racconti scritti in un ampio arco di anni. È senza dubbio uno dei libri più indicati per accostarsi al suo lavoro: una trentina di racconti, alcuni anche brevi, che permettono una ricognizione sufficientemente approfondita delle tematiche dell'autore. Le sue ossessioni, i suoi tormenti, ci sono tutti: dalle sette messicane alla magia, ai riti animistici; dall'America del Sud alla Parigi degli anni cinquanta, alla Firenze dei ritorni a casa; dalle storie di animali e di insetti a una più generale atmosfera paranormale, fra apocalisse e occultismo, che rende alcune storie piccoli capolavori di feroce inquietudine. Ma anche il lirismo di certe situazioni, l'amore per ogni creatura, la compassione, la difficoltà delle relazioni sentimentali. In sostanza, il mondo di un autore che non conosco personalmente, che non ho mai visto, ma che dall'altra parte dell'oceano mi manda, attraverso i suoi libri, messaggi che spesso ho interpretato come "segni". Se la sua cartolina è infine arrivata qui, a Milano, è probabile che anche queste righe arrivino a qualcuno di voi. Molto spesso si scrive anche per questo: "Inviare parole è quasi una sfida."

[1987]

Incontro finalmente, a Milano, lo scrittore Carlo Coccioli. È in Italia per l'uscita del suo nuovo libro, *Buddha e il suo glorioso mondo*, una sorta di approdo al nulla teologico, dopo una vita spesa a interrogarsi su Dio, sul senso delle religioni e dell'uomo. Chi ama i romanzi di Coccioli – scrittore esule, giramondo, poliglotta e anticonformista come pochi – capirà perché questo incontro è stato per me stimolo di un ingorgo di riflessioni che mi hanno mandato KO solo a notte fonda, quando la mia mano, che trascriveva gli appunti sul computer ormai vergava scritte inintelligibili.

Era con me Fulvio Panzeri che mi aveva, il giorno prima, avvisato con una telefonata. E che si è divertito, credo, alle nostre piccole dispute, soprattutto riguardo al cristianesimo, che io continuo a considerare una religione "praticabile" e che Coccioli ha invece abbandonato da anni, prima per l'ebraismo, poi per l'induismo e ora per il buddhismo. E sulla quale non vuol sentire obiezioni.

"Sarei nuovamente cristiano," dice, "solo se la Chiesa cambiasse radicalmente il suo atteggiamento verso la sessualità e verso gli animali. Come si fa a chiedere a un ragazzo di vent'anni di rinunciare al sesso? È la mortificazione assoluta dell'umano. Come si fa a dire che Cristo è vero uomo, se poi si tace sulla sua sessualità? Solo i grandi artisti, i grandi pittori hanno rappresentato le sue erezioni. Pensi alla *Madonna col Bambino e San Giovannino* di Jacques de Gheyn, dove il drappeggio nasconde un membro eretto non proprio infantilmente. Oppure alla *Pietà* di Willem Key. O il *Cristo dolente* di Ludwig Krug, dove il membro è addirittura mostruoso. Tutti artisti del XVI secolo. Avevano capito quanto sia assurdo il concetto di incarnazione sottratto al sesso... E come si fa ad ammazzare gli animali? Tutto è Dio."

"Recentemente il Pontefice ha parlato esattamente di questo. Mi sembra che abbia detto che nell'uomo freme un alito di Dio e che questo vibra anche negli animali."

"Ha detto questo?... Non è possibile."

"Sì, ha destato un certo scalpore... Anche ieri i giornali italiani ne parlavano."

Coccioli si alza di scatto. Esce dalla stanza e corre all'ufficio stampa. Chiama il responsabile e chiede se è vero quello che ho detto. Nessuno ne sa niente. Cerchiamo di riportarlo accanto al registratore per continuare l'intervista, ma non c'è niente da fare. È sovreccitato. Piccolo, magro, scattante, vitalissimo, Coccioli bussa a tutti gli uffici della sua casa editrice per chiedere conferma. In effetti, deve essere una rivelazione per lui che agli animali, a un cane, in particolare, ha dedicato un libro e pagine di infinita pietà. Lui che nella sua casa messicana lascia un po' di formaggio in un angolo per gli scarafaggi, nutre i ragni e gli insetti.

Ritorna nella stanza, siede al tavolo e commenta: "Forse quel Wojtyla l'avrà anche detto, ma resta il fatto che il cristianesimo uccide gli animali e permette che si torturino e che si mangino. Gli indù sono molto più civili."

"In *Piccolo karma* c'è un passo che credo annunci la sua adesione attuale al buddhismo. È annotato alle undici e dodici di sera. Dice: 'È probabile che il culto della compassione sia l'ultima risorsa dell'uomo che ha percorso un complesso itinerario religioso e ha fallito in ognuna delle tappe. Il caso di Buddha è esemplare.' "

"È vero. Ora finalmente sono arrivato alla fine. Dopo questo libro non c'è più nulla. Il buddhismo è il nulla, è l'assoluta negazione, il rifiuto, delle domande metafisiche. Tutto è illusione. Quando però tutte le tappe religiose falliscono c'è una specie di dovere che non è morale, ma ben più profondo e che ha a che fare con gli archetipi della compassione fra esseri viventi... Ecco la grandezza di Buddha: la forza della compassione. Tutti, ogni essere, ogni creatura, sono avvolti nel dolore, tutti allo stesso modo. Da questo nasce la solidarietà. Dio è un bicchiere d'acqua versato nel vaso di una pianta... Forse sono arrivato non tanto al buddhismo, ma ancora più indietro, al paleolitico e al neolitico più remoti: all'animismo. Io sento, avverto la presenza di tutte queste anime che mi circondano, dei miracoli quotidiani che mi accadono e mi immergono nello stupore... Non mi fanno sentire solo."

"Se niente è Dio, tutto è Dio... Ma il suo atteggiamento mi sembra più magico che religioso. Ci sono cose che accadono, altrimenti inspiegabili, alle quali l'essere umano attribuisce un senso, una iperdenotazione."

"Queste presenze intervengono non a livello, per così dire, volgare, ma a livello di santità. Io mi sento circondato da queste presenze, alle quali mi rivolgo e che metto alla prova per vedere se mi rispondono. E mi rispondono in una tale maniera che dovrei essere cieco e stupido per non rendermene conto."

"Le chiedo cortesemente di farmi qualche esempio."

"Ma sono tantissimi... Anni fa, in Messico, decisero di rinumerare le targhe delle vecchie automobili. Io desiderai ardentemente che le tre lettere della mia nuova targa corrispondessero al *mantra* generatore del mondo, le sacre sillabe dell'Om. Ora, mi capisca, nessuno può decidere quale sarà la propria targa. Nemmeno il presidente della repubblica messicana, mio amico personale, può farlo. Perché ai computer si aggiunge l'inefficienza di un certo barocchismo sudamericano che rende tutto più complicato, inaffidabile... Per farla breve, arrivò la nuova targa. E sa qual erano le tre lettere? AUM! Il cui suono è per l'appunto il sacro Om, capisce? E vuole che io non creda?"

"Non potrebbe trattarsi di una semplice coincidenza?"

"È questo il punto! Bisogna saper leggere quello che ci accade... Le faccio un altro esempio legato a santa Teresina del Bambin Gesù. Lei sa qual è la credenza legata alle sue manifestazioni?"

"Non lo so."

"Rose. Mazzi di rose. Profumo di rose. Badi che io non sapevo niente di tutto questo. Però, un giorno, lessi un libro sulla vita di questa santa, un racconto che mi affascinò profondamente. Suonano alla porta e mi trovo davanti a un mazzo di rose rosse. Era l'omaggio di un caro amico, che frequento anche per via di questo fastidioso problema che ho... Insomma, del mio dentista, che si era ricordato del mio compleanno. Io non avevo mai ricevuto rose in tutta la mia vita, e quel giorno, pensando a santa Teresina, le rose sono arrivate... E continuano ad arrivarmi, magari raffigurate su una cartolina."

"Questo suo animismo attuale non può avere a che fare con l'atteggiamento religioso del popolo messicano?"

"È difficile spiegare quello che mi attrae del Messico. Forse è stata una chiamata... Un giorno, a Parigi, incontrai un ragazzo e sentii qualcosa. Rimasi fulminato dal suo sguardo, poi seppi che era messicano. E questo più di trent'anni fa. Poi c'è una sorta di analogia di ordine spirituale e psichico fra l'indio messicano e l'indù. L'indiano, nel profondo, è sempre altrove... Come dice Rimbaud: "*Je suis ailleurs.*" Che strana frase pronunciata da un ragazzo di diciotto anni... L'uomo religioso è un uomo in fuga, poiché gli è chiaro che la dimensione dello spazio e del tempo in cui vive è solamente una parodia, un vago riflesso del paradiso terrestre, per cui, nel fondo, l'uomo religioso è colui che cerca di sfuggire alle costrizioni del presente, che vuole tornare a una dimensione sacrale di cui avverte la nostalgia. Quando Rimbaud dice quella frase, riassume profondamente il sentimento religioso. Il messicano, con tutti i difetti che può avere, è però un popolo che è altrove. Il messicano è un uomo in fuga e, nonostante la sua miseria, la difficoltà della vita, la precarietà della condizione politica e sociale. Ancora oggi, io mi sento attratto da questa gente. Non trovo da nessun'altra parte questa dimensione: la gente che è altrove è nostalgica per eccellenza..."

"In Italia è stata riportata, non so quanto fedelmente, la notizia che lei avrebbe pubblicato, a Città del Messico, un libretto in difesa dell'ayatollah Khomeini e della sua condanna a morte pronunciata contro l'autore dei *Versetti satanici*, Salman Rushdie. Credo che lei sia stato, in questo, l'unico occidentale..."

"Le cose non sono andate esattamente così, ma la sostanza può essere quella. Io ho semplicemente affermato che tutto questo scandalizzarsi non ha ragione d'essere. Non si può chiedere a una religione di essere la Rivoluzione francese. L'Islam è quello. Ma anche il cristianesimo è quello. Basti pensare all'Inquisizione, alla scomunica, ai roghi, alle condanne a morte, alla tortura. Così sono le religioni. Non sono la carta dei diritti civili. Non ho voluto difendere i fondamentalisti islamici. Ma cercare semplicemente di capirli... D'altra parte, se io fossi cattolico, sarei indubbiamente un seguace di monsignor Lefèbvre..."

Quest'ultima è una delle non poche battute scherzose, provocatorie, che Coccioli lancia durante la nostra conversazione. E sulle quali rifletterò per gran parte della notte, solo, al computer, con un po' di musica in sottofondo.

La prima considerazione di ordine generale è che Coccioli è un uomo profondamente religioso. Non si tratta di una considerazione banale. A un certo punto della conversazione, ha affermato: "La vera distinzione, la discriminante, è quella che separa gli uomini religiosi da quelli che non lo sono. Fra noi, possiamo pure scomunicarci, sbranarci, dichiarare guerre sante, ma siamo sempre all'interno della religiosità e ci possiamo capire. Per questo, ho detto quelle cose sull'Islam."

Il corollario della prima considerazione è che nella religiosità di questo autore, credo abbiano molto a che fare certe sensazioni e esperienze "ultramondane", legate all'uso, più o meno rituale, delle droghe. In fondo, anche tutti i racconti di Coccioli sugli Alcolisti Anonimi partecipano di quel tanto di sacro e di paranoico che è insito negli abusi alcolici o lisergici.

La seconda considerazione è che l'abbandono del cattolicesimo da parte di Coccioli, e di tantissimi altri, sia dovuto proprio all'inconciliabilità dell'esperienza sessuale nel cammino di fede: una frattura irreparabile, proprio perché sofferta fin dagli anni dell'adolescenza. E non solo per la privazione dell'atto sessuale in sé, quanto piuttosto per la condanna della propria natura e della propria sensibilità. "Forse lei ha conosciuto un'altra Chiesa," ha detto, "ma le posso garantire che quando ero giovane io, le cose andavano molto diversamente." Questo aspetto, questa incomprensione, è ancora più grave, poiché porta Coccioli ad affermare: "Cosa vuole che importi a Dio di un uomo chiamato Coccioli?"

Chi parla qui? Il ragazzo Coccioli? Lo studioso di lingue e letterature camito-semitiche? Il famoso scrittore di lingua francese e spagnola? Il settantenne vitale e indomito che mi siede davanti? Tutte queste persone, certo. Ma soprattutto, parafrasando Roland Barthes, chi parla qui è l'abbandonato. L'innamorato tradito e lasciato solo. Poiché è vero: che cosa può importare a Dio di questo uomo, di questa donna, di questo animale e di questa pianta? Che cosa del loro dolore e delle loro sofferenze, delle umiliazioni e della vergogna di essere da una qualche parte dell'universo, in un certo momento che, in prospettiva, sappiamo non esistere? Probabilmente nulla. Ma accettare questa nullità, sfidare quell'unica realtà che siamo, pulviscolo del creato, questa è l'avventura della fede. Non siamo assolutamente nulla, ma, come scrisse lo stesso Coccioli in un articolo che imparai a memoria, "noi siamo come la pelle di Dio". E l'orgoglio, anche l'acredine, di quella sua affermazione è simile a quella di un bambino che ha fatto tanto, ma non ha ottenuto risposta. Ma quale risposta potremmo mai ottenere? Forse la consolazione del celebre distico dell'Angelus Silesius: "So che senza di me, Dio non può un istante vivere: se io divento nulla, deve di necessità morire"? Potrà bastare? Non credo.

Non ho altre risposte per questa notte. Prima di andarmene a dormire, riavvolgo il rullino della macchina fotografica. Ho scattato trentasei pose di Coccioli. Mentre firma gli autografi, mentre parla, mentre disegna su un pezzo di carta una sua particolare cosmogonia. Saranno bellissime. La pellicola gira a vuoto. Com'è possibile? Apro la macchina. Non c'è niente. Non c'è rullino. Vuota! Eppure sono certo di averla caricata, com'è possibile? Dovrò subito raccontarlo a Coccioli. È questo il niente, il *vacuum* di cui abbiamo parlato per tutta la giornata? Il lavoro di una giornata che la sera si rivela soltanto, come direbbe Qoheleth, "un immenso vuoto"?

Quanta pena, e che fatica, nel non arrendersi a Dio, nel combattere, ora dopo ora, e non lasciarsi penetrare e fluire da lui. "Non so pregare e non so meditare," mi ha detto Coccioli, solo poche ore fa.

"So pensare, muovendomi generalmente in una stanza. Dico delle giaculatorie. Il suono ripetuto crea un diverso livello di coscienza, più aperto all'interno e all'esterno." Anch'io forse non so pregare, se non nell'osservare, con pietà, il mondo e gli uomini. Ma per questa notte, addormentandomi, posso ricordare: *Nunc dimittis servum tuum, Domine, secundum verbum tuum, in pace...*

[1990]

CABINE! CABINE!

Scrittori a Riccione? Descrizione della vita balneare riccionese nei romanzi italiani? Scene di spiaggia, ozi, libertinaggi: frenesie della riviera adriatica raccontate da autori del Novecento? Sembrava una sfida persa in partenza. A parte alcune bellissime pagine di Giorgio Bassani negli *Occhiali d'oro*, così, di primo impatto non ricordavo altro. E quando mi trovavo a chiedere suggerimenti, ricordi, impressioni, o una semplice valutazione sulle città della riviera adriatica, ricevevo, seppur mitigate dal tono amichevole e dal rispetto per la mia ricerca, risposte che non lasciavano speranza. Non credo di far torto a Luigi Malerba, emiliano di nascita, se ricordo il suo stupore quasi apocalittico alla mia domanda: "Conosci Riccione?" Così come non credo di essere scorretto se riferisco di quando Alberto Moravia, vedendo che non c'èra altro modo di interrompermi, sbottò in questo modo: "Non ho mai messo piede su quella costa. Ho vissuto quindici anni a Capri. E prima andavo al Forte. E poi la smetta! Lo vuol capire? A Riccione, in quegli anni, andavano i fascisti!"

Altri scrittori mi hanno risposto più o meno in questo modo, mostrando una certa incredulità a quella che indubbiamente immaginavano come una stramberia. Eppure la ricerca è cresciuta giorno dopo giorno e, nonostante una sua riformulazione nei termini generali, di cui parlerò fra breve, ha rivelato direzioni di studio praticabili, percorsi interessanti e opportunità di riletture critiche. Poiché, se dovessi fin d'ora trarre una prima conclusione a questo lavoro, è indubbio che esso si pone come momento iniziale e non consultivo di un'idea che mi auguro altri critici letterari, o scrittori, proseguano: quella di tracciare un panorama letterario di questa regione che, in quanto a ricchezza di testimonianze e presenze artistiche, nulla ha da invidiare alla Versilia, la cui importanza, nel Novecento, italiano ed europeo, nessuno vuole mettere in discussione.

D'altra parte, affinché tutto non appaia volontaristico, e per certi versi anche casuale, occorre sottolineare che l'idea originaria di Franco Quadri – idea dalla quale tutto il lavoro si è sviluppato – non era così temeraria come poteva apparire a prima vista, e come forse tuttora appare ai nostri amici letterati. Si trattava, cioè, di una ipotesi che partiva da un dato storico: l'edizione del premio Riccione per il romanzo del 1947, quando la commissione giudicatrice, composta da Sibilla Aleramo, Romano Bilenchi, Mario Luzi, Guido Piovene e Cesare Zavattini, assegnò il premio ex æquo al giovane Italo Calvino e a Fabrizio Onofri. Seppur limitati a quell'occasione, un po' di scrittori, a Riccione certo non mancavano.

SIBILLA ALERAMO E GIORGIO BASSANI. Ho potuto visionare, integralmente, presso la casa editrice Feltrinelli, il diario autografo di Sibilla Aleramo, allora presidente della giuria e che compì proprio a Riccione, in quel 14 agosto, il suo settantunesimo anno di età. Prima di leggere quelle pagine molto importanti ai fini della nostra ricerca e il suo sommario giudizio sul lavoro di esordio di Italo Calvino, "un giornalista comunista che non conosco", dobbiamo tener presente che lo scopo del premio, riguardante un'opera letteraria narrativa privilegia il "contenuto sociale" del testo, così come il lavoro drammatico dovrà "rispecchiare situazioni o travagli dei tempi moderni" (articolo 1).

Dai diari della Aleramo veniamo a sapere dei contrasti all'interno della giuria e anche di una certa autocritica: forse quell'indicazione di "contenuto sociale", se non inopportuna, è stata interpretata troppo rigidamente. Leggiamo, a questo proposito, la relazione finale della commissione giudicatrice: "La giuria del premio Riccione per un romanzo [...] esaminati i ventotto manoscritti concorrenti non ha potuto riscontrare in nessuno di essi qualità artistiche tali da suscitare il suo deciso consenso. Nello stesso tempo, rileva l'interpretazione limitata data al 'contenuto sociale' imposto dal bando, e si permette di consigliare al comitato promotore di togliere per gli anni venturi una clausola che può, generando un'equivoco sulla finalità del concorso, aver tenuti lontani molti concorrenti.

"Fatte queste riserve, la giuria ha però constatato che un terzo delle opere sottoposte al suo esame erano degne di considerazione per la commossa partecipazione dimostrata dai concorrenti alle recenti vicende della nostra vita nazionale. [...] Emergono per migliori qualità letterarie i romanzi di Italo Calvino *Il sentiero dei nidi di ragno* e *Morte in piazza* di Fabrizio Onofri, tra i quali la giuria ha deliberato di dividere ex æquo il premio."

Ma torniamo agli autografi della Aleramo per quanto riguardano, in maniera più ravvicinata, la città di Riccione. Siamo a cavallo del ferragosto del 1947. L'Italia è appena uscita dalla guerra. Sono anni difficili. La villeggiatura è ancora un sogno per la quasi totalità della popolazione. Eppure la spiaggia di Riccione, "a mezzogiorno era già pullulante, e non mi ci sono fermata".

Abbiamo ricordato il genetliaco della scrittrice. Il sindaco di Riccione organizza una festa: grande pranzo, visita a una colonia estiva, conversazioni con le giovani assistenti. "Mi hanno regalato i fiori che adornavano la tavola e che ora sono qui nella stanzetta di due metri per tre ove mi aggiro a pena. L'albergo, piccoletto, è pieno per la settimana di Ferragosto. Pieno è il paese. Come mutato da che venni qui nel 1911 a trovare per qualche giorno mia sorella Jolanda e la sua famigliuola! Allora era un umile minuscolo borgo, adesso le vie principali verso la spiaggia arieggiano quelle del lido di Venezia, e centinaia di automobili vanno e vengono tra la folla in costumi succinti e variegati e i caffè gremiti. I prezzi del soggiorno sono altissimi, dalle tre alle quattromila lire (ma mi si dice che a Cortina d'Ampezzo la pensione d'albergo sale alle otto, diecimila lire il giorno!)."

È un'efficace immagine della città balneare. Almeno veniamo a sapere che Riccione non era una meta per tutti. Era già un luogo esclusivo, non come Cortina, ma certo frequentabile solo da villeggianti agiati. È la stessa immagine, fra l'affollato e l'élitario, che Giorgio Bassani ci consegna nelle pagine del suo racconto lungo *Gli occhiali d'oro* (1958): "Anche quell'estate, come le precedenti, andammo in villeggiatura a Riccione, sulla vicina costa adriatica.

Mio padre, dopo aver invano tentato di trascinarci in montagna, sulle Dolomiti, nei luoghi dove aveva fatto la guerra, alla fine si rassegnava a tornare a Riccione, a riprendere in affitto la medesima villetta accanto al Grand Hotel."

Gli occhiali d'oro resta il miglior romanzo che uno scrittore abbia dedicato a Riccione. O meglio: quello in cui la città balneare non è solamente uno sfondo alle vicende dei personaggi, ma dà il ritmo alla narrazione. A parte la bellezza delle marine riccionesi, a parte l'attacco del dodicesimo capitolo che introduce il tema del "fine stagione" non soltanto da un punto di vista meteorologico, ma come simbolo più generale del tramonto della straziante storia d'amore del dottor Fadigati, Bassani ha colto quel particolare tono da spiaggia, infondendolo nei suoi dialoghi, di cui resta memorabile, anche per il sarcasmo rivolto alla borghesia romagnola, quello del nono capitolo.

Chi parla, seduta sulla sdraio, sotto la tenda, è la moglie dell'avvocato Lavezzoli: " 'A questo proposito,' disse, 'voglio raccontarvi un episodio di cui sono stata testimone io stessa tre anni fa, proprio qui, a Riccione. Una mattina il Duce stava facendo il bagno coi due ragazzi maggiori: Vittorio e Bruno. Verso le tredici vien su dall'acqua, e cosa ti trova, ad attenderlo? Un dispaccio telegrafico arrivato un attimo prima, che gli comunica la notizia dell'assassinio del cancelliere austriaco Dollfuss. Quell'anno la nostra tenda era a due passi dalla tenda di Mussolini: quello che dico, dunque, è la pura verità. Appena ebbe letto il telegramma, il Duce uscì in una gran bestemmia in dialetto (eh, si capisce, il temperamento è il temperamento!). Ma poi si mise a piangere, gliele ho vedute io le lacrime che gli rigavano le gote.'"

Ho scelto di riportare questo brano di dialogo non solamente per la sua gradevolezza stilistica, ma soprattutto perché ci introduce quello che, per almeno due decenni, fu il mito di Riccione: la presenza di Mussolini. In parte, allora, ha ragione Moravia quando afferma che negli anni trenta là "andavano i fascisti". In parte, ha torto perché, come ci racconta Bassani, là andava anche, per esempio, la borghesia intellettuale che nel mito del Duce non si sarebbe mai riconosciuta. In un certo senso, si potrebbe anche dire che la storia del dottor Fadigati smaschera il perbenismo non solamente di una Riccione vacanziera e mondana, in cui la vita scorre fra partite di bridge, tornei di tennis, balli e chiacchiere sotto l'ombrellone all'ombra del grande uomo, ma, più sottilmente, e in un modo per noi più coinvolgente, disvela l'immagine stessa della virilità, dell'esuberanza, della strafottenza, dell'ardimento del carattere romagnolo, simbolicamente impersonati, nella figura del Duce.

Athos Fadigati è propriamente un antieroe. La sua omosessualità è lo specchio della sua malinconia. La sua diversità lo pone in mezzo agli altri personaggi come una presenza quasi aliena. Niente di più ironico e di più malinconico di questo dottore che, sulla stessa spiaggia in cui prende il sole il Duce, insegue la presenza del suo amante Eraldo Deliliers. Fadigati, insomma, è l'altra faccia del carattere emiliano-romagnolo: quella più segreta, più ombrosa, più appartata. Annota il modenese Antonio Delfini, il 28 giugno 1930, nel suo diario: "Ferrara mi ha entusiasmato per le sue strade e per i suoi giardini, e, per certa sua perfetta malinconia, mi è parsa dover essere la vera capitale della Valle Padana." Sulla spiaggia assolata di Riccione si scontrano simbolicamente due immagini complementari dell'essenza stessa di questi luoghi e di quel carattere: l'esuberanza dell'uomo d'azione da una parte, la perfetta malinconia dell'intellettuale dall'altra.

La stessa opposizione, a ben guardare, è tipica della città balneare contesa fra i ritmi vertiginosi della piena stagione e quelli assenti, vuoti, del fuori stagione. Solo in una città balneare, l'alternanza di questi due momenti è così violenta, così appariscente. Le stesse strade d'estate o d'inverno non sono più la medesima cosa. La città balneare è l'unica in cui puoi vedere gli uomini e le cose adeguarsi al ritmo delle stagioni. Si chiude con l'autunno. D'inverno tutto è fermo, sepolcrale, come la campagna. In primavera c'è l'esplosione: le cabine, gli alberghi, le verande, gli infissi, scrostati dalle burrasche dei mesi invernali, riacquistano nuova vita. Si tinteggia, si decora, si sistema. Una nuova mano di vernice colorata che si sovrappone ai legni, agli intonaci, come la nuova corteccia, nelle piante, avvolge la vecchia. E spuntano sulla spiaggia, come germogli, le barche, i pattini, i mosconi, le prime sedie a sdraio... In questo senso, raccontare Riccione nell'arco simbolico di un anno significa raccontare, più interamente, l'essenza di un'intera regione, e forse dei vuoti e dei pieni, della frenesia e dell'attesa, dell'esplosione e dei riaggiustamenti della nostra stessa esistenza.

SCRITTORI ROMAGNOLI. A questo punto, ci siamo già addentrati in uno degli aspetti più appassionanti della ricerca, e cioè la tradizione letteraria emiliano-romagnola. Per me, ha avuto l'effetto di una vera e propria scoperta. Nomi di autori come Alfredo Oriani (1852-1909), Antonio Beltramelli (1879-1930), Alfredo Panzini (1863-1939), Marino Moretti (1885-1979), Dante Arfelli (1921) o lo stesso Antonio Baldini (1889-1962), sinceramente non mi dicevano molto, a parte reminiscenze scolastiche o approcci casuali. Eppure la loro lettura si è rivelata interessante e feconda. *La quinta generazione* di Dante Arfelli – romanzo di guerra, di scontri operai, di occupazione e sfollamento in una città sul mare – ha avuto l'effetto di una bellissima rivelazione drammatica. Per *Il padrone sono me* (1922) di Panzini, addirittura inaspettati risvolti di contaminazione dello stile aulico con echi gergali e costruzioni tipiche del parlato: un giovane Holden sulla riviera, furbo e sarcastico. E anche la prosa "fascistissima" di Beltramelli, tutta la sua retorica, il suo epos patriottico-romagnolo, le storie eroiche della prima guerra mondiale, le celebrazioni di una super razza di contadini e pescatori, ha rivelato, nei momenti migliori, l'impressione di una satira di costume certamente greve e machista, ma anche insperabilmente divertente, come nel caso del racconto *Il banchetto*, piccolo pasto romagnolo da infilare fra Rabelais e Marco Ferreri: "Furono serviti prima i cappelletti, i tradizionali cappelletti che compaiono in ogni tavola romagnola, dalla più modesta alla più sontuosa nelle grandi occasioni. Dopo la minestra il simposiarca dette ordine che la lunga fila delle portate incominciasse. Si presentarono, ad una sua chiamata, Smeraldina e Sghirbàzz recando enormi vassoi di carne bollita. [...] E Rudàr offrì le salse verdi, le salse di alici, di capperi, di timo e di menta. [...] Al bollito seguirono i fritti dolci, i fritti misti, i fritti romagnoli specializzantesi per la loro particolare indigestività; poi i pesci di mare, i grandi lucci e le anguille di fiume serviti con sovrabbondanza di salse e di contorni; poi gli umidi ricchi di colore e di profumi, gli uccelletti in salmì, le enormi frittate alla campagnola, i galletti alla cacciatora, la zuppa di rane palustri, otto grandi tacchini arrostiti e, il cuore dei convitati si allargò di sollievo, un piramidale pasticcio tutto a fiorami, a ghirigori, a frastaglii. [...] Comparve una grande trota seguita da vere torme di budini di riso, di verdura, di rigaglie, di ricotta; poi quattro lepri in salmì; anatre selvatiche e beccaccini con lenticchie, e quattro gelati conici, bianchi e lucenti." E non siamo ancora alla fine.

Non è il caso qui di soffermarsi sugli aspetti tematici e sullo stile di questi autori, quanto giustificare la loro presenza in una ricerca dedicata agli scrittori e Riccione. Poiché i campanilisti obietteranno: Panzini racconta di Bellaria; Pascoli di San Mauro; Moretti è di Cesenatico; Dante Arfelli, pure; Oriani prende il sole sulla spiaggia di Rimini Marittima; e Beltramelli, che è della campagna forlivese, se va al mare, preferisce raccontare dei pescatori di Comacchio. È verissimo. Così come altrettanto vero è che il racconto di Valerio Zurlini *La prima notte di quiete di un Lord Jim casalingo*, in realtà è ambientato nel fuori stagione riminese. O che il racconto di Mario Luzi del 1950, da cui citiamo il primo, levissimo e malinconico capoverso, non si intitola *Riccione* bensì *Cervia*: "Come la terra di Romagna che del resto le stringe da vicino con la sua campagna piatta, ricca e torrida, anche le cittadine costiere nascondono qui la loro grazia sotto un velo offuscato di malinconia e di squallore: a rimanerne convinto è poi piuttosto un sesto senso che la vista pura e semplice. Il mare stesso, pallido e fiacco, più che eccitare il sangue con un'ebrietà istantanea, penetra per altre vie, più lente e segrete e certo meno sensibili, nella nostra confidenza e quasi direi nel nostro benessere. Dapprima una mortificante mancanza di materia, una poco generosa e pittoresca elementarietà ce ne fanno avvertire la noia e il vuoto; ma poi lentamente, di giorno in giorno, si apprezza sempre più la levità di questi orizzonti, l'esaltazione trascolorante più dello spazio che dell'acqua, quell'azzurro rarefatto insomma a cui non contrasta da terra nessun altro colore deciso, ma risponde se mai qualche tinta tenue e spenta che può lontanamente specchiarlo. Siamo qui nel dominio della pura luce e dei suoi puri giochi e avvenimenti mentre del colore carico e squillante delle marine tirreniche non trova segno."

Tutto vero. Ma anche tutto profondamente coerente a una sorta di sfida intellettuale che il nostro lavoro tende a lanciare: vedere, cioè, la riviera adriatica, da Comacchio a Gabicce, come un'unica grande città.

Nel corso degli anni, questa caratteristica ha assunto un'evidenza spettacolare e, per quanto sia non del tutto corretto riferirsi al proprio lavoro, vorrei semplicemente annotare come l'aspetto più seducente – soprattutto da un punto di vista narrativo – fu per me il poter ambientare un romanzo non tanto in una città, ma in una metropoli balneare che non ha equivalenti in Europa: una grande città della notte e del divertimento che si estende per centocinquanta chilometri di costa e in cui si riversano milioni di persone per celebrare il rito di quell'unico, vero periodo di deroga carnevalesca che la società odierna consente, cioè la vacanza. Come potremmo altrimenti definire la frenesia dell'estate romagnola con tutto quello scambiare le abitudini diurne in quelle notturne, nel dare la predominanza ai linguaggi corporei, al gioco erotico, all'attrazione sessuale, alla non produttività, al riposo, se non ricorrendo alle categorie del carnevale? Quanto patetico e triste appare il rito del martedì grasso se confrontato anche con una sola, casuale, notte sulla costa adriatica. Il travestimento nelle discoteche, il tirare mattino, il ballare, cantare, correre in auto lungo i viali, rimorchiare, nuotare, mangiare, bere... Non è questo il vero carnevale? Non è questa la vera messa in scena dei furori e dei tic della nostra cultura di massa? Non è qui il nazionalpopolare? Ma i nostri scrittori, democratici e pop, preferiscono altre mete. Si turano il naso: Riccione? Per l'amor di Dio! Rimini? Basta, basta! E non hanno mai messo piede su questa spiaggia. Per esperienza personale, posso affermare che ogni volta in cui mi è capitato di trascinare a Riccione, dopo molte insistenze, qualche amico snob, dovevo faticare parecchio a portarmelo via. Preso il ritmo della riviera, non lo si vedeva più. Imboscato nelle discoteche fino al mattino, celato al chiaro di luna ad amoreggiare dietro le cabine, sepolto da piatti di garganelli e piadine durante il giorno, a prendere il sole nel tardo pomeriggio in compagnia di qualche belva...

Gli unici autori che abbiano sottolineato questo aspetto pop della riviera appaiono, per quanto ho ricercato, Alberto Arbasino, Guido Piovene e Giorgio Scerbanenco. Il primo ci dà, in *Fratelli d'Italia* (1963), un frenetico itinerario romagnolo che si conclude, di notte, proprio a Riccione: "Invece non meno di sei volte l'avanti-e-indietro fra Rimini e Cattolica, ma è talmente tardi, anche per i diavolini tedeschi, saranno tutti a dormire e andiamo a coricarci anche noi in un incredibile puro Düsseldorf, però con marmi grigi fin sul soffitto, a Riccione."

Guido Piovene, che abbiamo visto nel 1947 sedere nella giuria del premio Riccione annota, nel suo *Viaggio in Italia* (1957), un aspetto che vedremo svilupparsi in misura quasi totalizzante nei decenni successivi: "Notevole l'apporto del turismo nella fascia costiera, a Rimini, Riccione, Cesenatico e Cattolica, che hanno spiagge tra le migliori d'Italia ed affollatissime nei mesi estivi. Rimini, nel dopoguerra, si è mutata in una spiaggia, inconsueta da noi, di tipo americano. Un fenomeno che questa regione presenta spesso: vi si uniscono il così detto 'materialismo' emiliano, l'amore della tecnica, l'avvenirismo pronto a ricevere nuovi stampi."

L'inconsueta americanizzazione della costa, nelle strutture e nei servizi, arriverà, nel decennio ottanta al suo compimento; quando, cioè, troverà spazio anche nell'immaginario collettivo. "Rimini come Hollywood", proporranno di scrivere, a grandi lettere, sul colle di Covignano gli impetuosi ragazzi dell'ONU (One Nation Underground). Il percorso si salda.

Ma è forse Giorgio Scerbanenco l'unico scrittore italiano che ha intuito le potenzialità narrative della riviera adriatica nel pieno della stagione. Le spiagge di Rimini, di Riccione e di Cervia devono essergli parse il contraltare estivo della Milano in cui si muovono i suoi ruffiani, i rapinatori, i malavitosi di quartiere ancora non inseriti nel traffico di droga, ma che campano con le bische clandestine, il riciclaggio di refurtiva, lo smercio di armi e di oggetti preziosi.

Ha ragione Oreste del Buono quando scrive che "la fantasia nera di Scerbanenco torna sempre a Milano". Perché anche la riviera adriatica, nelle sue pagine, altro non appare che il prolungamento, ferragostano e vacanziero, della metropoli lombarda, con i suoi professionisti milanesi che affollano gli alberghi e le pensioni, le mogli che parlano, sotto l'ombrellone, dei loro appartamenti cittadini, le segretarie in libera uscita che ballano davanti ai juke-box della spiaggia come davanti a quello del bar del Giambellino.

Fra i ventidue racconti di *Milano calibro nove* (1969), eccone un paio che hanno a che fare, esplicitamente, con la riviera adriatica. Così inizia, per esempio, *Preludio per un massacro estivo*: "Il professor Pietro Savarelli venne ucciso quell'estate al mare, nella sua villetta sulle dolci colline di Riccione." In *Una signorina senza rivoltella* – lunga confessione di una balorda che mette in atto, in Foro Bonaparte, un'atroce, estrema vendetta, senza dimenticarsi della propria pelliccia di visone – Scerbanenco ci consegna un malinconico fuori stagione: "In questo momento mi trovo a Rimini, all'hotel Grand Park, sto guardando il mare, è di colore grigio, ma c'è un po' di sole che lo fa scintillare, quasi come fa la luna di notte. [...] Sono l'ultima cliente, la direzione mi ha avvisata che dopodomani chiudono, non c'è più nessuno sulla spiaggia a fare il bagno, escluse poche persone vestite pesantemente come me, che passeggiano, qualcuna con una piccola radio in mano, non ci sono ombrelloni, stanno smontando le cabine, un bagnino, lo vedo da qui, sta lavando le sdraio con l'innaffiatore, è l'estate che finisce, mi dispiace, mi dà tanta malinconia, io sono molto sentimentale, ma non lo faccio vedere, si capisce."

Ma c'è di più. La riviera adriatica non appare soltanto come la spiaggia dei milanesi, buoni o, più spesso, cattivi che siano. Nel romanzo *Al mare con la ragazza* (1973), Scerbanenco coglie la natura interclassista della vacanza sulla costa romagnola. Da un lato, mette in scena la storia dei due giovani dell'hinterland milanese che non hanno mai visto il mare; e dall'altro, quella della borghese che fugge dall'anonimato della riviera in preda a una profonda insoddisfazione personale. Naturalmente, le due storie si intrecceranno, fra cadaveri nel baule, furti di auto, corse sull'Autosole, smarrimenti di piccoli sul bagnasciuga.

Quello che preme rilevare non è solo il talento descrittivo di Scerbanenco (e, sia detto tra parentesi, la sua qualità maggiore: quella di impossessarsi, sadicamente, delle manie della gente comune, quella di saper manipolare, con una perfidia glaciale, il kitsch piccolo-borghese), ma il fatto che l'ambiente della riviera gli permetta di ambientarvi, verosimilmente, un giallo metropolitano. La scena dell'arrivo di Edoarda a Rimini resta, comunque, esemplare: "Arrivò a Rimini che era ancora buio, erano ancora aperti diversi locali; entrò in uno pieno di giovani, tutti moderatamente ubriachi, ma che fingevano di esserlo di più per far chiasso. Tutti mangiavano, le ragazze sembravano negre, i maschi anche; il locale era costituito da capanni di cannucce, il juke-box nascosto e sempre alimentato suonava ritmi selvaggi, quasi come in Africa; il direttore, a uno a uno, cercava di buttarli fuori, perché l'ora di chiusura era passata, e vi riusciva, metodicamente, lasciando stare solo lei che stava mangiando una pizza."

Se tutto questo è vero, non ha più senso oggi il campanilismo delle varie municipalità della costa. Certo, Riccione è diversa da Cervia, Rimini da Cattolica, Milano Marittima da Gabicce. Ma se guardiamo, come interessa fare in questa sede, la storia letteraria della riviera adriatica assunta nella sua complessità, possiamo esclamare col Panzini del *Viaggio di un povero letterato* (1919): "Oh Romagna, dolce paese democratico! Oh, Romagna, generosa Romagna, forte ed ospitale Romagna!"

Così come la Versilia non è solo Viareggio, ma anche Forte dei Marmi, Camaiore o Bocche di Magra (e ogni località ha le sue presenze letterarie), così la riviera adriatica non è solo ed esclusivamente Rimini o Riccione. Una volta tracciato un tale orizzonte interpretativo, la ricerca si è fatta più agevole e interessante. Non ero più ossessionato dal reperimento della magica parola "Riccione" nelle pagine o fra le righe degli autografi che consultavo, e, nonostante la rinvenissi, potevo godermi il racconto di un bel viaggio alle foci del Po di Beltramelli, o una chiacchierata sotto l'ombrellone di villeggianti riminesi, marchese e generali, come succede in *Al di là* (1887) di Alfredo Oriani: "Ecco come io pure concepisco il bagno, in alto mare, guardando la riva lontana e le vele bianche passare all'orizzonte. Vorrei uno scoglio bianco per sedermi con lei al sole e parlare d'amore, fra la cocente solitudine del mare e del cielo. Un bacio allora sarebbe sublime; poi tuffarsi ancora, nuotare di conserva come si cammina a braccetto per il viale di un bosco, e ritornando stanche allo scoglio, riposarci l'una in grembo all'altra, coprendoci coi capelli, dopo averli torti sul sasso, come si scolpiscono le Veneri."

Potevo commuovermi al lirismo del pescatore di Arfelli che racconta del pianto dei delfini, o riflettere sullo strano impasto di tenacia contadina ed eroismo marinaresco che forma gli eroi bellici, ancorché romagnoli, delle *Novelle della guerra* di Antonio Beltramelli: "Quando il primo degli Antoni si era stabilito laggiù, fra la foce del Po di Primaro e quella del Lamone, era quasi tutta palude all'intorno e poco si seminava, per raccogliere quasi punto."

Potevo divertirmi quando leggevo dei "bei marinari forti e taciturni" di Beltramelli o dei "romagnoli bestemmiatori, gente rude e selvatica, giudicata già indomabile e infida, ma prodiga in ogni combattimento del proprio sangue a testimonianza della sua immutata fierezza"; oppure quando trovavo un attacco del genere: "Così si erano conosciuti ed amati senza parole o tenerezze, il giovanissimo e l'anziano: l'uno gentile e severo, l'altro rude e gioviale; figli entrambi della virtù e della gagliardia di una stessa razza." Come prendere sul serio tutto questo?

Altre volte, nel parlare della ricerca mi capitava di affermare: "Non dico che abbiamo avuto sulla costa adriatica dei premi Nobel, ma basterebbe valutare l'importanza e la molteplicità delle presenze letterarie su queste spiagge, per rilanciare l'immagine culturale della riviera." A ricerca terminata, sono costretto a correggermi. Perché almeno un premio Nobel ha soggiornato da queste parti. E il racconto di questo incontro, fatto nel 1932 da Giuseppe Ravegnani, è un'immagine che si staglia nitida nella nostra immaginazione di lettori: "Grazia Deledda si trovava a Cervia per i bagni, io a Rimini. Una mattina presi il treno, e scesi a Cervia. La trovai sulla spiaggia, sola, all'ombra del capanno. Avevo in mente di lei le fotografie della gioventù: quelle di Roma, di Anzio, di Viareggio: i capelli neri, folti, sulla fronte massiccia. Ora i capelli erano bianchi, d'un candore pieno, d'argento, ma ancora vivi e traboccanti e alti attorno alla testa come un'aureola. Ma più vivi ancora, e giovanili, erano gli occhi, enormi, di un nero fondo che un po', a certe luci, trascolorava in indaco. Semplice, bonaria, con le mani poggiate su una borsa di paglia, che pareva quella della spesa, stava ad ascoltarmi, ora leggermente annuendo, e ora volgendo il capo al mare, quasi temesse qualche domanda indiscreta."

NAVIGAZIONI IN BICICLETTA. Un aspetto che colpisce nelle rappresentazioni marine degli autori di cui abbiamo finora parlato – si tratti di imprese guerresche, di battaglie, come di naufragi o di battute di pesca – è l'uso abbondante di immagini terrestri, se non addirittura contadine. Attraverso l'uso di metafore e similitudini, il mare Adriatico pare un prolungamento della campagna romagnola. C'è una continuità fra la terra e l'acqua, rintracciabile non solamente in espressioni di uso comune, ma in sensazioni e immagini ben più interessanti: "Ora il mare, aperto davanti a me, mi pare una strada la quale conduca in giro per tutto il mondo" (Panzini). È, in sostanza, la stessa continuità che abbiamo rintracciato nel banchetto descritto da Beltramelli. In quale altra regione potrebbero servire i cappelletti (con tutto quello che comporta il loro ripieno) prima di un luccio o di un'aragosta? Se questo è vero, probabilmente funziona, linguisticamente, anche il contrario.

Così è nata la sezione, forse più curiosa, forse più divertente, della nostra ricerca. Dapprima una semplice intuizione critica ed espositiva. Poi, lavorando, cercando, risistemando, stimolando altre riflessioni, una specie di vera e propria metafisica delle navigazioni in bicicletta.

Prendiamo le mosse dal Panzini della *Lanterna di Diogene* (1907), straordinario viaggio in bicicletta da Milano a Bellaria: "L'undici luglio, alle ore due del pomeriggio, io varcavo finalmente, dall'alto della mia vecchia bicicletta, il vecchio dazio milanese di Porta Romana. La meta del mio viaggio era lontana: una borgata di pescatori su l'Adriatico, dove io ero atteso in una casetta sul mare: questa borgata supponiamo che sia non lungi dall'antico pineto di Cervia e che, per l'aere puro, abbia il nome di Bellaria."

L'itinerario di Panzini segue la dorsale della Via Emilia con una curiosa deviazione verso le località turistiche dell'appennino modenese e una sorta di appendice a Comacchio. È un viaggio non solo di ricordi letterari – si va da Omero e Virgilio a Dante e Petrarca, all'Ariosto, al Manzoni, a Carducci, a Pascoli, ai cui luoghi è dedicato un intero capitolo – ma anche un piccolo viaggio interiore che finisce, come ogni viaggio paradigmatico, con la morte; in questo caso con una doppia morte: quella della stagione che si avvia ai freddi invernali e quella dell'autore che immagina il proprio corteo funebre al cimitero Monumentale di Milano. La sensibilità decadente produce in Panzini strane commistioni: ci sono le bellissime pagine in cui l'autore visita il cimitero in cui Giovanni Pascoli pensò, per i propri morti, le *Mirycae* e ci sono le battute grossolane, l'ironia pesante, il dialetto dei contadini.

Strane davvero queste navigazioni in bicicletta di Panzini. È come se il suo viaggio, fra zampetti di Modena, salsicce e anguille di Comacchio, andasse alla deriva della sensibilità emiliano-romagnola nei due aspetti che abbiamo già individuato: la sensualità dell'esistenza (fatta soprattutto di cibi) e il senso panico della morte e della dissoluzione, che arriverà fino alla "componente memorialistico-mortuaria" (Brevini) delle poesie di Tolmino Baldassari, o alle zone d'ombra, fra nevrosi e malinconia, dei componimenti di Raffaello Baldini a proposito dei quali non ho altre definizioni che la parola "blues".

Eppure in Panzini non avverti mai l'inconciliabile angoscia della tragedia. E questo, credo, perché il senso della natura, dell'attaccamento alla terra, del volgere delle stagioni è radicato e fortissimo: "Tutto ciò come si ripete malinconicamente! Come la legge delle cose domina, e non riuscirai no, a sterilizzarla."

Circa trent'anni dopo il vagabondaggio panziniano, nell'estate del 1941, Giovanni Guareschi ripete, a suo modo, l'impresa. Diverse sono le sue motivazioni, leggermente differente l'itinerario che, una volta raggiunto l'Adriatico prevede il rientro a Milano attraverso la linea Ferrara, Verona, laghi di Garda, d'Iseo, di Lecco, Maggiore e d'Orta: milleduecento chilometri che daranno vita a una serie di cronache pubblicate sul *Corriere della Sera* sotto il titolo *Un giretto in bicicletta*. Dicevamo della motivazione del viaggio. Come ci hanno confermato i figli, Alberto e Carlotta, Guareschi voleva essenzialmente dimagrire, mettersi in bicicletta per "combattere i malefici effetti della vita sedentaria". In realtà, il suo viaggio verso il mare è l'occasione per un bellissimo reportage: aforismi, impressioni di viaggio, inconvenienti, personaggi curiosi e, soprattutto, quel suo particolare modo, distaccato e paradossale, di guardare la vita di ogni giorno. Gioie e dolori del cicloturista, potremmo parafrasare. Un modo di viaggiare oggi tornato di gran moda, soprattutto fra i giovani, come dimostra un terzo itinerario emiliano-romagnolo, quello di Andrea Lassandari che, nel racconto *Elogio della bicicletta*, pubblicato in *Giovani blues,* primo volume della raccolta di Under 25, narra di una spedizione solitaria da Bologna a Senigallia, in pieno clima vacanziero.

Vediamo comunque, per rimanere alla nostra città di Riccione, quali descrizioni l'imprevedibile Guareschi ci offre: "Sono a Riccione. Arriverò anche a Rimini Marittima e alla sua immensa spiaggia. Ciò che impressiona di più, oggi a Rimini, a Riccione, a Cattolica – credo che sia così dappertutto – è il numero enorme di biciclette che circolano dovunque si può circolare. Fino a mezzogiorno la spiaggia brulica di gente. Gente che fa i bagni in fretta, che in fretta compie delle passeggiate in moscone, che in fretta fa la cura del sole. Bisogna sbrigare ad ogni costo tutto il lavoro balneare entro la mattinata: nel pomeriggio bisogna andare in bicicletta. E nel pomeriggio le spiagge sono quasi vuote. Tutti vanno in bicicletta: vecchie, giovinette seminude, giovani uomini, vegliardi, madri di famiglia. Biciclette a uno, due, tre, quattro e cinque posti; biciclette abbinate, a fianco a fianco, per famiglia, con, in mezzo, il sellino per il ragazzo. [...] Oggi nelle belle spiagge d'Italia i bagnini non insegnano più alla gente il nuoto: insegnano alle signore ad andare in bicicletta. In molti alberghi e nelle pensioni dove non esistono magazzini, i bagnanti dividono le loro stanzette con le biciclette. Già le biciclette si sono spinte fin sotto i capanni delle spiagge: in molti punti la spiaggia sembra un deposito di biciclette. [...] Secondo me l'anno venturo la gente abbandonerà le spiagge e trascorrerà la stagione balneare al Vigorelli."

Viene naturale ricordare un articolo del 1961 di Cesare Zavattini, ripubblicato in *Straparole*: "Si potrebbe fare un ritratto dell'Emilia parlando delle biciclette: anche se ce ne sono in tutto il mondo sembra qui la loro sede naturale. Basta che un passaggio a livello si chiuda per pochi minuti e subito vi si affollano decine e decine di questi veicoli; i viaggiatori delle littorine locali e dei grandi treni fanno in tempo, prima di essere portati lontani, a vedere le sbarre che si alzano e lo stuolo dei ciclisti con i cappelloni di paglia sporchi di verderame e i gilè con la catena dell'orologio, rimettersi in moto senza fretta, perché nessuno corre in bicicletta, come se il suo ritmo, a differenza dei nuovi mezzi fragorosi, sia il solo che favorendo la conversazione con la natura e col prossimo, ridia alla parola la sua proporzione."

Panzini, Guareschi e infine il giovane Lassandari percorrono le stesse strade a distanza di vari decenni l'uno dall'altro. Addirittura, fra il primo e l'ultimo, passano ottant'anni. Ma il modo di pedalare, di affrontare gli ostacoli, di trovarsi controvento, di faticare, di dialogare con la natura è identico. Viaggiare in bicicletta è soprattutto un modo di pensare. Di ricordare e di osservare. Forse, per quanto ci riguarda, è anche un modo di navigare.

Riferendosi alla sua esperienza di giovane ciclista negli anni precedenti la seconda guerra mondiale, Ezio Raimondi, ha così puntualizzato la questione: "Andare in bicicletta voleva dire in un qualche modo anche navigare. Intanto perché si aveva il senso, sia che ci si dirigesse verso l'appennino, sia che si puntasse verso la costa, di aprirsi una strada. Ed era proprio il senso del vento, del fendere l'aria, che dava la sensazione di aprirsi una strada come se fosse una rotta. Ma ancora più importante è che il ciclista era come un marinaio perché aveva una sensazione lenta e diretta dell'aria come un luogo, come liquidità. Era una specie di sperimentazione reale di quello che chiamerei uno spazio d'atmosfera vivente."

Il senso più importante di queste piccole navigazioni in terraferma è costituito dunque dalla lentezza e dalla possibilità di sperimentare la natura, i colori, gli odori, le montagne in un modo nuovo. E questo, abbiamo visto, è già in Panzini e, con un contenuto di sarcasmo anticonsumistico straordinariamente in anticipo sui tempi, anche in Guareschi, mentre in Lassandari si tratta più di una sfida muscolare-ecologica. Ma c'è un altro aspetto importante. Ed è quello iniziatico, di emancipazione dalla famiglia, che bene sottolinea Raimondi: "La bicicletta era il primo segno di un'articolazione personale rispetto al mondo familiare. Era il primo segno di maturità, analogo, per certi versi, a quello dell'indossare i calzoni lunghi. Voleva dire muoversi, correre, andare più lontano di quanto non capitasse prima. La gita in bicicletta era un'occasione per approfondire l'amicizia, era divertimento, ma, particolare non trascurabile, era anche un'educazione allo sforzo. Bisognava rispettare delle regole: ad esempio, una salita andava fatta tutta e non bisognava sedersi, mai e poi mai, sul sellino..."

A questo punto le nostre navigazioni di piccolo cabotaggio ciclistico potrebbero anche chiamarsi: "Lo Zen e l'arte di andare su due ruote."

PIER PAOLO PASOLINI, FILIPPO DE PISIS, GIOVANNI COMISSO. Nell'estate del 1930, Susanna Pasolini è a Riccione con il figlio Pier Paolo, che ha otto anni. Abbiamo potuto recuperare tre lettere autografe di Susanna al marito. Sono documenti che ci illuminano sui rapporti difficili e tormentati dei genitori di Pier Paolo: "Non so cosa sia questa insonnia. Certe notti sono così eccitata che mi verrebbe voglia di gettarmi dalla finestra. Fortuna o disgrazia se mi venisse questa voglia? A te l'ardua sentenza. Questo eccitamento mi viene specialmente quando penso a te, a che cosa farai, al come ti comporterai, se ti sono proprio diventata così antipatica, come dimostri spesse volte, alla mia incapacità di trovare risorse contro il tuo disgusto."

In calce a queste lettere c'è qualcosa che ci interessa ancor più da vicino. Con la calligrafia del bambino, Pier Paolo scrive alcune righe al padre, un pensiero, un saluto, la notizia che sta bene. Forse sono le prime righe che possediamo di Pasolini. Certo non hanno alcun valore letterario, ma ci inteneriscono, chiedono quasi la nostra protezione, ci fanno immaginare il bambino Pier Paolo al mare con la madre, perso nei giochi di spiaggia, un po' nostalgico della figura paterna. È un documento raro e carico di significati, come ci ha raccontato Domenico Naldini che, delle lettere, è l'attuale proprietario.

Ma Naldini ci ha anche parlato dell'interessante rapporto che, con il mare Adriatico, hanno intrattenuto due "divini ragazzi": Filippo De Pisis e Giovanni Comisso.

"Per De Pisis," racconta Naldini, "il rapporto con il mare Adriatico è la storia della sua pittura. Gli sfondi di moltissimi quadri, di nature morte come di ritratti, sono il mare Adriatico, che non è solo uno sfondo ma, propriamente, uno sfondo metafisico. Dobbiamo ricordare che De Pisis ha vissuto lungamente sulla riviera adriatica: Cesenatico, Rimini, Riccione. Tutte le estati della sua gioventù, dapprima con la famiglia, che era di Ferrara, e che abitualmente villeggiava a Cesenatico. E in un secondo momento, quando tornò da Parigi allo scoppio della guerra, nel 1938. Da giovane, faceva lunghe gite in bicicletta, andava a trovare Panzini, per esempio. Una volta gli disse: 'Caro professore, lei forse non lo sa, ma io sono un grande genio.' Poi ci sono le estati degli anni quaranta, quando De Pisis visse lungamente sulla costa adriatica, in quelle abitazioni che soltanto lui riusciva a trovare: vecchie osterie, o uno studio in cui prima stava un falegname. Amava profondamente la vita semplice, il contatto con l'allegria popolare, questo era un elemento essenziale del suo carattere, e lì, su quella spiaggia, proprio portando il cavalletto in riva al mare, ha fatto quadri meravigliosi di ragazzi, di nudi, nature morte; anche grandi composizioni come *Il sacrificio di Abramo*.

"Per quanto riguarda Comisso, bisogna dire che il suo rapporto con il mare Adriatico è costituito soprattutto dalle sue navigazioni sui velieri che commerciavano fra Chioggia e la costa slava, facevano contrabbando, pescavano. A Rimini, andava semplicemente per trovare De Pisis. Il luogo gli piaceva. E, nello stesso tempo, era allarmato dall'esaltazione che aveva De Pisis. C'era un grado in più nella vita di De Pisis, un qualcosa che teneva Comisso in uno stato di allarme. E quando De Pisis, cinque o sei anni dopo queste splendide avventure di spiaggia, ha cominciato ad ammalarsi, Comisso non ha dovuto sforzarsi molto per capire che questa malattia di nervi dipendeva essenzialmente dall'esaurirsi di quella immensa carica vitale, fantastica, sensuale di De Pisis. Ci sono allora due componenti nella raffigurazione del mare: c'è la componente erotica, dove la bellezza fisica è alimentata dal sole e dall'acqua. È un erotismo molto naturale e molto panico, direi. E poi c'è l'immagine del mare metafisico, il mare che non è più uno sfondo, ma quasi un'apertura su qualcosa che è al di là del mondo fisico."

In effetti, l'opera di De Pisis introduce un aspetto, nel panorama della riviera, che finora abbiamo trascurato. Ci siamo soffermati sulla vitalità e sulla malinconia del paesaggio, abbiamo parlato della rudezza del carattere romagnolo e della sua tracotanza, della gente di mare e dei sanguigni contadini. Ma non abbiamo parlato della sensualità e dell'erotismo. Facciamo un passo indietro e torniamo al professor Panzini che, nel *Padrone sono me*, ci consegna alcune gustosissime battute su questo tema: "Quand'era notte, dopo la mezzanotte, si sentiva far la serenata con la chitarra e il mandolino, e una voce cantava: 'Amore, amore, amore!' Il padrone spalancava la finestra e gridava: 'Ma basta con questo amore! Abbiamo il diritto di dormire.'"

Così, più avanti, quando il padrone non trova più il suo cane e il contadino gli rivela: "Cosa vuole, sor padron? In quella casa là, c'è una cagna in calore, e sarà andato anche lui a fare all'amore." Il padrone, imbestialito interloquisce: "Allora tutti fanno all'amore!" E il contadino, con la sua calma, replica: "Lei dice così, di giorno; ma l'ha da veder di notte, presso queste siepi!"

La pagina di Panzini, conformemente al tono dell'intero romanzo, è divertente. Ma anche assai esplicita. Ci troviamo in un luogo in cui tutti sembrerebbero non fare altro. Per De Pisis che, forse non occorre ricordarlo, iniziò la sua carriera come letterato (e finissimo scrittore, ironico, cangiante, resterà sempre) questo aspetto è più sottile e ha a che fare maggiormente con la sensualità dei corpi e del luogo che non esclusivamente con azioni boccaccesche.

D'altra parte l'erotismo di De Pisis non appare semplicemente come un tratto del suo carattere, ma, io credo, partecipi dello spirito emiliano, rappresenti cioè un affondamento nella struttura e nell'immaginario di questa terra.

Racconta Giovanni Comisso in *Mio sodalizio con De Pisis* (1954): "Mi fece vedere un grande quadro fatto a Rimini, il ritratto di Allegro, un ragazzo dagli occhi verdi che aveva conosciuto sulla spiaggia. Era con me Massimo Bontempelli e al vederlo disse che quel quadro apparteneva a un nuovo classicismo. Io pure ne fui estremamente colpito, De Pisis aveva scritto col pennello sullo sfondo, giuocando sul nome del ragazzo: 'Allegri non Allegro', una volta tanto giudicandosi con orgoglio, nel raffrontarlo a un Correggio."

Per chi è salito sui ponteggi del recente restauro di Bruno Zanardi degli affreschi correggeschi della cupola di San Giovanni, a Parma, trovandosi improvvisamente come assunto in un paradiso di sensualità, di corpi giganteschi, di membra possenti e, nello stesso tempo, levigate, materne – un'immagine seducente di una spiaggia, o di un bagno – può comprendere fino in fondo il riferimento di De Pisis al Correggio, poiché quel ragazzo "nudo, abbronzato e arrossato dal sole estivo di Rimini" è già parte di un paradiso maschile, laico e terrestre, nel quale De Pisis si muove con eccitazione ed estasi.

Scrive De Pisis da Riccione, precisamente da San Lorenzino alla Marina, a Giuseppe Ravegnani, nel 1916: "Io sono qui in un buco di villa, e quantunque scriva e abbia davanti il mare azzurro e variabilissimo, e dietro dei colli sereni e pieni d'incanto, pure non sono affatto contento." E l'anno seguente: "Carissimo Beppe, eccomi nella tua terra che amo intensamente, i ragazzi dalla pelle alabastrina e bronzita e con gli occhi verdi, le donne splendide e robuste, l'azzurro, il mare, la tua aria, il biondeggiare delle stoppie sui piccoli cocuzzoli ravviati dei monti." Nel 1919, a Comisso da Cesenatico: "Steso sulla sabbia, vicino al capanno, tutto ravvolto nell'accappatoio, guardavo attratto. Biascicavo in pace il mio tedio, vinto da spossatezza quasi dolce. Là sulla scia azzurra del mare compare un fattore..." E ancora, il 29 agosto 1919: "Là sulla riva del mare, di contro all'azzurro pulito, rotto solo dalle bianche onde ritmiche, nella grande chiarità serale, la figura ignuda correva avanti e indietro a cavalcioni del cavallo nero in un andante leggero e voluttuoso."

Sono marine bellissime, queste, in cui sembra che il giovane De Pisis si blocchi nella contemplazione, si accontenti, in un certo senso, di guardare e scrivere. Come è diverso, al contrario, il panorama della riviera durante i soggiorni degli anni quaranta, al culmine della sua capacità espressiva e, probabilmente, anche della propria esistenza. Se, nel 1919, scriveva malinconicamente: "L'amore è pena, ma io non ho trovato ancora il mio amore. Mi sembra d'averlo perduto, ma forse non l'ebbi mai a pieno, il mio dolcissimo amore biondo o bruno, sorridente o sfrenato", trent'anni dopo, sempre a Comisso, da Rimini, diventa oltremodo esplicito: "Se tu venissi nella Cannes d'Italie: gran lusso, *foire*, luna, *réclames* luminose, radio, fiori e amori, alla Marina la villetta rossa dove fui trenta anni fa, lo stabilimento dove il mio caro padre mi portava a prendere il gelato, etc. Stanotte nella piazza principale addormentato su un banco della bella fontana, un pescatore sbracciato. Dovevo farmi forza a non toccare la sua schiena prassitelica."

Di questo tenore è gran parte della corrispondenza balneare fra i due amici. Oggetto sono soprattutto i ragazzi: "Ho qui modelli fatti di ambrosia." E ancora: "Modelli splendidi in quantità." Oppure, in una cartolina del settembre del 1941: "*Sed virtus deficis, Hélas!...* Un deficiamento da far paura! Cabina! Cabina! Non cede non cede, ahimè."

Finalmente Comisso si decide a raggiungerlo. E racconta: "Facevamo spesso gite in bicicletta lungo il mare, fino a Riccione ed egli era sempre in testa, inesauribile." Di lì a qualche anno, la malattia nervosa di De Pisis prenderà definitivamente il sopravvento. La stagione delle grandi composizioni marine, dei ragazzi sulla spiaggia, delle cabine e delle schiene prassiteliche dei pescatori volge al termine.

POETI CONTEMPORANEI. Il nostro viaggio attraverso le immagini letterarie della riviera adriatica approda così all'oggi. La conclusione è affidata allo sguardo che alcuni poeti contemporanei rivolgono al mare e al paesaggio costiero. Abbiamo privilegiato alcuni poeti romagnoli, quelli che compongono nel dialetto santarcangiolese come Raffaello Baldini, Tonino Guerra, Giuliana Rocchi e lo scomparso Nino Pedretti. A questi, abbiamo affiancato Tolmino Baldassari, di area linguistica ravegnana, lo scrittore-regista Flavio Nicolini, con la sua prosa da realismo magico, e Rosita Copioli, la cui poesia, raffinata e colta, non dimentica, pur nella trasfigurazione mitica, i luoghi riccionesi, gli angoli, gli scorci, i ruderi, gli odori, la memoria, insomma, della città nella quale l'autrice è nata.

Come ogni scelta, anche questa si presta a numerose critiche. Ma non trattandosi di un intervento di critica letteraria, crediamo che una certa elasticità sia doverosa. D'altra parte, è innegabile che con il mare, con immagini legate a queste spiagge e a questi luoghi, ogni poeta o scrittore si sia, nei termini personalissimi e coerenti con la propria poetica, confrontato. Quello che seduceva maggiormente era concludere la ricerca nel silenzio frammentato di tante immagini poetiche da appendere virtualmente, nella nostra fantasia, come tante marine. Schizzi, *gouaches*, acquerelli che scandiscono, nel segno del paesaggio marino, una diversa consapevolezza di quelle spiagge che abbiamo fin qui cercato, sommariamente, di raccontare. E non tanto per privilegiare, di queste marine in forma di parole, l'aspetto puramente descrittivo, quanto piuttosto perché, attraverso le sonorità dialettali, o la concisione dei versi liberi, possiamo fissarle nella memoria come momenti riassuntivi. Una conclusione nei termini di una musica interiore.

Ecco l'*haiku* di Tolmino Baldassari, intitolato semplicemente *E' mêr*, ("Il mare"):

Int l'êria us sint e' mêr ch'lè là,
l'è svùit e nìgar,
ad lö nisun i sa gnit.

Ind ëi vulé i gabien?

Nell'aria si sente il mare che è là,
è vuoto e nero,
di lui nessuno sa niente.

Dove sono volati i gabbiani?

Di Raffaello Baldini abbiamo scelto *E' bagn ad nòta* ("Il bagno di notte"), il bellissimo racconto di una nottata di luglio fra amici. Le biciclette, il canto dei grilli, le case addormentate dei contadini nella campagna, un rospo che attraversa la strada, il grido di Daria. Poi tutti in riva al mare, la luce della luna, le rincorse, le grida, le biciclette con i pedali all'aria. E, improvvisa, la figura della ragazza che si getta nuda nell'acqua.

È vero, come scrive Franco Brevini nella sua antologia *Poeti dialettali del Novecento* (1987), che il nucleo della poesia di Baldini, a differenza degli altri poeti romagnoli, è un nucleo narrativo. E non politico, ma esistenziale. È talmente vero che la prima reazione che si prova nel leggere le sue poesie è quella di trovarsi di fronte a delle ballate, o, per essere più esatti, a dei blues. Ci sono dei personaggi, delle descrizioni e, soprattutto, c'è il racconto, spesso fatto in prima persona, di un'azione. E la musicalità del dialetto accentua il carattere del parlato, della comunicazione "diretta".

Ai biciclètti agli è sguilé tla sabia
si pedèl pr'aria,
l'acqua la era granda,
lócida e nira cmè ch'e' fóss catràm,
agli ondi al s'arugléva
pièn, t'un susórr,
e al s'arivéva tévdi fina i pi.
Dop a s sémm sparguié
tra i tamaréisgh e al béusi par spuiès,
u i è vlù póch, Ghigo l'à fat un fés-ci
e l'è stè tótt un córr,
mo me léun 'd léuna mè u m'è pèrs d'avdài,
e i la à vésta ènca ch'ilt,
e a s sémm férm a guardèla
cumè di bucaléun,
la Daria ch'la curéva tótta néuda...

Le biciclette sono scivolate sulla sabbia
con i pedali in aria,
l'acqua era grande,
lucida e nera come fosse catrame,

le onde rotolavano
piano, in un sussurro,
e ci arrivavano tiepide fino ai piedi.
Dopo ci siamo sparsi
fra i tamerischi e le buche per spogliarci,
c'è voluto poco, Ghigo ha fatto un fischio
ed è stato tutto un correre, ma al lume della luna
a me è parso di vedere,
e l'hanno vista anche gli altri,
e ci siamo fermati a guardarla come dei boccaloni,
la Daria che correva tutta nuda...

Nei componimenti di Tonino Guerra, Nino Pedretti e Giuliana Rocchi, la componente elegiaca dell'ispirazione produce immagini malinconiche, ricordi d'infanzia sulla spiaggia, venature fiabesche, paesaggi della memoria e consapevolezza del cambiamento, come in questa breve *Marina* della Rocchi:

U n gn'è pio al fraschi e i bdóll
che ma la brèza dl'oèlba
i s'inchinèva,
u n gn'è piò la canèza
duvè che néun burdéll
andémi a foè i nost bsógn.
[...]
Adès, l'è tótt cemént e luci.

Non ci sono più le frasche e le betulle
che alla brezza dell'alba
s'inchinavano, non ci sono più i canneti
dove noialtri bambini
andavamo a fare i nostri bisogni.
[...]
Adesso, è tutto luci e cemento.

Vorrei concludere con alcuni versi di Rosita Copioli, tratti dalla poesia *Tomba bianca* che appartiene alla raccolta *Furore delle rose* (1989):

[...]
... Forse la pozza e il tamericio
sono sotto quel cordone di macerie.
E là, sul palco solferino dei meloni
biondo come la costa d'un seno d'oro
puntato al mare, avanzano due schiere
in conflitto. Discoteche e ville a
scacchi, cunei laterali di baracche
in vetroresina e lamiera. Agli occhi
della mente ci vuole il buio, forse.
[...]

Si noterà immediatamente la profonda diversità dai componimenti precedenti. E non solo per la diversità della materia linguistica. L'italiano usato dall'autrice è raro e prezioso; le figure retoriche impiegate, varie e complesse; le illuminazioni interiori che il paesaggio comunica conservano un'aura mitica. Ma anche qui abbiamo un punto di partenza reale, rintracciabile non solo nella memoria dell'autrice, ma verificabile nell'oggi. Ed è affascinante sottolineare come quello stesso paesaggio, quella stessa campagna, quello stesso bagnasciuga abbiano, a seconda della cultura e della personalità dei vari autori, prodotto, contemporaneamente, poetiche così differenti. Come se, in fondo, il paesaggio marino di questa regione fosse soltanto una fra le innumerevoli illusioni in cui ci dibattiamo, solo una proiezione fantastica di un sentire che si agita nel profondo di noi. E allora anche questo viaggio letterario e cartaceo, nell'impossibilità di aggredire sistematicamente l'oggetto, nella sua mancanza di scientificità, si rivela, in questo punto finale, solo come un'avventura linguistica, un percorso difforme attraverso i modi con i quali gli scrittori, i poeti e gli artisti hanno parlato della loro terra e del loro mare.

[1990]

11

AMERICA

JAMES BALDWIN

"Un negro, diceva suo padre, vive tutta la sua vita, vive e muore battendo il ritmo. E col ritmo, cacchio, ci scopa pure e il pupo che ne viene, be', anche lui il ritmo non lo molla più e nove mesi dopo schizza fuori come un dannato tamburino. Il ritmo: mani, piedi, piatti, tamburi, pianoforti, risate, bestemmie, giochi di parole; il tizio che si irrigidisce in una risata, un grugnito, un gemito, la tizia tutta lacrime e moine e bisbigli e sospiri e strilli. Il ritmo – a Harlem d'estate quasi te lo vedi pulsare, dai marciapiedi ai tetti." E, nero di Harlem, classe 1924, James Baldwin di ritmo ne ha messo parecchio nei suoi romanzi, soprattutto in *Un altro mondo* (1962), certamente il suo capolavoro.

Un giorno, forse l'ottobre scorso, passando per Roma mi trovai a casa di Giuseppe Videtti, direttore di *Rockstar*. Mi chiese che musica volessi ascoltare. Risposi che mi fidavo di lui. A un certo punto si alzò, dicendomi: "Cosa ti ricorda questo?" Aspettai che la musica si diffondesse per l'appartamento. Poi, riconoscendo un blues struggente, chiesi se volesse farmi frignare dal dolore. Mi diede dello zotico e dell'incolto: "Ma come? Questo pezzo di Mahalia Jackson, *In the Upper Room*, chiude il più bel romanzo di Baldwin. Ida lo mette su e va alla finestra, e guarda il brulichio della vita sulla strada, e Vivaldo se ne è andato per sempre. Come puoi non conoscerlo?" No, non lo conoscevo, ma conoscevo benissimo il romanzo. Quando lo lessi la prima volta, credo a ventidue anni, ebbi una folgorazione. Non tanto per la trama in sé, quanto per il vortice della scrittura di Baldwin, quel suo intrecciare i destini agri dei personaggi come se fossero note di una partitura musicale, quel suo descrivere continuamente i jazz-bar di Harlem, i ritrovi squallidi per diseredati e fuorilegge, le sue strade, le vie, gli appartamenti, gli improvvisi squarci di gioia, le scene d'amore e di sesso che si aprono violentemente nello spartito come tanti larghi e pianissimi, quel suo ricorrere continuamente alle parole dei blues, alle canzoni di Bessie Smith, Dinah Washington, Billie Holiday, James Pete Johnson per esprimere le motivazioni e gli stati d'animo e le sentimentalità dei personaggi. *Un altro mondo*, dice la presentazione editoriale, è un romanzo scritto come un blues, con l'impeto, il tormento, la rabbia e la pietà della musica jazz. Questa potrebbe essere la filosofia della scrittura di Baldwin, ma forse, più profondamente, potrebbe esserlo questo altro concetto espresso in *La prossima volta, il fuoco* (1963), libello politico per l'emancipazione dei neri americani: "La vita è tragica per gli stessi motivi per cui la terra gira, per cui il sole sorge e tramonta; ma verrà un giorno in cui per ognuno di noi il sole tramonterà una volta per sempre, senza mai più sorgere." Questa consapevolezza del destino dell'uomo, della sua precarietà e, nello stesso tempo, della sua grandezza verso il mondo, – la vita va vissuta proprio perché si muore – ecco, questa è anche l'aria che soffia nei blues che Baldwin adotta nel suo romanzo. Blues per i momenti più intimi e tristi, per i funerali di Rufus e per ballare, per le sbronze e per l'amore.

Veniamo ai personaggi di *Un altro mondo*. Rufus, batterista famoso e stimato, ha un rapporto tormentato con una bianca, Leona. Ha una sorella, Ida, che finirà fra le braccia del suo miglior amico, Vivaldo, un bianco di origine irlandese, scrittore. Rufus esce di scena con un suicidio, descritto in modo straordinario per secchezza e incisività, poco dopo l'inizio del romanzo. Quando il libro inizia, Rufus è già un disperato rissoso, alcolizzato e tormentato. Ha avuto anche una storia d'amore con Eric, un giovane attore bianco che, deluso, è fuggito a Parigi. Eric tornerà poi a New York e finirà, tra l'altro, a letto sia con Vivaldo sia con Cass, una signora della borghesia illuminata, moglie di Richard, anch'egli scrittore e amico di Rufus. Questi i personaggi principali. I loro destini si intrecciano e si smistano, e al fondo delle loro motivazioni c'è sempre quella paura: il desiderio sessuale del negro verso il bianco e viceversa. Baldwin nevrotizza questo rapporto politico e sociale, indagandolo nella sfera sessuale e anche in quella dei sentimenti. È per questo che Vivaldo confronta il suo cazzo con quello di un commilitone di colore. È per questo che Rufus va a letto con Leona e che Leona cerca il sesso di Rufus. È per questo che Vivaldo ama Ida, la stupenda ragazza di colore, ormai ottima cantante di blues. Perché da bianco ama i neri, ama Harlem: "Per anni e anni si era andato convincendo d'appartenere alle buie strade del ghetto soltanto perché la storia scritta nel colore della sua pelle gli contestava il diritto di appartenervi. [...] A Harlem s'era sentito più vivo perché vi s'era mosso in una furia di rabbia, di compiacimento e di eccitazione sessuale."

La tematica sessista che caratterizza i romanzi di Baldwin è anche in *Dimmi da quanto è partito il treno* (1968), centrato sulla figura di Leo Proudhammer, attore nero, che si trova improvvisamente costretto a letto, in clinica, da un attacco al cuore. Così, vicino alla morte, ricorda la sua vita, l'infanzia ad Harlem, le degradazioni del Village, gli amori divisi fra Barbara e il nero Christopher, la figura politica del fratello Caleb, le rivolte, la lotta per il successo, il conflitto con l'America. Ma forse è più messo a fuoco nella *Camera di Giovanni* (1956), romanzo breve, al contrario degli altri, meno polifonico, e più "variazione sul tema" che "sinfonia." Siamo nel Midi, alla vigilia dell'esecuzione di Giovanni, condannato a morte per aver ucciso il suo protettore Guillaume. Come sempre in Baldwin ecco il flashback: tutta la relazione fra David, bisessuale americano, e il giovane italiano. Fa da sfondo la Parigi degli squattrinati, colta nel periodo esistenzialista. La Parigi degli intellettuali transfughi dall'America sulle orme di Gertrude Stein e della generazione perduta di Fitzgerald ed Hemingway. Checche strafottenti, battoni ingenui, bei ragazzi, dolci ragazze del Sud e, soprattutto, bevute e bevute, pianobar, cabaret, boulevard di Montparnasse. I due amanti sono rinchiusi nella camera di Giovanni, luogo emblematico – direbbero i critici – del disordine della vita del protagonista, il rigurgito della sua disperazione. Qui Baldwin non è all'altezza di altri suoi testi. È ingenuo, a volte patetico. Quando i due uomini finiscono a letto, la prima volta, ecco testuale: "Giovanni mi attirò a sé, ponendosi fra le mie braccia quasi mi si offrisse per essere portato, e mi trascinò giù lentamente sul letto con lui. Ogni mia parte urlava: 'No'! E tuttavia l'essenza mia stessa sospirò: 'Sì!'"

[1985]

JACK KEROUAC

"Così in America quando il sole va giù e io siedo sul vecchio diroccato molo sul fiume a guardare i lunghi, lunghissimi cieli sopra il New Jersey e avverto tutta quella terra nuda che si svolge in un'unica incredibile enorme massa fino alla West Coast, e tutta quella strada che va..." È il memorabile attacco dell'ultima pagina di *On The Road*, il libro certo più conosciuto di Jack Kerouac. Una sera, al club Le Grand Dérangement, nella parte vecchia di Quebec, il bluesman californiano Mark Murphy ha iniziato a leggerla. Dapprima con un tono piatto, calmo. Qualche secondo dopo è entrato il basso, poi insieme chitarra e batteria. A quel punto, Murphy ha svolto la lettura in canto. Le parole di Kerouac sono diventate la sostanza verbale di un blues bellissimo e struggente. Fra gli sgabelli del bar, fra i tavoli affollati giù in sala, fra il pubblico che si accalcava all'ingresso, si è avvertito un intenso brivido di emozione. La scrittura del "clochard celeste" reggeva benissimo il sound, quella musica che Kerouac aveva da sempre cercato di immettere nei suoi libri, il jazz che ascoltava in continuazione, l'assolo di un canto sincero e nostalgico come sincera e nostalgica ("La vita è un sogno già finito") è tutta la sua opera. È stato questo uno dei momenti creativamente più alti dell'*Incontro internazionale Jack Kerouac*, organizzato nel mese di ottobre del 1987 a Quebec dal Secrétariat permanent des Peuples Francophones, diretto da Louis Dussault. Quattro giorni di convegno, una ventina di comunicazioni, testimonianze, letture critiche, una tavola rotonda quotidiana, organizzata nelle ore del primo pomeriggio al pub Saint Alexandre, proiezioni di film sulla beat generation, spettacoli teatrali, mostre fotografiche, una serata di poesia, un continuo intrecciarsi, fra le strade in salita di questo avamposto della colonizzazione americana, di studenti, fanatici di Kerouac, leggende viventi come Carolyn Cassady, moglie di Neal Cassady, il grande amico di Kerouac. E naturalmente gli esponenti di quella che forse è stata la sola avanguardia letteraria della storia americana: Allen Ginsberg, Lawrence Ferlinghetti, John Montgomery...

Per quattro giorni è stato così possibile entrare nel cuore di un mito non soltanto americano, ma della letteratura mondiale. A un'incauta intervistatrice che affermava: "Forse Kerouac non resterà come grande scrittore, ma solo come grande personaggio", il poeta-editore Lawrence Ferlinghetti (il cognome è bresciano) ha risposto con il suo aplomb aristocratico: "Se non è un grande scrittore, perché ci troviamo qui in alcune centinaia di persone a discuterne? Kerouac è stato un grandissimo scrittore, molto, molto più importante di Hemingway. In Kerouac c'è una visione dell'America; in Hemingway c'è solo Hemingway."

Soprattutto per questo, per capire il mondo di Kerouac, il suo spessore letterario, la sua scrittura, le radici del suo stile, abbiamo seguito il convegno. La leggenda non interessa più. Che leggenda può esserci nella vita di un uomo che muore così miseramente, rifiutato da tutti, alcolizzato cronico, quale mito in un suicidio ricercato e voluto e inseguito per decenni? Nessuna, io credo. Le immagini del Kerouac all'ultimo stadio sono tragiche. In un'intervista concessa a Radio Canada il 7 marzo 1967, due anni prima di morire per emorragia interna, in Florida, Kerouac appare visibilmente a disagio con l'intervistatore, Fernand Séguin, e il pubblico. Seduto su un piccolo divano, pressato anche fisicamente dall'aspetto borghese del giornalista, Kerouac risponde in francese, nel suo francese proletario e plebeo della comunità franco-canadese di Lowell, Massachusetts, dove è nato nel 1922. Si mordicchia le labbra, si gratta la testa, chiude e strizza continuamente gli occhi, dondola il capo, scrolla le spalle in secondi di apprensivo mutismo. Dice che la parola "beat", l'ha sentita per la prima volta da due negri nell'accezione di "povero". Ma che poi, entrando in una piccola chiesa l'ha collegata alla parola *béatifique: "C'est* beato, *en italien...*"

Sì, il Kerouac che si vede in questa intervista è un Kerouac che imbarazza. A un certo punto, sentendo il pubblico ridere e ghignare alle sue parole, chiede sottovoce: "Ma che hanno da ridere?" Kerouac è ormai un fenomeno da baraccone. Come l'anno prima, il 1966, durante la sua disastrata visita italiana in occasione del lancio di *Big Sur*, cinquecentesimo numero della Medusa mondadoriana. In quell'occasione, tutto fu ancora più tragico. "Lo scrittore Jack Kerouac si presenta ubriaco ai giornalisti", titolerà, per esempio, *La Stampa*. Per non parlare del ritratto feroce che ne fece Alberto Arbasino in un articolo per l'*Espresso*, dal titolo: "Beatnik in pensione".

Eppure la leggenda di Kerouac continua. Una folla di giovani che si scambiava autografi, lettere, edizioni di *The Subterraneans* in ogni lingua, assembramenti di ex beat oggi sessantenni, gruppi di punk arrivati in autostop, hanno ascoltato con attenzione le varie comunicazioni tenute nel salone dell'ostello della gioventù. Prima fra tutti Carolyn Cassady, che ha brevemente parlato dell'amicizia virile che legò Jack Kerouac a suo marito. Piccola, guizzante, pettinatura biondo-oro, un sigarillo More fra le dita inanellate, stivalacci di pelle nera ai piedi e gonnone folk messicano, Carolyn ha raccontato delle telefonate strazianti di Jack dopo la morte di Neal, telefonate continue e ossessive, perché Kerouac non voleva accettare che il suo grande e unico amico fosse morto. Ha glissato sugli aspetti erotici di quell'unione a tre, dicendo semplicemente: "Eravamo per la liberazione sessuale, lottavamo contro ogni forma di inibizione, ma nei rapporti personali eravamo condizionati dalla nostra educazione."

Il traduttore francese di *On The Road*, Jacques Hubard, mi ha parlato della convivenza in un piccolo appartamento di New York (Burroughs, Gregory Corso, Ginsberg, Orlovsky, Kerouac), lasciando capire che si trattava di una gigantesca *partouze*. Ferlinghetti ha seccamente risposto: "Metà del movimento beat era *pédé*. Ma l'altra era *straight*." Gerard Nicosia, il bravissimo biografo di Kerouac, autore di *Memory Baby*, ha sollevato un applauso commosso quando ha parlato della continua ricerca in Kerouac di un "focolare", del suo bisogno di mettere su famiglia, della sua impossibilità a essere padre. Mentre Allen Ginsberg dava a un uditorio sommamente attento e divertito un'ennesima lezione di buddhismo, esordendo con queste parole: "Tutti qui hanno parlato del cattolicesimo di Jack, ora vi parlerò del suo buddhismo", Ann Charters, la prima biografa di Kerouac, ha incentrato il suo intervento sulla ricerca delle radici, sul passato di *canuck*, sull'eredità della comunità francofona negli Stati Uniti, toccando il più problematico nodo del convegno. Non si conta il numero degli interventi di poeti, critici, studiosi franco-canadesi, che hanno parlato dell'infanzia di Kerouac, del suo legame con la lingua francese, delle sue radici in Quebec. Per quattro giorni si è svolto una specie di dibattito nel dibattito, il cui argomento non era tanto il Kerouac di *On The Road*, ma il Kerouac di *Satori a Parigi*, il Kerouac che va in Bretagna sulle tracce degli avi, il Kerouac che parla francese, finalmente il Jean-Louis Lebris de Kérouac, detto Ti Jean, che ascolta i racconti dell'adoratissima madre nella lingua dei *tué* e *mué* (*toi* e *moi*), il francese medievale rimasto intatto sulle rive del San Lorenzo, nella Nouvelle France.

La storia, dunque, delle origini di Kerouac è una storia di doppia immigrazione dall'Europa al Quebec e dal Quebec agli Stati Uniti. Molti studiosi ricercano qui i punti di partenza delle correnti migratorie francofone che hanno attraversato il continente, scoperto per prime l'America, fondato città che ancora qui pronunciano alla francese come Detroit (*Detrua*) o St. Louis. "Riscoprendo Kerouac, mi dice Luis Dupont, giovane e appassionato ricercatore dell'Università di Laval, "noi cerchiamo di scoprire le nostre radici di francofoni americani. In questo senso, la ricerca dei propri avi che ha fatto lo stesso Kerouac nell'ultima parte della sua vita è il simbolo della nostra vera identità. Essere francesi in America".

Qui, di Canada si parla infatti con molta prudenza, anzi, non se ne parla affatto. Dopo il referendum del 1980, perduto dagli indipendentisti del Quebec sembrerebbe oggi che la politica autonomista, ben lontana dall'estinguersi, segua strade più sotterranee, indirette, come il lavoro culturale attorno alle proprie origini e alla propria identità di nazione che ancora nazione non è. Puoi avvertire questo incessante lavorio ovunque, soprattutto fra i giovani dell'università e quelli che affollano le *tavernes* bevendo *grosses bières*, popolari bottiglioni di birra da un litro. Lo avverti quando, incautamente, appena arrivato, ti getti in una birreria per assaggiare una birra canadese e ti senti rispondere seccamente che lì, di birre canadesi, non ne hanno.

Il problema delle proprie radici diventa allora il problema generale di qualsiasi minoranza etnica e culturale. E, all'interno dei francofoni d'America, quello degli immigrati negli Stati Uniti, come la famiglia Kerouac. In *Le Grand Jack*, un bel film-inchiesta prodotto dal National Film Board of Canada, il poeta Herménégilde Chiasson ha intervistato i rappresentanti della comunità francofona di Lowell. Ha raccontato delle durezze dell'immigrazione, della miseria dei quartieri, delle serate in cui, davanti alle case, tutti si riunivano per parlare del Petit Canada.

Da Lowell sono arrivati a Quebec in pullman in parecchi. Fra questi, il simpatico Roger Brunelle, insegnante in una scuola pubblica, che ha portato testimonianze inedite sui primi anni della vita di Kerouac. Il suo lavoro principale consiste nel rintracciare, nella Lowell di oggi, i luoghi descritti nei romanzi di Kerouac. Dice che tutto è ancora intatto. Quando gli chiedo di *Maggie Cassidy*, uno fra i libri che preferisco, incentrato sull'adolescenza di Jack e sui suoi primi amori, mi dice: "Maggie è viva. Il suo personaggio racchiude tre donne. Ma Maggie, la più importante, vive ancora. È nata un anno prima di Jack, abita la stessa casa, è diventata nonna da poco, e non vuole sentire assolutamente parlare di *Maggie Cassidy*."

Anche gli eroi, prima di entrare nella leggenda, invecchiano e muoiono. Oggi Kerouac sta risalendo dagli abissi degli ultimi anni della sua vita per riemergere come il più importante scrittore del continente americano. Come ha detto Allen Ginsberg, Kerouac "ha inventato una nuova figura di scrittore. Ha cercato la santità nella sua scrittura". Il suo messaggio ha attraversato i continenti. Si aspettava con curiosità l'intervento di Pradip Choundhuri, poeta indiano dell'angry generation, un movimento di intellettuali hippy di Calcutta, nato negli anni sessanta, osteggiato da sempre dalla polizia e dall'intellighenzia della città. Come vuole la leggenda dei beat di ogni tempo finiti in carcere, messi sotto processo, anche Pradip è stato bloccato alla frontiera indiana da un visto che le autorità canadesi non gli hanno concesso. La beat leggenda continua.

[1987]

DAVID LEAVITT

"Quell'estate, come ogni estate, Nathan faceva il vagabondo, il ragazzo ricco, uno dei tanti studenti con lo zaino in spalla che cercavano di sfruttare al massimo il loro biglietto scontato per tutte le ferrovie europee. Andrew era in Europa sotto più austeri auspici: aveva vinto una borsa di studio per analizzare l'influenza del Manierismo sul Barocco, basandosi soprattutto sull'arte scultorea di numerosi giardini italiani del tardo Settecento." Nathan e Andrew arrivano dunque in Italia. Qui si mettono insieme (immagino in una pensioncina di Via Calzaiuoli) come tanti altri ragazzi e ragazze americane che osservavo, affacciati al balcone, in certe serate estive, ospite di un amico lì di fronte, e allora mi veniva da pensare: quale sarà la loro storia? Che tipo di rapporto esisterà fra il muscoloso e ricciolutο e abbronzatissimo californiano e il biondo e pallidissimo e bellissimo della East Coast e la ragazza che ora esce dalla doccia e si asciuga, qui al balcone, i lunghi capelli rossicci? Certo non avrei immaginato che avrebbero potuto chiamarsi Nathan e Andrew e Celia. Si ritrovano a un appuntamento fissato davanti al Pantheon, a Roma, con l'amica Celia innamorata un po' di tutti e due. Anni dopo, sui bordi della piscina dei genitori di Nathan, in un party di giugno, i ragazzi ricordano le notti d'amore, la prima volta, i piccoli tradimenti, gli scazzi, le fughe su e giù dai treni.

È un po', questa, la trama di *Devota*, il racconto che chiude la raccolta *Ballo di famiglia* di David Leavitt, libro di grande successo e a proposito del quale si è scatenata l'arte italica del sublime cazzeggio da parte di scrittori, recensori, giornalisti. Soprattutto perché *Ballo di famiglia* è stato accolto negli Stati Uniti come un'autentica rivelazione, un rinverdimento della narrativa americana, in particolar modo della letteratura di Salinger; ha venduto decine e decine di migliaia di copie, ha consacrato un autore al disotto dei venticinque anni, è piaciuto alla critica, si è imposto all'estero. In Italia è arrivato con una buona campagna stampa, bruciando già sei edizioni. È piaciuto molto a Antonio Tabucchi, è piaciuto a Fernanda Pivano, sacerdotessa della beat generation, che ne ha approfittato per introdurre in Italia le descrizioni delle nuovissime generazioni americane, definite come non generation (di cui, scusate, so ancora pochissimo) e che azzererebbero l'antipatico fenomeno yuppie. Al di là delle generalizzazioni, comunque, si tratta di un libro ottimamente costruito, piacevole, con almeno tre racconti su nove di sicuro spessore e talento: *Territorio*, *Contando i mesi* e *Devota*. L'unico guaio, a parte la ripetitività delle situazioni e delle non trame – ma Leavitt ha sempre dichiarato che *Ballo di famiglia* mette appunto insieme racconti scritti per riviste come il *New Yorker* e *Harper's* e che quindi non ha la presunzione di chiamarsi "romanzo" – il guaio, dicevo, è che troppo spesso scorrazzano per le pagine bambini, mostriciattoli, ragazzini che guardano *Love Boat*, *General Hospital* e *Visitors*, sgranocchiando pop-corn e bevendo Coca-Cola. I nomi dei mostri si confondono, in più i nuclei familiari in cui vivono sono solitamente composti da genitori divorziati o separati o abbandonati. Il risultato è che ci sono troppe mamme, troppi amanti, troppe sorellastre, in giro. Bisogna farsi uno schemino con la matita e segnare i vari casati e le dinastie, prima e dopo i divorzi, un po' come si fa con i romanzi russi in cui i personaggi si confondono per tutti quei patronimici e quelle Alexandrove e Viborove.

[1986]

Dei nove racconti di *Ballo di famiglia*, il trionfale esordio di David Leavitt, erano piaciuti soprattutto *Territorio*, *Contando i mesi* e *Devota*. Il resto appariva piatto, ripetitivo, a volte noioso, con tutti quei mostriciattoli che si chiamavano Ernest, Mark, Roy, Donna

Lee, Carola, Lynnette, Seth, Orso, Ivy, Herb, sempre lì fra cucine e piscine a guardare *General Hospital* o *Visitors*, a leccarsi di nascosto le dita sporche di marmellata mentre le mamme divorziano dai mariti, le sorelle dagli amanti, gli psichiatri soggiornano in salotto e la porcellana Tang vince sul vaso Ming (o viceversa), come in *Interiors* di Woody Allen. Questo primo, corposo romanzo, dallo stupendo titolo *La lingua perduta delle gru*, sembra presentare gli stessi pregi e gli stessi difetti di quella raccolta. Ci sono pagine bellissime, sequenze psicologicamente emozionanti, dialoghi commoventi e una garbata (forse è proprio il garbo la cifra stilistica di David Leavitt) concezione dell'amore come bisogno e sofferenza che ci fa riflettere, assorti. Ma c'è ancora tutta quell'attrezzeria bambinesca e infantile, fatta di programmi televisivi, filastrocche, canzonette, cartoni animati, libri illustrati, orsacchiotti e carta da parati Laura Ashley, che francamente troviamo insopportabile. E petulante.

In una New York contemporanea, ecco la storia d'amore ("C'è chi ama e c'è chi è amato", diciamo, ovviamente, con Carson McCullers) fra il venticinquenne Philip e il poco più grande Eliot. Parallelamente si svolge la storia speculare di Jerene con l'amica Laura. Quando Jerene ha confessato alla famiglia di essere lesbica si è vista immediatamente ripudiare. Anche Philip confessa alla famiglia di essere gay. E giù problemi su problemi. Soprattutto perché il padre, Owen, è anch'egli omosessuale. Ogni domenica, da una ventina d'anni, ormai, frequenta il Bijou, uno squallido cinema porno per amplessi frettolosi e anonimi. In passato anche Philip lo ha frequentato, e la scena in cui è raccontato questo incontro mai avvenuto realmente, ma così presente nell'immaginario del padre e del figlio, questa scena è forse la migliore dell'intero romanzo. Un bellissimo pezzo teatrale, così come teatrale risulta tutto l'impianto del romanzo che procede per scene domestiche contrapposte e sviluppa l'azione nel dialogo. Tecnicamente, se mai così banalmente ci si può esprimere per questo genere di cose, Leavitt è già un gigante.

La dichiarata omosessualità di Philip scatena la presa di coscienza di Owen quando ormai Rose, la sua compagna, ha capito. In *Mio padre e io*, J.R. Ackerley raccontava, nella Londra degli anni venti, più o meno le stesse cose, confrontando la propria omosessualità con quella del padre, scoperta solo dopo la morte. A proposito dei suoi rapporti con i genitori scriveva: "In tutta la mia vita non ricordo di avere mai parlato con lei a cuore aperto e neppure con lui." L'esatto contrario di quanto succede in Leavitt. Come Rose, moglie e madre "ingannata", anche noi in fondo ci chiediamo: "Sembri convinto che confessare e aprirsi siano sempre la risposta giusta. Ma io non ne sono così sicura."

[1987]

JAY MCINERNEY

Questo scoppiettante, ironico, sconsolato, divertente, fulminante e, probabilmente, anche molto sincero romanzo di Jay McInerney, *Le mille luci di New York,* diventerà nei prossimi mesi il *must* di tutta quella fauna milanese attorno ai trent'anni che di giorno traffica negli studi fotografici, nelle redazioni dei giornali di moda, nelle agenzie pubblicitarie, nei capannoni dei *film makers* e di notte bazzica locali e ristorantini come La Nave, il Pois, il Plastic, l'Amnesie, bevendo forte, tirando polvere, sognando New York e sperando di adescare, durante il forsennato "night-clubbing", qualche fotomodella americana, così, tanto per gradire.

Il protagonista delle *Mille luci di New York* è infatti un giovanotto la cui vita è un continuo sbattersi fra locali e discoteche, assorbito dal ritmo anfetaminico della Grande Mela. Di giorno lavora nel reparto Verifica dei Fatti di un'importante rivista. Il suo compito è quello di controllare l'esattezza di qualsiasi dettaglio contenuto nel pezzo "assicurandosi che se in un racconto ambientato a San Francisco c'è uno psicopatico di nome Phil Doaks, nella guida telefonica della città non ci sia un Phil Doaks al quale possano girare le palle con conseguente richiesta di danni". Non è proprio il genere di lavoro che il ragazzo aspirante scrittore, fan di Fitzgerald, Saul Bellow, Dylan Thomas, Talking Heads ecc., vorrebbe per la propria vita. La sua bella moglie Amanda, di professione fotomodella, inoltre, lo ha piantato, lasciandolo in un disordine materiale e metafisico. Il ragazzo non ce la fa più: tira di coca da mattina a sera, e da sera a mattina; e anche quando vorrebbe finalmente mettersi a dormire, c'è sempre il compare Tad Allagash che gli si precipita in casa per trascinarlo "dovunque ci siano balli da ballare, droghe da spolverare, donne da 'allagashare'".

Nonostante tutto, il ragazzo sta male e continua a stare male. Quando vede sul *New York Times* una foto di Amanda ritratta in abito da cocktail con altre fotomodelle ha una ricaduta. Ricorda Amanda, il loro primo incontro a Kansas City, le partenze per le sfilate autunnali di Milano, gli abbracci, i pianti. È proprio nelle pagine più distese del romanzo, in cui McInerney indaga le ragioni di questo malessere, che il racconto prende fiato e profondità. Ma resta sempre indimenticabile l'ottima apertura del libro con tutti i soldatini boliviani ficcati nel cervello del protagonista in attesa di ricevere un'altra razione di polvere: "Sono stanchi e infangati per la lunga marcia attraverso la notte. Hanno i buchi nelle scarpe, hanno fame. Hanno bisogno di sostentamento, di un po' di tiramisù nazionale."

Agilissimo nel descrivere, con una battuta, metropolitane e cocktail, cessi in cui si sniffa e party mondani, McInerney fa del suo protagonista uno spiazzato e uno spaesato, un "numero di una serie scelta a caso", un appartenente alla "confraternita delle promesse mancate". Eppure *Le mille luci di New York* è diventato l'emblema degli yuppie, vendendo già duecentocinquantamila copie. Il che può farci riflettere sull'aleatorietà di certe sommarie definizioni sociologiche applicate alla letteratura.

[1986]

BRET EASTON ELLIS

Ci voleva questo scazzato e per niente arrabbiato Bret Easton Ellis per spedire, finalmente, la nostra accademia letteraria a lezione da *Rockstar* & C. – corsi serali per i troppo occupati, quotidianamente su Raistereonotte – e dar così dimestichezza con i signori che qui, in *Meno di zero*, si chiamano: Human League, Devo, Beach Boys, Elvis Costello, Eagles, Missing Persons, Prince, Led Zeppelin, Doors, Clash, Psychedelic Furs, U2, Sting, Adam Ant, B52's, Billy Idol... Ci voleva questo romanzetto sugli strafatti diciottenni miliardari della West Coast degli anni ottanta, per accorgersi che anche un ragazzo della più sperduta provincia italiana – che abbia radio e TV accese – può capire un prodotto creato dall'altra parte dell'oceano. Ci voleva questo trio di ragazzi americani: Ellis, Leavitt, McInerney, per non nutrire alcun tipo di soggezione di fronte ai nuovi prodotti letterari-best seller degli Stati Uniti, dal momento che questo libro di Ellis sembra la faccia cattiva di *Treno di panna* di Andrea De Carlo (a cominciare dal titolo), così come certi passaggi in Leavitt e McInerney riportano a romanzi "giovani" già da noi usciti anni fa. (Mentre il confronto fra prodotti cinematografici, per esempio, o tirature, resta diversissimo.)

Ellis, sia detto senza delirio, è bravissimo. Non è colto o caleidoscopicamente ironico come McInerney, né ha le trattenute e molto belle romanticherie di Leavitt. Ma sa cacciar dentro, nelle poche settimane di vacanze natalizie in cui si consuma il ritorno a Los Angeles della matricola Clay – studente nel New Hampshire – un ritratto della California e dei suoi teen-ager assolutamente imprevedibile: cocaina a chili come fra le star di Hollywood Babilonia, squarci di satanismo – assassini e stupri che passano sul Betamax durante i party – degni di tutta una controcultura degli anni sessanta, da Kenneth Anger a Charles Manson; ogni genere di droga, dalla mescalina di Ginsberg all'LSD di Timothy Leary alle canne e ai joint dei figli dei fiori; il *camp* delle comunità gay e lo smarchettamento lussuoso, contraltare del battonaggio povero e *on the road* del John Rechy di *Città della notte* (romanzo bellissimo); le piscine di David Hockney; le abbronzature forzate e gli idromassaggi Jacuzzi delle pornostar della Laguna Pacific o del Falcon Studio; il wind surfing di Venise come in *Un mercoledì da leoni*; l'insoddisfazione, i genitori idioti, le Ferrari, lo champagne e il "duetto" come nel *Laureato* di Mike Nichols. Il romanzo è accompagnato da una fluida e documentatissima postfazione di Fernanda Pivano (cinquanta pagine), dal titolo: *Minimalisti e postminimalisti hemingwaiani*. Con questo saggio, la Signora torna in primissima e battagliera linea, collocando questi ragazzi all'interno dell'evoluzione del romanzo americano e riscoprendo così gli anni settanta e i loro quasi sconosciuti narratori. Informatissima e puntuale, Nanda ancora una volta riesce a svelarci i retroscena di un triplice successo letterario che, pur fra riserve, ci ha lasciati ammirati e sbalorditi.

[1986]

Il racconto che Bret Easton Ellis fa, nelle *Regole dell'attrazione*, del trimestre autunnale del 1985 all'Università di Camden, nel New Hampshire, parrebbe dar ragione a quelle inchieste allarmate della stampa americana sulla vita degli studenti nei college più prestigiosi e più costosi: riti di iniziazione sulle matricole, violenze, stupri, droga, sesso selvaggio e indifferenziato, orge, suicidi, aborti, abusi alcolici, *toga* party, e nessuno, mai una sola volta, che se ne stia tranquillo nella sua stanza, seriamente intenzionato a studiare. D'altra parte, le materie di insegnamento, ben stigmatizzate dal sarcasmo *snobbish* e *up to date* di Ellis, paiono veramente "sciocchezzai", fra un corso di scultura creativa e uno di danza preraffaellita, al punto che anche noi converremmo con la seguente affermazione: "D'altra parte, cos'altro ci fa uno, in un college, oltre che bere birra o tagliarsi le vene?"

Il soggetto e l'ambientazione del nuovo lavoro di Ellis avrebbero potuto dar luogo a un "romanzo di formazione" con riferimento a *Di qua dal Paradiso* di Fitzgerald, a *Pace separata* di John Knowles, o all'epopea studentesca di un Kerouac. Invece del *bildungsroman*, Ellis produce un referente letterario dei tanti film o telefilm sui college e quindi: *Porky's* I e II e III, *La rivincita dei Nerds*, *Le ragazze pon pon*, *Phil il dritto*; ma anche, rinverdendo quel suo hard core che avevamo apprezzato in *Meno di zero*, riproduce i dialoghi di video porno della Laguna Pacific come *Dormitory Daze*, *Kept After School*, *Spring Semester*, *Blonds Do It Better*, *Preppy Summer* fino a *Dynastud* (la parodia gay di *Dinasty*), così di moda, data la congiuntura attuale, in certe camere da letto specializzate nel *safe sex*.

I protagonisti sono tre: Paul, Lauren, Sean. Bellissimi, ricchi, disponibili, senza problemi di allergie per l'*ecstasy*, la *mesca*, la metedrina, l'ero, la coca, le canne, le birre, i pullover Benetton (mah!), le camicie *button down* di Brooks Brothers, i pantaloni Giorgio Armani, la musica dei Talking Heads, la carte di credito Visa o American Express. Ognuno innamorato di qualcun altro, ognuno che scopa con l'altro, ognuno che pena per l'altro. Morale: "Siamo tutti andati a letto con gente con cui non saremmo dovuti andare a letto."

Ellis regge bene le sue trecento pagine, con un'orchestrazione dei punti di vista e delle soggettività narrative paragonabile a quella di un romanzo epistolare a più voci. I monologhi dei protagonisti del libertinaggio risentono di un *découpage* forse troppo selvaggio, ma, a parte la ridondanza e la vacuità di certi dialoghi, nulla da eccepire. La preferenza, oltre alla sarcastica descrizione della riunione di poesia, va alla parte centrale del flirt fra Paul e Sean che ricorda assai *Giorgio contro Luciano* dell'Arbasino giovane: nel parco, sotto la neve, mentre gli Smiths suonano *Reel Around The Fountain*, i due si rotolano per l'ultima volta... Il traduttore di queste *leçons dangereuses*, Francesco Durante, ha buon gioco quando inserisce, con mano leggera, certi termini della fauna *preppy* e paninara italiota senza prevaricare nel gergo. Fernanda Pivano commenta il tutto con la consueta affabilità, puntualità e documentazione.

[1989]

WILLIAM BURROUGHS

Dopo un paio di mesi in cui le mie letture sono state massicciamente occupate dai cosiddetti "minimalisti" e "postminimalisti" americani, lasciatemi dire una sola cosa: che gioia, che emozione la notte scorsa aver tirato le quattro leggendo l'ultimo eccellente Burroughs, venuto inaspettatamente a rinfrancarci dal tedio minimal. Che gioia, nel silenzio della notte, interrotto solo di tanto in tanto dalle sirene di qualche autolettiga, che felicità tuffarsi voracemente in un Burroughs come a vent'anni. Trasgressioni, follia, allucinogeni, droghe, alcool, *hipsters*, Sud America, stregoni, scienziati pazzi, psichedelia, bidonville, puttane, spacciatori, e non sempre queste descrizioni, a volte noiosissime, di vasche da bagno, verande con piscina, prati inglesi e personaggi elegantissimi, miliardari che si interrogano sconvolti sul proprio quarto di tetta, mezzo ombelico, una spalla e le cosce della nonna. E i nostri scrittori non li abbiamo sempre rimproverati di parlare troppo delle loro brutte mogli e della propria infanzia? E ora che gli americani scrivono come gli italiani, come la mettiamo? E in fondo, più seriamente, che avrà da spartire la prosa ipertrofica della Susan Minot di *Scimmie* con lo scoppiettio del McInerney delle *Mille luci di New York*? E il taglio "economicissimo" di Bret Easton Ellis con quello primo Novecento – addirittura siamo nel "romanzo da camera" – di quel talentoso David Leavitt? E che connessioni trovare tra il folk intellettuale e domestico dell'Amy Hempel di *Ragioni di vivere* e il country sincero del capostipite di tutta questa generazione, cioè il Raymond Carver di *Cattedrale*? Mandereste Carole King a Nashville? Forse.

Ma Lou Reed? E dove potreste vedere scandalosamente insieme Toto Cutugno e gli Smiths? Solo a Sanremo. Solo in Italia.

Torno stanchissimo da un lungo viaggio in auto, mi metto a letto: "Solo quindici minuti", mi dico. Mi sveglio invece a mezzanotte. Mi alzo, giro per casa, guardo dalla finestra. Torno a letto. Non mi va di dormire e nemmeno di uscire per un consueto "night-clubbing". Guardo fra i libri che ho comprato il giorno prima. Vorrei leggere un testo breve o qualche racconto, qualcosa comunque da terminare in un paio d'ore. Ecco qui il nuovo William Burroughs ancora nel cellophane (in realtà si tratta di un romanzo di trent'anni fa uscito negli Stati Uniti solo nel 1985). Il titolo italiano è *Diverso*, mentre quello originale suona *Queer*, che vuol dire, sì, "diverso", "eccentrico", "bizzarro", ma soprattutto, nel gergo omosessuale – come dice il mio serissimo dizionario – "finocchio". Ma non si tratta di un romanzo sull'omosessualità. È semplicemente la storia di un personaggio, Lee, che da Città del Messico, dove vivacchia fra *bohémiens* e alcolizzati e checche americane, raggiunge a tappe il Sud America, alla ricerca di una pianta dai poteri paranormali, lo Yage. E in questo viaggio è accompagnato da una sua conquista, la giovane Allerton. Perché Lee cerca lo Yage? E perché vive "esiliato" in Messico? In queste domande c'è un po' tutta la storia di Burroughs che voi, scafati, già conoscerete.

William Burroughs, che oggi ha settantaquattro anni, iniziò a raccontare le sue esperienze di tossicomane negli anni successivi alla seconda guerra mondiale su suggerimento e assidua cura di Jack Kerouac e di Allen Ginsberg (con cui scrisse la raccolta di lettere, *Le lettere dello Yage*). Considerato il padre distaccato della beat generation, ha condotto una vita avventurosa, non priva di accidenti e disgrazie. È stato tossicomane incallito per quindici anni. Ne è uscito studiando scientificamente i processi psichici e emotivi di un soggetto dedito agli oppiacei. I suoi libri, ormai mitici, sono di difficile lettura perché scritti con tecniche sperimentali in cui Burroughs taglia e smonta frasi, le collega arbitrariamente ad altre frasi tolte da giornali o poesie. A volte, inizia un periodo-chiave e lo lascia in sospeso risolvendolo solo trenta pagine dopo. *Il pasto nudo*, *La morbida macchina*, *Nova Express*, *Sterminatore*, *Il biglietto che è esploso* sono alcuni fra i suoi libri più noti. Sempre i tempi della follia collettiva, di un futuro imbarbarimento del genere umano, di una fantascienza che sconfina nella paranoia. Emarginazione, telepatia, droghe. Onirismo e psichedelia fredda, asettica, da laboratorio. Ma *Queer*, a mio avviso, non appartiene tanto a questi romanzi che hanno reso famoso in tutto il mondo il nome di Burroughs. È piuttosto ricollegabile all'esordio di *Junkie*, (*La scimmia sulla schiena*) e dei racconti straordinari di *Ragazzi selvaggi*. In queste opere, come in *Diverso*, la struttura narrativa non è ancora spezzata dai flash degli allucinogeni e dai trip. C'è un ordine logico di azioni che lega i passi dei protagonisti e non, come accade in certe opere, solo associazioni psichiche o processi immaginativi. Per questo, *Diverso* mi è così piaciuto, ieri notte. Perché ho ritrovato un narratore che ho sempre amato e perché la sua scrittura, tradotta da Giulio Saponaro, mi ha dato vibrazioni che solo una scrittura forte, e non minimal, può dare. Un po' come quando vedendo *Come è*, lo spettacolo dei Magazzini tratto da Beckett, veniva finalmente da dire: "Ecco uno spettacolo che non vuole essere totalmente comprensibile. Uno spettacolo che getta sullo spettatore le proprie zone d'ombra, rifiutandosi di spiegarle. Una 'cosa' che è così: un fatto."

Nell'identico modo, in epoca di estrema facilità e comprensibilità, ho vissuto il testo di Burroughs. E le cose che non ho capito, sono quelle che ancora ho dentro: certe immagini, certe frasi. D'altra parte, quale cosiddetto "scrittore minimalista" avrà mai la forza descrittiva e, allo stesso tempo, irreale di certe frasi di Burroughs? Chi potrà darvi l'ebbrezza di momentanee esplosioni linguistiche, o anche il divertimento sanguinante di righe come queste? "Mi è venuta l'idea di un piatto nuovo. Si prende un maiale vivo e lo si sbatte in un forno molto caldo così che il maiale viene arrostito di fuori e quando lo tagli è ancora vivo e palpitante dentro. Oppure, se hai un locale di tipo drammatico, un maiale strillante irrompe dalla cucina ricoperto di brandy in fiamme e viene a morire di fianco alla tua sedia. Puoi chinarti a strappar via le croccanti orecchie e mangiarle con il tuo cocktail."

[1987]

NORMAN MAILER & CO

"Nella stagione morta, quasi tutto il movimento si riduceva ai bar. I bar erano quasi un villaggio a sé; un autentico centro; essi differivano dal torrido aspetto esteriore di Desert d'Or quanto l'interno del corpo umano differisce dall'epidermide. Come in un gran numero di altre località della California meridionale, i bar, le sale da cocktail e i club notturni erano decorati in modo da sembrare una giungla, un antro sottomarino o l'atrio di una moderna sala cinematografica." In questo scenario capita un giorno Sergius O'Shaugnessy, un giovane ex tenente di aviazione, con in tasca la bellezza di quattordicimila dollari, vinti giocando a poker. Sergius è un giovanottone "dai capelli biondi, occhi celesti, un metro e ottanta di statura", senza radici e senza particolari qualità. Approda a Desert d'Or così, per passare il tempo. Gira per i bar, mostrando la sua divisa da aviatore, impreziosita dalle decorazioni ricevute in Asia. Fa impressione. Dice di essere un irlandese di ottima famiglia. Fa colpo su Dorothea e viene introdotto nella colonia Emicrania (*Hangover*, cioè postumi di sbronza), dove ha modo di frequentare produttori, pettegole del bel mondo hollywoodiano, virago, impresari teatrali e di night-club, attricette, alcolizzati. Dorothea, con l'inaffondabile classe di una ex diva ancora bellissima, regge la "colonia", ne è il centro con le sue continue scenate e le sue stravaganze.

Qui Sergius incontra, divenendone intimo amico, Charlie Eitel, il grande regista messo sotto inchiesta dalla commissione per le attività antiamericane istituita dal senatore McCarthy per emarginare chiunque a Hollywood fosse sospettato di avere rapporti con il partito comunista o di essere anche solo semplicemente simpatizzante dei *reds*. Con l'occhio distaccato del "testimone incongruo", con lo scrupolo di chi osserva un giro estraneo al proprio mondo, Sergius racconta in prima persona questa voragine del vizio e dell'amore che è la Hollywood degli anni cinquanta.

È, appunto, un tale viaggio nelle catacombe, fra le arterie e le ghiandole di questo corpo glorioso, il tema del *Parco dei cervi* di Norman Mailer. Al centro del libro la grande e passionale storia d'amore fra Eitel ed Elena, una ex squillo distrutta psicologicamente dagli uomini. Figure di contorno: produttori come Herman Teppis, alle prese con il suo nuovo divo Teddy Pope, notoriamente checca, e che quindi non vuole posare in campagne pubblicitarie con finte mogli e finte fidanzate per ingraziarsi il pubblico femminile.

Il parco dei cervi fu uno dei primi romanzi che lessi su Hollywood e in cui Hollywood veniva descritta come una Sodoma e Gomorra in cui il sogno si nutriva del vizio e della corruzione. D'altra parte, Hollywood è stata l'unica fabbrica di mitologia che la contemporaneità abbia prodotto. Niente e nessuno ha tanto gonfiato l'immaginario contemporaneo come quei pazzi deliranti che in California diedero vita a un Olimpo posticcio, in cui da un giorno all'altro le carriere e le vite si distruggevano o venivano innalzate a livelli divini, facendo sognare il mondo intero.

Ma un tale spietato ritratto della Mecca del cinema era già stato fatto non soltanto da Francis Scott Fitzgerald nei suoi taccuini, e in particolare negli *Ultimi fuochi* e *Belli e dannati*, ma anche da un contemporaneo dello stesso *king of the jazz age*, e cioè Nathanael West.

Nel *Giorno della locusta*, ecco ancora il mondo del cinema e dei suoi scarti. Mentre nei grandi party si celebravano i divi che ce l'hanno fatta, un'incredibile moltitudine di attricette, puttanelle, disegnatori, manovali dell'industria intellettuale (sceneggiatori, scrittori, soggettisti, dialoghisti ecc.) le locuste appunto, una uguale all'altra, cercano disperatamente il successo. Tod Hackett è un bravo ragazzo, magari un disegnatore anche di talento, che arriva nella capitale. Si innamora di un'attricetta che invece va a letto con tutti e se la spassa con *chicos* messicani a forza di tequila. Il padre di lei è un ex caratterista sul viale del tramonto che, per campare, vende di porta in porta contratti assicurativi, tentando di accalappiare eventuali clienti eseguendo macchiette e gag. Fino a schiattare. Di Faye, l'attricetta, si innamora perdutamente lo squilibrato Homer, venuto a godersi la pensione al sole della California. Perdutamente, perché non sarà ricambiato, e il suo amore non corrisposto lo spingerà negli abissi della follia. A Tod, piano piano, incomincia a rivelarsi la realtà di Hollywood, fino al momento cruciale della famosissima scena finale in cui, insieme ad altre migliaia di locuste, appiccherà fuoco alla nuova Babilonia.

E oggi? Che cosa resta di Hollywood? Un divertente libro-confessione di Rita Maritt, *Gioco sfrenato*, ce lo racconta con il piglio della presa diretta. Nient'altro, verrebbe voglia di dire, che un mondo, alla Charles Bukowski, di personaggi sradicati, strafatti, stravaganti, che vorrebbero avere tutto, il cielo e la terra. Rita percorre il mondo di Hollywood con la classe della marchetta di lusso. Il suo punto di partenza è finire a letto con "qualcuno che conta" e, di qui, iniziare la scalata. Ma Rita è anche una donna molto saggia e coraggiosa, se è capace di fare Los Angeles-Parigi in un weekend, riuscendo a prendere botte sia là che qua, e pure durante la traversata atlantica; riuscendo a perdere le sue costosissime pellicce e a non suicidarsi giù dalla magica collina come soluzione terminale.

Il romanzo-confessione è divertente e si legge con gusto perché, nel suo "gioco sfrenato", la bionda Maritt fa molti nomi e rivela cose di letto di personaggi che vanno da Frank Sinatra a James Dean.

In Italia, fra gli anni cinquanta e i sessanta, il boom di Cinecittà richiama a Roma la stessa fauna della capitale del cinema. Ma romanzi italiani che abbiano raccontato tutto ciò analogamente ai Mailer, West, Fitzgerald? No, niente. L'unica testimonianza è costituita, al momento, da un denso volume autobiografico, *Hollywood sul Tevere* (1980), firmato da Hank Kaufman e Gene Lerner, due santoni del periodo d'oro di Cinecittà, che inventarono la professione dell'agente cinematografico. Ecco allora bellissimi retroscena su Via Veneto e piccanti controcampi sulle ville dell'Appia Antica frequentate da calibri come Ava Gardner, Sophia Loren, Gina Lollobrigida, Yvonne Sanson, Elsa Martinelli, Anita Ekberg. Principesse, marchesi, nobilastri, paparazzi, scrittori, filibustieri, ragazzi e stalloni *one night stand,* dive impasticcate, coatti, mondanità, alta moda, sorelle Fontana, sesso e follie. Anche pubblicazione di corrispondenze inedite, come nel caso di una lettera di James Baldwin, del 1965, in cui il grande scrittore così risponde al quesito se Ava Gardner possa o meno interpretare un film sulla vita di Billie Holiday: "Si dice insistentemente in giro, e questa può sembrare una battuta, ma non lo è, che Ava Gardner sia bianca." Il film fu poi interpretato, più opportunamente, e con grande successo, da Diana Ross.

E ancora: un resoconto struggente del concerto che al teatro Sistina, il 3 novembre 1969, Nina Simone diede, scorata, di fronte a una platea semivuota. Fu allora che Anna Magnani, inviperita con il pubblico romano e vedendo che la Simone non aveva intenzione di cantare si alzò dalla platea urlando: "Vergogna! Vergogna! Facciamo un applauso a questa grande artista americana come se in ognuno di noi ci fossero dieci persone!" E il concerto ebbe luogo.

[1986]

JOHN FANTE

Sogni di Bunker Hill è l'ultimo romanzo di John Fante. Risale al 1982 e fu dettato dall'autore, praticamente sul letto di morte, alla moglie Joyce Smart. Fante, diabetico dal 1955, ormai cieco, amputato di entrambe le gambe per una cancrena progressiva, sarebbe morto l'anno seguente, a maggio, proprio nel momento in cui, grazie alle riedizioni dei suoi romanzi negli Stati Uniti e alla predilezione di un pubblico soprattutto giovanile, incontrava un nuovo successo.

In Francia, i suoi romanzi hanno costituito il caso letterario degli ultimi anni. In Italia, dove Elio Vittorini lo presentò per primo su *Americana*, le sue opere sono state in gran parte tradotte a partire dal 1941. Eppure leggere Fante oggi ha, in tutto e per tutto, il sapore di una riscoperta. Anche della novità. Di fronte a questo suo estremo, teso, sarcastico, irriverente, indecente, blasfemo, ironico *Sogni di Bunker Hill* si ha quasi la certezza di essere di fronte a un grande narratore in cui una vita spesa a scrivere racconti per riviste e sceneggiature per Hollywood produce l'ultimo, accecante, compatto frutto.

In Fante c'è, in ogni caso, una visione dell'America. America come terra non tanto promessa, come poteva apparire al padre abruzzese, ma da conquistare, come era nelle capacità di un individuo nato nel Nuovo Mondo, immigrato, insomma, di seconda generazione. Fante ha seguito questo percorso di sogno lasciando Denver, nel Colorado, per approdare nella mitica terra della California. Molti mestieri, tante occupazioni occasionali e la speranza di diventare uno scrittore di successo. Il caso ha voluto che su quella strada di sogno, Fante abbia incontrato Hollywood, tritacarne di ben altri sogni di glorie letterarie, da Nathanael West a Scott Fitzgerald. Dalla Sodoma e Gomorra di questo secolo, Fante si è lasciato inghiottire diventando, per dirla con West, "una locusta fra milioni di locuste"; o con Fitzgerald, "uno degli oscuri milioni di uomini che viaggiano sui neri autobus verso l'ignoto". Ha smesso di scrivere romanzi, forse ha perduto il talento, per ritrovarlo soltanto, magicamente, in prossimità della fine. In quei momenti, mentre dettava alla moglie, Fante si è sentito ancora il ragazzo intrepido che parte verso l'Ovest, che annusa la polvere del deserto, che vive tra la spazzatura, nutrendosi soltanto di arance comprate dal cinese (come in *Suzanne* di Leonard Cohen), che passa la vita in uno di quegli squallidi alberghi costruiti sul pendio della collina, in modo che, per "salire" all'ottavo piano, se ne scendono in realtà otto. Sul letto di morte, ha rilanciato la propria leggenda, ha rivisitato il sogno senza malinconia, non ha rinunciato al suo humour pesante e beffardo.

Se oggi consideriamo John Fante una riscoperta, questa la dobbiamo a Charles Bukowski. Nella prefazione alla riedizione americana di *Ask The Dust* (Elio Vittorini titolò la traduzione italiana *Il cammino nella polvere*) ecco come Buk racconta l'incontro con "l'autore che avrebbe esercitato un'influenza duratura" sulla sua carriera letteraria: "Ero giovane, saltavo i pasti, mi ubriacavo e mi sforzavo di diventare uno scrittore. Le mie letture andavo a farle alla biblioteca di Los Angeles, nel centro della città, ma niente di quello che leggevo aveva alcun rapporto con me, con le strade e con la gente che le percorreva. [...] Poi, un giorno, presi un volume e capii subito di essere arrivato in porto. [...] Le parole scorrevano con facilità, in un flusso ininterrotto. Ognuna aveva la sua energia ed era seguita da un'altra simile. La sostanza di ogni frase dava forma alla pagina e l'insieme risultava come *scavato* dentro di essa. Ecco, finalmente, uno scrittore che non aveva paura delle emozioni. Ironia e dolore erano intrecciati tra loro con straordinaria semplicità. Quando cominciai a leggere quel libro mi parve che mi fosse capitato un miracolo, grande e inatteso."

Il romanzo di cui parla Bukowski è del 1939. L'anno precedente, Fante aveva esordito con *Aspettiamo primavera, Bandini*, il primo capitolo della saga familiare e personale del suo eteronimo Arturo Bandini, figlio di Svevo, "spaccapietre nel Vecchio Mondo" e di Maria, nipote di donna Toscana, fratello maggiore di Augusto – che solo tramite intercessioni alla Beata Vergine guarisce dal far pipì a letto – e di Federico. In questo primo scoppiettante romanzo, Fante getta le basi narrative di tutto il suo lavoro di romanziere, che avrà come personaggio unico Arturo Bandini (così come più tardi, Bukowski avrà Hank Chinaski), e come narrazione le sue avventure d'infanzia, i suoi ricordi, il suo matrimonio, il suo tentativo di scalare le vette del successo come sceneggiatore cinematografico.

L'ambiente degli italo-americani è qui descritto con ironia, complicità e, nello stesso tempo, con cattiveria, con beffardo disprezzo, "con giovanile vitalità e acuto umorismo", come recita la nota redazionale di Elio Vittorini (?) dell'edizione mondadoriana del 1948. Anche per questo, Fante è per noi una riscoperta e una rivelazione. Perché bisognerà attendere gli oriundi di terza generazione per avere racconti di questo tono. Per esempio, un Richard Price, autore di *Gioco violento* (*The Wanderers*), situato nell'ambiente newyorkese delle bande giovanili e dei "brokkolini." Nel cinema, Martin Scorsese, Francis Ford Coppola (con Mario Puzo), il primissimo Brian De Palma di *Hi, Mom!*.

In questo senso, John Fante è stato un precursore. In lui, il ricordo delle origini italiane è ancora fresco e pressante: un padre abbastanza macho che pensa solo a bere e a giocare con gli amici ("Mi ricordai di mio padre in Colorado che cantava *'O sole mio* facendosi la barba sul lavello della cucina..."); una madre "onorata" che prega ogni razza di Vergini e Madonne; un *milieu* familiare di preti e parenti che si agitano davanti a un piatto di spaghetti; scuole cattoliche, collegi di Gesuiti, parolacce e bestemmie rigorosamente "in italiano nel testo".

Nel suo terzo romanzo del 1952, *In tre ad attenderlo* (*Full of Life*), storia del primo figlio di una giovane coppia, ecco una brevissima scena di espressività italiana: "Papà e padre Gondalfo iniziarono uno scambio di idee in scoppiettante italiano. Agitarono le braccia, scossero la testa, aggrottarono la fronte, grugnirono, ghignarono, sorrisero, gemettero, rotearono gli occhi, fecero smorfie, barcollarono, mi indicarono, alla fine caddero in un imbronciato silenzio, guardandosi l'un l'altro infelici e perplessi."

Non mancano in questo terzo capitolo della "saga Bandini", scene madri di confessioni e di riti assolutori, di rosari e di novene alla Madonna e al Bambin Gesù. Bandini si è accoppiato, dunque, con una miscredente anche se, in realtà, furono i genitori della moglie di Fante che, nel 1938, data del matrimonio, tentarono di opporsi all'unione. Nel momento in cui l'erede sta per venire al mondo, il retaggio familiare e cattolico di Bandini impone tutta una sequenza di battesimi, matrimoni riparatori, confessioni, eucarestie da togliere il fiato. Per questo è arrivato padre Gondalfo, per sistemare le cose agli occhi di Dio e degli uomini. Il racconto che Fante trae da questa povera moglie ormai sul punto di perdere le acque, trascinata da un altare all'altro, battezzata, cresimata e tutto quanto, è irresistibile. Davvero degno del suo stile sarcastico e feroce. Forse anche del suo carattere che, a detta di quanti l'hanno conosciuto, era, a dir poco, difficile.

Che tipo fosse John Fante lo si capisce dai suoi romanzi: un tipo con il quale nessuno vorrebbe avere a che fare. Nell'interessante postfazione all'edizione francese di *Sogni di Bunker Hill*, Philippe Garnier, già traduttore di Bukowski, riporta alcuni aneddoti. Per esempio, questo saluto di Fante al collega scrittore omosessuale Al Bezzerides durante una riunione all'Hilton della Writers' Guild: "Salve Al, come ti sta andando con quel frocio del tuo compagno?" E ancora, incontrandolo in ascensore, avvolto in un mantello color *fauve*, al quale pare che il signor Bezzerides tenesse moltissimo: "Dove hai pescato quel bel mantello color merda?" E poi storie di prestiti mai resi, di debiti di gioco, di ubriacature violente, di sordidezze varie. Un carattere iracondo, saturnino, imprevedibile, probabilmente greve, certamente impastato di una salacità non facilmente sopportabile. Quello che è curioso – anche se spiegabilissimo – è che l'introiezione del complesso di colpa sfocia continuamente in una ricerca disperata di assoluzione e di perdono. Se non era opportuno incontrare Fante vestiti in un certo modo, o, al peggio, in compagnia di efebi, è altrettanto vero che con un prete sottobraccio lo si sarebbe ridotto al silenzio.

La scena madre di *Chiedi alla polvere* si svolge in questi termini. Arturo Bandini è innamorato di una *chica*, Camilla Lopez, cameriera strafatta di marijuana. Camilla non lo ricambia. Parallelamente, Arturo è oggetto della seduzione di una ninfomane, Vera

Riwken, alcolizzata e "con due buchi al posto delle natiche". Una notte, Arturo, estenuato, si concede a Vera. Per riuscire, immagina di far l'amore con Camilla. Riesce così a possedere Vera, ma il disgusto è talmente forte, il senso di colpa così universale che Fante, in un'ansia distruttrice, non trova niente di meglio che mettere in scena il disastroso terremoto di Long Beach del 1937.

Tutto crolla dunque. Morti e feriti nelle strade. E il povero Bandini, questo spregevole essere che ha confuso l'amore puro con una marchetta, eccolo lì, solo in mezzo alla catastrofe, in cerca di una chiesa in cui buttarsi in ginocchio e di un prete disposto a confessarlo. Qualche preghiera e il terremoto si placa. L'ordine è ristabilito. Bandini torna a Los Angeles e non la trova distrutta. Come poi Fante racconti tutto ciò, con quel suo ritmo folle e tutte quelle sottolineature comiche, questa è un'altra storia. Quella del suo stile.

L'italianità di Fante, o quantomeno la soggettività etnica della sua narrativa, hanno contribuito a confinarlo, nelle storie della letteratura nordamericana, in un luogo sprezzantemente marginale, insieme ai narratori di origine norvegese, greca, ispano-americana, armena... Molte addirittura non lo nominano. Altre riportano alternativamente, come data di nascita, il 1909 e il 1911. L'impressione è che, nel suo paese di origine, l'opera di Fante, un pugno di romanzi in verità, non sia stata sufficientemente considerata.

Elio Vittorini, inserendo il breve racconto *Una famiglia Neo Americana* nel secondo volume della sua antologia (1941), colloca Fante tra i giovani talenti come Erskine Caldwell e William Saroyan. E rilancia, in loro, il mito stesso della letteratura americana come "nuova leggenda": "Quello che nella vecchia leggenda era il figlio dell'Ovest, e veniva indicato come simbolo di uomo nuovo, è ora il figlio della terra. E l'America non è più l'America, non più un mondo nuovo: è tutta la terra."

Le sorti della letteratura americana, allora, non si giocano più solamente ai margini di un sogno "pionieristico", ma si assolutizzano nei destini dell'uomo *tout court*; un uomo che proviene dalla Polonia come dai ceppi ebraici del Vecchio Mondo, dalla miseria delle comunità franco-canadesi come dai ghetti neri, dalle regioni oppresse dell'Armenia come da una piccola regione montagnosa chiamata Abruzzo. Lo sforzo multirazziale, e multilinguistico, all'edificazione della nuova narrativa americana postdepressione nasce anche da qui: dalle sacche di povertà e miseria delle comunità di immigrati che trovano, per la prima volta, la loro voce nel Nuovo Mondo. Una voce, si badi bene, non "separata", ma che si propone come voce dell'intero paese. Come scrive benissimo Fante in *Chiedi alla polvere*: "Questa grande città, con i suoi larghi marciapiedi, i suoi superbi edifici, era la voce della mia America. Dalla sabbia e dai cactus noi americani avevamo eretto un impero. [...] Grazie a Dio era questo il mio paese! Per fortuna ero nato americano!"

A parte la raccolta di racconti *Dago Red* del 1940 (dove quel *dago* riferisce ancora una volta, in slang, il nomignolo degli oriundi italiani) e *The Brotherhood of The Grape* del 1977 e un paio d'altri volumi usciti postumi, l'opera di Fante sembra tutta qui. Sorge naturalmente la domanda: cosa ha fatto Fante in tutti quegli altri anni? Perché non ha scritto di più? Era forse in crisi con la sua materia letteraria? Forse. Sta di fatto che non è morto di fame. Ha abbandonato gli alberghetti di Bunker Hill per rifugiarsi in una piccola villa con piscina. Hollywood gli ha infatti, finalmente, aperto le porte. La città "feconda di vuoto e isterica" i cui dei sono solamente "Frottola e Foia", la città dell'orpello e del kitsch, la capitale del meretricio e di ogni sorta di droga o suicidio (sono tutte definizioni di Kenneth Anger) lo ha accolto. Il paradiso nella polvere. Arturo Bandini ce l'ha fatta. È uno scrittore a Hollywood, ingaggiato dalla Columbia. Riceve un ottimo stipendio settimanale, non scrive più di tanto. È felice? *Sogni di Bunker Hill* è la risposta a tutto questo.

"Quello che mi piacerebbe scrivere, se riuscissi a trovarne il tempo, è un articolo sugli scrittori a Hollywood. Sull'argomento ci sarebbero cose raccapriccianti da dire", scrive Raymond Chandler nel 1944. L'anno precedente era stato chiamato dalla Paramount a lavorare con Billy Wilder a quello che sarebbe diventato un vero e proprio *cult movie*: *Double Indemnity*. In seguito, passerà all'Universal e, da qui, alla Metro. Lavorerà con Alfred Hitchcock alla sceneggiatura di *Strangers on A Train*, dal romanzo di Patricia Highsmith. Una carriera di primo piano, dunque, ma che non lo soddisferà. L'articolo sugli scrittori a Hollywood verrà comunque pubblicato nel novembre del 1954 in *The Atlantic Monthly*, con il titolo, appunto, di *Writers in Hollywood*.

Chandler indaga il rapporto fra sceneggiatura e prodotto finale rivendicando agli scrittori un ruolo artistico e creativo di importanza fondamentale. Il suo giudizio su Hollywood è drastico: "La sua concezione di ciò che fa un buon film è ancora infantile quanto insultante e degradante è il trattamento riservato agli scrittori di talento. La sua idea di producibilità è di spendere un milione di dollari per impupazzare miseramente una storia che qualunque scrittore decente butterebbe via. La sua visione di un film lucrativo è quella di un veicolo per esibire qualche bel tocco di figliola con due battute e diciotto cambi d'abito; o l'idolo maschile di qualche milione di beceri in doposbronza permanente con il fisico di un bagnino e la mentalità di un ammazzagalline."

Perché allora uno scrittore dotato di un qualche talento letterario avrebbe dovuto accettare rapporti di lavoro umilianti e degradanti? Perché un autore con un po' di successo alle spalle avrebbe dovuto contribuire a questa megaindustria del becero e del kitsch? La risposta immediata è semplice: una villa con piscina a Bel Air, una moglie in visone, stuoli di domestici e tanti dollari. Raymond Chandler fornisce invece una risposta più ottimistica, dicendo che se gli scrittori si mostreranno più seri e rivendicheranno con maggior determinazione la loro professionalità, anche Hollywood sarà destinata a cambiare. In realtà, come racconta Fante, se gli scribacchini vanno negli studios è perché lì possono passare da uno stipendio di un dollaro alla settimana a trecento, magari duemila dollari. E senza fare granché. Tutto quello che scriveranno verrà inesorabilmente cambiato, tagliato, soppresso, dimenticato, stravolto. In *Sogni di Bunker Hill* c'è, a questo riguardo, un passaggio estremamente divertente. Arturo Bandini entra in un cinema per vedere il film nato da una sua sceneggiatura, poi ripudiata. Di tutto quel suo lavoro, riconosce solo le due grida che lo sceriffo esclama smontando e risalendo poi a cavallo: " 'Whoa' e 'vai bello', la mia realizzazione come sceneggiatore." Allo stesso modo Raymond Chandler aveva scritto nel 1951: "Le scene migliori che ho scritto erano praticamente fatte di monosillabi. E la migliore scena breve che, a mio giudizio, abbia mai scritto è quella in cui una ragazza diceva tre volte 'hmmm' con tre diverse intonazioni, e nient'altro."

Basterebbero questi aneddoti per farci capire quale fosse il tenore di vita degli scrittori a Hollywood, fra gli anni trenta e quaranta. Eppure gli uomini che scrivevano in quelle stanzette, alle dipendenze di un qualsiasi produttore, si chiamavano Nathanael West, Dalton Trumbo (poi passato alla regia), Sherwood Anderson, Ben Hecth, Sinclair Lewis, Scott Fitzgerald. Più tardi Christopher Isherwood (il solo, mi sembra, che sia stato felice di guadagnare tanto senza far nulla, impegnato com'era, in quegli anni, nelle meditazioni Zen) e Gore Vidal, a proposito del quale è rimasta famosa la *querelle* con il regista Joseph Mankiewicz, e con Tennessee Williams, per la sceneggiatura di *Improvvisamente l'estate scorsa* (del cui soggetto Vidal si riteneva autore almeno al sessanta per cento).

La storia di questo complesso e frustrante rapporto fra scrittori e industria cinematografica, a quanto ne so, non è mai stata scritta. Lo si potrebbe svolgere in termini più storiografici come, per esempio, rapporto fra letteratura e cinema, e allora troveremmo qualcosa. Ma non la vita degli scrittori, non la loro quotidianità, non le umiliazioni. Fu a Chandler e a Fitzgerald (già scrittori famosissimi) che, durante una seduta di sceneggiatura, un regista rivolse la parola solo per ordinare: "Può chiudere la finestra?" Non ricordo bene. Ma fu senz'altro Fitzgerald che, indagando nell'*Età del jazz* (1936) le cause di quella profonda crisi interiore che lo avrebbe ammazzato, avrebbe scritto: "Vidi che il romanzo [...] stava diventando subordinato a un'arte meccanica e ordinaria che nelle mani dei mercanti di Hollywood era capace di riflettere soltanto il pensiero più trito, la commozione più ovvia; un'arte in cui le parole erano subordinate alle immagini e la personalità logorata fino all'inevitabile basso livello della collaborazione."

Sogni di Bunker Hill è un romanzo su Hollywood e, nella nostra ottica particolare, il romanzo di uno scrittore a Hollywood. Il problema dello scrittore Arturo Bandini è, sì, quello del denaro, ma soprattutto quello della scrittura. Una volta ottenuto l'impiego negli studios, trovandosi a ricevere una quantità per lui enorme di denaro senza produrre una sola riga, la nevrosi gli si ripresenta. Vuole essere uno scrittore, ma si accorge di essere pagato per non esserlo. Come uscirne? Nell'unico modo che Arturo Bandini conosce: viaggiando, fuggendo, entrando in una chiesa, ruzzolandosi in terra con una segretaria di produzione. La sua vitalità non può essere ingabbiata. Ma è una vitalità furente e, in definitiva, autolesionista. Bandini torna ben presto a essere il disperato di sempre, il vagabondo perenne della città nella polvere. "Los Angeles, dammi qualcosa di te! Los Angeles, vienimi incontro come ti vengo incontro io, i miei piedi nelle tue strade, tu bella città che ho amato tanto, triste fiore nella sabbia."

John Fante appare, in sostanza, come uno dei tanti scrittori inghiottiti dalla macchina di Hollywood. È per questo che non ha scritto altri romanzi: per rincorrere sceneggiature e per litigare con produttori e registi. Il suo caratteraccio è forse dovuto anche a questo grumo irrisolto di rancore per non aver saputo scegliere la letteratura contro il denaro. Il suo astio nei confronti degli amici scrittori, che è poi una manifestazione dell'odio verso il sé-scrittore, altro non è, forse, che il rimpianto di quel sogno primario nato nel Colorado: quello di divenire un bravo autore. Perché altrimenti, con lo spettro ormai evidente della morte, Fante ha scelto di raccontare proprio le sue avventure di scrittore di cinema e non altre vicende della "saga Bandini"? Perché non ancora ricordi d'infanzia, tracce familiari, visi di madri e di padri, immagini della prima stagione della vita, come si ritiene che accada alle persone agonizzanti? Perché non una catarsi, cattolicissima, nel raccontare le zone dell'innocenza e dell'incorruttibilità quali i primi anni di vita? Niente di tutto questo. Fante sceglie Hollywood per salutare il mondo. Sceglie, con la sfrontatezza che solo ora abbiamo imparato ad amare, il centro vitale della sua nevrosi: il paradiso-inferno di Bunker Hill.

Attraverso l'eteronimo Arturo Bandini, Fante ha vissuto il mito dell'Ovest trovandolo, alla fine, costituito soltanto di polvere. Il desiderio d'essere un uomo nuovo appare un fallimento: "Sono povero, il mio nome termina con una vocale dolce e loro odiano me, mio padre e il padre di mio padre." *Sogni di Bunker Hill* rigetta questo odio sulla fabbrica del cinema, cioè sull'immaginario americano in nome, americanamente, dell'individualità e del mito dell'eroe solitario. Ancora una volta, Fante non ci salta fuori. È a Hollywood, ed è contro Hollywood. Odia la massa di vecchi americani che, nelle loro orrende camicie colorate, vanno a morire al sole della California, pur di intravedere i divi; ma è profondamente figlio di quello stesso paese e di quello stesso mito. È un vecchio sporcaccione, un giocatore d'azzardo, un fumatore di cannabis, ma è cattolico e non può far altro che pentirsi e soffrire. Nel riverbero cangiante e inafferrabile di tutte queste contraddizioni, risiede la profondità della sua vocazione letteraria. Nella consapevolezza di questa molteplicità di luoghi di sofferenza, la ragione del suo stile che, se non raggiunge le sublimi paranoie di un Céline, le impennate di una scrittura nevrotica e accusatoria, i deliri di una coscienza oppressa dagli uomini e dalla storia, attinge, in ugual misura, ai territori malinconici dell'umorale e della coscienza infelice. I personaggi diventano caricature, grotteschi schizzi d'uomini che veicolano l'infelicità profonda del protagonista. Lo stile si impasta di un'ironia tagliente, quasi offensiva, di autocensure ai limiti della beffa personale. L'andamento narrativo assume la velocità di un parlato rancoroso, rivendicativo, talvolta livido. Il fine ultimo del protagonista diviene quello di annullarsi nella folla, locusta fra altre locuste, oppure appartarsi e svanire nell'alcolica contemplazione del sé. In ogni caso, il percorso di un'autodistruzione. La vera, unica, morale di chi è volato troppo vicino al paradiso.

L'idolo letterario di Arturo Bandini è il Nobel Sinclair Lewis. Da qui il gustosissimo e tragicomico episodio del loro incontro al ristorante, narrato nei *Sogni di Bunker Hill.* La scrittura di Fante è assai diversa da quel modello anche se, come in Lewis, attinge direttamente dall'esperienza e dall'osservazione della realtà. Più volte, nel corso dei suoi romanzi, Fante ha argomentato la propria poetica: quella di una letteratura che nasce dalla vita e che, solo in un secondo momento, si costituisce come avventura totalizzante. In *Chiedi alla polvere*, ecco, in un contesto scherzoso, una dichiarazione di Bandini in procinto di partire per Stoccolma in vista del Nobel: "Ho un consiglio molto semplice da dare a tutti i giovani scrittori. Non tiratevi mai indietro di fronte a una nuova esperienza. Vivete la vita fino in fondo, prendetela di petto, non lasciatevi sfuggire nulla." Ma quando poi Bandini scrive il suo racconto, ecco che la scrittura prende il sopravvento come universo a sé, per nulla imparentato con la realtà: "Cominciai e mi accorsi che scorreva facilmente. Ma non nasceva dalla mente, non si sviluppava dalla riflessione. Si muoveva da sola, sgorgando come il sangue."

Per anni e anni, Bandini cercherà in sé, e fuori di sé, un tale, magico equilibrio che permetta al racconto di sgorgare spontaneo. Ma per raggiungere quell'illuminazione in cui la vita si fa testo, bisogna lavorare, cioè scrivere. È solo dalla scrittura che nasce tutto ciò, non dalla vita. Bandini-Fante ne è talmente consapevole, è talmente in stato di grazia e pienezza quando riesce a scrivere, che subito deve ritornare alla vita. "Lavorai per ore, finché poco per volta me la ritrovai nella carne e nelle ossa, finché mi invase tutto, indebolendo, accecandomi. Camilla! Dovevo averla! Mi alzai e uscii dall'albergo."

Per poter scrivere, Bandini deve aver vissuto un'esperienza significativa, ma è nella scrittura e dalla scrittura che rinasce il desiderio dell'esperienza. Questa circolarità vita-scrittura-vita è assai curiosa perché, in nome dell'autobiografismo, spezza la dicotomia arte/vita per inserirla in un processo esperienziale senza soluzione di continuità. Bandini non è l'artista iroso e ubriaco (o almeno, non solamente) che vive, al pari dell'eroe romantico, il conflitto tra arte e vita in termini di netta e inconciliabile contrapposizione: da una parte, l'altezza dell'arte; dall'altra, la meschinità della vita. Probabilmente perché le fonti della sua ispirazione sono incarnate in personaggi comuni e banali, come una cameriera, una proprietaria d'albergo, una ninfomane di quarta categoria – personaggi, insomma, senza onore e senza gloria – ecco che la sua scrittura torna continuamente e necessariamente alla vita, alla realtà triviale dell'esperienza. Arturo Bandini è un eroe "basso" e popolare. Così come le sue aspirazioni. Fante non chiede alla società di essere all'altezza dci propri desideri, perché è nella bassezza che egli sguazza. Chiede solamente di poter scrivere. Quindi di poter vivere.

Non è un caso, allora, se la sconfitta di Bandini come individuo si ha quando non gli è permesso, per un motivo o per l'altro, di scrivere. Il circuito che dalla vita porta all'arte e dall'arte al desiderio di vita, si interrompe. C'è una dispersione di energia che provoca infelicità. In questi momenti di vuoto e di assurdo, noi lo conosciamo meglio. Sono i momenti della "strada": "Cominciai ad andarmene spesso lungo la costa [...] seguendo il nastro bianco della strada, sotto le stelle ammiccanti, con il piede sull'acceleratore e la testa piena di idee per un altro libro, una notte dopo l'altra, e tutte che mi parlavano di giorni di sogno a me sconosciuti, di giorni sereni a cui non volevo pensare. [...] Questa sì che era vita: girare, fermarsi e poi proseguire, sempre seguendo il nastro bianco che si snodava lungo la costa sinuosa, liberandosi di ogni tensione, una sigaretta dietro l'altra, e cercando invano delle risposte nell'enigmatico cielo del deserto."

Soltanto una decina d'anni più tardi, un altro grande scrittore, anch'egli figlio di poveri immigrati, il *canuck* (nomignolo attribuito ai franco-canadesi) Jack Kerouac darà a questo persistente mito della letteratura americana, quello della fuga, la sistemazione definitiva, dedicando a quelle e altre strade le pagine più belle e più sofferte che un americano abbia dedicato al proprio paese.

Non so se "il grande Jack" abbia mai letto John Fante, né se Fante abbia apprezzato i beat, cioè i "beati". Diceva Allen Ginsberg: "Kerouac ha cercato la santità nella scrittura." Fante, certamente no. Ma, con i suoi toni bassi, ha raccontato per primo l'impossibilità di questa santità. Kerouac è morto in una solitudine disperata e alla più completa deriva di se stesso, secondo la leggenda dei grandi eroi romantici. Con il suo cinismo e con il suo sarcasmo, Fante è quasi morto con un ghigno sulle labbra. Egli non ha mai creduto fino in fondo alla propria scrittura, al punto da privarsene per decenni; così come non ha mai, realmente, creduto in Dio, differentemente, come ha notato Fernanda Pivano nella storica prefazione del 1958 a *Sulla strada*, da tutta la beat generation, Kerouac in testa. Per Fante, la letteratura non avrebbe cambiato il mondo, e nemmeno il suo conto in banca. In questo suo pragmatismo, in questo realismo che può sembrare anche offensivo, è nascosto il motivo dell'odio e dell'amore che proviamo leggendolo. Dell'avversione e della simpatia che ci invadono, alternativamente, pagina dopo pagina. Kerouac, invece, lo possiamo solo amare. Sì, ha ragione Ginsberg, è un santo della letteratura. E per questo prima o poi sarà definitivamente beat-ificato. Fante, no. Era solo uno scrittore.

Di che razza fosse poi questo scrittore, probabilmente *Sogni di Bunker Hill*, meglio ancora del suo consacrato capolavoro *Chiedi alla polvere*, può darcene un'idea. Lo stile si è prosciugato. Il racconto preferisce una rappresentazione a quadri piuttosto che la foga orale. Al parlato scoppiettante e veloce degli esordi, Fante contrappone un andamento sintetico, scarno, fatto di eventi assai semplici, di dialoghi di poche battute, di descrizioni taglienti, schizzate in non più di due righe, e che rendono straordinariamente i personaggi e i luoghi. Prendete le frasi con le quali vengono presentati l'agente cinematografico Gustave Du Mont ("Un ometto di una certa età con occhi come ciliegie"), oppure l'altezzoso agente Cyril Korn ("Stava in piedi in mezzo alla stanza col pavimento coperto di moquette e lanciava palline da golf in un bicchiere"), o ancora il produttore Harry Schindler ("Era piccolo, un botolo tarchiato con i capelli a spazzola e un sigaro spento in bocca"). Prendete le figure femminili descritte tutte a cominciare dalle natiche, ora "vere Hollywood", ora imbronciate e isteriche come quelle della signora Brownell, personaggi verso i quali il Bandini "impotente" sembra rilanciare l'immortale tesi di Leslie Fiedler sull'eros nella letteratura americana, risolto attraverso il continuo "sotterfugio della fuga". E poi ancora la casa faraonica in cui vive la sceneggiatrice Velda van der Zee, o quella così "Mamma Oca" di Jennifer Lovelace. E la prostituta che legge *Nana* di Zola. O ancora l'incontro con il piccolo truffatore Mose Moss, a cui attribuiremmo, convinti, l'Oscar per il miglior attore non protagonista. Fino a quell'apoteosi crudele e comica dell'incontro con il duca di Sardegna. In questo modo, *Sogni di Bunker Hill*, per il suo andamento a episodi, per il taglio delle caratterizzazioni, si presenta come un ottimo film. Usando materiali hollywoodiani, Fante scrive non solo la sua migliore sceneggiatura (poiché noi vediamo, distintamente, tutto quanto ci racconta), ma anche il suo libro più efficace e, forse, più bello.

Nel *Giorno della locusta* di Nathanael West c'è una scena straordinaria. Lo scenografo Tod Hackett, il giovane protagonista di quello che è considerato il più bel romanzo su Hollywood, va a un party. Durante il ricevimento viene accompagnato in giardino. In fondo, nascosta da una siepe di oleandri fioriti, c'è la piscina dalla quale emerge un'indistinta massa scura. Quando Tod chiede di cosa si tratti, la sua accompagnatrice fa scattare, con il piede, gli interruttori e illumina a giorno la scena. "La cosa era un cavallo morto, o piuttosto una realistica riproduzione, a grandezza naturale, di un cavallo morto. Le zampe erano rivolte verso l'alto, diritte e rigide, e il ventre era enorme e gonfio. La testa a martello era girata da un lato e dalla bocca, fissa in una smorfia di agonia, pendeva, spessa e nera, la lingua." Quando Tod domanda, ingenuamente, il perché di tutto questo, la risposta arriva semplice e naturale: "È chiaro. Per divertire."

A Hollywood si possono buttare in piscina simulacri di cavalli morti solamente per procurare un effetto. Ecco cos'è Hollywood, ed ecco chi è la sua gente. Dall'alto della sua pensioncina a Bunker Hill, Arturo Bandini ha probabilmente visto e capito tutto questo. Ma, non essendo un moralista, non se ne è scandalizzato. Si è divertito. Ha sempre saputo che quel cavallo era un oggetto di plastica, così come il suo sogno era di celluloide. Nonostante questo si è abbandonato all'umanità meschina, corrotta, sordida, folle della Babilonia californiana. Altri ne sono fuggiti. Altri ancora non hanno retto l'inganno e si sono uccisi, coerentemente, nei modi più disperatamente spettacolari. Fante è restato nella polvere di Bunker Hill con il suo protagonista, e non tanto per informarci di quale resina fosse fatto quel cavallo, ma per raccontarci, con il suo ghigno sprezzante e beffardo, lo stupore di fronte all'inganno. Ma anche la smorfia amara del momento in cui, sull'acqua verde e trasparente della piscina, vengono spente le luci. E allora quel cavallo parrebbe davvero la carcassa putrida e infetta che galleggia sul nero immobile di una città, di un mondo, in decomposizione.

[1988]

12

GIRO IN PROVINCIA

GIRO IN PROVINCIA

VENEZIA. È partito il festival internazionale del cinema, ma Venezia sembra non accorgersene. La notte scorsa, un cielo brontolone e piovigginoso ha regalato, come preludio, bellissimi flash lagunari con intermittenze elettriche che hanno folgorato il Canal Grande come se si trattasse di un'enorme discoteca trafitta da raggi laser: luci stroboscopiche per una città che, da almeno un paio di secoli, appare sempre più il doppio di se stessa, l'immagine speculare di una verità perduta e di cui sopravvive solamente questo insopportabile cancan.

Quello che sta accadendo di là, al Lido, fra i grandi alberghi e il Palazzo del Cinema, fra passeggiate e cicalecci e strette di mano, sembra non riguardare la Venezia di qua, il centro storico, le piazze che, come Campo Santa Margherita e Campo San Polo, sono state i veri clou delle edizioni precedenti, o almeno di quelle giornate del cinema italiano che tutti oggi si affrettano ad aborrire e dimenticare. E così tutti i nauseanti discorsi di "territorio" e "base" e "decentramento" che hanno, ahimè, segnato la nostra adolescenza cinematografica in queste stesse calli, in quelle stesse giornate dell'utopia, in quello stesso occhio ceruleo di Marco Ferreri, tutto ciò scorre via, lavato dal temporale. La rassegna è ormai rintanata al Lido, e Venezia sta a guardare. Per le calli nessuna gigantografia del Leone come due anni fa e nessuna pubblicità dello svolgimento della manifestazione: un solo negozio, dietro San Marco, ha dedicato la sua vetrina al cinema, svolgendo della pellicola trentacinque millimetri attorno ai manichini e alle foto di Humphrey Bogart. Per il resto, tutto come sempre. Passeggi sotto i porticati di Piazza San Marco ed è come cambiare continuamente modulazione di frequenza alle tue orecchie: dalle melodie italiote del caffè Chioggia alle schitarrate dei freak, all'orchestrina del Florian che arrangia *Yesterday* come potrebbero farlo solo in una balera della Jugoslavia. Anche se così snobbata, dunque, la brava Venezia si unisce in un grande e demenziale e micidiale coro di voci bianche e candide e archi e stereo: Venezia suona e strimpella e canta sotto la pioggia per fare, a modo suo, gli auguri a quelli di là. Che la festa, dunque, cominci!

Davanti al Palazzo del Cinema fasciato, bendato, steccato da tele bianche che, invece di vele protese verso il mare, paiono stampelle di un ospedale da campo, si accalca la folla dei giovani spettatori per la proiezione di mezzanotte: un pubblico variegato e disomogeneo che ha in comune, però, la voglia di cinema e l'età media sul quarto di secolo. C'è una specie di passaggio delle consegne fra la proiezione del film in concorso, che termina, e l'imminente entrata dei giovani nottambuli: escono i vestiti da sera, le signore in abito lungo, i registi, i giornalisti, ed entrano i giovani molto casual e postmoderni, qualche sacco a pelo, ma più che altro tutto un festival del pullover e della maglietta. Carlo Lizzani, sulla soglia della Sala Grande, fa gli onori di casa e sembra gongolare con l'aria del grande padre che regala ai propri monelli i pasticcini, poi la proiezione notturna inizia tra battimani e qualche fischio.

I film di mezzanotte verificano come il pubblico (quello non accreditato e non garantito, quello effimero e vagabondo, quello che rimane magari solo un paio di giorni e che dorme nei giardinetti dietro il casinò, quello d'assalto, amatoriale o passionale) recepisce la grande manifestazione. "Abbiamo nei confronti di Cannes due qualità in più, due riscontri: uno nella stampa nazionale, l'altro nel pubblico," afferma Adriano Donaggio, districandosi fra una stretta di mano e l'altra e i problemi che tutti gli pongono insistentemente e che lui risolve con grandi sorrisi e con la sua aria sorniona.

Il pubblico, dunque, non manca. Non sempre facile da distinguere fra i quasi mille giornalisti accreditati qui a Venezia, ma sempre puntuale non appena fiuta occasioni di divertimento. Ritornando verso le tre del mattino, a Venezia, sul vaporino, questi ragazzi continuano a chiacchierare di cinema e di film, di quale proiezione seguiranno l'indomani e di dove si daranno appuntamento. Poi sciamano per le calli deserte in una Venezia spettrale, paurosa e terribilmente vuota.

[1981]

> Il tuo ritratto, dico? Ma una lettera è il ritratto dell'anima. Non ha come una fredda immagine codesta immobilità così remota dell'amore; si presta a tutti i nostri moti: volta a volta si anima, gode, si riposa...
>
> Choderlos de Laclos, *I legami pericolosi*

ANCONA. Il precedente racconto di Gilberto Severini, *Consumazioni al tavolo*, si chiudeva emblematicamente con una lettera di uno dei protagonisti di quel piccolo gruppo di quarantenni insoddisfatti, sempre in giro in terra marchigiana a caccia di svago, cultura, emozioni e bevute; e si chiudeva con una nota di rassegnazione: "Bisogna starsene soli più che si può."

In questa nuova prova narrativa, *Sentiamoci qualche volta*, Severini prende sul serio quell'invito, al punto da redigere un romanzo epistolare, sapendo benissimo che è propria della forma epistolare la caratteristica monologica e solitaria dell'enunciazione. È come se il nostro autore si fosse volutamente ristretto in una sfera privata di riflessione e di ripensamento dopo l'effervescenza ariosa e briosa di quelle consumazioni al tavolo. E il significato di questo processo mi pare uno solo: queste lettere costituiscono la coscienza, la prova di verità di quell'altro romanzo. Pur affiancandolo nell'ambientazione geografica, in quella dei personaggi (i quarantenni), addirittura nel taglio temporale ben delimitato in cui si svolgono gli avvenimenti (se prima era un'estate, ora è un anno intero, da un gennaio all'altro), esse svelano molto di più: come un coltello che colpisce più a fondo.

Ecco allora di nuovo due amici al giro di boa dei quarant'anni che, dopo un lungo periodo di separazione, si ritrovano quasi casualmente a intessere una fitta corrispondenza. Oggetto delle lettere diventano le comuni esperienze giovanili in terra marchigiana, gli anni dell'apprendistato erotico e sessuale, ma soprattutto la voglia di chiarirsi reciprocamente le ragioni di un fallimento che, da iniziale crisi della seconda età, diventa per uno dei protagonisti, Andrea, una vera e drammatica crisi di identità e spiazzamento totale di senso, al punto da distruggere il proprio rapporto coniugale e il proprio fisico, condannandolo nelle spire di una ormai inguaribile tossicodipendenza.

Che cos'è quindi che non ha funzionato per quest'uomo che, in un'età non sospetta, vede frantumarsi e incenerirsi la propria vita, il proprio aspetto sessuale, il lavoro? Che cosa ha sbagliato Andrea? Dove? E a che punto della propria esistenza? Forse fin da ragazzo quando non ha risolto la sua amicizia con l'amico del cuore? Forse quando ha sposato Laura? O non piuttosto quando si è trasferito altrove? Difficile dirsi. Quel che è certo è che, progredendo nella lettura, ci accorgiamo che forse non ha sbagliato solo Andrea, forse egli non è che un capro espiatorio, forse ha sbagliato tutta intera la sua generazione che ha accettato un tempo di esprimersi con slogan e schemi e classificazioni, e ora si ritrova assolutamente non catalogabile né tantomeno ascrivibile a qualsiasi altro spostamento collettivo. In poche parole, una generazione "non prevista" e "non prevedibile". Quindi sola. Oppure *démodée*, come già Severini scriveva in una quartina di *Nelle aranciate amare*:

> *Così una sera avverti*
> *di passare di moda,*
> *non più forza trainante,*
> *uno dei tanti in coda.*

Su questi temi e interrogativi ci si sarebbe potuti attendere – non conoscendo Severini – un grande romanzo emotivo e paranoico, oppure un libro gridato, impregnato di umori e dannazioni e pianti, un romanzo maledetto, gonfio di risentimenti, accuse, invettive. Severini invece, con la sua consueta discrezione e pacatezza, assembla un tenero romanzo epistolare a una sola voce – redatto, cioè, dalla parte di un solo protagonista – evitando però le secche di un *jour-*

nal d'intimité, anzi riverberandolo e rilanciandone la scrittura con un raffinato gioco di risonanze dialogiche, di echi verbali, di sfumature di toni fra i vari interlocutori, al punto che l'enunciazione monologica viene a "sentire" talmente la coscienza del sé in rapporto alla coscienza che l'altro ha di essa, da arrivare a quella che Bachtin chiama "parola dialogica". È allora che l'"io" che scrive, talmente penetrato dall'altro che riceve, sente dentro di sé un nuovo cuore, una specie di cuore collettivo, un cuore che "com-prende". Appare immediatamente uno dei sensi di lettura del testo: e cioè che il cuore che pulsa dalla parte di chi scrive, altro non è che un cuore generazionale.

Il confronto fra i due personaggi (in verità entrano in campo anche un paio di figure femminili, ma sempre, mi pare, come accessori espressivi dei protagonisti) si fissa, da un lato, sulla figura di una sorta di mistico naturale, di saggio dolentemente tautologico nella spiegazione delle cose del mondo, di ironico "abate cosmopolita", di solitario romantico; e, dall'altro, sul suo doppio Andrea, il lamentoso, lo sbracato, il debole, il tenero, il piagnone, l'indeciso, l'adolescente Andrea. Seguendo questa riflessione speculare – che abbiamo detto essere formalizzata nel tono dialogico – il romanzo si distende non già con un crescendo di toni, anzi con un loro continuo smorzarsi e contenersi. La novità della scrittura di Severini è proprio l'estrema capacità di tenuta e soffocazione delle punte estreme d'emotività. È come se l'autore, abilmente, volesse giungere al massimo solo per contrazione, creare tensione per non usarla, creare emozione per svaporarla, preferendo a tutto ciò un gioco di sentimenti malinconici e sfumature e controtoni e "pianissimi"; come se, per lui, la più grande deflagrazione dell'intensità intima fosse l'espressione di un silenzio assoluto appena appena spezzato da un lontano e improbabile singhiozzo.

Ma la stoccata, il colpo nascosto, il pensiero che ti fa aprire gli occhi come un "suono che spezza" è presente. Ed è preparato con sorniona disinvoltura in mezzo a cartoline allegre e *bon mots*. Si tratta di una serie di corrispondenze, marginali all'intreccio, che vertono su un programma di lavoro culturale; per l'esattezza l'allestimento di una mostra fotografica. Sono lettere professionali che la nostra lettura veloce avrebbe quasi voglia di tralasciare. Ci interessa di più sapere com'è andata a San Marino con Andrea, se ha smesso di bere, se ritorna con Laura. Poi, invece, ecco che nel finale, queste letterine si "montano" con la trama principale, riverberandola – ora sì fin troppo da vicino, fin quasi a bruciarla – di sinistri bagliori sadomasochisti: se abbiamo sbagliato non è per caso che abbiamo voluto espiare la colpa?

Stupisce, in sostanza, in un testo così dichiaratamente facile fin dalla stupenda leggerezza del titolo, così nitido nella scrittura e nei toni, così ironico e a volte francamente divertente, stupisce l'introduzione a sorpresa di questo elemento ulteriore che scombina la direttrice di lettura e di senso del testo: "Siamo dunque inevitabilmente esecutori di punizioni? Per quale colpa? Per conquistare quale paradiso? Per quale sconfitta? E di quale gioco?"

[1983]

TIERGARTEN. C'erano momenti in cui, camminando solitario lungo i vasti marciapiedi di Berlino Ovest, perso fra il traffico veloce e luminoso della sera, poteva anche capitarmi di pensare d'essere, a mio particolarissimo modo, felice: momenti, cioè, di pienezza interiore senza la vicinanza e l'appoggio di amanti, amici, gente con cui conversare. Erano la città stessa, il suo freddo, la sua sentimentalità, forse, a portarmi questo genere di sensazioni estremamente raccolte, la città che riusciva anche, per qualche magico istante, a produrre una sorta di illuminazione come, per esempio, quella volta in cui, atterrando in una notte di pioggia all'aeroporto di Schönefeld, in territorio DDR e passando poi una mezza dozzina di controlli di polizia senza conoscere due parole di tedesco, improvvisamente, sul pulmino del *transit* che attraversava il settore orientale e si ficcava in quella zona neutra fra i due imperi, tutto si concentrò ed ebbe senso; e allora le torrette dei *vopos*, i rotoli di filo spinato, i riflettori antiuomo che oscillavano, scrutando nella notte, gli sbarramenti di ferro e cemento armato, il muro, tutto diventò come uno scenario di guerra al di là del tempo, e in questo aldilà io passavo completamente assorto e calmo, con una formidabile pienezza di me e della storia, insomma il flash di un *satori* a Berlino... Poi, come sempre succede, le luci di Berlino Ovest, le insegne luminose della pubblicità, gli autobus, i giornali svolazzanti per strada, i palazzi di vetro e acciaio, i barboni e gli alcolizzati agli angoli delle piazze e sotto i ponti dell'U-Bahn, la metropolitana berlinese; insomma, il nostro caro e vecchio Occidente.

Ma Berlino è una città che ho imparato ad amare (forse le città si amano quando si sedimentano nel cuore sentimenti e atmosfere legate indissolubilmente a quelle strade, a quelle piazze, a quegli odori) anche attraverso l'opera di un autore, Christopher Isherwood.

La sua Berlino degli anni venti e trenta è, come sapete, quasi completamente scomparsa, annientata dai bombardamenti della seconda guerra mondiale, e quel che è rimasto all'Est, come per esempio l'Unter den Linden, ha completamente cambiato aspetto. Di almeno tre luoghi dove ha abitato Isherwood in quegli anni, sono riuscito a trovar traccia; In den Zelten, la via in cui si trovava la primissima abitazione di Isherwood e del suo amico Francis, è tuttora immersa nel verde del grande parco berlinese del Tiergarten, fra le rive della Sprea e la nuova Kongresshalle; poi la Wassertorstrasse a Hallesches Tor nominata in *Addio a Berlino*, strada posta all'inizio di Kreuzberg, il quartiere delle case occupate, dell'immigrazione turca, dei punk, degli alcolizzati, dei tossici e dei freakkettoni, allora come oggi il cuore popolare di Berlino. Infine Nollendorfstrasse 17, una via "né ricca né povera, a ridosso di un cinema e di parecchi caffè". Forse il cinema è il Metropole, ora famosissimo luogo di concerti rock dove, solo qualche settimana fa, si sono esibiti i Bronski Beat.

[1984]

PIAZZA MIRABELLO. Il tono dominante di *Cos'è più la virtù*, primo romanzo di Fernanda Pivano pare essere quello della tenerezza. Protagonista della narrazione è una donna che viene improvvisamente a trovarsi senza casa, senza soldi, senza sesso, senza amore, senza gli affezionatissimi libri che in anni e anni di lavoro ha raccolto in giro per il mondo; senza i piccoli e i grandi oggetti collezionati o comprati in anni di viaggi nei cinque continenti e ai quali, lungi dal feticismo, ci si affeziona, si dona loro quasi un'anima, lo sguardo e la parola. Questa donna fedele, tenacemente attaccata al proprio ideale di virtù per educazione e anche per scelta; questa donna, che vive fianco a fianco con i più intriganti poeti e scrittori degli anni sessanta, con ragazzi bellissimi e uomini interessantissimi; questa donna, dopo decenni di matrimonio, si trova abbandonata dal marito. L'abbandono definitivo viene a completare una serie successiva di tappe di allontanamento; magari prima si dorme in letti separati, poi in camere differenti, poi uno in un *pied-à-terre* e l'altra nel solito letto, poi uno in una città e l'altra in un nuovo domicilio scelto per seguire il lavoro e poi... si arriva al momento in cui tutto crolla, e allora, a ben guardare, tutti quegli spazi e quegli allargamenti di territori di libertà individuale altro non si rivelano che un ipocrita percorso di allontanamento come se non ci fosse il coraggio per dire: "Basta!", ma la cancellazione del rapporto amoroso procedesse stillando cancellazioni goccia a goccia come un veleno mortale.

Il romanzo di Fernanda Pivano è appunto l'ordinato e pacato – non livido, non aggressivo, non furente – ricordo di questo percorso di allontanamento e di abbandono. La scrittura appare, di tanto in tanto, venata di un malinconico distacco (è pur sempre vero che niente, come un abbandono, ci scortica e ci divide da noi stessi: noi che avevamo cominciato a interpretare e a parlare il mondo attraverso l'oggetto amoroso, per cui niente di più vero della frase dell'innamorato: "Vedo il mondo attraverso i tuoi occhi, parlo con le tue parole, amo attraverso il tuo corpo..."), ma anche, a tratti, felicemente ironica e, almeno in un paio di punti, assolutamente divertente.

Certo contribuisce molto a determinare questa piacevolezza narrativa la statura del personaggio Fernanda Pivano, la mitica Nanda, la ragazza che traduce, poco più che adolescente, Edgar Lee Masters, che studia Melville e i classici della letteratura americana con Cesare Pavese, che diviene intima di Hemingway, che porta in Italia la beat generation, che accompagna con l'armonium i *readings* di poesia di Allen Ginsberg, che ospita un Jack Kerouac ormai a secco, che scrive memorabili pagine sulla lost generation e su Scott Fitzgerald, che continua il suo impegno verso gli scrittori d'America, presentando ora il giovanissimo Bret Easton Ellis di *Less Than Zero*...

Fernanda Pivano ha fissato il nostro incontro a mezzanotte, in un caffè milanese. La conversazione è durata un paio di ore. La signora ha pranzato con due crème caramel e sorseggiato una Coca-Cola calda. Erano quasi le due quando ho potuto riaccompagnarla davanti alla sua abitazione.

"In *Cos'è più la virtù* si racconta di come una bella e colta signora è costretta a tener testa a stuoli di ammiratori, fan, corteggiatori, gigolo dapprima in nome della fedeltà coniugale e poi, dopo l'abbandono, in nome di un personale valore di 'virtù'."

"Io volevo dare il senso, con questo libro, della postliberazione sessuale. Di un momento in cui, dopo aver vissuto la più totale libertà di comportamenti, i giovani, per esempio, tornano alla vita di coppia. Mi sono basata su molti colloqui che ho avuto con giovani di New York e Los Angeles, i quali tornano alla vita di coppia non necessariamente sancita dal matrimonio."

"È interessante che chi fa questo discorso sia proprio la profetessa della liberazione sessuale, almeno in Italia."

"La mia ambizione è quella di aver precorso i tempi, perché mentre tutti andavano verso questa benedetta liberazione sessuale, io ero già nel riflusso. Erano tempi... Per esempio: Richard Neville disse quella famosa battuta: 'È più facile portare a letto una ragazza che farle fare un bricco di caffè.' E Claudia Dreyfuss: 'Si faceva l'amore come andare in palestra.' In realtà, questa non era liberazione sessuale. Era un'altra forma di schiavitù. Io mi sono rifiutata perché, no, quella non era proprio libertà."

"Visto che lei ha lottato per tanti anni in nome di una libertà sessuale, può dirci in che cosa allora essa è consistita?"

"Devo dire che ho sempre accettato qualunque tipo di battaglia in nome della libertà. E quindi anche la liberazione sessuale degli anni sessanta. Ma, personalmente, la mia libertà sessuale è stata quella di lasciar libero mio marito."

"La vera libertà sessuale allora non consiste nel potere (o dovere) fare l'amore con tutti, ma nell'essere liberi, realmente liberi di poter fare l'amore con chi si desidera?"

"Sì, è questo. Io ho sempre accettato la libertà, mai la promiscuità. E ora vedo che i giovani sembrano pensarla come me. Oggi, i giovani sono lontani dalla promiscuità, sono in una linea di vita a due, magari temporanea, ma certo, finché dura, rigorosamente di coppia."

"Che rapporto ha Fernanda Pivano con i ragazzi di oggi?"

"Mi danno l'enorme privilegio di leggere ancora le cose che scrivevo allora: l'utopia della comunicazione, della liberazione sessuale e omosessuale, del femminismo... I ragazzi degli anni ottanta leggono ancora quelle cose e mi danno speranza, perché quel sogno – quello che noi chiamavamo 'utopia' – non è stato del tutto inutile."

[1986]

MILANO. Quando guido nel traffico incasinato e singhiozzante di Milano in certe tarde mattinate invernali senza colori e senza luce, quando attorno a me altre macchine strombazzano e si sfiorano e, all'interno, io posso scorgere visi tiratissimi e sentimenti confusi e boccate di fumo nervoso, quando di tanto in tanto mi trovo incolonnato ai caselli di un'autostrada e nelle altre auto gli occhi guardano nel vuoto e le dita si raggrinziscono sul volante, io alzo appena il volume di Radiotre, che sto ascoltando, e riesco a darmi pace. La mia testa ciondola leggermente di qua e di là, le mie dita battono i tempi di una sonata di Chopin o di un adagio di Beethoven. Faccio un'emozionante esperienza di "straniamento", che non vuol dire avere la testa fra le nuvole, ma essere talmente immersi nella realtà circostante e talmente distaccati da poterla osservare con *pietas*.

Quando, d'estate, sorpasso una colonna di auto ferme a un semaforo in un qualunque boulevard delle nostre riviere, fra tutta un'altissima frequenza di disco music e hit-parade, io imperturbabile diffondo una romanza di Massenet, un'aria di Gluck, un coro verdiano. Quando, di sera, esco di casa per andare a teatro, immancabilmente ho una colonna sonora per il mio spostamento che già mi fa desiderare il teatro, lo spettacolo, il rito. E questa colonna sonora delle nove meno un quarto, è solitamente, la sigla di chiusura di *Spaziotre*, immutata da dieci anni.

Insomma, lo confesso, sono un ascoltatore fedelissimo dei programmi della terza rete radiofonica, che tutt'ora considero uno dei modi migliori di fare e condurre una radio. Quando ho cominciato ad ascoltarla, poco più che ventenne, era mia abitudine scrivere con sottofondi musicali (e quando sperimentai alla macchina per scrivere la musica per ambienti di Brian Eno fu davvero un ottimo trip). La mia stazione preferita era Mondoradio Rock Station, che trasmette tuttora limitatamente, credo, all'Emilia Romagna. Prima c'era Punto Radio che invece diffondeva da Zocca, Modena, e che mi divertiva assai per via di un certo dee-jay chiamato Vasco Rossi. Prima ancora ci fu *Per voi giovani*, ma qui siamo già nell'archeologia. Dopo tutto e tutti (anche dopo *L'altro martedì* di Radio Popolare, di cui ricorderò per sempre il controSanremo con *Maledetta parrucchiera* a sbancare tutte le classifiche) fu Radiotre che ora, nella mia casa milanese, fatico moltissimo a ricevere correttamente, ma che nei miei spostamenti in auto non mi lascia mai (a parte piccoli tradimenti per le trasmissioni di Radio Tirana).

Perché dunque Radiotre? Innanzitutto perché si tratta di una stazione radio i cui programmi non vengono diffusi a ritmo videoclip, uno ogni tre minuti. Ogni trasmissione ha una certa durata, un suo ritmo interno, una piacevolezza anche discorsiva che ti accompagna nel lavoro senza essere continuamente disturbato dagli stacchi pubblicitari e dalle interruzioni dei soliti dee-jay: "Sono le otto e niente di nuovo." Poi perché diffonde la musica ormai rarissima delle avanguardie novecentesche, fornendo un adeguato commento critico. Inoltre perché la pronuncia di tutti i presentatori scivola obbligatoriamente, e in modi assai differenti, sulle "erre", al punto che vien da chiedersi se alla RAI li cerchino con provini o saggi di dizione (questo è un vezzo, è chiaro, ma io ritengo che una radio abbia diritto anche al proprio snobismo, sennò perché l'ameremmo tanto, perché la riconosceremmo così immediatamente tra mille altre?). Infine, perché esistono, nel pomeriggio, ottime trasmissioni, come *Un certo discorso*, che si occupano seriamente e creativamente di quanto succede nel mondo giovanile, portano sulla scena gruppi di teatro d'avanguardia e ricerche che vanno dai computer alla scrittura.

Naturalmente ci sono, anche nella programmazione di Radiotre, trasmissioni che non mi piacciono e allora preferisco sintonizzarmi su Radio Tirana. Ora che quei maneggioni dei nostri politicanti vorrebbero spegnere la voce di questa radio per riservarsi un canale tutto intero, atto a diffondere in diretta il parolaio parlamentare, non posso fare altro che testimoniare, nella ristrettezza della mia esperienza, l'importanza di quelle trasmissioni.

[1987]

ELIÀ. Tornando al tramonto dalla spiaggia di Elià verso il porticciolo di Mykonos a bordo di un grande caicco, evitando così le piccole barche che traghettano i turisti da un'insenatura all'altra con tante fermate come sull'autobus, improvvisamente, doppiato il promontorio, trovammo il mare grosso. Il battello prese a beccheggiare in modo preoccupante. Le onde spazzavano la coperta prima da un lato, poi dall'altro. Eravamo tutti fradici. Qualcuno anche spaventato. I più si divertivano, avvolti nei loro teli di spugna ormai inzuppati. Sembrava di essere sulle montagne russe. Cominciò a fare freddo. Il porto era ancora lontano, quasi irraggiungibile.

Seduti l'uno a fianco dell'altro, stavano due americani sui trent'anni. Tipo gay internazionale: capelli corti, baffi spioventi, zainetto, scarpe da jogging. Non si parlavano. Mentre tutti gli altri cercavano di stare allegri in mezzo a quelle ondate, loro avevano lo sguardo fisso nel vuoto. Uno dei due, in particolare, presentava una corporatura asciutta e smagrita, quasi l'ombra di un altro fisico che in passato, solo qualche mese prima, forse, era stato il suo vanto e il suo orgoglio. Il suo compagno cercava di accendere una sigaretta, ma gli spruzzi glielo impedivano. Rinunciò. E così si perse anche lui con lo sguardo oltre l'orizzonte, dove il sole ormai rosso fuoco stava declinando. Per le tre ore che impiegammo, quel giorno di luglio, a riguadagnare il porto, non si rivolsero parola. Completamente assenti, appartati nei loro pensieri.

L'immagine dei due giovani uomini americani, di quegli stereotipi dell'emancipazione e del consumismo omosessuale, persi nelle spire di una malinconia infinita, mi torna alla mente oggi, alla vigilia dell'estate, e resta per me emblematica di una situazione che ha già mutato il modo di vivere e i comportamenti sessuali delle comunità gay di tutto il mondo. Quel ritorno al porto di Mykonos, senza parole, senza sguardi, lasciandosi andare alle forze del mare, con le spalle voltate alla prua, senza più voglia di guardare verso la meta, senza la capacità di opporre alcuna resistenza, resta per me il simbolo di come l'AIDS abbia inquinato di malinconia e di sofferenza i rapporti tra le persone. Proprio nell'isola greca, in cui un'utopia di libertà omosessuale aveva assunto una qualche ludica forma, ecco anche lì il peso della realtà.

Poco tempo fa, un amico mi disse: "Sono passato da un locale gay. Era sbarrato con spranghe e assi di legno inchiodate. C'era un catenaccio enorme. Di fronte a quelle catene, per me si è chiuso un mondo. La messa in galera di un'epoca." Dieci anni fa, il simbolo propagandistico del FUORI! era costituito dal disegno dei corpi nudi di un ragazzo e di una ragazza che, correndo, si liberavano dalle catene che serravano i loro polsi. Oggi ecco di nuovo altre catene, l'AIDS da cui liberarsi. A Mykonos, in quel ritorno, io pensavo a tutto questo.

L'errore più grande sarebbe però ritenere che il dilagare del morbo abbia completamente azzerato la voglia di libertà, divertimento e follia che caratterizza i gay di tutto il mondo. Basta fare un salto nei luoghi di vacanza prediletti dalle varie omosessualità per accorgersi di tutto uno scoppiettare di feste, riti, balli all'insegna dell'erotismo.

Se il cosiddetto "sesso pesante" non interessa quasi più nessun individuo dotato di un minimo di buon senso, l'erotismo, l'allusione più o meno esplicita, l'esposizione sempre più maliziosa dei corpi, dei particolari, dei dettagli anatomici, assume i toni di un vero e proprio cancan dell'esibizionismo. La saga dello strip-tease. Il festival delle palestre. Poi, ben eccitati, tutti a casa, soli o con il compagno, a masturbarsi di fronte a un hard core video. Questo, almeno, è il *trend* newyorkese. E anche nei luoghi di villeggiatura non ci si comporta un granché diversamente. Nella piazzetta di fronte al Pierro, per esempio, il locale più caratteristico di Mykonos, metà cantinone, metà dancing-discoteca, la folla si ammassa da mezzanotte in poi. Centinaia di persone che tentano di entrare, si spingono, si urtano, si abbracciano, gridano, litigano. Il buttadentro è un culturista che interpreta il ruolo con grande efficienza: per farti entrare, ti piglia per il collo, come si fa con i polli, e ti sbatte dentro. Per ricacciarti indietro, ti dà un pugno nello stomaco o una spinta che si trasmette a tutta la fila di persone che è dietro di te, arrivando a far oscillare la distesa di tavolini cinquanta metri più indietro. Eppure tutti si divertono, prendono i ceffoni e ritentano.

Verso l'una, sul bancone del Pierro, fra un tripudio di reste d'aglio, peperoncini, spighe di grano e di lavanda, sale un danzatore. Il ragazzo inizia a spogliarsi, percorrendo avanti e indietro la passerella improvvisata. Il pubblico femminile più invasato tenta di occupare le prime posizioni, in modo da guadagnare almeno un trofeo: una calza, una mutanda, la canotta. Se trova un bicchiere lungo il suo cammino, il boy lo afferra, ne beve un sorso con voluttà e lo restituisce al proprietario in delirio. Oppure si versa tutto sui pettorali e invita qualcuno là sotto ad assaggiare. Rimasto con il *cache-sex*, il boy mima qualche amplesso, rotea i fianchi, sporge il bacino, allarga le chiappe. I gay applaudono, le femmine più allupate cercano di toccarlo e di convincerlo a chinarsi per un bacio o una carezza. Il boy sceglie qualcuna, la strapazza un attimo e riceve in cambio bigliettoni fra le cosce o nella coppa. Sparisce poi dietro il bancone, lasciando via libera ad altri danzatori.

Oltre la piazzetta del Pierro, in direzione del porto, in una stretta discoteca provvista di un ballatoio, che dà un po' la sensazione di un girone dantesco, si accendono, verso le due di notte, i riflettori di un piccolo palcoscenico. Qui il pubblico è formato esclusivamente da uomini maschi. Inizia il cabaret: un abilissimo travestito apre le danze con un sirtaki di Melina Mercouri. I greci ridono come pazzi, i francesi capiscono, gli inglesi non tanto, i tedeschi lo pigliano per Dalida e gli italiani per Iva Zanicchi. Un secondo attore, sempre baracconissimo, appare truccato come Tina Turner; un terzo come Freddy Mercury, solista dei Queen, naturalmente accompagnato da una carampana nel ruolo di Montserrat Caballé. Lo spettacolo avanza per mezz'ora, una caricatura dietro l'altra dei tanti stereotipi prediletti dalle sottoculture *camp*.

Al Boy Bar di New York, nell'East Village, locale fra l'altro dove David Leavitt ha ambientato realisticamente un episodio del suo ultimo romanzo, *La lingua perduta delle gru*, tre scatenati travestiti, tutti piccolissimi, interrompono i balli nella discoteca con uno spettacolino in cui Tina Turner picchia Cindy Lauper, e Jill Jones si prende a cazzotti con Aretha Franklin. A Riccione, al Lex Club o al Colony, i locali gay di Gianni Andreatta, ogni sera un gruppo di ragazzotti *en travesti* offre al pubblico perfetti doppi di Patty Pravo, Mina, Ornella Vanoni, Anna Oxa, Loredana Bertè, quest'ultima, chiaramente la più amata dai gay italiani. Ospiti d'onore possono essere, di volta in volta, Raffaella Carrà, Giuni Russo, Enrica Bonaccorti. I doppi sono talmente perfetti che, rivedendo in televisione gli originali, ti chiedi, con un attimo di divertito sbalordimento, se non si tratti dei doppi riccionesi. A Ibiza, a poche decine di metri dal chiacchiericcio mondano e costosissimo del Lola's, ecco un cabaret improvvisato sulla *calle*. Un amplificatore, un microfono, due fari allestiti nel bar di fronte per illuminare Barbarà, uomo, donna, probabilmente bisnonna, che esegue playback perfetti di matrone spagnole, come Isabelle Pantoja, con tanto di nacchere e ventaglio. Poi si lascia andare a virtuosismi da primadonna del blues fra Billie Holiday e Nina Simone.

In ogni capitale del turismo gay estivo si ripetono le stesse cose, gli stessi riti. La notte appare uguale sotto il cielo mediterraneo di Ibiza come sotto quello profumato di basilico di Mykonos o di eucalipto di Taormina, nell'incantevole discoteca Perroquet, dove ogni anno di svolge l'elezione della "checchissima" dell'estate. I contendenti al trofeo chiedono esplicitamente i voti agli avventori, danzando, cantando, raccontando barzellette oscene, esibendosi sui tavoli di un giardino plurisecolare. Ognuno ha una scheda e una sola possibilità di voto. A Ibiza, nella megadiscoteca Ku, sfilano in passerella una cinquantina di Adoni in costumi da bagno o in perizoma. L'elezione di Mister Ku è opera di una giuria selezionata. La conclusione è un colossale bagno in piscina.

L'impressione è che da Saint-Tropez (meta ancora carissima agli omosessuali *agés* della pianura padana) a Sitges (una Rimini spagnola non all'altezza del modello romagnolo); da Capri a Positano alla Sicilia orientale, mete così ricche di memorie di viaggiatori omosessuali *fin de siècle* (dove anche i padri di famiglia inviano cartoline illustrate con la foto del barone Von Gloeden); dai campi naturisti sparsi a centinaia lungo la costa jugoslava fino a quel piccolo paradiso botanico dell'isola di Lokrum, di fronte a Dubrovnik; dalle mete del Nord Africa, dove si accendono gli ultimi fuochi di una sessualità virile indiscriminata prima che il consumismo occidentale e il grande Islam facciano tacere tutto, alle isole greche, alla costa della Turchia, l'impressione è dunque che anche in anni difficilissimi, pur a ridosso della tragedia di quello che negli Stati Uniti è stato definito l'"olocausto gay", nessuno sia disposto ad abdicare alla diffusa voglia di libertà e divertimento, a stringere ancora di più i legami della *gayness*.

[1988]

UDINE. Sono su un treno locale che da Treviso mi sta portando a Udine, all'imbrunire. All'orizzonte si accende di rosa la catena delle Alpi innevate. Intorno la campagna friulana, paesi come Sacile, Codroipo, Casarsa, conosciuti solamente sui fogli dei trasferimenti dei militari di truppa che, in divisa, smerciavo da un ufficio all'altro, a Roma, ormai otto anni fa. La sera scende oscurando completamente il paesaggio. Solo qualche piccola luce, ormai. E un senso di cupezza, di vuoto. Il senso di sentirmi prigioniero. Un flashback. Un viaggio, sempre su un piccolo treno, tra Dresda e Berlino Est, un tramonto sidereo, e improvvisamente il buio, il nero oltre il finestrino, una luce fioca che illumina me e il mio compagno di viaggio, la luce del primo Van Gogh maledetto fra i contadini fiamminghi. Forse la mia sensibilità ossessiva sta fiutando, allora come oggi, sia là che qua, una presenza di morte, di armamenti, di truppe, di tradotte, di caserme: il fantasma della guerra...

Scendo finalmente a Udine e, improvvisamente, mi trovo immerso in una ressa sconcertante: centinaia di militari, vecchi, contadini, donne, studenti, ragazze, intasano i marciapiedi e i sottopassaggi con le loro valigie, i loro zaini, le sacche, i fagotti. Perdo il mio compagno di viaggio in tutta quella calca giovanissima. Cerco di raggiungere l'uscita, sono stanco e, soprattutto, sono in uno di quei momenti di non presenza a me stesso, uno di quegli istanti in cui la stanchezza e lo spiazzamento agiscono come una droga, attimi in cui non ho volontà, mi lascio guidare, sospingere, urtare. Sono completamente aperto all'esterno, senza più valvole, senza pensieri. Registro tutto, tutto mi colpisce in questo scendere la corrente con i nervi aperti. L'atrio della stazione sembra un bivacco: ragazzi stravolti che attendono, seduti sui loro sacchi, di fare il biglietto. Riconosco le parlate: gli emiliani innanzitutto, i lombardi, i toscani, i calabresi, i pugliesi. Tutte le giovanili umanità della nostra terra riunite, smistate, pressate, serrate, in attesa del ritorno a casa.

Il giorno prima, a Venezia, stavo comodamente seduto, alle Zattere, bevendo qualcosa di leggero e godendomi il sole di una primavera precoce. Pensavo al mio passato, ai miei giorni, in un certo senso, pregavo. Poi l'improvvisa voglia di una gita friulana, prendere un treno, allungare di qualche giorno il mio giro in provincia. Un amico friulano mi ha guidato e incoraggiato. Conoscevo Udine, ma non la sua vita, soprattutto – cosa per me sempre interessantissima – gli spazi di intrattenimento che essa può offrire. Eccomi così, la notte dopo quel mio arrivo così *Dottor Zivago*, a fare il giro di birrerie, locali, luoghi notturni per curiosare e per osservare la gente, per lasciarmi andare al flusso dei ricordi: ai visi di chi ho amato, di chi ho perduto, a cercare le avvisaglie di chi, forse in questo momento, da chissà quale parte, mi sta cercando...

Inizio dal Sun Shine, un discobar piuttosto simpatico, e finirò la nottata all'Arcobaleno, un locale sulla strada come una trattoria per camionisti, musica, luci color pastello come nei paesi dell'Est europeo. Ma la rivelazione più eccitante della notte è stato il St. James' Pub. Dopo aver bevuto un paio di boccali di ottima birra integrale nella taverna della vecchia fabbrica Moretti, eccomi in una via dall'aspetto sublime: case basse, un'insegna al neon, poco traffico. E tutta quella musica che esce in strada. All'interno, una fauna durissima che solo semplicisticamente potrei definire punk o dark. Piuttosto l'emergere di corpi, abbigliamenti e volti di un certo mio passato provinciale che qui ritrovo pressoché intatto. Gli ultimi anni settanta, i primissimi ottanta. Un rock fortissimo, scaffali pieni di bottiglie di birra come in certe osterie bolognesi. Tavoli e sedie di legno annerito dal fumo. Tanta gente che chiacchiera o che, semplicemente, beve senza scambiare una sola parola con chi ha di fronte. Molto kajal, ciuffi colorati, moltissimo cuoio, borchie e cinghie. Una diversità dal quieto e sonnolento tran tran provinciale che mi piace e mi eccita. Benché non sia riuscito a parlare con chi mi accompagnava e sedeva timidamente accanto a me, benché la musica uscisse fortissima, benché la ressa un po' mi opprimesse, mi sono sentito a mio agio. Niente di nuovo, sia chiaro, ma, come scrive Klaus Mann: "Quanto triviale lo shock della novità paragonato all'incanto dell'"ancora una volta', del 'sempre lo stesso' carico di ricordanze. [...] Si invecchia e un bel giorno si nota che 'si conosce già tutto'; nel corso di tre decenni un individuo esamina la scala delle possibilità di vita a lui concesse. E poi? Come si proseguirà? Non si prosegue: si ricomincia; tutta la commedia da capo, sempre così, sempre così. Ogni grado della vita una ripetizione del precedente. E così gli amici trapassati si ripresentano."

Ancora due notti friulane, freddissime, in giro per locali e disco in cui si ritrova la fauna *trendy*, per sentire un po' di musica, per ballare, per chiacchierare bevendo birra o, semplicemente, per ammazzare la pesantezza di una vita in provincia che soprattutto di sera, costeggiando in macchina caserme lunghe chilometri e chilometri, dalle luci spettrali come campi di concentramento, le baracche, il filo spinato, le garitte altissime sulla campagna piatta, può non solo deprimere, ma proprio intristire, far diventare cupi e silenziosi e desiderare di evadere. E così esplode, un po' come a Berlino Ovest, il desiderio di pigiarsi in una discoteca, o in una birreria, provenendo da tutta la regione, da ogni piccolo silenzioso paese con il suo campanile e la sua trattoria, come da Milocco, a Merlana di Trivignano Udinese, dove mi sono ripreso da un *down* mattutino con selvaggina squisita e una bottiglia di Cabernet.

Il Cotton Club (ex Purgatorio) è un capannone industriale come se ne vedono molti in queste zone di artigianato e piccola industria. A venti metri c'è il paese di Cussignacco, un ruscello un antico mulino con la ruota di legno a pale. Passi un ponte e ti trovi in quella che anche qui, come in ogni periferia italiana, si chiamerà "zona industriale". Vedi tante auto, un po' di gente che sciama a gruppi nella nebbia, le luci dell'ingresso. Il pianterreno è un grande spazio alle cui pareti sono appese, come in una galleria d'arte, numerose opere di giovani artisti che vanno da pannelli di legno, assemblati con reperti metallici, a tele tridimensionali, con inserimenti di sculture in legno, a figurazioni neo-geo.

In fondo alla sala, c'è un palcoscenico attrezzato per i concerti (questa notte è il turno di un gruppo di quasi filologico rock'n roll), i tavolini disposti senza ressa, un bar con spaccio di birre alla spina. Al piano disopra è stato ricavato un ambiente qui detto "pianobar" ma che a me sembra più quello di un club con il tavolo da biliardo, il megaschermo televisivo, i tavolini, un secondo bar, la musica diffusa a giusto volume (ora è il turno di Lloyd Cole and the Commotions che in parecchi canticchiano sillabando esattamente il testo). Il tipo di pubblico è quello che a me piace di più: artistoide o anche solo semplicemente contiguo a pratiche artistiche, non etichettabile secondo i canoni delle mode e delle riviste, abbastanza anonimo, ma proprio per questo più intrigante. C'è, come sempre, qualche abbigliamento dark, qualche postpunk, qualche chioma gallinacea, qualche "chiodo" borchiato, che mi sembrano esprimere più l'emergere di un desiderio di differenziazione che quello di una precisa scelta di campo.

Il pubblico del Cotton Club è, in parte, quello che si ritrova nella discoteca Mister Pieffe di Muscoli, frazione di Cervignano. È una villa di campagna con il cancello d'ingresso, le finestre affacciate sul parco, un piano superiore in cui si può chiacchierare e uno inferiore, con due bar, in cui si balla. Il sabato sera non sono riuscito a entrare. All'una di notte, mentre un paio di carabinieri provvedeva a multare una lunga fila di auto parcheggiate ai bordi della strada, la ressa al cancello d'ingresso era di una cinquantina di persone. Una volta superato questo ostacolo, altrettante attendevano davanti alla porta o nel giardino. Ho aspettato un po', poi me ne sono andato. La sera prima, venerdì, avevo trascorso due ore assolutamente divertenti con buona birra spinata da un vichingo zazzeruto e, sulla piastra, Morrissey. Alcuni punk appollaiati sulle scale, ragazzotti davanti ai videogame, qualche ubriaco nei cessi, qualche eccesso in pista come nemmeno al Bolšcioj, con spaccate, giravolte, *pas de deux* e, soprattutto, mani, braccia, dita, pugni lanciati in alto a seguire una musica ora rockettara, ora pop, quasi mai disco dance, missata da un richiestissimo biondino di nome Edoardo. La gente mi ricordava molto certe feste di Mondoradio Rock Station, in Emilia, con gente miscelata bene, poco giro *fashion* e assolutamente niente fighetti. Qui, in più, il banco delle birrette che giustamente vengono servite esclusivamente in piccola quantità e a un prezzo più che accettabile, come in ogni altra parte del mondo, Parigi, Londra, New York incluse. Quando penso invece a certi locali milanesi oggi di gran *trend*, come il Caffè Caribe (giovedì), il mio preferito Geriko-Chocolate City (sempre il giovedì), Il Principe (venerdì) e a quell'insipida birra che si è costretti a bere in un rapporto qualità/prezzo da Rivoluzione d'ottobre, allora mi accorgo che la mia amata provincia continua a non deludermi e a conservare abitudini e atteggiamenti che mi piace ritrovare, quasi intatti, nonostante il mutare dei luoghi e dei tempi.

[1988]

RIMINI. Al Rockhudson di Viale Vespucci, a Rimini, sono entrato un po' prima che la serata iniziasse e ne sono uscito quando, improvvisamente, centinaia e centinaia di persone non solo intasavano il locale, ma addirittura facevano la fila per entrare. Questo perché ho, ultimamente, una predilezione per i locali, le discoteche, le birrerie deserti o, quantomeno, non funzionanti a pieno regime. Il successo del Rockhudson, locale gestito da Pierre Pierucci, già famoso qui in riviera per lo slogan "Rimini come Hollywood" e per il Barcelona, aperto, mi pare, come luogo *trendy* un paio di anni fa, è fuori discussione. Bastava vedere la coda all'ingresso. Quello che mi ha sorpreso, è stato il fatto di aver organizzato una discoteca per gente tutto sommato abbastanza bene, con i modi di quella trasgressione soft e autoironica tipica di certo *trend* anni ottanta. Ecco il dee-jay missare i pezzi sporgendosi da una baita Heidi, con i cuoricini alle finestre e i vasi di gerani sul davanzale; ecco l'immagine generale da grande magazzino, come se al quinto piano di una qualsiasi Standa o Upim ci fosse pure la discoteca. Ecco il settore giardinaggio, con le piantine e le violette e la moquette tipo prato inglese; ecco la Festa della spazzatura per cui, fra ragazze abbronzatissime e impellicciate e giovanottoni in jeans e cachemire, decine di ramazze, scope, spazzettoni, sacchi dell'immondizia, cumuli di rifiuti. Ho bevuto una birra Ceres alla spina, niente di particolarmente ricercato, ma assolutamente da non disprezzare. Anzi, al posto delle oscene birrette di uso comune, un innegabile gesto di civiltà.

Il Classic Club è una discoteca dell'ARCI Gay – potrò scrivere "polivalente"? – fra Rimini e Riccione. La si vede già dall'autostrada e per raggiungerla si prende la direzione di Coriano. Anche qui, sono capitato abbastanza presto e, per giunta, la sera dell'inaugurazione di un nuovo padiglione (così come ero inconsapevolmente capitato, la sera prima, alla Festa della spazzatura del Rockhudson). Il locale è strutturato su due piani e occupa varie costruzioni: il pianobar, la pista della discoteca, vari salotti, una sala con megaschermo, una stanza in penombra e dalle pareti a specchi. Di fronte alla costruzione centrale, una vecchia casa colonica, c'è una sauna e una grande pista sotto un tendone che funziona, ovviamente, solo d'estate. I prezzi del bar sono abbordabili; il videogame, dietro il pianobar propone uno dei miei hit della scorsa estate: Arkenoid, versione fantascientifica e complicata del vecchio "muro" di Break-out. Guardando le targhe, nel parcheggio, mi sembra che il Classic raccolga soprattutto fauna, peraltro non esclusivamente gay, dalle Marche (Pesaro, Ancona, Macerata, Urbino) e dalla Romagna, fino a Bologna. L'ambiente non è troppo *fashion*, anzi direi più sul ruspante e sul perbene. E questo è piacevole. Sembrerebbe di stare a un party in un college descritto da Bret Easton Ellis nel suo ultimo romanzo, *Le regole dell'attrazione*, senza però gli eccessi dei *toga* party e delle scorpacciate alcoliche. Anzi molto understatement, come si conviene alla sana provincia, molti "scusi" e "prego, vada lei" sulle anguste scale che portano al piano superiore e un travestito, là, di fronte allo specchio, che continua a incipriarsi un pomo d'Adamo alla Clint Eastwood, ballando sulle gambotte tornite come quelle di Raffaella Carrà.

[1988]

RICCIONE. Il TTVV è la sigla del festival internazionale di teatro in televisione e in video che si tiene a Riccione, annualmente, e che è giunto, sotto la direzione artistica di Franco Quadri, alla quarta edizione. Così come esistono i video musicali (ebbene, dirò che sono un assiduo di Videomusic che ha ormai quasi completamente sostituito l'accompagnamento radiofonico nei momenti in cui scrivo; e fra i video che in questo momento preferisco ci sono: *A Word in Spanish* di Elton John; *Domino Dancing* dei Pet Shop Boys, perché è così "frocio" che mi fa ridere; indubbiamente gli A-ha, perché sono bellissimi, anche se potrebbero pure stare zitti; Talking Heads, perché David Byrne è un genio anche in quest'ultima occasione; Ivano Fossati, perché il suo video, *Terra dove andare*, ha una grazia contenuta ed essenziale; Billy Bragg, perché la canzone di protesta non è mai morta; Enya, con *Orinoco Flow*, per il fulgore pittorico, materico, dei fondali; naturalmente Prince, per le soluzioni grafiche e l'uso visivo delle parole; e poi il mio povero *Come Softly* di Nick Kamen, che è passato pochissime volte e che ho avuto la prontezza, l'anno scorso, di registrare, e così quando lo rivedo arriva improvvisa la situazione emozionale di dodici mesi fa, in questa casa...) così come esistono i video musicali, dicevo, esiste pure la videoarte, forse oggi un po' in declino, assorbita in gran parte dalle produzioni pubblicitarie.

Il TTVV punta l'attenzione sui rapporti fra teatro, danza, recitazione e video, e quindi: non solamente documentazione di spettacoli teatrali, ma produzione di opere o frammenti teatrali espressamente per la televisione o, più in generale, per i circuiti video dei musei di arte contemporanea, delle videoteche, dei centri di documentazione visiva. Qui a Riccione, ecco una sezione dedicata all'opera televisiva di Luca Ronconi, con la proiezione, fra l'altro, delle cinque bellissime ore dell'*Orlando Furioso*. Ecco la documentazione dei gruppi italiani della "nuova spettacolarità" e della postavanguardia: il *Come è* da Beckett dei Magazzini; *La camera astratta* di Giorgio Barberio Corsetti; l'inquietante, e assai bello, *Sciame*, del giovane coreografo e danzatore Enzo Cosimi. Poi gli straordinari, brevissimi video degli spagnoli La Fura del Baus, esempi di un sadomasochismo spettacolare fra il Living Theatre e Antonin Artaud; il francese *Nuit de Chine*, che ha vinto il Sole d'oro, ambientato in un albergo tenuto da due anziane cinesi e frequentato da sei danzatori; l'interessante *Onde*, da Tennessee Williams, di Marco Alias e Claudio Zanotto Contino; *Zampe* di Diego Buonsangue e Gian Marco Costa, altro video premiato: quindici minuti che raccontano, in stretto dialetto siculo, la disperata spartizione di un pollo fra due barboni siciliani, in una squallida stazione ferroviaria. E, naturalmente, tante altre realizzazioni che dimostrano come la creatività, soprattutto giovanile, abbia trovato nel video uno strumento più maneggevole, e meno costoso rispetto al cinema, per raccontare storie o riflettere sull'immagine. Il problema, come sempre, resta quello della diffusione non solo al grande pubblico – che forse non ne capirebbe un granché – ma soprattutto a quei giovani che lavorano sugli stessi temi a Benevento, a Palermo, a Milano, e che non sono potuti arrivare a Riccione. Chi si deve occupare di far circolare queste opere? La RAI? Le università nei dipartimenti di storia dell'arte o storia del teatro? I grandi festival estivi? Resta il fatto che si sta costruendo, in questi anni, un patrimonio di immagini e sperimentazioni legate al teatro e al video che sarebbe assolutamente stolto trascurare e lasciare alla deriva.

[1988]

MILANO. Ho saputo del concerto di Nina Simone non più di tre ore prima che iniziasse. Ho telefonato e mi hanno risposto che c'era disponibilità di biglietti. Non ho ottenuto un biglietto stampa per le prime file, ma una poltrona in fondo alla sala, insieme ad altri amici over 30. Non ho potuto prendere appunti o vedere bene, né tantomeno sentire bene. Una regista cinematografica, accanto a me, commentava: "Senti come la sua voce esce male, traballante e tagliata? È il microfono!" Ma io, dimenticando la scontrosità dell'addetta stampa, ero già completamente rapito dalla monumentale figura della Simone che al pianoforte eseguiva, come secondo pezzo, una versione piuttosto allegra di *Another Woman*, e già mi chiedevo se sarebbe ancora stata in grado, con tutto quello che di lei si è saputo negli ultimi anni, storie di ordinaria ebbrezza e di scostanti prestazioni, a fare con la voce quella certa scala da brivido; e difatti l'ha solamente accennata con la gola, un po' afona, raschiata ma caldissima.

Nina Simone è apparsa sul palcoscenico in un'ovazione di pubblico non particolarmente adulto, come invece al concerto di Leonard Cohen qualche mese fa, ma abbastanza chic e *trendy*. È apparsa un po' insicura sulle gambe, esitante come se si muovesse sui trampoli, inguantata in una lunga gonna nera, ricoperta da una specie di cotta a forma di clessidra e costituita da tanti petali bianchi che le circondavano le spalle come un fiore. Capelli a treccine africane sulla nuca che, da lontano, appariva quasi glabra. Pendagli a goccia, enormi, alle orecchie. Un orologio al polso sinistro che, in più di un'occasione, ha controllato, magari nel bel mezzo dell'esecuzione di un interminabile gospel. Tutto sommato una figura massiccia, imponente, che mescolava, come d'altronde tutto il suo recital, gli aspetti più afro con l'eleganza sfacciata e luccicante del night-club. E lei, infatti, passava dal pianoforte e dai blues più affascinanti ai ritmi selvaggi del popolo dei neri d'America. E quando sul proscenio, invitando il pubblico a scandire il tempo, ha accennato a una breve danza primitiva come una donna masai, io mi sono trovato a pensare a James Baldwin o ad Amiri Baraka (LeRoi Jones), ai grandi scrittori neri degli anni cinquanta e sessanta, alla loro ricerca delle radici, al loro tentativo di descrivere la vita dei ghetti e di Harlem come quella di un popolo in rivolta.

I grandi artisti sanno dare emozioni di questo genere. Riescono a operare collegamenti fra varie esperienze artistiche, a esprimere la sintesi di un movimento o di un periodo con una facilità e una naturalezza che incantano. E anche se Nina Simone, evidentemente, non è più quella di un tempo, anche se il suo recital è durato all'incirca un'ora, anche se è apparsa commossa dalle ovazioni e dall'affetto del pubblico, lei resiste pur sempre come leggenda e come mito. Così, al momento del bis, concesso nonostante il manager la invitasse a rientrare nei camerini, siamo corsi sotto il palco per applaudirla e osservarla finalmente da vicino.

[1988]

BOLOGNA. "Il traffico di idee visive fra mondo dell'arte e immaginario musicale è molto intenso e non si esplica solo nei video, ma anche nelle copertine degli album", scrive l'artista Bruno Benuzzi presentando la mostra *Rock da Vinci* allo Studio Cristofori di Bologna. E ricorda soprattutto la copertina sexy con la lampo dei jeans di Mick Jagger, concepita da Andy Warhol per i Rolling Stones, e la sua frastornata apparizione nel primo video dei Curiosity Killed The Cat; cita il regista Derek Jarman (*Sebastiane*, *Caravaggio*) per alcuni videoclip degli Smiths, l'artista inglese Peter Blake per la copertina di *Sergent Pepper* dei Beatles, e tutto quell'intrigo fra arte e musica, fra rap e *brakers* e graffitisti, Talking Heads e Grace Jones, avvenuto negli ultimi anni, soprattutto sulla scena newyorkese. La mostra vuole sovvertire i termini della situazione in questo modo: se l'arte ha servito, soprattutto negli ultimi trent'anni il rock, in che misura il rock può servire la figurazione, la produzione di immagini?

Rock da Vinci propone sette tentativi in questo senso. Artisti italiani, soprattutto giovani, che prendono spunto dalle facce e dal mondo del rock per la loro opera. Oltre allo stesso Benuzzi che inserisce un assorto ritratto di Robert Smith in un contesto hippy e vagamente ecologico, con farfalle al posto di spazzatura e un verde tenerissimo al posto di una fumosa *location* dark, ecco Luigi Mastrangelo con un Cristo adamitico e zazzeruto come gli Europe; poi Pierluigi Pusole con una bellissima tempera ispirata, in forma di cover, ai Sex Pistols; Fabrizio Passarella, che dedica ironicamente una terracotta all'ormai nota effigie del Prince di *Lovesexy*, trattandolo come una Madonna nell'azzurro di Luca della Robbia; Bruno Zanichelli, che sceglie un intervento più concentrato e più politico; il giovane fumettista Andrea Renzini, con una replicante dedicata agli Heaven 17; e, infine, Maurizio Turchet, con un pezzo veramente bello, un dittico in cui il colore e l'immagine sono pronti per essere suonati e ascoltati in cuffia.

Come si può vedere, le tecniche degli artisti appaiono difformi, ma l'approdo, pur nelle rispettive differenze di esecuzione e di poetica, è forse identico. Prendere spunto dai miti e dalle situazioni della musica per fare arte, così come Bret Easton Ellis ha preso Costello e i Talking Heads per i suoi romanzi.

[1989]

PRATO. Già nel giugno del 1988, in occasione della sua inaugurazione, mi ero trovato seduto sul duro cemento dell'anfiteatro del museo d'arte contemporanea Luigi Pecci, a Prato, per assistere a un poema musicale bellissimo, di Luciano Berio, *Ofanim*. La singolarità di quell'evento, poi riproposto sulla Costa Azzurra e all'Università di Bologna, era data non soltanto dalla partitura del musicista, dai testi ebraici tratti da Ezechiele e dal *Cantico dei Cantici*, dalla bravura dell'interprete, dalla suggestione della breve e intensa rappresentazione, ma anche dall'applicazione di una nuova risorsa musicale e tecnologica: il TRAILS (Tempo Reale Audio Interactive Location System), un sistema di elaborazione di suoni in tempo reale. In sostanza, spero di non banalizzare troppo, la possibilità di spostare i suoni nello spazio mentre avvengono, grazie a un elaboratore elettronico, in questo caso un Apple Macintosh, opportunamente programmato.

Oggi ritorno nello stesso anfiteatro per l'esibizione di Wim Mertens, a riprova di come questo spazio sia opportunamente dedicato alla ricerca musicale ed elettronica. Un breve concerto in cui Mertens si presenta solo al pianoforte. Apre, mi sembra, con *Close Cover*, bellissimo pezzo che subito dà il tono della serata. Un'elegia ripetitiva e magica cui non difettano elementi e tensioni, per così dire, "religiose". Tanto per capirci: sempre qui a Prato, al teatro Metastasio, mesi fa, ho assistito al concerto di Philip Glass. Bene, le partiture minimali e iterative di Glass sono molto laiche a confronto di quelle di Mertens, in un certo senso più accademiche e sperimentali. L'impatto spettacolare pende tutto a favore del bel concerto di Glass, ma forse l'interiorità, lo scavo, è dalla parte di Mertens, che mi sembra meno visionario del geniale Brian Eno, meno sapientemente folle di Steve Reich, meno "artistico" di Glass, ma più ingenuamente interiore. Le immagini che questi grandi musicisti degli anni settanta e ottanta sanno evocare, sono immagini in un certo senso epiche, anche strutturalmente. Con una loro durezza sperimentale e una poesia altrettanto corposa. Quelle di Wim Mertens sono più impressionistiche, anche nei pezzi dove più smaccatamente la lezione della musica minimale americana è assorbita al limite del plagio. Penso, in questo senso, al pezzo *Tourtour*...

[1989]

APPENNINO MODENESE. Più di dieci anni fa, ai tempi delle prime, ma già semiprofessionali, "radio libere", Puntoradio diffondeva da Zocca, Modena, trasmissioni di intrattenimento molto piacevoli, ben curate tecnicamente, prive di politichese e bla bla ideologici, centrate soprattutto su buona musica rock, special monografici sui cantautori, traduzioni di testi e, se ben ricordo, organizzazioni di party e feste in piscina. Era una radio che si identificava con un proprio pubblico giovane, discotecaro ma non troppo, musicofilo ma non snob, abbastanza perbene e piacente. Una volta alla settimana si poteva, prenotandosi, andare in studio e partecipare a una trasmissione in diretta. Uno fra gli animatori di Puntoradio era un tale bravissimo dee-jay di nome Vasco Rossi che, dall'appennino modenese, iniziò a diffondere le sue prime canzoni. Il successo cui approdò Vasco negli anni seguenti è spiegabile solo con la sincerità e la generosità del personaggio che riuscì a interpretare la grande anima rock della provincia italiana, offrendo non tanto un sublime messaggio musicale, quanto piuttosto un atteggiamento, una storia vissuta, una mitologia. In anni in cui tutto stava andando verso la normalizzazione, il carrierismo e il perbenismo, Vasco, con la sua faccia da contadino, la sua andatura da montanaro, la sua voce sgranata da fumatore, il suo sguardo sempre un po' perso, diventava l'idolo di una diversità, di un farsi i fatti propri, di un non volersi irreggimentare, che trovarono pronta e osannante una moltitudine di ragazzini. Alla pratica trasversale e ironica del rock demenziale, Vasco ha contrapposto un rock duro e chiassoso, forse non meno trasgressivo, certo più ingenuo e meno mediato. In questo senso, è possibile intravedere, fra gli alti e i bassi della sua carriera, il grande sogno del ragazzo di Zocca: quello di incarnare l'anima più vera dell'artista rock, quella fatta di genio e di sregolatezza, di atteggiamenti provocatori e autolesionisti, di generosità e di talento. In questo, Vasco è riuscito. Proprio come un grande "bello e perdente" della storia del rock.

Un sabato trascorso fino all'alba, dalle parti dell'appennino modenese, o meglio, nella pianura che si estende a ridosso delle colline di Vignola, Spilamberto, Marano... Giro di osterie dove ancora i boy suonano la chitarra, bevono grappa di lambrusco e birra, cantano in coro, non dirò Lucio Battisti, ma addirittura, quella sera, tutto Terence Trent D'Arby. Nell'osteria di Via Obici a Spilamberto, avevo la sensazione che la gente si parlasse ancora, discutesse di un film, di libri, di progetti, di vacanze, di lavoro con un'intensità che ricordava le interminabili discussioni di quando si è molto giovani e si ha naturale bisogno di parlare, confidarsi, confessarsi. Le ragazze, un po' qui e un po' là. Qualcuna proponeva il Graffio, disco *trend* di Modena, altre mi tenevano compagnia. Io ricordavo la mia ottusità quando un amico, alle tre del mattino, in una qualche osteria sulle colline di Bologna mi diceva: "E ora parliamo di Kant", e io lo guardavo come un pazzo, e lui seccato: "Voglio tornarmene a Berlino. Lì almeno si discute di qualcosa di serio."

Piacevolissima nottata, dunque, all'osteria di Spilamberto. Poi uno spuntino di mezzanotte nella trattoria di Rodiano, dove Dolores non offriva solo "tigelle", ma pure una certa "acqua di Rodiano", in parole povere una grappa montanara da stenderti al primo sorso. Alle due o alle tre del mattino, scendendo a valle e dovendo rifornirci di benzina, ci fermiamo a un self-service. Voi direte: che tristezza! La montagna, nessun bar, nessuno in giro. Anch'io l'avrei detto. E invece, su quel piazzale, tutto un giro che pareva un drive-in americano: gente che mangia, che beve da un bottiglione di Chianti, che parlotta, che ti chiede un cambio di diecimila oppure una sigaretta. Tutto un festival paesano di ragazzi e di ragazze che tornano dalle discoteche di Modena o di Bologna o di Formigine, dalle feste o dalle osterie. Io, che sono di carattere scontroso e ho difficoltà a legare, mi trovo sballottato giù dalla macchina, a chiacchierare con due, tre tizi molto allegri. Il mio "autista" si infila in una Dyane con quattro ragazze, tutte riccioli e boccoli e crestine, e prende a suonare la chitarra. Arriva una Panda e subito schizzano giù due tipi che ci riempiono di adesivi di Alberto Tomba che da queste parti, come ormai si sa, è sciisticamente cresciuto. Non c'è auto di passaggio che non si fermi. Io mi diverto per come la voglia di comunicare e tirar tardi, unita a quella tipica cordialità un po' ansiosa che hanno i modenesi e gli emiliani in genere, produca effetti di questo genere: una squallidissima pompa di benzina trasformata in una sorta di balera all'aperto. Alle volte, mi sento veramente di benedirla, questa provincia emiliana.

[1988]

TOZEUR. Ai bordi della piscina dell'hotel Continental di Tozeur, al limitare della grande oasi, ascoltando Leonard Cohen e in particolare *Take This Waltz*, sento finalmente la presenza del deserto, pur senza vederlo. Stormi di passeri e di altri piccoli uccelli volteggiano nell'aria tiepida della sera, riempiendo il cielo del loro canto stridente e assordante. Mi basta alzare gli occhi verso le grandi palme da datteri, prevedere i nidi mimetizzati, in alto, fra le scaglie dei tronchi. Intorno a me, ci sono alcuni turisti che aspettano l'ora di cena. Una coppia di anziani francesi, un gruppo di inglesi che poco prima si sono tuffati in piscina nonostante l'acqua ferma e nemmeno tanto pulita, una decina di tedeschi di mezz'età. I camerieri servono long drink dal colore rosato e arancione. Lascio il mio tavolo per uscire da quella specie di piccola fortezza che è l'albergo, separato dal paese da muretti e da giardini, come ogni hotel turistico che ho visitato qui in Tunisia.

Lungo la strada polverosa, ormai non c'è nessuno. Solo qualche carro che riporta i contadini a casa carichi di foraggio. Sono quasi le otto e il Ramadan impone finalmente che il digiuno cessi e si possa mangiare, bere, fumare, con moderazione, fino alle quattro del mattino. Improvvisamente, dal fondo della strada, avverto un rombo, una vibrazione che cresce nel silenzio irreale del tramonto. Accompagnati da una nuvola di polvere, sfrecciano tre, quattro, dieci centauri in sella alle moto da cross. Bardati con caschi e tute di pelle rossa o bianca, colmi di zaini e bagagli, i motociclisti attraversano Tozeur. Probabilmente questa notte dormiranno a Gafsa. Le targhe sono svizzere. Provengono dall'Algeria. La loro apparizione è forse più inquietante di un gruppo di beduini, poiché appaiono come sfrontati guerrieri di un mondo lontano migliaia di chilometri, un'immagine di tecnologia gettata nel mezzo della miseria. Il mito dell'avventura in un mondo in cui tutti siamo ormai turisti organizzati. Ma il deserto chiama. Ne sentivo l'odore, avvertivo le sue figure e le sue immagini insinuarsi nella mia fantasia. Era un caso se avevo portato con me solo una cassetta di Leonard Cohen, probabilmente associandolo alla colonna sonora di *Fata Morgana* di Werner Herzog.

Così, una mattina, ho lasciato il mare di Monastir e sono arrivato quaggiù dove "passano ancora lenti i treni per Tozeur" (Battiato); e già lungo la strada le avvisaglie del deserto: montagne e colline di pietre rossicce, nessun tipo di vegetazione. Ogni tanto la carogna di un cane coperta di mosche, o la testa di un cammello mozzata e appesa a un filo di ferro... Poi, improvvisamente, altissimi eucalipti che fiancheggiano la strada, uomini che dormono sul ciglio, donne cariche di foraggio sulla testa, come bestie, e tanti ragazzini, bambine, giovinetti con la cartella e i libri sottobraccio (preludio stupendo a quell'invasione di studenti in cui mi troverò inaspettatamente immerso, qualche giorno dopo, scendendo a piedi dal museo di Cartagine, verso il mare: migliaia di giovani che invaderanno il grande viale bordato di palme centenarie, sbucando da ogni angolo, finale perfetto di un film di speranza e fiducia).

Ma il deserto, alla fine, non l'ho visto. Alle quattro e mezzo mi sono fatto svegliare, qualcuno mi ha accompagnato all'aeroporto dove mi avevano indicato, fortunosamente, un volo per Tunisi. Il vento è fortissimo e le foglie delle palme frusciano con il rumore del mare. Tutti i muezzin della zona stanno lodando il Profeta. Nella notte stellata, il loro canto è inquietante. È l'ultima immagine, l'ultima voce che ricordo, di un deserto che ho visto solo dentro di me, nella mia fantasia o nel ricordo.

[1989]

LEIDSEPLEIN. Torno ad Amsterdam a distanza di alcuni anni. Trovo i suoi alberghi sempre carissimi, i suoi caffè come il Walem sempre deliziosi, la fauna giovane, contesa fra l'April e l'Exit, i due locali più in voga, sempre eternamente bella e spontanea. Torno nel ristorante indiano di Leidseplein, mangio nella stessa sala di quella volta, quattro anni fa, anche lo stesso menù, il grande piatto circolare, di metallo, con la carne di montone, le salse verdi, gli intingoli rossi, le verdure al curry, il riso, i piselli allo zafferano e il *tandori chicken*, il pollo arancione di cui sono goloso. Guardo il piatto, la bottiglia di birra indiana e, oltre la finestra, i gruppi di giovani sulla piazza, i tram colorati che passano veloci, le biciclette, il posteggio dei taxi, le file di lampadine gialle che ornano il profilo degli edifici come se fosse sempre Natale. C'è un verso di una canzone di Francesco Guccini che mi ronza in testa, ma non lo ricordo con esattezza. Non è comunque quello che dice: "Piovve all'improvviso sull'Amstel, ti ricordi?" Forse è più un'atmosfera, una lei che annota qualcosa stringendo teneramente la mano di un lui. E forse non è nemmeno Guccini.

La prima volta che sono arrivato ad Amsterdam, ho dormito in un ostello, dalle parti della stazione. In realtà, non dormii per niente. Fu una prima esperienza di caserma: le camerate, la luce sempre accesa, la promiscuità, i bagni piccoli, l'odore degli altri. Oggi, quindici anni dopo, il mio esile sonno è protetto dalle spesse e centenarie mura dell'Amstel Hotel. Eppure io non sono cambiato. Stasera sono contento di essere qui. Amsterdam protegge il mio immaginario. Sto per assaggiare il pollo indiano. Improvvisamente, ricordo un litigio.

[1989]

MYKONOS. L'ultima immagine che avevo di Mykonos, e che risale a qualche anno fa, era quella di un'alba. Alle sei del mattino, eccomi lì ad aspettare il pullman per l'aeroporto. Non c'è molta gente in giro. Sulla spiaggetta del porto, silenzio fra le decine e decine di sacchi a pelo coloratissimi e immobili. Salgo sul pullman, e subito urla e grida. L'autista si arresta, apre la porta. Sale velocemente il cabarettista del Pierro. Non so dargli un'età. Alcune notti l'ho vista, verso le tre, esibirsi *en travesti* sul bancone del locale e, a piedi scalzi, proporre Diana Ross, Hearta Kitt o Tina Turner. E presentare, sempre in lungo, sempre truccatissima e ingioiellata, lo strip di un paio di giovanotti. Ora, notevolmente ubriaca, o impasticcata, o Dio sa cos'altro, sale sul pullman e inizia a dar manate sulle spalle del conducente, e fa uno spettacolino nel corridoio, cantando con la voce roca. È una presenza della notte, esile ed evanescente. E fuori posto. Ma contribuisce a mettermi di buonumore. Grida che lo spettacolo fuori programma è offerto dall'Olympic, la compagnia di bandiera greca, e passa fra i sedili ad augurarci buon viaggio. Il conducente incomincia a gridare. Il bigliettaio la rincorre, ma lei si divincola e continua a berciare. Poco dopo, la buttano giù. Dal ciglio della strada, si prende il vestito da sera fra le mani e si avvia verso casa, barcollando sui tacchi a spillo mentre il sole è già alto nel cielo.

Ora invece, un po' più organizzato, un po' più grande, con qualche esperienza in più di ritardi, liste d'attesa e voli internazionali, lascio Mykonos senza eccessi, tranquillamente, sempre sul primo pullman per l'aeroporto. Sono l'unico passeggero. Nessuno mi fa pagare un biglietto. Il guidatore è assonnato e si sintonizza sul giornale radio del mattino. L'aria è rosa, fresca, e il sole inizia a scendere sulla vecchia città, cominciando dalla parte alta, dai mulini che ora sono illuminati, mentre il porto è ancora in una penombra di ambra. L'ultima immagine che ho di questa partenza è struggente. Poco prima che il pullman svolti per lasciarsi alle spalle la città, vedo come in una cartolina, dall'alto, l'immagine totale del paese. Le case bianche, il blu del mare, i mulini a vento, le palme, le chiazze colorate della fioritura degli oleandri e delle buganvillee porpora, le chiese con le loro cupole, le barche all'ormeggio, la distesa dei tavoli sul porto. E in fondo, lenta, maestosa, una grande nave – sproporzionata, davvero troppo grande – che sta entrando in rada... Ho ascoltato vecchie cassette che mi hanno regalato: This Mortal Coil, Cocteau Twins, l'ultimo album dei Cure, *Disintegration*, (e, finalmente, anch'io diventerò un fan di Robert Smith, un po' deluso dalla ripetitività, ahimè, del buon Morrissey...), Scritti Politti, e anche, non detestatemi, Climie-Fisher, che sulla spiaggia funziona benissimo... Ho letto un bel romanzo di Alan Hollinghurst, *La biblioteca della piscina*, scoprendo, una volta tornato, che è stata la lettura dell'estate.

[1989]

JUAN-LES-PINS. Dai bellissimi camerieri in guanti bianchi e livrea dell'Amstel Hotel di Amsterdam a una pensioncina nel centro di Juan-les-Pins, a pochi chilometri da Cannes, dove il proprietario mi affida la chiave della stanza, mi augura un buon soggiorno e sparisce lungo un buio corridoio, avvolto in una nuvola bianchissima di Gitanes. Indossa pantaloni bordeaux, scampanati, e una camicia verdolina aperta sul petto. Capelli un po' lunghi, baffi ingialliti dalle sigarette e foulard annodato al collo. È perfetto. Nemmeno in un film sulla dolce vita della Costa Azzurra anni trenta trovereste un personaggio così. Mi ha immediatamente riportato alle bettole e ai caffè di montagna descritti da Cyril Connolly in *Acquario* (*The Rock Pool*, 1934), a quel mondo di *bohémiens* inglesi e americani che calavano da queste parti sedotti non soltanto dal fascino dei promontori e della vegetazione, ma soprattutto dalla mondanità animata da artisti come Picasso, scrittori come Fitzgerald o Dos Passos, miliardari bizzarri per i quali tutta la costa, da Marsiglia a Nizza, era semplicemente "la riviera", un luogo magico dove ubriacarsi, fare mattino ballando o flirtando sulle spiagge.

E oggi? "Mare inquinato e alberi bruciati, snack-bar e distributori di benzina, strade ululanti di clacson, code a ristoranti di quart'ordine, paranoia di traffico, di folla, di ansia per ferie che finiscono troppo presto, costano troppo care e sono godute troppo poco." Così Fernanda Pivano nell'introduzione, del 1973, a *Tenera è la notte*, forse il capolavoro di Fitzgerald, romanzo di un'età del jazz approdata in Europa, nell'epopea della Costa Azzurra prima del grande crac del 1929 e della cementificazione selvaggia del dopoguerra. Ecco comunque l'attacco del romanzo: "Sulla bella costa della riviera francese, a mezza strada tra Marsiglia e il confine italiano, sorge un albergo rosa, grande e orgoglioso. Palme deferenti ne rinfrescano la facciata rosata, e davanti a esso si stende una breve spiaggia abbagliante."

Questo albergo è oggi l'hotel Belles Rives, sul Cap d'Antibes, un promontorio verdissimo nel quale sono nascoste ville da sogno di cui si intravedono solamente i viali d'accesso o i muri di cinta che recano i nomi delle proprietà: nomi stranamente cimiteriali, come "Vivere in pace" o "Il lungo riposo". Un vezzo da miliardari per mortificarsi agli occhi del popolo che prende il sole e si bagna sulla spiaggetta di sotto con cestini per la colazione, mutandine e ombrelloni? Ma io non sono così drastico come Nanda. Abituato a raggiungere i luoghi mitici sempre in ritardo (Ibiza dieci anni dopo i freak, Mykonos venti dopo i gay, Antibes cinquanta dopo la lost generation...), mi accontento di quello che trovo, togliendo dal mio campo visivo l'obbrobrio della mercificazione e cercando di andare al cuore del paesaggio, fiutandone, con l'aiuto degli autori che amo, l'anima. Certo Fitzgerald non abita più qui. E dietro il promontorio, dov'era la casa estiva dello scrittore nero James Baldwin, le famigliole gremiscono le piscine degli alberghi come un branco di ranocchie, il cui gracidio invade le colline appena fa caldo. Ho cercato di rintracciare, senza esito, l'abitazione di Baldwin. Forse era proprio da queste parti "la grande casa nel Sud della Francia", dove il protagonista-narrante della *Camera di Giovanni* trascorre la "notte che mi porterà al mattino più tremendo dell'intera mia vita", e cioè il giorno in cui Giovanni, l'amante, salirà sul patibolo.

Ma qui a due passi abita anche Graham Greene, e oltre le colline, a Grasse, c'è "Ma Trouvaille", la villa di Frederic Prokosch. Comunque me ne sto nel piccolo Hôtel du Casino, a Juan-les-Pins, proprio nel centro di tutto il rumore, l'involgarimento, le discoteche, i piccoli ristoranti in cui "si friggono insieme sogliole e patate", la puzza di nafta e benzina di cui Nanda si è giustamente schernita.

Sotto al mio balcone, nel parco, gente di ogni età gioca a bocce. Nel weekend, fino alle sei del mattino, ragazzacci ubriachi danzano sulle capote delle macchine parcheggiate o si rincorrono su potentissime motociclette. Si lanciano bottiglie uscendo da locali tipo Whisky a Go-Go o Maracaibo. Un gruppo di giovani italiani ha cantato l'inno nazionale, verso le quattro. Molte automobili dalla Liguria e dal Piemonte, stracariche di fighetti impomatati, bruciacchiati dalle lampade, foulard in testa e orecchino al lobo. L'Italia è a un'ora di macchina. Arrivano tesissimi per rimorchiare, vanno in discoteca, poi tornano il mattino dopo senza, naturalmente, aver combinato nulla. O forse sì. Moltissime ragazzine svedesi o inglesi aspettano il macho della loro vacanza. Ma la concorrenza con i francesi è dura, per i nostri galletti, che hanno però, come vantaggio, auto più belle e molti più soldi, così a prima vista. Lo spettacolo della notte, con i ritmi brasiliani, gli spettacoli che debordano in strada come in un carnevale e l'ansia di far confusione e ballare a musica altissima fra le verande dei caffè (e sotto la mia finestra), mi delude perché ha bisogno di alcool, o di qualcos'altro, per essere vissuto. Altrimenti è solo qualcosa di malinconico. Così, rigirandomi nel mio letto, insonne, penso con nostalgia alla riviera adriatica che, da qui, mi appare come un luogo tranquillo, calmo, rilassante, con ritmi dolci e lunghi...

[1989]

REGGIO EMILIA. Per molto tempo mi è capitato di pensare alla Via Emilia come a un'enorme, scintillante città della notte con le sue balere adagiate sulle colline, le maxidiscoteche di cemento armato attorniate da parcheggi per migliaia di autovetture, vere e proprie cattedrali del liscio o della disco dance che improvvisamente emergono dalla campagna più piatta e uniforme; con i bar aperti tutta la notte, i juke-box e le osterie per camionisti e soprattutto le città, Parma, Reggio, Modena, Bologna, divise esattamente in due parti da quell'antica strada, e che potevo attraversare, in auto, proprio al centro del loro cuore, in una successione rapida e intermittente: la campagna, un borgo, ancora la campagna, le luci della città, il centro e poi di nuovo la notte della pianura, i filari di pioppi come ombre nere, la linea della collina trapuntata di luci intermittenti, le coltivazioni simmetriche e ben ordinate degli alberi da frutta e quei vitigni larghi e maestosi, protettivi, generosi, che mi sono sempre parsi un simbolo di femminilità, del carattere e dei corpi delle donne di questa terra.

Un tempo, fino a pochissimi anni fa, avrei visto Reggio Emilia semplicemente come una tappa di questa direttrice che unisce le due grandi capitali della pianura, Milano e Rimini: il lavoro e il divertimento, la metropoli della vita quotidiana e la metropoli della vacanza. E così la vita in una città come Reggio assumeva valore solo se inserita in un sogno più ampio: l'immobilità della provincia, il muro di noia, di tristezza, di solitudine, si sfondava, nel segno dell'erranza, del movimento, dell'*on the road* lungo due direzioni contrapposte e complementari.

Ora che non sono più quel ragazzo che corre sulla Via Emilia, incantato dalle mille luci della notte, preferisco pensare a Reggio – e viverla, naturalmente – seguendo una direttrice opposta: quella che, da un lato, vede la città estendersi verso il Po e, dall'altro, arrampicarsi verso l'appennino. Poiché se abbiamo sempre pensato Reggio, legittimamente, come tappa di un percorso che conduce verso Parma o verso Modena (e basterebbe qui dare un'occhiata alle annotazioni di viaggio di autori come Montesquieu, J. Fenimore Cooper, Stendhal, Valéry, per accorgersi di come Reggio abbia sempre avuto il ruolo di sosta e mai l'importanza di meta), è altrettanto vero che Reggio vive da sempre di una particolare contiguità con il paesaggio del Po e quello aspro, difficile dell'appennino.

A questo proposito trovo nel *Viaggio in Italia* di Guido Piovene una considerazione assai illuminante: "Reggio non fu mai capitale; non ebbe mai una corte. Ed in una regione con parecchie ex capitali, come quella emiliana, è un'inferiorità. Reggio manca di tradizioni universitarie, e non è alla punta per la cultura. Il centro cittadino è inoltre piuttosto piccolo e debole di fronte al contado, che perciò impone le sue tendenze, il suo colore." Di quale straordinaria specie sia poi questo "colore locale", è una questione che affascina e che coinvolge. È la meraviglia delle piccole corti padane sorte tra il Quattrocento e il Cinquecento e che, con un secolo di anticipo rispetto al Rinascimento, hanno creato modelli culturali destinati a influenzare, nel teatro, nei generi poetici e letterari, nell'allegorismo pittorico, nella moda dell'antico e della classicità, non soltanto la vita delle corti di Francia, Spagna, Inghilterra, ma lo sviluppo dell'intera civiltà europea. Memorie di un passato che i piccoli centri della bassa, Campagnola, Correggio, Guastalla, Novellara, Gualtieri, Boretto, Luzzara, custodiscono e ripropongono in studi, mostre, pubblicazioni dotte e raffinate come il recentissimo volume *Nicolò da Correggio e la cultura di corte nel Rinascimento padano*, curato da Antonia Tissoni Benvenuti.

Quello che Piovene chiama "il contado", allora non è nient'altro che il retaggio vivissimo di quelle antiche corti di cui i piccoli paesi della provincia mantengono il fascino. Basterebbe girarli in bicicletta, caratteristica questa delle città emiliane: centinaia, migliaia di biciclette usate, annota Cesare Zavattini, "come il cappello, che non si può abbandonare, poiché fa parte della persona anche quando è inopportuno". E le bellissime piazze di Reggio, in questo, assomigliano alle vie di una Amsterdam non colorata, né esuberante, ma vista attraverso il nero e i grigi delle prime opere di Van Gogh, intabarrata e nebbiosa e malinconica come nei cartoni di Pietro Ghizzardi e di altri eccentrici naif.

Dall'altra parte, ecco l'appennino. Ecco i luoghi matildici. Cosa offre alla città, al suo capoluogo di provincia, questa terra impervia che dà verso la Toscana o, più correttamente, immette nella Lunigiana? È forse un caso che *Casa d'altri*, il racconto più celebrato di Silvio D'Arzo (pseudonimo del reggiano Ezio Comparoni), sia ambientato proprio in un piccolo borgo appenninico dove, a una certa ora, "i calanchi ed i boschi e i sentieri ed i prati dei pascoli si fanno color ruggine vecchia, e poi viola, e poi blu"? Deve esserci una ragione. Nella storia della vecchia montanara che chiede al prete la dispensa per potersi suicidare, c'è tutta la solitudine, una certa arguta follia, una malinconia – ecco la parola giusta – tipiche del carattere emiliano che sia D'Arzo, sia il modenese Antonio Delfini, hanno saputo, in modi diversissimi, raccontare. Una provincia ben diversa da quella esuberante di Piero Chiara, e anche da quella di Giovanni Comisso o di Goffredo Parise. "Questa valle con la sua vite che si prolunga a divisioni regolari verso l'infinito, è triste per chi è solo", annota Delfini nel suo diario. E D'Arzo: "Vivo in una città di provincia dove il passeggio verso le sette per la via principale è quasi un'avventura." C'è comunque una sorta di attaccamento buio alla propria terra, e poi ci sono le nebbie che rendono le vie e le piazze della città quinte metafisiche di un palcoscenico in cui si recita il copione tipico di ogni provincia: quello dell'attesa e del sogno.

Ma Silvio D'Arzo, con tutto il suo amore per gli scrittori inglesi e americani, la sua venerazione per Emilio Cecchi, le sue traduzioni, rilancia, pur da una direttrice che abbiamo visto diversa, quello stesso mito di Reggio e della provincia emiliana come luoghi privilegiati di un "sogno americano", di un percorso che mentalmente scavalca l'oceano per trovarsi là i propri maestri. Come cantava Francesco Guccini: "Correva la fantasia, dentro la prateria, fra la Via Emilia e il West." Vent'anni dopo, è il reggiano Zucchero (Adelmo Fornaciari) a riprendere quella stessa passione, a fondere nei suoi blues nostalgia e malinconia, a mischiare i linguaggi e i dialetti fino a quel superbo epilogo di *Diamante*, dove una stridula voce femminile grida in lontananza: "Delmo, vin a cà..." Immagine assolutamente darziana, una vecchia contadina davanti alla soglia di casa, nell'ora del primo buio.

[1990]

NOTA

di Fulvio Panzeri

APPUNTI PER UN ROMANZO CRITICO

Un weekend postmoderno mette in rilievo la possibilità di determinare una via nuova all'idea di romanzo. La letteratura degli anni ottanta, per sfuggire alle maglie restrittive imposte dai neosperimentalismi e dalle scritture selvagge degli anni settanta, ha dovuto imporsi nell'ottica di un'idea di restaurazione e di una ritrovata fiducia nella narrazione. Il tutto è avvenuto a scapito di nuove elaborazioni linguistiche e soprattutto di innovazioni strutturali, le quali, pur mantenendo fermo il principio della fabulazione, determinassero, anche nella forma, il carattere sostanzialmente mutato della realtà italiana.

Quella che gli anni ottanta hanno delineato è una dimensione di frammentarismo, di complessità espressive e di comportamenti divergenti fra loro, sia nelle aspirazioni, sia nel modo di proporsi. La presunta unificazione, attraverso la subcultura di massa del mezzo televisivo imposta come mito-spettacolo, non ha prodotto un'omogeneizzazione delle tensioni, bensì un vero e proprio oscuramento delle realtà aggregative che si andavano, però, imponendo, chiuse nel microcosmo incandescente della provincia o perse lungo le arterie delle varie "capitali". La reale dimensione del decennio ha come carattere identificatorio la formazione di gruppi di appartenenza, le cui leggi e i cui connotati appaiono fortemente differenziati, sia a livello di estrazione sociale, sia riguardo agli interessi e alle aspettative. In tal senso non vi è più, come invece avveniva nei decenni precedenti, un'uniformazione delle esperienze, delle mode, dei modelli. Negli anni ottanta, il riconoscimento, per ciascun gruppo, è diventato, per così dire, élitario. Ogni "tribù" si definisce entro una specifica rete di rapporti e di suggestioni.

La caratterizzazione delle diversità sta all'origine della realtà frammentata, entro la quale è impossibile arrivare alla definizione di una qualsivoglia moda imperante. Si producono così stratificazioni culturali, fermenti, flash di orientamento, che si perdono nel giro di brevi stagioni. Ogni assunzione di comportamento rimane all'insegna dell'illusorietà, del passeggero, di un segmento di storia, presto sostituito da un altro segmento.

Su tali presupposti si fonda la necessità di una forma nuova e diversa di narrazione, la quale, nel delineare un ampio panorama, possa essere in grado di raccogliere in sé le schegge e i flash che, nel loro susseguirsi, hanno caratterizzato la natura labile, debolissima, nelle certezze e nei valori di questi anni. L'unica possibilità per poter dar luogo a un "romanzo generazionale" diviene quindi quella del superamento della stessa concezione di generazione, vista attraverso uno sguardo univoco e determinato. Così l'innovazione del romanzo avviene, di fatto, non sui temi e sui contenuti, ma sull'intera struttura.

Ecco affiorare l'ipotesi del discorso critico che indaga le varie "realtà generazionali", definendole attraverso una ricognizione documentaria, operata da uno scrittore e realizzata, linguisticamente, a vari livelli e secondo tecniche narrative multiformi. Tenuta ferma l'idea complessiva e unificante di un viaggio attraverso i luoghi e il tempo, *Un weekend postmoderno* si avvale di un protagonista-ombra, lo scrittore, il quale agisce in forma cinematografica, individuando ambienti, situazioni, piani-sequenza, inquadrature per una scrittura della realtà. La dimensione "critica" è fornita dal continuo modificarsi dei registri, dall'intersecarsi dei toni e delle strutture, in quanto già il fatto stesso di decidere di rappresentare una situazione piuttosto che un'altra presuppone un'attribuzione simbolica alla stessa.

In tal senso, e nell'ottica della complessità di *Un weekend postmoderno*, deve essere rivista la definizione che delinea Pier Vittorio Tondelli come cantore del "giovanilismo" a tutti i costi. Questo "romanzo critico" indica quanto i temi della condizione giovanile interessino allo scrittore, ma questi non esauriscono il suo disegno della realtà, letta in maniera ben più complessa e affascinante, analizzata alla luce di riferimenti culturali, di analisi e di chiavi di lettura suggestive.

Per Pier Vittorio Tondelli, *Un weekend postmoderno* determina la possibilità di affrontare la costruzione narrativa non più legata a microcosmi e identità specificamente separati da altri contesti, come possono essere quelli della provincia emiliana e dell'emarginazione giovanile (*Altri libertini*), la caserma e i soldati (*Pao Pao*), la riviera romagnola e la sua fauna kitsch (*Rimini*), la disillusione sentimentale (*Camere separate*), ma di inserire i vari scenari in una dimensione essenzialmente corale.

Un weekend postmoderno copre l'arco temporale di dieci anni e nasce, come stesura originaria e ancora del tutto informe, parallelamente ai racconti e ai romanzi che, via via, lo scrittore ha pubblicato. Da questo punto di vista, il materiale che compone il libro poteva essere letto come postilla o come un secondo livello prospettico, sotterraneo e underground, redatto in forma di lunghe note, le quali delineavano ulteriormente nel loro carattere quasi documentario, i contenuti emergenti dal primo livello rappresentato dall'opera narrativa in sé e per sé. Ora la dinamica interna che lo scrittore adotta per il "romanzo critico" (da una definizione di Alberto Arbasino per *Grazie per le magnifiche rose*) ipotizzato in due parti, delle quali il presente volume è il primo tomo, ribalta ulteriormente le prospettive, e *Un weekend postmoderno* si presenta come l'atto conclusivo di una ricognizione del "villaggio globale" di cui le precedenti opere narrative hanno raffigurato vari strati di rappresentazione. Si potrebbe anche dire che temi, ambienti, personaggi dell'opera di Tondelli vengono ripresi da *Un weekend postmoderno* in una prospettiva che li connota a livello temporale e li destina come parte di un flusso che attraversa il decennio e raccoglie in sé modi di essere, miti, discussioni, ripensamenti, viaggi, metafore letterarie, impressioni, sguardi diversificati.

Così, all'interno del *Weekend*, trovano posto le disperazioni dei ragazzi di *Altri libertini* e si possono seguire le loro successive mosse in un *on the road* attraverso le birrerie, i frastuoni delle frequenze rock, le scorribande, da Udine a Ibiza, alla ricerca della discoteca alla moda, gli intontimenti dell'acid music. I soldatini di *Pao Pao* raccontano le loro caserme, ma anche i loro refrain adolescenziali e, sulle note di *Mi ritorni in mente*, li troviamo a redigere un inventario del loro passaggio attraverso la giovinezza, dalle aule scolastiche alle sessioni di laurea, dalle manifestazioni di piazza alle occupazioni universitarie. La fauna di *Rimini* inscena il suo palcoscenico di euforico stordimento, e le spiagge diventano roventi occasioni di involontarie occhiate comiche e umoristiche sulle tracce di maliarde ingioiellate, gigolo da spiaggia, gruppi familiari all'insegna del pop, gay erranti tra un bar Lina e la pineta, ragazzini alle prese con juke-box, flipper e videogame. Ma già nel "fuori stagione" s'intravede il ritrarsi malinconico e la pura spinta emotiva, quasi cristallina, di *Biglietti agli amici*. Prende il sopravvento la vocazione del "viaggiatore solitario", perso nel flusso interiore della bellezza dei paesaggi, colti in attimi di pura estenuazione dall'oblò di un aereo o su un traghetto, che attraversa l'Europa, il Mediterraneo e la provincia italiana. A volte, la spinta, irresistibilmente, è posta, mediante un imperativo interiore, dalle sedimentazioni delle passioni letterarie. Ecco quindi l'amante separato e lo scrittore che cerca una ragione al proprio istinto, che si interroga sui significati dell'essere e dell'esistenza, quello di *Camere separate*, in Austria o a Berlino, alla ricerca della Bachmann o di Auden o di Isherwood, sulle tracce di Jack Kerouac o di John Fante, in uno stranissimo incontro con Carlo Coccioli, ma anche acutissimo esploratore della Riccione letteraria...

Ma c'è anche il Tondelli inedito, quello specificamente legato al *Weekend*, prima d'ora mai uscito allo scoperto, in giro fra un *Frontiera party* bolognese o in posa nello studio di Carlo Maria Mariani, sulle tracce della "fauna d'arte" fiorentina e di Andrea Pazienza, ammiratore del "nuovo fumetto" italiano e curioso indagatore della videoarte, intrigato nei percorsi della "nuova spettacolarità" o occupato in curiose conversazioni con i Magazzini... E ancora il Tondelli che guarda, familiarmente partecipe, anche se a volte con malizioso e arguto humour, le vicende della gente comune, quella che forma il grande cuore della provincia Italia, da cui proviene e nella quale ritrova radici, ragioni, verità scoperte.

La complessità di *Un weekend postmoderno* sta nella sua architettura: la struttura a scenari, che si aprono su specifiche realtà e che incontrano, di volta in volta, cori diversi di protagonisti che esibiscono se stessi, il loro apparire, il guizzo del loro apporto creativo, permette di attraversare il complesso panorama del decennio e di decifrarne situazioni, occasioni, fenomeni. Lo scrittore, spenti i monitor dell'ossessione televisiva, lasciate da parte velleità ideologiche o qualsivoglia intento sociologico, si muta in puro osservatore: non è protagonista dell'azione, ma permette che l'azione possa svolgersi, o meglio, possa trovar corpo in un'immagine letteraria precisa, altamente definita, fluttuante tra espressionismo caratterizzante e nitido impressionismo. Anche quando la mediazione avviene direttamente, attraverso la riflessione personale o la nota di diario, l'intento non modifica le prerogative. Tondelli non si pone mai in un atteggiamento giudicante, ma trova la sua dimensione attraverso una "poetica dello sguardo" che permette di cogliere aspetti inediti e di unificarli in un'azione scenica.

Eppure, tra uno scenario e l'altro, si intrecciano rimandi, nonché linee trasversali di contenuti che non divengono oggetto specifico dell'identificazione scenica: la dimensione spirituale, lo Zen e il fascino dell'Oriente, la condizione giovanile, i locali come luogo di aggregazione o di semplice evasione, l'esperienza dello scrittore, le tappe dell'esistenza, la nascita, la giovinezza, la morte. Anche la scrittura, pur se straordinariamente unitaria negli stili dei diversi registri usati, dal reportage al racconto, dalla nota di diario alla riflessione saggistica, dalla conversazione alla cronaca, trova una sua variegata modulazione di toni, che varia tra ebollizioni grottesche, ammiccamenti maliziosi, *divertissement*, note decisamente comiche, uso perfetto di certa retorica, strutturazioni critiche, introspezioni, istanti di riflessione, attimi di stupore, accorate malinconie. Lo stesso uso delle immagini, elaborate creativamente dall'artista spagnolo Juan Gatti, non è didascalico, ma funge da "rivisitazione iconografica", connaturata al testo, in una particolarissima identificazione con la parola dello scrittore.

Un weekend postmoderno nasce anche dall'incontro tra uno scrittore e un critico, i quali si sono immersi nell'"officina letteraria" quasi per recuperare quel senso della dinamica collettiva che vige all'interno delle arti visive e anche della musica. Mentre la figura del nuovo scrittore italiano si va delineando, nel segno di un modello narcisistico che vede, da una parte, la figurazione del "misantropo per l'eternità" e, dall'altra, quella della "soubrette", la necessità di un confronto sul lavoro letterario diventa essenziale. In questo caso, lo scrittore non ha assunto il critico nel ruolo di filologo della propria opera, ma lo ha invitato a porsi in quella che è essenzialmente la sua natura: quella di "lettore privilegiato" o di "lettore campione". La dinamica progressiva del lavoro ha poi imposto, in maniera del tutto naturale, che il critico coadiuvasse lo scrittore nell'elaborazione strutturale del testo e agisse nella composizione, nel missaggio dei file, attraverso i quali trovavano la propria architettura gli scenari del *Weekend*. Così, tra fotocopie degli scritti sparsi, scanner, dattiloscritti e carte varie che continuamente emergevano dalla libreria dello scrittore, enormi fogli bianchi della prima informe stesura, impiastricciati dalla furia delle correzioni, matite smozzicate, nastri di stampante che s'ingrigivano, dubbi, ripensamenti, drastiche cancellature, lunghe telefonate, scambi di dischetti, aperture di quadranti, spostamenti di file, mix e rimix, ha preso corpo e dimensione *Un weekend postmoderno*... Ora, mentre si spegne definitivamente lo schermo nero del computer, presenza ossessiva di tutta un'estate, con le tracce verdi e luminose delle parole, è come se qualcosa di familiare dileguasse la sua presenza. Si tratta solo di una pausa. Il "romanzo critico" aspetta di essere completato, nella sua seconda parte, con un nuovo volume destinato alle "scritture", entro differenti scenari, in un ennesimo attraversamento degli anni dell'abbandono e della riflessione.

[Milano, settembre 1990]

INDICE DEI NOMI PRINCIPALI

I GRANDI Tascabili Bompiani
Periodico quindicinale anno XVIII numero 257
Registr. Tribunale di Milano n.133 del 2/4/1976
Direttore responsabile: Elisabetta Sgarbi
Finito di stampare nel mese di giugno 2005 presso
il Nuovo Istituto Italiano d'Arti Grafiche - Bergamo
Printed in Italy

ISBN 88-452-5035-0